LES VIES MULTIPLES
D'AMORY CLAY

OCT '15

WILLIAM BOYD

LES VIES MULTIPLES D'AMORY CLAY

r o m a n

TRADUIT DE L'ANGLAIS (ROYAUME-UNI)
PAR ISABELLE PERRIN

ÉDITIONS DU SEUIL
25, bd Romain-Rolland, Paris XIVᵉ

Ce livre est édité par Anne Freyer-Mauthner

Titre original : *SWEET CARESS. The Many Lives of Amory Clay*
Éditeur original : Bloomsbury Publishing, Londres
© Original : William Boyd, 2015
ISBN original : 978-1-4088-6797-6

Illustrations : Collection privée de l'auteur

ISBN 978-2-02-124427-4
Ce titre est également disponible en e-book
sous l'e-pub 978-2-02-124430-4

© Octobre 2015, Éditions du Seuil, pour la traduction française

www.seuil.com

Pour Susan

Quelle que soit la durée de votre séjour sur cette petite planète, et quoi qu'il vous advienne, le plus important c'est que vous puissiez, de temps en temps, sentir la caresse exquise de la vie.

JEAN-BAPTISTE CHARBONNEAU,
Avis de passage (1957)

Amory Clay en 1928.

Prologue

Je me demande ce qui a bien pu m'attirer jusqu'au jardin. Je revois la lumière estivale – les arbres, les buissons et l'herbe d'un vert lumineux, baignés par la douceur bienveillante du soleil de la fin de l'après-midi. Était-ce la lumière, alors ? Mais il y avait aussi les rires provenant d'un groupe d'invités près de la pièce d'eau. Quelqu'un avait dû blaguer et provoquer l'hilarité générale. La lumière et les rires, donc.

J'étais à l'intérieur, dans ma chambre, sur mon lit, fenêtre grande ouverte pour entendre le bavardage des hôtes, je m'ennuyais et, soudain attirée par les notes égrenées d'un rire enjoué, je me suis levée pour aller à la fenêtre observer les dames et les messieurs, la marquise, les tréteaux couverts de petits canapés et de grands bols de punch. Je me suis demandé pourquoi ils se dirigeaient tous vers la pièce d'eau. Quelle était la cause de tant de gaieté ? Je suis vite descendue les rejoindre.

À peine arrivée au milieu de la pelouse, j'ai fait demi-tour pour retourner prendre mon appareil photo. Pourquoi ? Je crois que j'ai ma petite idée maintenant, après tant d'années. Je voulais capturer ce moment, cet aimable groupe assemblé dans le jardin par un doux soir d'été anglais, le capturer et le garder prisonnier à jamais. Je sentais confusément qu'il était en mon pouvoir d'arrêter la marche impitoyable du temps et de figer cette scène,

13

cet instant fugace : les dames et les messieurs dans leurs beaux atours qui riaient, insouciants, paisibles. Je les saisirais vite, pour l'éternité, grâce aux propriétés techniques de mon merveilleux appareil. J'avais entre les mains le pouvoir d'arrêter le temps, ou du moins le croyais-je.

LIVRE PREMIER

1908-1927

1

La fille à l'appareil photo

Maintenant que j'y pense, une erreur fut commise le jour de ma naissance. Cela n'a plus guère d'importance, mais le 7 mars 1908 (il y a si longtemps, presque soixante-dix ans), ma mère en éprouva une violente colère. Quoi qu'il en soit, je naquis et mon père, à qui ma mère avait donné des ordres stricts, passa une annonce dans le *Times*. J'étais leur premier enfant et donc le monde (enfin, les lecteurs du *Times* de Londres) en fut dûment informé : « Beverley et Wilfreda Clay ont le plaisir d'annoncer la naissance de leur fils Amory, le 7 mars 1908. »

Pourquoi écrivit-il « leur fils » ? Pour contrarier son épouse, ma mère ? Ou bien était-ce quelque souhait pervers que je ne fusse pas une fille, parce qu'il ne voulait pas d'une fille ? Est-ce pour cette raison que, plus tard, il essaya de me tuer ? Lorsque je suis tombée sur la coupure de journal, jaunie et desséchée, cachée dans un album, mon père était mort depuis des décennies. Trop tard pour lui poser la question. Encore une erreur.

Beverley Vernon Clay, mon père, nul doute mieux connu de vous et de ses rares lecteurs (depuis longtemps disparus, pour la plupart) sous le nom de B.V. Clay. Nouvelliste du début du XXe siècle (auteur d'histoires surnaturelles, en majorité), romancier raté et homme de lettres polyvalent. Né en 1878, mort en 1944. Voici ce que trouve à dire de lui l'*Oxford Companion to English Literature* (troisième édition) :

Clay, Beverley Vernon
B.V. Clay (1878-1944). Nouvelliste. Principaux recueils : *La Tâche ingrate* (1901), *Berceuse malveillante* (1905), *Plaisirs coupables* (1907), *Le Club du vendredi* (1910). Auteur de plusieurs contes fantastiques, dont le plus connu, « La Belladone bienfaisante », fut adapté pour la scène par *Eric Maude* en 1906 et joué pendant plus de trois ans, soit mille représentations dans le West End de Londres (voir *Théâtre édouardien*).

Ce n'est pas grand-chose, n'est-ce pas ? Peu de mots pour résumer une vie si complexe et difficile, mais tout de même, c'est plus que ce à quoi la plupart d'entre nous auront droit dans les diverses annales de la postérité qui consignent notre bref passage sur cette petite planète. C'est drôle, j'ai toujours été persuadée que rien ne serait jamais écrit sur moi, la fille de B.V. Clay, mais je faisais erreur…

Bref. J'ai des souvenirs de mon père qui remontent à ma toute petite enfance, mais je crois avoir seulement commencé à le connaître à son retour de la guerre, la Grande Guerre, la guerre de 14-18, alors que j'avais dix ans et qu'en un sens j'étais déjà bien engagée dans le processus qui ferait de moi la personne et la personnalité que je suis aujourd'hui. Aussi cette interruption imposée par la guerre fit-elle une différence et, depuis, tout le monde m'a dit que lui aussi était différent à son retour, irrémédiablement changé par cette expérience. Je voudrais l'avoir mieux connu avant ce traumatisme… mais qui ne voudrait remonter le temps pour rencontrer ses parents avant qu'ils deviennent parents, avant que « mère » et « père » les changent en mythes domestiques à jamais figés dans l'ambre de ces appellations et de leurs implications ?

La famille Clay.

Mon père : B.V. Clay.

Ma mère : Wilfreda Reade-Hill, épouse Clay, née en 1879.

Moi : Amory, l'aînée, une fille, née en 1908.

Ma sœur : Peggy, née en 1914.

18

Mon frère : Alexander, connu de tous sous le nom de Xan, né en 1916.

La famille Clay.

*

* *

JOURNAL DE BARRANDALE, 1977

Je rentrais d'Oban en voiture dans le crépuscule tourmenté de l'été écossais lorsque j'ai vu un chat sauvage traverser prudemment la route, à moins de deux cents mètres du pont qui mène à l'île de Barrandale. J'ai aussitôt freiné et coupé le contact pour l'observer. Interrompant sa marche hiératique, le chat a tourné la tête vers moi d'un air presque dédaigneux, comme si c'était moi qui l'avais dérangé. D'un geste instinctif, j'ai attrapé mon appareil photo, mon vieux Leica, et j'ai regardé dans le viseur. Puis je l'ai reposé. Rien n'est plus inintéressant que les photos animalières – commentez, vous avez deux heures. J'ai regardé ce chat tacheté de la taille d'un cocker finir son altière traversée de la route et se couler dans la plantation de conifères. J'ai remis le moteur en marche et poursuivi ma route jusqu'au cottage dans un état d'exaltation inexplicable.

Je dis « le cottage », mais l'adresse postale officielle en est 6, Druim Rigg Road, Barrandale Island. Quant à savoir où se trouvent les numéros 1 à 5, mystère : seul le cottage se dresse sur la petite baie et Druim Rigg Road se termine là. C'est une solide bâtisse à un étage des années 1850, aux murs épais et aux pièces exiguës, surmontée de deux cheminées et flanquée de deux dépendances de plain-pied. J'imagine qu'il s'agissait d'une ferme à l'origine, mais cette époque est révolue. Les tuiles des toits sont couvertes de mousse et les murs revêtus de béton, qui avaient pris, avec le

19

temps, une hideuse couleur gris-vert bilieuse, ont été repeints en blanc quand j'ai emménagé.

Le cottage fait face à la petite baie sans nom. En se tournant vers la gauche, vers l'ouest, on peut voir la pointe sud de l'île de Mull et, au-delà, l'étendue grise et venteuse du vaste Atlantique.

Le cottage sur l'île de Barrandale avant rénovation, vers 1960.

Quand j'ai passé la porte d'entrée, mon chien Flam, un labrador noir, m'a accueillie par un aboiement grave et guttural. J'ai rangé mes provisions, puis je me suis rendue dans la salle de séjour pour vérifier le feu. J'ai un gros poêle à portes vitrées encastré dans la cheminée, que j'alimente avec de la tourbe. Le feu n'étant pas très vif, j'y ai jeté quelques briquettes. Le recours à la tourbe plutôt qu'au charbon me plaît bien, comme si je réduisais en cendres d'antiques paysages, des éternités, des géographies entières, pour chauffer ma maison et mon eau.

Comme il faisait encore jour, j'ai appelé Flam et nous sommes descendus jusqu'à la baie. Je suis restée sur le petit croissant de plage tandis que Flam partait explorer l'échelle de marée et les flaques dans les rochers. J'ai regardé le jour se parer de nuit, j'ai vu évoluer les sublimes dégradés du soleil en son déclin, l'orangé sanguin virant imperceptiblement au bleu glacier sur le tranchant de l'horizon, j'ai écouté la mer réclamer inlassablement le silence : *chut, chut, chut.*

*
*   *

Du temps de ma naissance, dans l'Angleterre d'Édouard VII, « Beverley » était un prénom parfaitement acceptable pour un garçon (comme Evelyn, Hilary ou Vivian) et je me demande si c'est la raison pour laquelle mon père m'affubla de l'androgyne Amory. À mes yeux, un prénom est une affaire bien trop grave pour être choisi à la légère : il devient votre étiquette, votre définition, votre identifiant. Quoi de plus essentiel ? Je n'ai rencontré qu'un autre Amory dans ma vie, et c'était un homme (un homme ennuyeux, soit dit en passant, auquel son prénom original ne conférait aucun relief).

Quand naquit ma sœur, mon père était déjà parti à la guerre, et ma mère consulta son frère, mon oncle Greville, sur le choix du prénom de ce deuxième enfant. Ils optèrent pour quelque chose qui ferait « simple et sérieux » (si l'on en croit la chronique familiale) et c'est ainsi que la seconde fille des Clay fut nommée Peggy. Pas Margaret, mais carrément le diminutif, d'emblée. Peut-être était-ce la revanche de ma mère sur « Amory », ce prénom androgyne qu'elle n'avait pas choisi. Et Peggy vint au monde, Peggy, la fille simple et sérieuse. Jamais enfant ne porta un prénom si peu approprié. Quand mon père finit par obtenir une permission pour découvrir sa fille de six mois, la dénomination était solidement établie, nous l'appelions tous « Peg »,

21

« Peggoty » ou « Peggsy », et il n'y pouvait plus rien. Il n'aima jamais vraiment ce nom, et c'est pourquoi, selon moi, il ne montra jamais beaucoup d'affection pour Peggy, comme s'il s'agissait d'une enfant trouvée que nous aurions recueillie. Vous voyez ce que je veux dire à propos de l'importance des prénoms ? Si Peggy en vint à estimer que le sien ne lui correspondait pas, était-ce parce que son père n'aimait pas trop ce prénom, ni celle qui le portait ? Était-ce là une autre erreur ? Est-ce pour cela qu'elle en changea plus tard ?

Quant au choix d'Alexander, « Xan », il se fit d'un commun accord. Le père de ma mère, un juge de province mort avant ma naissance, s'appelait Alexander. C'est mon père qui lui donna tout de suite un diminutif, et Xan resta. Donc voilà, Amory, Peggy et Xan : les enfants Clay.

Mon souvenir le plus ancien de mon père est de le voir faire l'équilibre dans le jardin de Beckburrow, notre maison située près de Claverleigh, dans l'East Sussex. Cette acrobatie apprise dans sa jeunesse ne lui demandait aucun effort. Il lui suffisait d'un petit coin de pelouse, et il montait sans difficulté les jambes en l'air pour ensuite marcher sur les mains. Toutefois, après avoir été blessé à la guerre et malgré toutes nos supplications, il le fit de moins en moins souvent, au motif que cela lui donnait mal à la tête et lui brouillait la vue. Mais quand nous étions très jeunes, pas besoin d'insister. Il aimait cette inversion de perspective, qui, à l'en croire, lui remettait les sens en place. Une fois en position, il nous disait : « Je vous vois, les filles, la tête en bas comme des chauves-souris, et je vous plains, oh oui, mes pauvres petites, dans votre monde à l'envers, avec le sol au-dessus de vous et le ciel en dessous. » Non, non, lui répondions-nous en hurlant, c'est vous qui êtes à l'envers, Papa, pas nous !

Je le revois en uniforme lors de sa permission après la naissance de Xan. Mon frère avait trois ou quatre mois, donc ce devait être fin 1916, puisqu'il était né le 1er juillet, jour où commença la bataille de la Somme. C'est le seul souvenir que j'ai de mon père en uniforme, le capitaine B.V. Clay DSO (Distinguished Service Order), mon seul souvenir de lui en soldat. J'ai dû le voir d'autres fois ainsi, mais je me rappelle cette permission en particulier, sans doute parce que le petit Xan était né et que mon père tenait son fils dans ses bras avec une expression étrange et figée sur le visage.

Il avait apparemment laissé des instructions précises concernant le nom à donner à son troisième enfant : Alexander si c'était un garçon, Marjorie si c'était une fille. Comment je le sais ? Parce qu'il m'arrivait, lorsque j'étais fâchée contre Xan et que je voulais l'énerver, de l'appeler « Marjorie », donc l'anecdote devait être de notoriété publique. Les histoires familiales, les histoires personnelles sont aussi sommaires et peu fiables que les histoires datant des Phéniciens, me semble-t-il. On devrait tout noter, combler les vides si l'on peut. Ce qui est la raison pour laquelle j'écris ceci, mes chéries.

Pendant la guerre, l'homme que nous avons vu le plus souvent et qui résidait parfois avec nous à Beckburrow était le frère cadet de ma mère, Greville, l'oncle Greville. Greville Reade-Hill, ancien opérateur de reconnaissance photographique dans le corps aérien de l'armée britannique, avait une aura de légende parce qu'il était sorti indemne de quatre accidents d'avion avant que le cinquième, finalement, lui casse la jambe droite en cinq endroits et qu'il soit démobilisé pour invalidité. Je le revois, en uniforme, arpenter Beckburrow en boitant. Puis il se métamorphosa en Greville Reade-Hill, photographe mondain. Il détestait cette étiquette, si appropriée fût-elle. « Je suis photographe-tout-court », protestait-il. Sans le savoir, Greville (je ne l'ai jamais appelé « mon oncle », il l'interdisait) décida du cours de ma vie quand il m'offrit un Kodak Brownie N° 2 pour mon septième anniversaire, en 1915. Voici ma toute première photographie.

23

Dans le jardin de Beckburrow, printemps 1915.

Greville Reade-Hill. Laissez-moi vous le camper, juste après la guerre, au moment où sa carrière commençait à décoller, de manière un peu poussive mais incontestable, comme un ballon à moitié rempli d'hydrogène. Un homme grand, aux épaules larges et au visage avenant, qui eût été vraiment beau n'était son nez un peu trop épais. Le nez Reade-Hill, pas le nez Clay (j'ai le nez Reade-Hill, moi aussi). Greville et moi avons toujours trouvé qu'un nez un peu trop proéminent peut vous donner un visage plus intéressant. Qui voudrait d'une beauté « conventionnelle » ? Pas moi, en tout cas, merci bien.

Je ne me rappelle pas grand-chose de cette première photographie, de ce premier clic mémorable de l'obturateur, le coup de pistolet qui donna le départ de la course du reste de ma vie. C'était à une fête d'anniversaire (celui de ma mère, je crois), à Beckburrow, au printemps 1915. J'ai aussi le vague souvenir d'une marquise dans le jardin. Greville me montra comment mettre la pellicule dans l'appareil, puis comment le faire fonctionner. C'était d'une simplicité enfantine : regarde dans le petit carré limpide du viseur, sélectionne ta cible et actionne la manette sur le côté. Clic. Rembobine la pellicule et recommence.

J'entendis les rires dans le jardin et je remontai l'escalier quatre à quatre pour chercher mon appareil. Puis je traversai la pelouse en courant et cadrai les dames chapeautées en robe longue qui se dirigeaient d'un pas lent vers la pièce d'eau abritée par des hêtres au fond du jardin.

Clic. Je pris ma photographie.

Mes autres souvenirs de cette journée sont surtout liés à Greville. Quand il s'accroupit près de moi pour m'initier au maniement de mon appareil s'imprima dans ma mémoire, plus que toute autre chose, l'odeur de la pommade ou brillantine qu'il se mettait sur les cheveux : crème anglaise et jasmin, peut-être de l'huile de macassar Rowland. Il consacrait une coquetterie maniaque à sa toilette, comme s'il était toujours en représentation ou bien, maintenant que j'y pense, sur le point d'être pris en photo. Peut-être était-ce là l'explication : comme il photographiait des gens sur leur trente et un, il était devenu très soucieux de son apparence à toute heure du jour. Je ne crois pas l'avoir jamais vu décoiffé ou débraillé, sauf une fois... Mais nous y viendrons en temps voulu.

Beckburrow, East Sussex, notre chez-nous. En fait, je suis née dans le faubourg londonien de Hampstead, où nous étions locataires d'une petite maison à un étage dans Well Walk, à une centaine de mètres de Hampstead Heath. La famille en partit quand j'avais deux ans parce que mon père, grâce aux droits dérivés de l'adaptation théâtrale montée par Eric Maude de sa nouvelle « La Belladone bienfaisante », se retrouva soudain riche. Il investit cette manne financière dans une vieille maison sise au cœur d'un jardin de deux hectares non loin du village de Claverleigh, dans l'East Sussex, entre Herstmonceux et Battle. Il y fit ajouter une nouvelle aile pour la cuisine, avec chambres à l'étage, et installer l'électricité et le chauffage central – du dernier cri pour 1910.

Voici ce que *Les Bâtiments d'Angleterre : Sussex* disait de Beck-burrow en 1965 :

CLAVERLEIGH : charmant village à plan non géométrique situé au pied des South Downs. À son extrémité S., la grand-rue sinueuse aboutit à une petite église, ST JAMES THE LESS (1744, reconstruite en 1865 dans un pseudo-style néo-classique hybride)… BECKBURROW (à 700 m à l'E. sur la route de Battle) : vaste demeure XVIIIᵉ s. à toit de tuiles, beaux matériaux (brique, silex, argile schisteuse), vestiges de colombage sur un des pignons, petites fenêtres à meneaux sur la façade ancienne qui rigidifient la structure. Sobre extension néo-georgienne (1910) à toit en croupe. Pas de fausse note, une maison à vivre plutôt qu'un étalage de bon goût. Belle grange à bardeaux.

« Maison à vivre » résume parfaitement mon avis sur Beck-burrow. La famille Clay y était heureuse, du moins c'est ce qu'il me sembla dans mon enfance. Même lorsque Papa revint après la guerre, amaigri, irritable, incapable d'écrire, rien ne donna vraiment l'impression d'avoir changé dans l'atmosphère chaleureuse et protectrice des lieux. Nous avions une nounou, deux bonnes, une cuisinière (Mrs Royston, qui vivait à Claverleigh), plus un jardinier et homme à tout faire du nom de Ned Gunn. Inscrite dans une petite école privée de Battle, je faisais les trajets aller-retour dans un dog-cart conduit par Ned Gunn jusqu'à ce que nous achetions une automobile en 1914. Ned ajouta alors « chauffeur » à la liste de ses qualités.

Dans les années qui suivirent son retour de la guerre, mon père paraissait trouver son unique plaisir dans de longues promenades à travers les Downs jusqu'aux plages de Pevensey et de Cooden. Tel un joueur de flûte de Hamelin quelque peu dérangé, il partait à grandes enjambées, entraînant ses enfants et tout ami ou membre de la famille qui passait par là. « Allons-y gaiement ! On avance ! » nous exhortait-il par-dessus son épaule si nous baguenaudions en chemin.

Plus tard, ma mère nous rejoignait en voiture et nous nous faisions reconduire à Beckburrow en fin de journée. Mais dès que nous arrivions à la plage, l'humeur de mon père changeait du tout au tout. Une maussaderie taciturne chassait la bonne humeur de la promenade et il restait assis à fumer sa pipe en contemplant la mer. Nous n'y accordions guère d'importance. « Votre père est né grognon, disait ma mère, toujours à ruminer quelque chose. C'est un écrivain qui n'arrive pas à écrire, et cela le rend grincheux. » Nous supportions donc ses interminables silences, ponctués de vitupérations infernales quand ses nerfs lâchaient et qu'il arpentait la maison en criant sur tout le monde, en réclamant à pleins poumons « un peu de silence et de paix, pour l'amour de Dieu ! C'est trop demander ? ». Nous nous contentions de nous faire tout petits et Mère le calmait, le reconduisait dans son bureau, lui murmurait à l'oreille. Je n'ai pas la moindre idée de ce qu'elle lui disait, mais cela faisait son effet.

Si bizarres soient-ils en réalité, les parents semblent toujours « normaux » à leurs rejetons. La lente prise de conscience de leur excentricité caractéristique est un signe que l'on mûrit, que l'on grandit, que l'on devient soi-même. Durant ces premières années à Beckburrow, depuis notre installation jusqu'au milieu

27

des années 1920, rien ne paraissait aller de travers dans notre petit monde. Les domestiques se succédaient, le jardin prospérait, Peggy se révéla être une pianiste prodige, le petit Xan devint un garçon réservé, pensif et presque simplet qui pouvait s'amuser des heures à réaliser des figures élaborées avec des brindilles et des feuilles ou bien à construire un barrage sur le ruisseau qui longeait la pelouse au sud, créant un petit empire de fleuves, lacs et canaux sur lesquels il envoyait en expédition de minuscules radeaux de balsa. Cela l'occupait la journée entière jusqu'à ce qu'on l'appelle pour le souper.

Et notre Amory ? Et moi ? Jusque-là, rien que de très banal. Après l'école maternelle à Battle, ce fut la primaire à Hastings. Puis, en 1921, on m'annonça que je partais au pensionnat pour jeunes filles d'Amberfield, près de Worthing. Le jour où Ned nous conduisit de Beckburrow à Amberfield, Mère et moi, je découvris ce summum de souffrance, d'injustice et de déception qu'est une trahison. Ma mère ne voulut rien entendre : « Tu as bien de la chance, c'est une excellente école. Alors, ça ne sert à rien de faire un caprice. Je déteste les caprices et les gens capricieux. »

Je rentrais pour les vacances, bien sûr, mais, étant la seule à avoir quitté la maison, je me sentais un peu comme une étrangère à mon retour. La grange avait été reconvertie en salon de musique pour Peggy, lambrissée, peinte, moquettée, meublée d'un piano demi-queue, et une Mme Duplessis venait de Brighton lui donner des leçons. Xan traînait dans le jardin et les environs son air grave que transfiguraient de rares sourires. Mon père passait la majeure partie de la semaine à Londres en quête de travaux de plume. En plus des lectures qu'il effectuait pour diverses maisons d'édition, il se vit confier un emploi à temps partiel comme rédacteur et pigiste au magazine *Strand*. Le pécule de « La Belladone bienfaisante » se tarissait. En 1919, une reprise à New York s'arrêta au bout d'un mois, mais des chèques continuèrent à arriver par la poste, héritage mystérieux et durable d'une ancienne pièce à succès. Ma mère semblait pleinement satisfaite de faire marcher sa grande maison, de siéger comme juge non professionnel bénévole au tribunal de première instance à Lewes et d'organiser des fêtes, des tombolas et des vide-greniers pour les bonnes œuvres dans les villages environnants.

Greville, en qui je voyais mon seul ami, descendait parfois de Londres. Il m'apprit à prendre de meilleures photos, remplaça mon Box Brownie par un 2A Kodak Junior à soufflet, puis, par un mystérieux après-midi, il fit le noir dans le cellier, déballa ses plateaux et flacons à l'odeur âcre et m'initia à une alchimie stupéfiante : la transformation miraculeuse des images prises au piège d'une pellicule, grâce à l'application de produits chimiques (révélateur, bain d'arrêt, fixateur, solution de lavage), en négatifs que l'on pouvait ensuite tirer en noir et blanc.

Cependant, le chancre de la rancœur d'avoir été ostracisée me rongeait encore. Un jour, je mobilisai assez de courage pour oser demander à ma mère pourquoi il avait fallu que je parte en pension alors que Peggy et Xan restaient à la maison. Elle me fit asseoir et me prit les mains : « Peggy est un génie et Xan a des problèmes », me dit-elle simplement. Et ce fut tout, fin de l'histoire jusqu'à ce que mon père finisse par devenir complètement fou.

*
* *

JOURNAL DE BARRANDALE, 1977

Je donne sa pâtée à Flam, mon labrador fidèle et affectueux, et, tandis que tombe doucement la nuit estivale, j'allume les lampes à huile. Mon générateur diesel me sert à alimenter mon petit réfrigérateur, ma machine à laver, ma radio et ma chaîne hi-fi. Je ne veux ni lumière électrique ni téléviseur. De toute façon, je ne suis plus là pour très longtemps, alors à quoi bon d'autres équipements ? Je vis dans le confortable entre-deux des limbes technologiques : d'un côté,

29

du linge propre, de la musique, les actualités internationales et des glaçons pour mon gin-tonic ; de l'autre, un feu de tourbe et cette lueur particulière qui émane d'une lampe à huile, l'imperceptible frémissement de la mèche incandescente, telle une guimauve chatoyante projetant une subtile danse des ombres qui rend la pièce étrangement plus vivante. Elle respire, elle vibre.

Séparée de la côte ouest de l'Écosse par un petit « détroit » de quinze ou vingt mètres à son plus large, Barrandale ne mérite pas vraiment le nom d'île. Sans compter qu'un pont enjambe ce détroit, « le Pont sur l'Atlantique », comme nous, les locaux, aimons à l'appeler pompeusement. Il y a une autre île avec un autre pont plus célèbre, plus grandiose, plus vieux, un pont de pierre (et non de poutrelles et de traverses métalliques), mais le nôtre fait trois mètres de plus, ce qui nous donne un léger sentiment de supériorité : nous franchissons une portion plus large de l'Atlantique. Cela dit, Barrandale est irréfutablement une île, et traverser notre pont, au-dessus de notre détroit, nous insuffle une mentalité d'insulaire presque à notre insu.

Mon placement en pension résultait en fait d'un testament, comme je l'ai appris par la suite : une grand-tante maternelle, Audrey, avait légué à la famille Clay une somme d'argent destinée à l'éducation d'Amory, aînée de ses petits-neveux. Les revenus irréguliers de mon père, en diminution constante, n'auraient pas permis de payer les frais de scolarité exigés par Amberfield, mais si je n'avais pas été envoyée là ou dans un établissement similaire, il n'y aurait pas eu de legs. Des courants insoupçonnés, totalement étranges, peuvent façonner notre vie. Pourquoi mes parents ne m'ont-ils rien dit ? Pourquoi ont-ils prétendu que c'était de leur fait ? On m'arrachait à la sécurité rassurante de Beckburrow et j'étais censée les remercier, moi la privilégiée.

Ma mère était une grande femme, un peu lourde, qui portait des lunettes. Elle réussissait fort bien à dissimuler tout sentiment affectueux qu'elle aurait pu éprouver pour ses enfants. Elle avait deux expressions fétiches : « Je n'aime pas les caprices » et « Mets ça dans ta poche et ton mouchoir par-dessus ». Elle se montrait toujours patiente avec nous, mais d'une manière qui laissait entendre qu'elle avait l'esprit ailleurs, qu'elle avait des choses plus intéressantes à faire. Nous l'appelions toujours « Mère », comme si c'était une catégorie, une définition qui ne reflétait pas notre relation, comme nous aurions dit « quincaillier » ou « historien ». Voici le genre d'échange que cela donnait :

MOI : Mère, pourrais-je avoir encore un peu de flan, s'il vous plaît ?

MÈRE : Non.

MOI : Pourquoi ? Il en reste beaucoup.

MÈRE : Parce que je le dis.

MOI : Mais ce n'est pas juste !

MÈRE : Eh bien, mets ça dans ta poche et ton mouchoir par-dessus !

Ma mère à la plage de Cooden dans les années 1920.
Photo prise avec mon 2A Kodak Junior.
Derrière elle, c'est Xan qui rit.

31

Je n'ai jamais vu la moindre marque d'affection entre mes parents, ni, je dois le reconnaître, le moindre signe de ressentiment ou d'hostilité.

Mon grand-père paternel, Edwin Clay, était un mineur du Staffordshire qui avait suivi des cours du soir dans une école professionnelle de mécanique ; autodidacte, il avait décroché des diplômes et terminé sa carrière en tant que directeur aux éditions Edgeware & Rackham, responsable de cinq revues professionnelles du BTP. Il avait acquis une aisance suffisante pour pouvoir envoyer ses deux fils dans des écoles privées. Mon père, un garçon intelligent, a obtenu une bourse pour Lincoln College, à Oxford, et est devenu écrivain professionnel (son frère cadet, Walter, est mort pendant la bataille du Jutland en 1915). Ce bond social effectué en une génération était sans doute remarquable, mais j'ai toujours senti chez mon père ce mélange classique de fierté à l'égard de sa réussite et, sinon de honte, du moins d'inhibition, d'insécurité : une insécurité sociale anglaise. Qui le prendrait au sérieux comme écrivain, lui, le fils de mineur ? Je pense qu'une des raisons qui l'ont poussé à acheter et agrandir Beckburrow pour s'installer à la campagne était de se prouver à lui-même que cette insécurité à présent sans fondement n'avait plus lieu d'être. Écrivain à succès de plusieurs livres bien accueillis, époux de la fille d'un juge, père de trois enfants, propriétaire envié d'une belle demeure dans l'East Sussex, il était devenu un parfait petit-bourgeois. Mais son bonheur n'en était pas pour autant total. Et puis la guerre est arrivée et tout a mal tourné.

Je pourrais peut-être commencer à trier toutes mes vieilles boîtes de photos, ce soir. Ou pas.

*

* *

1925, pensionnat pour jeunes filles d'Amberfield à Worthing. Ma meilleure amie, Millicent Lowther, lissa du bout des doigts la fausse moustache qu'elle venait de coller sur sa lèvre supérieure.

« C'est tout ce que j'ai trouvé, s'excusa-t-elle. Ils n'avaient que des barbes, sinon.

– C'est parfait. Je veux juste avoir une idée de l'effet que ça fait. »

Nous étions assises par terre, adossées au mur. Je me penchai vers elle et l'embrassai doucement, lèvres contre lèvres, sans appuyer.

« Pas la bouche en cul de poule, lui dis-je sans me reculer. Les hommes ne font jamais la bouche en cul de poule. »

Le contact de la fausse moustache n'était pas désagréable, mais ma préférence irait toujours à une peau glabre. Je me déplaçai un peu, changeai d'angle et sentis les poils me chatouiller la joue. Non, c'était supportable.

Nous, les grandes d'Amberfield, nous nous entraînions régulièrement à embrasser, mais force était de reconnaître que ces expériences ne se distinguaient pas vraiment des baisers que chacune se posait sur les doigts ou dans le creux du bras. Du haut de mes dix-sept ans, n'ayant jamais embrassé un homme, je peinais à comprendre pourquoi on en faisait toute une histoire, comme aurait dit ma mère.

« Un amoureux à moustache ? demanda Millicent en s'écartant de moi.

– Pas vraiment. C'est juste que Greville s'en est laissé pousser une et je voulais voir quel effet ça pouvait faire.

– Ah Greville le Magnifique ! Pourquoi tu ne l'invites pas à venir nous rendre visite ?

– Parce que je ne veux pas qu'il se fasse reluquer par les spécimens que vous êtes. T'as les cibiches ? »

Nous achetions des cigarettes à l'un des jeunes jardiniers d'Amberfield, un crétin à bec-de-lièvre prénommé Roy.

« Oui, bien sûr ! » confirma Millicent en sortant de sa poche un petit paquet enveloppé dans du papier et une boîte d'allumettes.

J'aimais beaucoup Millicent, qui était futée et presque aussi sardonique que moi, mais j'aurais préféré qu'elle ait une bouche plus charnue pour mieux m'entraîner aux baisers. Elle n'avait quasiment pas de lèvre supérieure.

J'enfonçai l'une des petites Woodbines dans le fume-cigarette en ébène que j'avais volé à ma mère.

« Ce ne sont que des Woodbines, commenta Millicent. C'est atrocement commun.

– On ne peut pas attendre d'un pauvre prolétaire comme Roy qu'il fume des Craven A.

– Roy le populoï. T'as raison, mais ça arrache quand même un peu la gorge.

– Et ça fait tourner la tête. »

J'allumai la cigarette de Millicent, puis la mienne, et chacune souffla la fumée en direction du plafond de ma « chambre noire », un placard à balais jouxtant le laboratoire de chimie.

« Encore heureux que tes produits chimiques cocottent, remarqua Millicent. C'est quoi, cette odeur, d'ailleurs ?

– Le fixateur. Ça s'appelle de l'hypo.

– Pas étonnant que personne n'ait jamais visé la fumée de cigarette dans ton petit réduit.

– Pas une seule fois. Mais "visé" est-il bien le *mot juste*[*][1] ?

– C'est un mot qui gagne à être utilisé, rétorqua Millicent d'un air un peu trop satisfait à mon goût, comme si elle venait de l'inventer.

– Utilisé d'accord, mais correctement, la tançai-je.

– Ouh, quelle pédante ! Quelle insupportable pédante !

– En dehors de nous, il n'y a que l'Ogresse qui vienne ici, et elle m'adore.

– À ton avis, c'est une tribade, l'Ogresse ?

– Non, pour moi, elle est asexuée, répondis-je en tirant sur ma Woodbine au mépris du vertige ressenti. Je ne crois pas qu'elle sache vraiment où elle en est. »

L'Ogresse était le surnom de Miss Milburn, la prof de sciences, à laquelle je devais beaucoup. Elle m'avait cédé ce placard à balais en m'encourageant à y installer ma chambre noire. Elle devait

---

1. Tous les mots en italique suivis d'un astérisque sont en français dans le texte original. (*Note de la traductrice.*)

son surnom à ses épais sourcils noirs, qu'elle n'épilait pas et qui se rejoignaient presque au-dessus de son nez.

« Et nous, on ne serait pas des tribades, pour s'embrasser comme ça ? s'inquiéta Millicent.

– Mais non, on le fait juste pour notre éducation, pour voir à quoi ça ressemblerait avec un homme. On n'est pas amères, ma chère. »

En argot d'Amberfield, « amère » signifiait « dépravée ».

« Ah oui ? Alors pourquoi tu veux embrasser ton oncle ? Beurk !

– C'est simple : je suis amoureuse de lui.

– Et tu dis que tu n'es pas amère !

– C'est l'homme le plus beau, le plus amusant, le plus gentil et le plus sardonique que j'aie jamais rencontré. Si tu te retrouvais en sa présence, ce qui n'arrivera pas, tu comprendrais.

– C'est juste que ça me semble un peu bizarre.

– Tout est un peu bizarre dans la vie, quand on y pense », commentai-je en citant mon père.

Millicent se releva, cigarette aux lèvres, et serra ses petits seins entre ses mains.

« Je n'arrive pas à imaginer un homme en train de me faire ça… de me pétrir la poitrine. Qu'est-ce que je ressentirais ? Comment je réagirais ? J'aurais peut-être envie de lui coller un coup de poing.

– C'est pour ça qu'il vaut mieux d'abord essayer tout ça ici. Un jour, on sortira de cette jungle, on sera libres. Il faut qu'on ait une petite idée de ce qui va se passer.

– Tout ça c'est bien joli pour toi, ronchonna Millicent. Tu évolues dans un monde d'écrivains, de photographes mondains… Mon père à moi, il est négociant en bois.

– Je ne trahirai pas ton secret.

– Oh la gueuse ! La reine des gueuses !

– Je ne suis pas snob, Millicent. Mon grand-père était mineur dans le Staffordshire.

– J'aimerais mieux que mon père soit écrivain plutôt que négociant en bois, c'est tout ce que je veux dire. »

35

Millicent enleva délicatement sa fausse moustache, puis elle écrasa sa Woodbine.

« On s'embrasse encore ? demanda-t-elle. On n'a pas essayé avec la langue.

– Oh, amère femme ! Tu devrais avoir honte ! »

Je me relevai et allai inspecter mes photos qui séchaient sur leur ficelle. Une cloche sonna dans un lointain couloir.

« Il faut que j'aille surveiller les jeunes spécimens, dit Millicent. À plus tard, ma chérie ! »

Quand elle fut partie, je décrochai soigneusement mes photos. Je ne tirais pas tous les clichés que je développais, ne voulant pas gâcher du papier pour des planches contact. Je regardais chaque négatif à la loupe et j'aboutissais souvent à un choix très assuré. La décision d'en faire un tirage papier dépendait de mon rapport à telle ou telle photo, qui recevait alors un titre. Je ne sais pas pourquoi (un vague lien avec la peinture, j'imagine), mais, en la baptisant, je lui permettais de vivre plus facilement et plus durablement dans mon esprit. Je me rappelais ainsi presque tous mes tirages, comme dans une archive mémorielle, un album mental. Je crois aussi que tout le processus photographique me paraissait encore magique, à cette époque de ma vie : capturer une image sur la pellicule grâce à une brève exposition à la lumière, puis, par le truchement scientifique des produits chimiques et du papier, révéler une représentation monochrome de cet instant participait encore d'une alchimie ensorcelante.

Millicent ayant répondu à l'appel de la sonnerie, je décrochai donc mes trois nouvelles photos, raides, sèches, et les étalai sur la petite table au fond du réduit. Je les avais intitulées « Xan en plein vol », « Jeune garçon avec batte et chapeau » et « Au Lido ». J'étais contente des trois, mais surtout de « Xan en plein vol ».

Par une chaude journée d'août, nous étions allés au Westbourne Swimming Club Lido, à Hove, qui avait un bassin d'eau de mer non chauffée de cinq mille mètres carrés avec, au bout, un plongeoir de sept mètres cinquante. Xan avait dû s'y reprendre à trois fois avant que je sois sûre de l'avoir vraiment saisi en plein vol.

J'écrivis titre et date au dos de chaque photo avec un crayon tendre, puis les glissai dans mon album à feuillets mobiles. Les trois avaient pour point commun d'être des instantanés de sujets en mouvement. J'aimais photographier les gens en pleine action : en train de marcher, de descendre un escalier, de courir, de sauter et, très important, de ne pas regarder l'objectif. J'adorais cette capacité de l'appareil à saisir à l'improviste de l'animé en suspens, l'image de quelqu'un figé dans le temps, son pas suivant, son geste suivant, son mouvement suivant à jamais inachevés. Interrompus, juste comme ça, par moi, avec le simple clic d'un obturateur. Je crois avoir été consciente, même à l'époque, que seule la photographie peut réussir ce tour de magie avec tant d'assurance et de facilité : arrêter le temps, capturer cette milliseconde de notre existence et nous permettre de vivre éternellement.

« Xan en plein vol », 1924.

37

« Au Lido », 1924.

« Jeune garçon avec batte et chapeau », 1924 (Xan Clay).

Deux jours plus tard, je me livrai à un duel de regards avec Laura Hassall dans l'étude des terminales. C'est elle qui m'avait défiée, mais je savais que j'allais gagner (comme toujours). On avait le droit de se parler, dans le but de saper la concentration de l'autre, de la distraire et de lui faire rompre le contact visuel.

« Le Premier ministre a été assassiné, lâcha Laura.

– Que c'est petit ! Vraiment petit !

– Mais c'est vrai !

– Alors tant mieux. C'est un affreux bonhomme. »

Nous continuions à nous fixer, visages distants d'une cinquantaine de centimètres, menton dans le creux de la main, yeux dans les yeux. Les autres élèves faisaient leurs devoirs sans s'occuper le moins du monde de notre duel.

« Laura ?

– Oui.

– Romulus et Remus… Tu connais ?

– Ben, euh, oui, s'agaça-t-elle sur le ton d'une demeurée.

– Alors, imagine un peu…, hasardai-je comme si je venais tout juste d'y penser. Imagine que Rome ait été fondée par Remus et non par Romulus.

– Oui… Et alors ?

– Dans ce cas, la ville s'appellerait Reme. »

Instinctivement, Laura réfléchit et perdit. Son regard vacilla.

« Mcrdum ! Mcrdum de merdum ! »

On frappa à la porte et un jeune spécimen apparut, qui braqua ses yeux sur moi. Les jeunes spécimens n'avaient pas le droit de parler tant qu'on ne leur adressait pas la parole.

« Qu'y a-t-il, horrible enfant ? lui demandai-je.

– Dieu vous demande. »

« Dieu », c'était notre directrice, Miss Grace Ashe. Je me méfiais d'elle, car je la soupçonnais de m'avoir percée à jour, de voir ma vraie nature. Je frappai à la porte de son bureau et attendis, consciente d'être un peu tendue, nerveuse, pas au mieux de ma forme. Il était rare d'être ainsi convoquée en soirée. Je l'entendis dire « Entrez ! », vérifiai mon uniforme, lissai mes bas en fil d'Écosse beige qui faisaient des plis aux genoux et poussai la porte.

Le terme de « bureau » ne convenait pas à celui de Miss Ashe : c'était un salon, où un grand secrétaire en ronce de noyer jonché de papiers et de dossiers occupait une alcôve. On se serait cru dans une maison de campagne : tapis bleu marine à liseré rouge, deux fauteuils et un grand canapé recouverts de housses en lin blanc, séparés par un long repose-pied en tapisserie encombré de livres, papier mural à rayures crème et café, toiles modernes de paysages stylisés et natures mortes dues au frère de Miss Ashe, Ivo, tombé au front, rideaux de jute bleu pâle aux ourlets bouillonnés jusqu'au plancher, lampes tamisées par des abat-jour en parchemin sombre. La décoration témoignait d'un goût affirmé mais non ostentatoire.

Âgée selon nos calculs d'une petite quarantaine d'années, mince et diaphane, Miss Ashe disciplinait ses cheveux acajou en un chignon tressé à la structure sophistiquée. Jugement unanime des spécimens : elle était « classe ». Millicent et moi lui trouvions des airs de danseuse étoile à la retraite. En vérité, nous étions toutes intimidées et éblouies par son élégance impassible, mais j'avais pour stratégie de ne jamais le montrer. Je m'efforçais d'afficher en sa présence une désinvolture guillerette que j'étais loin d'éprouver et qui devait l'agacer, car elle savait pertinemment que je lui jouais la comédie. Avec moi, elle était toujours plutôt sèche et stricte. Pas de sourires, en règle générale.

Or, ce soir-là, c'est en souriant qu'elle m'indiqua un fauteuil. J'en restai un instant décontenancée.

« Bonsoir, mademoiselle, dis-je en essayant de reprendre le dessus. C'est un beau bracelet que vous avez là. »

Elle regarda le lourd cercle d'argent et de Bakélite à son poignet comme si elle avait oublié qu'elle le portait.

« Merci, Amory. Asseyez-vous, je vous en prie. »

Elle-même s'assit et attrapa un dossier cartonné, qu'elle ouvrit sur ses genoux. Elle portait une robe vert émeraude à col châle jaune citron. Elle souleva le couvercle d'un coffret à cigarettes en argent posé sur la table à côté de son fauteuil, en sortit une, trouva un briquet et l'alluma sans quitter des yeux le dossier ouvert. Nous avions remarqué que Miss Ashe fumait ostensiblement devant les élèves les plus âgées ; c'était une provocation. Ainsi provoquée, je parlai :

« Je suppose que c'est mon dossier.

– En effet, confirma-t-elle en levant le nez. Toutes les élèves ont un dossier.

– Avec tous les faits.

– Avec tous les faits que nous connaissons... »

Elle pencha la tête de côté comme pour mieux me jauger de ses yeux bleu pâle, sans sourciller. Préférant ne pas me lancer dans un duel de regards avec Miss Ashe, je baissai les yeux et enlevai une peluche invisible de ma jupe.

« Je suis sûre qu'il y a beaucoup d'autres "faits" que nous ignorons.

– Je ne pense pas, mademoiselle, susurrai-je. Je n'ai rien à cacher.

– Vraiment ? Vous êtes un livre ouvert, Amory, c'est cela ?

– Pour ceux qui savent me lire. »

Elle éclata de rire, l'air sincèrement amusée par ma remarque, et je me sentis rougir, d'abord le cou, puis la chaleur me monta aux joues et aux oreilles. Amory, espèce d'idiote ! pensai-je. Dis-en le moins possible. De nouveau, Miss Ashe examinait mon dossier.

« Vous avez obtenu une mention à l'examen dans toutes les matières.

– Oui.

– Et vous avez décidé d'abandonner les maths, les sciences et le grec.

– Je m'intéresse plus à...

– À l'histoire, au français et à l'anglais. Quelle option avez-vous choisie ? s'enquit-elle en tournant une page.

– La géographie. »

Elle prit note, puis ferma le dossier et me regarda de nouveau droit dans les yeux.

« Amory, êtes-vous heureuse ici, à Amberfield ?

– Pourriez-vous définir ce que vous entendez par "heureuse", mademoiselle ?

– Vous répondez à une question par une question. Vous gagnez du temps. Répondez-moi en toute franchise… sauf si c'est pour me dire que vous vous ennuyez. Cela m'est bien égal qu'une fille soit stupide ou mauvaise élève, mais s'ennuyer, ça, c'est une défaite, *un échec**. Si la vie vous ennuie, autant mourir. »

Quelque chose me piqua dans la parfaite assurance de Miss Ashe et je lâchai une réponse sans réfléchir.

« Vous voulez que je vous parle franchement ? Eh bien, j'ai l'impression de me décomposer, ici. Je ne suis pas une pleurnicheuse, mademoiselle, je sais que vous détestez les pleurnicheuses tout autant que l'ennui, mais je me sens… morte. Tout est hypocrite, stérile, apathique. Parfois, je me sens inhumaine, comme un robot… »

Je m'interrompis, regrettant déjà d'avoir renoncé à mon flegme habituel.

« Mon Dieu, je n'aurais jamais imaginé ça », réagit Miss Ashe en écrasant soigneusement sa cigarette.

Quelle idiote tu fais, Amory ! me tançai-je. Tu l'as laissée gagner. Je fixai des yeux un des livres empilés sur le repose-pied entre nous : *Ainsi va toute chair*, de Samuel Butler.

« C'est intéressant, les mots que vous utilisez, commenta Miss Ashe.

– Pardon ?

– Décomposer, morte, apathique, inhumaine, robot… Ce n'est qu'une école, Amory. Nous essayons de vous former, de vous préparer à votre vie d'adulte. Nous ne sommes pas une espèce de régime autocratique qui cherche à étouffer la vie en vous.

– J'ai l'impression de stagner, d'être prise au piège de cette jungle trouillarde et antisociale… »

Pour la seconde fois, je m'arrêtai. J'étais à court de mots.

« Il ne fait aucun doute que vous savez vous exprimer, Amory. Et c'est un don. Très imagé… Ce qui m'amène au motif de cette fort agréable rencontre. »

Elle se leva pour aller prendre un morceau de papier sur son secrétaire.

« J'ai le grand plaisir de vous annoncer que vous avez remporté le prix Roxburgh de dissertation, m'apprit-elle avec une certaine solennité en foulant le tapis qui nous séparait. Cinq guinées. J'en ferai l'annonce ce soir au moment des prières. Mais d'ici là, vous pouvez le dire à vos amies les plus proches. »

Elle me tendit le bout de papier, qui se révéla être un chèque. Je ne réussis pas à cacher ma surprise lorsque je le lui pris des mains. Je ne savais pas trop pourquoi j'avais décidé de participer à ce concours. Peut-être parce que le sujet de l'année m'avait intriguée : « Est-il vraiment "moderne" d'être moderne ? » Quoi qu'il en soit, je m'étais inscrite, j'avais écrit ma dissertation et voilà, j'avais gagné.

Miss Ashe s'assit et m'observa. Je regardais fixement le chèque, comprenant soudain que je pouvais maintenant m'acheter le nouvel appareil dont je rêvais, le Butcher Klimax.

« Amory, je pensais à Oxford.

– Oxford ?

– Après le baccalauréat, vous revenez pour un trimestre préparer le concours d'entrée à Oxford. La bourse d'histoire à Somerville, pour être précise. Je crois que vous auriez toutes vos chances, si j'en juge par votre travail – et par cette dissertation. »

Miss Ashe était elle-même diplômée de Somerville College. Maintenant que cette suggestion avait été faite, je compris que j'étais sur le point de devenir une *protégée**.

« Je ne veux pas aller à Oxford, protestai-je.

– Voilà une remarque stupide.

– Je ne veux aller à aucune université en particulier.

– Laissez-moi deviner : vous voulez "vivre". »

43

Je sentis qu'elle était à présent très irritée. Le cours de cette confrontation tournait en ma faveur.

« Qui ne le voudrait pas ?

– Il est parfaitement possible de "vivre" tout en étant à l'université, vous savez.

– Je préférerais faire autre chose.

– Et que voulez-vous faire, Amory ?

– Je veux être photographe.

– C'est un passe-temps original et gratifiant. Miss Milburn m'a parlé de votre chambre noire.

– Je veux devenir photographe professionnelle. »

Miss Ashe me dévisagea comme si j'étais en train de me moquer d'elle en douce. Comme si j'avais dit que je voulais devenir prostituée professionnelle.

« Mais ce n'est pas possible, dit-elle.

– Pourquoi ?

– Parce que vous êtes une…, commença-t-elle, parvenant à s'interrompre avant de dire "femme". Parce que ce n'est pas une profession stable. Pour quelqu'un comme vous.

– Je peux toujours essayer, non ?

– Bien sûr, ma chère Amory. Mais n'oubliez pas qu'aller à l'université n'empêche pas de faire carrière comme "photographe". Et vous aurez un diplôme, de quoi retomber sur vos pieds. Réfléchissez à Somerville, je vous en prie. »

Elle se leva et retraversa la pièce pour poser mon dossier sur son bureau. La rencontre avec Dieu était finie. Je m'apprêtais à prendre congé quand elle m'arrêta de sa main levée.

« J'ai failli oublier. Votre père m'a téléphoné ce matin. Il a demandé s'il pouvait vous faire sortir pour vous emmener prendre le thé demain après-midi.

– Ah bon ? Mais c'est mercredi, demain.

– Je peux vous fournir un *exeat*. C'est avec plaisir que j'assouplirai les règles en vigueur. Considérez cela comme une récompense en prime pour votre prix Roxburgh.

44

– Pourquoi veut-il m'emmener prendre le thé ? demandai-je, sourcils froncés.

– Il a dit qu'il y avait quelque chose dont il voulait vous parler en tête-à-tête, plutôt que dans une lettre. »

Sentant ma perplexité se muer en appréhension, Miss Ashe me regarda presque avec bonté, me sembla-t-il.

« Avez-vous une idée de ce dont il veut discuter ? s'enquit-elle, la main posée un instant sur mon épaule.

– Ce doit être une affaire de famille, je ne vois rien d'autre.

– Il avait l'air très positif, très enjoué, m'assura Miss Ashe avec un sourire. Peut-être a-t-il une bonne nouvelle à vous annoncer ? »

2

Affaires de famille

J'attendais mon père devant la porte d'entrée de Gethsemani, ma maison d'internat à Amberfield, vêtue de l'humiliant uniforme de sortie : long raglan de gabardine noire à pèlerine ourlée de passepoil rouge cerise, capote en paille et souliers à boucle. Moitié vieille fille façon Jane Austen, moitié vétéran de la guerre de Crimée, jugions-nous. Les voyous de Worthing se moquaient grossièrement de nous chaque fois que nous traversions la ville en phalange.

Quand je vis la Crossley 14 bordeaux familiale passer la grille au bout de l'allée sud, je fis un signe de la main et m'efforçai de refouler mes appréhensions, malgré un goût salé dans ma bouche sèche. Par cette fraîche journée de septembre, une brise capricieuse enchâssait des petits pans de bleu entre les gros nuages brillants, blanc-gris, ardoise… un ciel marbré, bigarré.

La voiture s'arrêta et mon père en sortit. Il portait un costume croisé bleu marine et la cravate vert et or de son régiment. Il avait fière allure. Au souvenir de ce que Miss Ashe avait dit sur son humeur au téléphone, je me détendis un peu. Peut-être après tout n'y aurait-il pas d'horrible nouvelle de séparation, de divorce, d'adultère ou de quelque maladie mortelle.

Il posa les mains sur mes épaules et m'embrassa sur le front.

« Ah, Amory, Baymory, Taymory. Quel étrange accoutrement ! Mais à quoi pensent-ils donc ? Enlève-moi tout de suite ce chapeau ridicule.

– Je dois attendre que nous ayons quitté l'école. Y aurait-il une mauvaise nouvelle, Papa ?

– Non, aucune mauvaise nouvelle… pour un nouvelliste ! plaisanta-t-il avec un sourire.

– Pourquoi êtes-vous venu en pleine semaine ?

– Il fallait que je te voie pour te parler de quelque chose, ma chérie.

– Qu'est-ce qui ne va pas ? Mère ? Peggy ? Xan ?

– Tout va très bien. J'ai une nouvelle intéressante, c'est tout. »

À nouveau, je me détendis et j'ouvris la portière passager pour monter dans la voiture, mais il suggéra que je serais mieux installée à l'arrière.

« Il y a un ressort du siège avant qui menace de percer l'assise. Tu ne voudrais pas te faire embrocher. »

Je me glissai donc sur la banquette arrière tandis qu'il s'installait au volant et se retournait pour me sourire.

« J'ai pensé que nous pourrions aller à West Grinstead.

– Mais c'est à des kilomètres ! Miss Ashe a dit que je devais être rentrée pour les prières.

– Il y a un charmant petit salon de thé que je connais… très douillet. Nous te ramènerons à temps pour tes dévotions, ne t'inquiète pas. »

Papa nous fit quitter Worthing et la côte en direction du nord, puis traverser les Downs par la route de Horsham, tout en parlant de Peggy et du flot ininterrompu de ses réussites : sa bourse d'études, les félicitations de la Royal Academy… ma sœur, ce prodige.

« Et comment va Xan ? demandai-je, désireuse d'en entendre moins sur Peggy.

– Oh, tu connais Xan. Il rêvasse en parlant tout seul. Il élève des cochons d'Inde, il en a des dizaines. Ça l'occupe.

47

– Comment ça marche, à l'école ?

– Très mal, paraît-il. Dieu merci, vous êtes là, les filles. Je crois que mon fils est fichu.

– C'est affreux de dire ça, Papa ! Xan a de vrais… Xan ne voit pas le monde comme nous autres. »

Mon père me lança un coup d'œil par-dessus son épaule.

« Nous voyons tous le monde différemment. Il n'y a rien d'étrange à cela. C'est le principe même : nous en avons chacun une vision personnelle. »

Ces mots ne faisaient aucun sens pour moi, aussi regardai-je par la fenêtre tandis que nous traversions Findon et Washington.

« De quoi vouliez-vous discuter avec moi ? demandai-je au bout d'un moment.

– De mon roman. J'en suis à la moitié. Ça avance très, très bien.

– De quoi ça parle ?

– De la guerre. Je raconte la vérité. La vérité toute nue. Personne n'a jamais rien écrit de tel. Je vais l'intituler *Nus en enfer*.

– Je ne crois pas que les gens aient envie de lire des choses sur la guerre. Ils veulent regarder vers l'avenir.

– On ne peut regarder vers l'avenir avec confiance que si on connaît la vérité sur son passé.

– Là, le panneau West Grinstead ! »

Mais, au lieu de tourner à droite, mon père prit à gauche, un étroit chemin entre d'épaisses haies d'aubépines et de sureaux qui menait à un bois de hêtres.

« Où allons-nous, Papa ? »

Après un poteau indicateur signalant « Hookland Castle », j'aperçus, à travers les arbres, une étendue d'eau argentée, un long lac étroit. Le chemin que nous avions emprunté menait directement à sa rive sud, puis s'incurvait à travers d'autres bois qui masquaient en partie le château et sa tour crénelée. Peut-être y avait-il un salon de thé dans le château, me dis-je alors que nous arrivions sur la berge. C'était un lac artificiel, constatai-je, dont les eaux grises ondulaient sous la brise au cœur d'un grand parc paysager. Une espèce de folie néo-classique se dressait en son centre sur une petite île toute ronde. Il me sembla que nous roulions soudain plus vite, et mon père se retourna pour me lancer un coup d'œil, le visage tordu en une étrange grimace comme s'il luttait pour retenir des larmes.

« Je t'aime, ma fille chérie. Ne l'oublie jamais. »

Puis il tourna brusquement le volant à droite et la voiture quitta la route bitumée dans une embardée, cahota sur une étroite bande d'herbe et plongea dans le lac. L'impact me projeta contre le siège avant et mes poumons se vidèrent. Je poussai un hurlement tandis que la lumière faiblissait à mesure que nous sombrions. Borborygmes et chuintements monstrueux emplissaient l'habitacle.

La Crossley heurta le fond presque instantanément, s'inclina de quelques degrés et s'immobilisa. L'eau montait à travers le plancher et de petits jets s'infiltraient par les jointures des fenêtres. Mon père était affalé sur le côté, loin du volant, l'air inconscient, la tête appuyée contre la fenêtre à un angle bizarre. Je sentis les secondes s'étirer en minutes. Je me levai à moitié, de l'eau jusqu'aux genoux, et criai « Papa ! Papa ! », mais il ne réagit pas. Je me débarrassai de mes chaussures à grands coups de pied et me dégageai de mon lourd manteau. Je me battis avec la poignée de la portière mais ne pus l'ouvrir plus que de deux ou trois centimètres, car la pression extérieure de l'eau était trop forte. J'actionnai la manivelle et un grand torrent glacial déferla par la fenêtre, faisant presque aussitôt monter le niveau jusqu'à ma taille, mais à présent la porte voulait bien s'ouvrir, et je réussis à m'extirper du véhicule, remonter à la nage et émerger hors d'haleine, le tout en un temps record. La Crossley était très peu enfoncée dans l'eau, le toit se trouvait à une soixantaine de centimètres sous la surface. Je grimpai dessus à grand-peine, me redressai, inspirai d'énormes goulées d'air. Je vis les traces que la voiture avait laissées sur le gazon avant de passer par-dessus la berge empierrée. Notre élan nous avait entraînés à cinq ou six mètres du bord. Quelques brasses et je serais en sécurité.

Lac artificiel donc pas très profond, me dis-je avec une rationalité ridicule. Puis je me rappelai mon père.

Je replongeai sous la surface et constatai que, dans l'habitacle maintenant plein d'eau, mon père flottait entre le siège avant et le pare-brise, les yeux écarquillés, des bulles s'échappant de ses lèvres entrouvertes tandis que ses poumons se vidaient. J'ouvris la portière avant, qui ne résista pas, j'agrippai le bout de sa cravate et je tirai, le faisant aisément glisser hors de la voiture. Je le hissai sur le toit avant d'y grimper moi-même, passai un bras autour de son cou, comme un lutteur, et lui soulevai la tête pour qu'il puisse respirer.

Je ne peux rien faire de plus, raisonnai-je. Il n'était resté sous l'eau que quelques secondes, il n'avait certainement pas eu le temps de se noyer. Aussi demeurai-je assise là à le soutenir, et, en temps voulu, il toussa, de l'eau coula lentement de sa bouche et il ouvrit les yeux.

« Que s'est-il passé ? demanda-t-il en recrachant encore un peu d'eau.

– Nous sommes sains et saufs. Qu'avez-vous essayé de nous faire ?

– Oh, mon Dieu, oh, mon Dieu, non ! » cria-t-il.

Il se dégagea de mon bras et se leva. L'espace d'un horrible instant, je crus qu'il allait se jeter de nouveau dans l'eau.

« Papa, non ! »

Je me levai et agrippai le devant trempé de sa veste. Il me regarda avec une intensité atroce en posant les mains sur mes épaules.

« Ça ne devait pas se passer comme ça, Amory, expliqua-t-il d'une voix plus calme, presque raisonnable. Je ne voulais pas partir seul, tu comprends. Je voulais que tu viennes avec moi. »

Une voiture s'était arrêtée sur le chemin. Le conducteur, certainement surpris de voir deux personnes marcher sur l'eau, klaxonna. Je me retournai, lui fis un signe de la main et criai que notre voiture était tombée dans le lac.

« Je vais appeler les pompiers ! Là-haut, au château, hurla le conducteur par sa fenêtre ouverte. J'en ai pour deux minutes ! »

Et il partit à toute vitesse.

Mon père changea de position sur le toit de la Crossley, qui oscilla légèrement. Il râtissa d'une main ses cheveux dégoulinants. « Quel gâchis ! » remarqua-t-il.

Il passa un bras autour de mes épaules et me sourit, un étrange petit sourire. Un sourire de fou. Des yeux sans vie.

« Je croyais que le lac était plus profond, poursuivit-il. Je croyais avoir lu quelque part que ce lac était particulièrement profond.

– Une chance que non...

– Tu m'as sauvé la vie, Amory. »

Et il fondit en larmes, beugla presque comme un animal. Je me serrai contre lui et le suppliai de s'arrêter, ce qu'il fit, tout de suite, reniflant, toussant, respirant profondément.

« Je ne vais pas bien, Amory, dit-il d'une voix douce. Tu ne dois pas l'oublier. Tu dois me pardonner.

– Je vous pardonne, Papa. Nous sommes sains et saufs, c'est l'essentiel.

– Juste trempés jusqu'aux os, Amory, Faymory, Daymory..., plaisanta-t-il en posant un baiser sur mon front. Si on regagnait le rivage ? C'est ridicule d'attendre ici, debout sur le toit de la voiture.

– Vous ne ferez pas de bêtise ? Promis ?

– J'ai l'impression que je ne ferai plus jamais de bêtise. Promis. »

Nous nous laissâmes glisser dans l'eau et nous nageâmes jusqu'à la berge.

*
* *

JOURNAL DE BARRANDALE, 1977

Je bois du gin au déjeuner, du whisky le soir. Un grand gin me suffit en milieu de journée, mais, quand la nuit tombe, je trouve le whisky trop tentant. Je le bois coupé d'eau dans un large verre à fond épais… n'importe quelle marque ordinaire vendue dans les boutiques d'Oban (je n'en achèterais jamais sur l'île, à Achnalorn, il y a trop de curieux), mais je crois bien que je suis devenu accro. Trois verres, parfois quatre. Assise, je lis, je fume, j'écoute la radio ou des disques et je laisse mes sens basculer peu à peu dans une douce et délicieuse ébriété, bercée par les grondements du vent et les rauques mugissements de la mer. Cela me plonge dans un sommeil serein que ne viennent plus troubler des rêves dérangeants. Les rares nuits où je ne suis pas anesthésiée au whisky sont trop hantées par le passé, trop fiévreuses, insupportables ; je quitte mon lit, jette quelques briquettes de tourbe dans le feu et contemple le vacillement des flammes en attendant le point du jour. Lové sur sa couverture, Flam m'observe d'un œil soucieux.

Conséquence directe de notre plongeon dans les eaux de Hookland Castle, mon père a été déclaré fou et interné dans un « asile de luxe », selon l'expression de ma mère. Quant à moi, j'ai souffert de ce que je crois aujourd'hui avoir été une forme de dépression nerveuse. Je pleurais en permanence, et j'ai même fait une espèce de crise, avec convulsions et suées, qui ressemblait à de l'épilepsie mais était, en réalité, un épisode psychotique déclenché par des souvenirs spontanés de ce moment de panique dans la voiture : l'eau qui monte, mes efforts désespérés pour ouvrir la portière et, toujours, cette image du visage de mon père flottant, impassible, et du chapelet de bulles recraché par sa bouche comme si les quelques instants de conscience qui lui restaient s'échappaient dans ces perles d'air nacrées qu'il égrenait au ralenti à mesure que ses poumons s'emplissaient d'eau.

J'ai manqué le reste du dernier trimestre à Amberfield et le premier de l'année suivante, confinée au lit, soumise à des traitements divers et variés alternant bains bouillants, cataplasmes sur le dos (comme pour extirper quelque mal de mon corps), bouillons, tisanes et, sans doute, drogues en tout genre. J'y suis retournée au printemps 1926 pour préparer mon baccalauréat. Les autres élèves ont fait preuve de gentillesse à mon endroit ; l'histoire de la voiture dans le lac et du sauvetage de mon père s'étant répandue, j'avais presque acquis le statut de personnage mythique. Miss Ashe elle-même, chaque fois que nous nous croisions, se faisait un devoir de s'arrêter pour bavarder et me demander avec sollicitude : « Comment allez-vous, chère Amory ? » J'ai obtenu de mauvais résultats à mes examens (trois certificats réussis sans mention, recalée au quatrième), mais on ne m'en a jamais fait reproche. Il n'a plus été question de Somerville College et de la bourse d'histoire.

Bizarrement, je n'ai pris aucune photo pendant des mois et j'ai laissé ma chambre noire à l'abandon. Cet été-là, après mes examens, j'ai fouillé le bureau de mon père à la recherche de son roman « sur la guerre », *Nus en enfer*, les tiroirs de sa table de travail, ses bibliothèques, car je pensais y trouver quelque indice sur les raisons pour lesquelles il avait essayé de nous tuer tous les deux, mais en vain. Quand je lui ai demandé sur quoi mon père travaillait, Mère m'a répondu que, autant qu'elle sache, il n'avait pas écrit un mot depuis au moins deux ans.

Il y avait un élément sur lequel je ne me trompais pas : la guerre avait bien quelque chose à voir avec la folie de mon père. La clé ne résidant pas dans le roman qu'il n'avait jamais écrit, bien des années plus tard j'ai essayé de découvrir ce qui lui était arrivé en France pour qu'il en revienne à ce point transformé, et je l'ai trouvé dans l'histoire de son régiment d'infanterie légère, l'East Sussex Light Infantry (ESLI), surnommé les « Martlets », qui m'a aidée à comprendre un peu ce qui avait pu le retourner contre lui-même, et, par conséquent, contre moi.

Journal des marches et opérations, mars 1918

Après s'être replié, le bataillon des services 5/1 occupa la nouvelle ligne de front, face à la lisière du bois de Vinaigre, à la sortie de Saint-Croix. En raison de la nature du terrain, l'ennemi n'approcha jamais à moins de quatre cents mètres de distance et se trouvait parfois à plus de huit cents. Ce no man's land, le plus étendu que l'ESLI ait connu depuis 1915 à Loos, posait des problèmes spécifiques, le plus délicat étant le manque d'informations précises sur le positionnement des forces allemandes.

Le court répit dans les combats permit de renforcer les nouvelles tranchées ; peu de victimes furent à déplorer pendant les quelques jours qui suivirent (deux morts, sept blessés). Le colonel Shaw-field, qui commandait le bataillon 5/1, ordonna une mission de reconnaissance pendant la nuit du 26 pour déterminer la nature et l'état de préparation des forces ennemies avant la contre-offensive de la 5e armée prévue pour le 30.

Le commando, placé sous les ordres du capitaine B.V. Clay DSO, comprenait vingt hommes, dont deux signaleurs qui devaient faire courir une ligne téléphonique jusqu'à la ferme en ruine des Trois Tables, QG du bataillon avant le repli. Le commando quitta nos tranchées à 2 heures du matin. Un barrage d'artillerie orienté à gauche des lignes allemandes de Lembras-la-Chapelle fut déclenché à 2 h 30 pour faire diversion. Le commando du capitaine Clay rencontra une forte résistance et, à 4 heures, seuls dix hommes avaient regagné les lignes de l'ESLI. Le capitaine Clay lui-même était porté manquant.

Trois jours plus tard, pendant la contre-attaque de la 5e armée, la ferme des Trois Tables fut reprise, et on y découvrit le capi-taine Clay, caché dans une grande cave sous le corps de ferme en ruine, à peine vêtu de quelques lambeaux de son uniforme. Dans la même cave furent retrouvés les corps du caporal S.D. West-macott, du soldat W.D. Hawes et du signaleur S.R. Thatcher. Affamé, à peine conscient, le capitaine Clay ne put fournir un récit cohérent de ce qui s'était passé depuis que son commando avait quitté les lignes de l'ESLI. Il fut envoyé à l'hôpital de la base de Saint-Omer, où il reprit lentement des forces sans que lui revienne le souvenir de ces trois jours. Il reçut une barrette

sur son DSO (Distinguished Service Order). La citation voyait
en son exemple « un monument à la force et à l'instinct de survie
de la volonté humaine dans les conditions de guerre les plus
insoutenables et les plus terrifiantes ».

Histoire du régiment d'infanterie légère
de l'East Sussex, vol. III, 1914-1918

3

La haute société

J'étais satisfaite de ma toilette. Greville m'avait dit que l'essentiel, c'était de ne pas « détonner ». Lui-même faisait toujours montre d'une élégance irréprochable. Avant notre départ pour la réception de lady Cremlaine en l'honneur du vingt et unième anniversaire de sa fille, il m'examina de pied en cap, tournant autour de moi, fronçant les sourcils, hochant la tête, comme si j'étais sur le point de passer la revue : longue robe du soir en satin argent et spencer de velours bordeaux ; cheveux relevés d'un côté, retenus par une barrette en strass ; chaussures en veau dorées avec les talons les plus hauts que j'avais pu trouver ; maquillage appuyé, khôl sur les paupières, lèvres d'un écarlate criard.

« Parfait, ma chérie, approuva Greville. Tu vas devoir repousser les assauts de tous les jeunes gommeux. »

Il avait réduit sa grosse moustache de hussard à de minces lignes de poils coupés court formant un petit chevron au-dessus de ses lèvres. Cela lui donnait une allure très différente à mon avis, plus sophistiquée, plus mystérieuse.

Nous quittâmes l'appartement de Greville pour rejoindre la ruelle derrière l'immeuble, où se trouvaient le studio et la chambre noire. Lockwood Mower, l'apprenti de Greville, y chargeait les toiles de fond, les projecteurs, les trépieds et les étuis de cuir contenant les lourds appareils à plaque (Dallmeyer Reflex et Busch Portrait) et

56

les attachait avec des courroies sur le porte-bagages à l'arrière de l'automobile.

« Vous avez tout d'une vedette de cinéma, miss Clay », me complimenta-t-il.

Je lui fis une modeste révérence d'actrice. Lockwood, un grand gaillard solide, avait environ mon âge, des cheveux noir corbeau et le teint très mat, comme s'il était gitan ou très bronzé, façon marin méditerranéen ou ramasseur d'olives. Une mâchoire légèrement proéminente et des yeux un peu trop écartés venaient gâter ses traits réguliers. Il avait l'air à la fois pugnace et un peu déconcerté, comme « un boxeur qui vient de recevoir une mauvaise nouvelle », ainsi que je l'avais décrit à Greville, qui avait trouvé la formule très amusante.

Lockwood était poli et zélé, et mon oncle se reposait de plus en plus sur lui, avais-je remarqué depuis plusieurs semaines que je travaillais avec eux. Lui n'avait pas besoin de ne pas « détonner » : sa mission était d'équiper la pièce qui ferait office de studio sur le lieu de la réception et de ne pas en bouger. Ce soir-là, il était vêtu comme à son habitude : costume trois-pièces de serge noire, chemise de flanelle bleu marine et cravate rouge cerise. Il avait commencé à copier Greville en se pommadant les cheveux et il flottait toujours autour de lui une âcre odeur d'eau de Cologne bon marché.

Greville et moi nous installâmes à l'arrière et Lockwood prit le volant.

« *Allons-y, mes braves !** » lança Greville, donnant le signal du départ.

Je ressentis une petite brûlure d'excitation dans le ventre quand la voiture tourna dans Kensington High Street en direction de Mayfair. Nous partions en mission, comme pour prendre d'assaut les redoutes de la haute société.

Greville sortit son étui à cigarettes et me le tendit. J'en pris une et il l'alluma, avant d'allumer la sienne.

« C'est pour qui, ce soir, l'*Illustrated* ? demandai-je en soufflant la fumée vers le plafond de la voiture.

– *Beau Monde*.

– Oh, mon Dieu, *Tatler* va vous en vouloir.

– Tant mieux, commenta-t-il avec un sourire. Nous aurons des proies de choix ce soir. Je pourrais avoir besoin de toi pour les rabattre.

– Avec plaisir. »

Je m'enfonçai dans mon siège tandis que nous remontions Knightsbridge. La probabilité que je tombe amoureuse de mon oncle m'avait toujours paru très élevée ; depuis que je travaillais pour lui, elle s'imposait avec une force irrésistible, pour moi en tout cas. Être assise ainsi tout contre lui à fumer une cigarette pendant qu'on nous conduisait à la soirée de lady Cremlaine, voilà qui me semblait le comble de la félicité. Notre pratique professionnelle nous rapprochait déjà, et je savais combien il m'aimait, combien il était attaché à moi (il n'arrêtait pas de me le dire), donc ce ne pouvait être qu'une question de temps.

Je vérifiai que tout était prêt. Lockwood avait installé le studio dans une pièce de réception du rez-de-chaussée qui donnait sur le vestibule : projecteurs braqués, toile de fond suspendue avec un joli drapé, plantes en pots assorties soigneusement disposées, et, sur leur trépied de bois, les deux gros appareils dont Lockwood époussetait une dernière fois l'objectif avec un chiffon non pelucheux.

« Tout est nickel, miss Clay. On commence par qui ?

– Par l'honorable Miss Edith Medcalf, répondis-je après avoir consulté ma liste. Elle est importante ? On l'a déjà photographiée ?

– Pas moi. Peut-être que Mr Reade-Hill la connaît.

– Je vais demander à notre hôtesse. »

Je finis par trouver l'honorable Miss Medcalf, une jeune femme pète-sec au visage marqué qui approchait censément la trentaine mais faisait beaucoup plus, et dont la robe semblait bricolée à partir d'une ancienne paire de rideaux. Elle était de ces gens qui ne vieillissent jamais et gardent la même allure à vingt-cinq ans ou à soixante-cinq. Elle se révéla très contente d'elle et de sa bague de fiançailles toute neuve. Je la confiai à Lockwood, puis partis à la recherche de Greville, dont la présence était requise pour la photo, même si cela n'impliquait que quelques secondes de papotage et le clic de l'obturateur. Lockwood et moi avions fait tout le travail, mais ces dames de la haute exigeaient que ce fût Greville Reade-Hill qui leur tire le portrait, pas sa nièce ou, Dieu nous en garde, son apprenti.

Je remontai en hâte l'escalier menant à la salle de bal, où un grand orchestre de danse jouait « Ain't She Sweet ». Sur le vaste palier devant la salle, je vis Greville bavarder avec un petit homme mince et deux femmes aux dentelles froufroutantes. Je me mis sur le côté pour attirer l'attention de Greville, qui me repéra, s'excusa et vint vers moi.

« Miss Medcalf attend, lui annonçai-je.

– Déniche-moi tous ceux-là, dit-il en me tendant une autre liste de noms. Nous devrions pouvoir remballer d'ici une heure.

– C'est qui, ce petit bonhomme avec qui vous parliez ? J'ai cru le reconnaître.

– Ce "petit bonhomme", c'est le prince de Galles. Notre futur roi. »

Je me retournai, mais il était parti.

« Et d'ailleurs, je ferais mieux de courir après lui, poursuivit-il. Prends la photo de Miss Medcalf. Moi, je me charge de trouver lady Foster-Porter.

– Moi ?

– Tu es plus que prête pour jouer dans la cour des grands », dit-il avant de déposer un petit baiser sur ma joue.

Mécontente d'apprendre que sa photo serait prise par Miss Amory Clay, Miss Medcalf commença par refuser et exiger la présence de Greville.

« Il est avec le prince de Galles », lui dis-je, ce qui la calma et l'impressionna tout à la fois mais, une fois la photo prise, elle s'en alla à grands pas sans même dire au revoir ou merci.

L'honorable Miss Edith Medcalf au bal de lady Cremlaine, 1927.

« Charmante, commenta Lockwood. Une coupe de champagne, miss Clay ? J'ai fauché une bouteille en bas. »

Lockwood nous servit un verre chacun et nous portâmes un toast à ma première photographie mondaine, puis je me mis en quête de la comtesse de Rackham et de la *marchesa* Lucrezia Barberini.

Greville avait raison : un peu plus d'une heure nous suffit pour parachever notre collection de trophées, et Lockwood me reconduisit avec le matériel à Falkland Court. Greville suivrait plus tard, quand il aurait fini de courtiser le prince – le portrait d'un membre de la famille royale lui permettrait d'asseoir sa réputation dans la bonne société et lui assurerait une augmentation conséquente de ses honoraires et de sa clientèle. Il avait déjà photographié le prince Ali Khan et voulait ajouter Mrs Dudley Ward et Marmaduke Furness à son tableau de chasse. Le prince de Galles lui ouvrirait beaucoup de portes.

Lockwood s'arrêta à l'entrée de la ruelle pour décharger la voiture (il vivait au-dessus du studio, dans une petite soupente éclairée par une minuscule lucarne). Pendant ce temps, je m'assurai que toutes les pellicules et les plaques étaient correctement rangées, puis rentrai à l'appartement de Greville, qui se trouvait au dernier étage d'un bel immeuble situé juste derrière Kensington High Street et dont le salon offrait une jolie vue sur le parc et le palais. La chambre de Greville, son dressing, sa salle de bains et son bureau occupaient l'essentiel de l'espace restant. Je logeais dans la chambre de bonne, une petite pièce à l'arrière de la cuisine avec des toilettes et un lavabo dans un placard, mais je pouvais utiliser le reste de l'appartement. J'avais peint les murs de ma chambre en vert émeraude, suspendu des rideaux de jute rouge à la petite fenêtre, accroché au mur quelques-unes de mes photographies encadrées (« Xan en plein vol », « Jeune garçon avec batte et chapeau », « Jeune garçon courant »), posé un tapis persan d'occasion sur le sol et un couvre-pied en patchwork sur le lit – une décoration trop colorée et surchargée pour une si petite pièce, mais je m'y sentais comme dans un cocon. Je vivais à Londres (Falkland Court était mon premier domicile loin de Beckburrow), je gagnais ma vie (sept shillings et six pence par jour) et j'allais au moins trois fois par semaine, sinon quatre, à des réceptions où je croisais tous les rupins.

J'ôtai ma robe de soirée et la pendis dans le placard, enfilai mon nouveau « Zemana », un pyjama d'intérieur orné de motifs floraux, puis me dirigeai vers le salon pour me préparer un petit brandy-soda et fumer une cigarette en attendant le retour de Greville.

Ce salon témoignait assurément d'un goût exquis, pour un homme : les murs étaient laqués de rouge, des tapis de soie parsemaient le parquet clair ciré, un nu de jeune danseur noir était accroché au-dessus de la cheminée et les guéridons croulaient sous des cadres d'argent et d'écaille mettant en valeur ses portraits des plus grandes célébrités. Postée à la fenêtre avec ma cigarette, je regardais par-dessus les toits en direction du palais. Vraiment, la vie était belle. Tu n'as que dix-neuf ans, me disais-je, et vois comme tu as réussi, un an après avoir quitté le pensionnat. Laura et Millicent auraient vendu leur âme au diable pour se trouver à ma place. Et qui l'eût cru ? Moi, destinée à aller à Oxford, pour étudier l'histoire à Somerville College ? *Non, merci**. Laisse la vie venir à toi, disait toujours mon père, ne cours pas partout à sa recherche. J'entendis alors Greville rentrer et je me sentis toute tendue d'impatience.

« Tu n'es pas encore couchée, vilaine fille ?

– Alors ? lui demandai-je. Il faut que vous me racontiez.

– Il n'a pas dit oui, mais il n'a pas dit non. Je crois qu'il est réellement intéressé. Il veut voir ce que j'ai fait avec certaines personnes de son entourage. Est-ce que nous avons toujours ces portraits de lady Furness ? Voilà qui emportera le morceau. On les cherchera demain matin. »

Il dénoua sa cravate et se dirigea vers la table des boissons pour se verser un whisky.

« Cette soirée tout à fait acceptable a été gâchée par une dispute assez désagréable avec lady Foster-Porter, annonça-t-il avant de vider son verre d'un trait et de se resservir. Il n'y a pas d'autre mot, et j'en suis bien désolé, mais lady Foster-Porter est une horrible vieille conne. »

Je ne fus pas choquée. Greville jurait tout le temps en privé, arguant qu'il était de notre devoir envers la langue anglaise d'exploiter toute la gamme d'expressions percutantes qu'elle offrait. Il m'expliqua ensuite comment le désaccord avec lady Foster-Porter avait commencé : elle avait refusé de payer les honoraires qu'il avait demandés pour le mariage de son fils.

« Quelle poison, celle-là ! Elle a osé prétendre que son chauffeur s'en serait mieux tiré que moi.

– Une emmerdeuse de première, oui ! renchéris-je avec loyauté. Comment a-t-elle pu ?

– Eh bien, j'étais fou de rage, tu t'en doutes. Fumasse. J'ai dit que le mariage de son fils ne méritait pas mieux que ce que j'avais fait. Et je lui ai rappelé que j'avais couvert les noces du comte de Wargrave le lendemain et qu'il s'était déclaré ravi.

– Et ça lui a fermé son clapet ?

– Elle m'a traité de snob. Putain, quelle vieille bique ! Elle... Pourquoi est-ce que tu me regardes comme ça ?

– Vous êtes très beau, tout d'un coup, quand vous jurez comme un troupier. »

Il s'approcha, me prit la main et m'embrassa.

« Greville et Amory contre le monde entier, plaisanta-t-il.

– Victoire par KO.

– Lockwood a tout rangé ?

– Oui. Je lui donnerai un coup de main pour développer et tirer demain matin, on pourra tout envoyer au magazine.

– Assieds-toi, ma chérie. Il y a quelque chose dont il faut que je parle avec toi. »

Il me conduisit à un fauteuil devant la cheminée, m'y fit asseoir et prit mes deux mains. Voilà, nous y sommes, me dis-je. C'est maintenant que ça se passe.

« Ton père, il faut que tu ailles le voir. »

Je n'avais pas revu Papa depuis cette journée au lac de Hookland Castle quand la police l'avait emmené. J'avouai à Greville d'une voix posée que je ne supportais pas de me trouver dans la même pièce que mon père, que cela me rendait malade, me perturbait.

« Greville, je ne peux pas. Il a essayé de me tuer.

– Il n'allait pas bien, il était dérangé. Mais il va beaucoup mieux ces temps-ci, et il paraît qu'il te réclame chaque fois qu'il se réveille, à ce que me dit ta mère. Les médecins pensent que cela pourrait l'aider si tu lui rendais visite. Chaque semaine, chaque mois qui passe sans que tu ailles le voir, ça le rend plus agité, tu comprends. »

Je fermai les yeux. Pourquoi étais-je si butée ?

« Je t'accompagnerai, proposa Greville. Il n'y a pas de raison d'avoir peur. Il fait de gros progrès. Et cela pourrait t'aider toi aussi. Un genre de catharsis… »

Il avait raison. Mais des larmes coulèrent et j'eus un petit sanglot. Comme je l'espérais, Greville me prit dans ses bras et me berça doucement. J'inspirai, me délectant du moment présent, la tête pleine d'un parfum de crème anglaise et de jasmin.

4

Cloudsley Hall

Cloudsley Hall, près de Rochester dans le Kent, était l'asile où mon père avait été interné après l'incident de Hookland Castle. Cet affreux manoir victorien néo-gothique se dressait sur le site d'une imposante ferme du XVIIIe siècle et jouissait ainsi du vénérable parc paysager datant de cette époque. Remparts, tours d'angle, belvédère improbable et, à l'entrée, deux pavillons de part et d'autre d'une allée serpentant doucement jusqu'à la demeure à travers des collines verdoyantes et boisées tondues par les moutons... On se serait cru dans un hôtel ou une école privée.

Greville m'y accompagna dans son Alvis. Mère, Peggy et Xan avaient décidé de ne pas se joindre à nous puisqu'ils avaient déjà vu Papa en de multiples occasions et que l'effet serait sans doute plus bénéfique si j'y allais seule. On nous conduisit au bureau du directeur, un médecin suisse du nom de Fabien Lustenburger, expert en traitements de pointe de « l'état maniaque », m'apprit Greville.

Le docteur Lustenburger était un gros, gras, grand jeune homme de plus d'un mètre quatre-vingts, déjà dégarni mais dont la grosse moustache touffue contrebalançait le crâne presque outrageusement lustré. Accueillant et chaleureux, il se déclara très content de ma venue et me fit monter avec empressement à l'étage, dans le service où se trouvait mon père. Greville dit qu'il m'attendrait dans la bibliothèque.

« Votre père va vous paraître tout à fait bien, me prévint le docteur Lustenburger avec un très léger accent quand nous fûmes arrivés au palier du premier. Je vous avertis, vous allez être surprise, vous allez vous demander pourquoi il est dans cette institution. Peut-être sera-t-il un peu somnolent. Quand nous réveillons les patients, ils trouvent cet état d'éveil un peu étrange et difficile à gérer. Ils passent tellement de temps à dormir, voyez-vous. »

Il me fit traverser une salle où s'alignaient une douzaine de lits, la plupart occupés par des patients endormis, des hommes et des garçons, d'après ce que je pus voir en jetant un coup d'œil de chaque côté. L'ambiance était feutrée, comme il convient. Le docteur Lustenburger me fit entrer dans une loge vitrée donnant sur la grande pelouse derrière Cloudsley Hall et sur le lac ornemental oblong dont la vue m'inquiéta. Au milieu de luxuriants palmiers et aspidistras en pot, mon père était assis sur l'un des fauteuils rembourrés à repose-pied, en pyjama et robe de chambre matelassée écarlate. Il avait excellente mine, le visage frais et des cheveux plus longs que d'habitude qui lui donnaient un air presque juvénile. Il m'embrassa et m'étreignit avec enthousiasme, tout à fait naturellement, comme si rien ne s'était passé entre nous.

« Amory, Baymory, Taymory ! Quelle élégance, ma chérie ! Une vraie gravure de mode, vous ne trouvez pas, docteur Lustenburger ? »

Le médecin s'éclipsa en souriant sans faire de commentaire.

Je me mis à babiller frénétiquement sur ma vie londonienne, mon travail avec Greville, les soirées auxquelles j'assistais et les gens que j'avais rencontrés. Ce tête-à-tête me mettait très mal à l'aise, car la situation semblait à la fois parfaitement normale et tendue à l'extrême. Un vague sourire aux lèvres, mon père donnait l'impression d'écouter et hochait la tête de temps à autre en disant : « Fantastique ! » et « Quelle aventure, Amory ! » et « Mon Dieu ! ». Puis il se recula sur son fauteuil et ferma les yeux.

Je restai là quelques instants à le regarder.

« Que s'est-il passé, Papa ? »

66

Il se réveilla d'un coup et retira prestement ses jambes du repose-pied.

« Je ne me rappelle pas, lâcha-t-il. J'ai tout oublié, c'est ça le problème. Les médicaments qu'on vous donne ici, tu vois…, ajouta-t-il avant de me prendre la main pour l'étudier. Je sais qu'il s'est passé quelque chose d'affreux, et je me souviens de toi et moi debout sur le toit d'une voiture, dans un genre de lac… Un lac plus grand que celui-ci, précisa-t-il avec un geste vers la vue sur la pièce d'eau de Cloudsley Hall. Et puis je me rappelle des policiers, un commissariat, des médecins qui arrivent et puis… ici. Tu sais, quoi ? reprit-il à mi-voix après une pause en se penchant vers moi. Le premier jour, quand je me suis réveillé le matin, j'ai dit : "Ah ça ! J'ai vraiment bien dormi cette nuit !" Et l'infirmière m'a dit : "Il y a deux semaines que vous dormez, monsieur Clay." On vous fait dormir ici, Amory, pendant des jours et des jours d'affilée, raconta-t-il en fronçant les sourcils. Des semaines. Je n'ai aucune idée du temps que j'ai passé à dormir. Des mois. Je suis très rarement éveillé, me semble-t-il.

– Eh bien, du moment que ça vous aide à vous sentir mieux…

– Je t'ai fait du mal, non ?

– Ça n'a pas d'importance maintenant, Papa. Tout va très bien. Et les nouvelles de votre santé ne pourront que s'améliorer.

– Les nouvelles du nouvelliste s'améliorent ! Envoie-moi une photo, mon cœur. Cela me fera du bien, je pourrai te regarder tous les jours. »

De nouveau, il se laissa aller dans son fauteuil et ferma les yeux.

Il y eut un toussotement poli dans mon dos et je me retournai. Le docteur Lustenburger était entré à pas de loup pour me raccompagner. Mon père dormait profondément, aussi je l'embrassai sur le front puis suivis le médecin jusqu'à son bureau, où il m'expliqua quelques aspects de ses méthodes. Cloudsley Hall pratiquait la « somnothérapie ». À l'en croire, toutes les manies antisociales aberrantes résultaient de souvenirs malheureux dont un sommeil profond de plusieurs jours permettait de supprimer l'emprise.

« Dans le cas de votre père, ces souvenirs remontent à la Grande Guerre, diagnostiqua-t-il avant d'ajouter avec un sourire confiant : Cependant, lentement mais sûrement, nous nous employons à les effacer. »

Greville me conduisit dans un pub à l'écart de la route de Londres, The Grenadier, près de Gravesend, où nous prîmes chacun un whisky-soda. J'exprimai quelque optimisme concernant ma visite.

« Le docteur Lustenburger a-t-il évoqué le traitement ? me demanda Greville.

– Papa m'a parlé de médicaments, mais sans préciser.

– C'est une drogue qui les fait dormir très longtemps. Ça les assomme pendant des jours.

– Ça paraît merveilleux !

– C'est du SomniBrom, expliqua-t-il avec un sourire entendu. C'est un mélange de barbiturique et de bromure.

– Alors, ce n'est peut-être pas si merveilleux que ça. Comment savez-vous tout cela ?

– Ma chérie, il fait une cure de sommeil prolongée. C'est complètement dans le vent. La narcose pour chasser l'anxiété. Avec l'aide de quelques électrochocs pendant son sommeil, ajouta-t-il avec une grimace.

– Oh, mon Dieu, non !

– Mon Dieu, si ! Tu es surprise qu'il ne se rappelle rien, rien du tout ? Des électrodes fixées à la tête, et voilà. Mais on ne sent rien. C'est tout à fait bénin, paraît-il.

– Pauvre Papa…, me désolai-je, soudain triste à sa pensée. C'est la guerre, n'est-ce pas ? C'est la guerre qui lui a fait ça ? »

Greville confirma ce lieu commun et notre conversation se poursuivit autour d'une nouvelle tournée de whisky-soda. Quand il apporta nos verres, il me vint à l'esprit que quelqu'un qui entrerait et nous verrait assis là, dans un petit box en coin du Grenadier, à discuter si sérieusement, aurait pu penser que nous étions un couple en plein rendez-vous galant.

*

* *

JOURNAL DE BARRANDALE, 1977

J'ai décidé de faire à pied les trois kilomètres jusqu'à Inverbarr pour déjeuner avec Calder et Greer McLennan, mes meilleurs amis sur l'île. Il y avait une brise fraîche, un vent qui voulait m'arracher ma veste et mon chapeau, un soleil plus éclatant qu'à l'ordinaire, d'une luminosité presque alpine lorsqu'il perçait entre les bancs de nuages. Je n'allais pas seulement déjeuner, je rapportais à Calder un livre qu'il m'avait prêté, *La Dernière Année : avril 1944-avril 1945*, de Dennis Fullerton, un récit de la fin tumultueuse de la guerre en Europe qui m'avait aidée à reconstituer un peu mieux mon cheminement au cours de ces douze mois. Du moins avais-je maintenant une vision d'ensemble où pouvait s'inscrire mon modeste parcours personnel, dès lors que mes déambulations avaient croisé la grande marche de l'histoire militaire.

J'ai grimpé jusqu'au dos d'âne entre Beinn Morr et Cnoc Torran, les deux collines moyennes qui forment pour ainsi dire l'arête de Barrandale ; depuis la crête, j'ai vu Inverbarr en contrebas, tout au fond de sa petite crique face à la pointe sud de Mull, et, au-delà, l'étendue d'argent martelé de l'Atlantique.

Greer m'a accueillie à la porte de derrière, un gin-tonic dans une main, une cigarette dans l'autre. Cette grande et belle femme aux cheveux d'un blanc neigeux coupés en carré strict, avec une frange effilée au rasoir qui lui effleure les sourcils, a dix ans de moins que moi mais paraît parfois plus âgée en raison de ses cheveux blancs, selon moi. Tous deux sont retraités de l'université d'Édimbourg ; Calder y a été professeur d'économie et Greer une cosmologue « nullement éminente », à l'en croire. Petit, sec, barbu, Calder est

69

un hyperactif passionné de randonnée. Plus posée, Greer dit se consacrer à l'écriture d'un livre sur les mollusques. « Drôle d'occupation pour une cosmologue », lui ai-je fait remarquer le jour où elle me l'a annoncé. Avec un sourire, elle m'a simplement répondu qu'elle éprouvait le besoin de se concentrer sur un sujet plus proche de son environnement.

Calder ayant des prétentions culinaires, nous avons déjeuné d'un bouillon d'orge perlé et d'un ragoût de gibier au poivre. Dans la bibliothèque, où nous avons pris le café en fumant, j'ai repéré un grand atlas sur une étagère basse et demandé si je pouvais l'emprunter. Gros comme une dalle de trottoir, il était trop encombrant pour que je puisse l'emporter chez moi à pied, aussi Greer m'a-t-elle proposé de me ramener au cottage en voiture, prétextant qu'elle avait des emplettes à faire à Achnalorn.

Dans le village, nous nous sommes garées devant la supérette, et j'en ai profité pour acheter le *Glasgow Herald* et deux paquets de cigarettes. Greer a fait de même, et nous avons passé un moment sur le parking à feuilleter nos journaux en fumant et à regarder le ballet des bateaux de pêche dans le petit port.

J'ai montré du doigt un article à la une du *Herald*. On venait de découvrir une nouvelle galaxie dans quelque lointain recoin de l'univers connu.

« Ça te fait battre le cœur plus vite ? ai-je demandé.

– Ce n'est pas vraiment mon domaine. Ma spécialité, c'était ce qui s'est passé avant le Big Bang, quand il n'y avait que le néant.

– Stop ! ai-je lâché en riant. Ce sont des concepts incompréhensibles, pour moi. Le néant, l'infini, l'intemporalité… Mon cerveau refuse de suivre.

– C'est pour ça que j'ai pris ma retraite tôt, a dit Greer avec un sourire nostalgique. Je me suis rendu compte que ce que je faisais n'avait aucun sens pour le genre humain en dehors de cinq ou six collègues d'universités lointaines.

– J'ai besoin de limites. Le néant, pour moi, ça dépasse l'entendement, je n'arrive pas à me dire qu'avant il n'y avait rien, que le temps n'existait pas, que le néant était infini… Mais peut-être que je suis juste stupide, ai-je ajouté avec un sourire.

– C'est pour ça que j'étudie des petits mollusques dans de minuscules flaques entre des rochers, a dit Greer en jetant son mégot par la fenêtre et en soufflant la fumée. Nous sommes juste une espèce particulière de grands singes sur une petite planète qui tourne autour d'une étoile insignifiante. Pourquoi aller m'embêter avec ce qui a pu se passer ou ne pas se passer il y a treize milliards d'années ?

– Une espèce particulière de grands singes. J'aime bien.

– Alors j'ai décidé de laisser tomber. Tout d'un coup, ça m'a paru totalement absurde.

– Tu as bien fait, ai-je convenu avant d'ajouter, avec plus de sentiment que je n'en avais l'intention : Ce n'est pas comme si le présent n'était pas déjà assez problématique.

– Exactement, a-t-elle dit en faisant démarrer la voiture.

– À propos, comment va Alisdair ? »

Alisdair est leur fils, un diplomate qui vient de vivre un divorce difficile impliquant deux enfants en bas âge et une ex-femme pleine de fiel.

« Il a été nommé au Vietnam, a-t-elle répondu sèchement. Cela devrait lui éviter les ennuis.

– Au Vietnam… Eh bien, moi, ça m'en a causé des ennuis, et pas des petits, ai-je commenté sans réfléchir.

– Alors toi, Amory, tu sais surprendre ton monde ! s'est-elle exclamée en me jetant un regard perçant. Quelle cachottière ! Mais quand diable es-tu allée au Vietnam ?

– Quoi ? Moi ? Oh, il y a des années… Quand la guerre battait son plein. »

Nous étions arrivées au cottage. Greer a arrêté la voiture et s'est tournée vers moi. Je sentais bien qu'elle avait très envie de poursuivre la conversation, mais je ne voulais pas traîner et j'ai ouvert la portière.

71

« Merci beaucoup pour ce déjeuner.

– N'oublie pas ton atlas.

– Je te raconterai le Vietnam un jour, lui ai-je dit en récupérant le gros volume sur la banquette arrière.

– Des promesses, toujours des promesses… »

Ce soir-là, j'ai abusé du whisky pour ne pas penser aux guerres que j'avais traversées. Dans mon lit, je me suis sentie envahie d'une somnolence idéale et, quand j'ai fermé les yeux, la pièce a vacillé légèrement, agréablement. Le whisky… ma somnothérapie à moi.

*

* *

Greville ouvrit la bouteille de champagne et nous versa une coupe à chacun pour que nous portions un toast.

« Ça doit être un record ! se réjouit-il. Trois bals dans la même soirée. Mais que se passe-t-il à Londres ? C'est du jamais vu. »

J'allumai une cigarette en le regardant ôter sa veste et se laisser tomber dans un fauteuil. Je savais que c'était ce soir ou jamais.

« Je n'y serais pas arrivé sans toi, ma chérie. Mille mercis.

– Et sans Lockwood.

– Locky, c'est un brave entre les braves. Mais on aura peut-être besoin d'un autre assistant, si ça continue comme ça.

– Ça ne peut pas continuer comme ça, enfin ! protestai-je en m'asseyant face à lui. Une telle folie, c'est une aberration. Tout le monde se lâche.

– Et la saison n'a même pas commencé… J'ai trouvé ! s'exclama Greville après réflexion. Diviser pour mieux régner. Et si nous nous séparions ? Tu crois que tu pourrais en assurer un toute seule ? Tu n'as qu'à prendre Lockwood et moi je recruterai un nouveau. Nous pourrions faire quatre événements par soirée, calcula-t-il en se levant pour arpenter le salon. Deux chacun.

– Malin. Sauf que les gens s'intéressent à moi seulement parce qu'ils savent que je suis avec vous. Ils ne veulent pas être photographiés par Amory Clay. Plus exactement, ils ne paieront pas pour être photographiés par Amory Clay.

– Mais si, attends un peu qu'ils aient vu ton travail, ma petite main droite ! m'assura-t-il en retraversant la pièce pour venir déposer un baiser sur ma main droite. Je suis épuisé. Fais de beaux rêves. »

Dans ma chambrette, j'enlevai ma robe du soir et mes sous-vêtements, enfilai une nuisette en soie, posai une goutte de parfum derrière mes oreilles et me dénouai les cheveux. Je notai avec surprise que je me sentais très calme. Ce n'était pas une décision irréfléchie prise sous l'effet de l'alcool ; les choses étaient mûres. Puis je m'arrêtai et réfléchis, aussi froidement que possible, à ce que j'étais sur le point de faire et aux risques encourus. Tout cela pouvait très mal tourner, bien sûr, mais, me dis-je, tu aurais pu mourir il y a quelques mois, prise au piège dans une voiture sous les eaux du lac de Hookland Castle. Ne laisse pas ta vie t'échapper en regrettant ce qui aurait pu être. Vis ta vie, vis pour ce que tu veux vraiment.

Vis ta vie, me répétais-je en traversant sur la pointe des pieds l'appartement plongé dans l'obscurité en direction de la chambre de Greville. Aucune lumière ne brillait sous la porte. Je frappai.

« Greville ? Je peux vous dire un mot ? »

Je poussai la porte tandis qu'il allumait sa lampe de chevet. Il était tout ébouriffé, une grosse mèche lui retombait sur le front. Je ne l'avais jamais vu aussi décoiffé.

« Amory ? Que se passe-t-il ? Quelque chose ne va pas ? »

Je me glissai dans le lit à côté de lui.

« J'ai froid, dis-je et, l'entourant de mes bras, j'essayai de l'embrasser sur les lèvres.

– Qu'est-ce que tu fais ? demanda-t-il en me repoussant très doucement mais fermement. Tu perds la tête ?

– Je suis tombée amoureuse de vous.

– Ne sois pas ridicule ! Je suis ton oncle, bordel !

– Et alors ? Ça n'a pas d'importance. »

73

Il se redressa, se passa la main dans les cheveux pour les ramener en arrière et sortit du lit. Je vis qu'il portait un pyjama taupe avec un liseré plus sombre. Il attrapa sa robe de chambre et la jeta vers moi.

« Tu es presque nue, petite idiote. Mets donc ça. Pourquoi diable essaies-tu de me séduire ? Tu as trop bu ?

– Parce que j'en ai assez d'être une "petite" ! criai-je d'une voix que j'aurais voulue moins stridente. Et encore plus d'être une petite "idiote". Et je vous aime et je ne veux pas que quelqu'un d'autre m'aime ou… ou… me possède », terminai-je après avoir cherché le bon mot.

Il rit puis se dirigea vers sa commode, y trouva une cigarette et l'alluma.

« Tu as bien des choses à apprendre, ma chérie.

– J'ai dix-neuf ans, j'ai failli mourir, mon père a essayé de me tuer et je ne peux vraiment pas attendre que… »

Il leva la main pour m'imposer le silence et secoua la tête d'un air incrédule. Je l'entendais faire des petits bruits secs avec ses lèvres.

« Le problème, c'est que les filles ne m'intéressent pas, Amory. Tu ne l'as pas senti ?

– Senti quoi ?

– Ce sont les hommes qui m'intéressent. Et les garçons… Je suis ce que le beau monde appellerait une "tapette".

– Oh, mon Dieu ! fis-je en le dévisageant. Je ne… Je ne sais pas quoi dire.

– Ne sois pas gênée, ma chérie. En fait, je suis plutôt flatté que tu aies pu croire que je faisais l'affaire. Mon déguisement est convaincant. »

Soudain pathétiquement consciente de mon déshabillé rikiki, de la lumière sur mes bras et mes épaules nus, de mes seins ridiculement gros et blancs, j'enfilai sa robe de chambre et la serrai contre moi, le dos parcouru d'un frisson. Une honte non pas cuisante, mais réfrigérante – encore pire. Je n'allais pas pleurer, mais je ne m'étais jamais sentie aussi stupide. Comme un gros paquet de fonte, des tonnes de métal sans une once d'intellect.

74

Greville s'assit à côté de moi et prit mes deux mains dans les siennes, comme lorsqu'il m'avait exhortée à aller rendre visite à mon père. Dans une autre vie.

« Tu veux vraiment perdre ta virginité ?

– C'était l'idée. Maintenant, je n'en suis plus si sûre. Comme vous dites, j'ai beaucoup de choses à apprendre. Peut-être qu'au lieu de ça, je vais me faire bonne sœur.

– Tu es incroyablement impétueuse, Amory, tu sais, dit-il en me dévisageant. Très impulsive.

– Très bête.

– Oui, on peut dire ça comme ça. Ça pourrait te causer des ennuis dans la vie.

– C'est déjà fait. »

Je resserrai la ceinture de la robe de chambre et sentis des larmes salées dans mes yeux. Je n'allais pas pleurer.

« C'est mon problème. Ma malédiction.

– Ce qui veut dire que tu ferais une assez piètre nonne, j'en ai peur.

– Sans doute », concédai-je sans pouvoir m'empêcher de sourire.

Il me regarda d'un air pénétrant mais avec bonté.

« Tu sais, si je m'en sentais capable, je t'aiderais. Tu es une très jolie fille. Mais ce serait affreux... pour nous deux. Trop sordide, embarrassant. Ça pourrait te gâcher le plaisir pour toujours. Je ne suis tout simplement pas équipé pour ça, ma chérie. La machinerie ne fonctionnerait pas, si tu vois ce que je veux dire.

– Il vaut mieux que je parte. Je crois que je vais mourir de honte. Je suis vraiment désolée, Greville, je n'ai jamais...

– Pourquoi tu ne séduirais pas le petit Lockwood ?

– Quoi ? Lockwood ?

– Il est fou de toi. Ça se voit dans ses yeux. Il t'adore. Tu ne t'en rends pas compte ?

– Je ne pensais qu'à vous.

– Ce serait beaucoup mieux pour toi de perdre ta virginité avec ce grand gaillard de Lockwood qu'avec une tantouse défaillante comme moi. »

On ne voit que ce qu'on veut bien voir et c'est comme ça qu'on fait des erreurs. J'eus une vision soudain nette de Greville, comme si on avait ajusté la focale.

Au petit-déjeuner, le lendemain matin, j'entrai à pas feutrés dans la cuisine mais il était déjà là, en redingote, tiré à quatre épingles, fin prêt pour le mariage que nous devions photographier à l'Oratoire de Brompton. On eût dit une gravure tirée de *Tailor & Cutter*.

« Tu ne vas pas me sauter dessus, Amory, hein ?

– Très drôle. »

Mais, bien sûr, c'était exactement la chose à dire. Il prenait l'incident à la légère. Nous pouvions en rire et, du coup, il était possible pour moi de me retrouver avec lui, de fonctionner sans gêne, même si tout avait changé. Curieusement, d'une certaine manière, je me sentais plus proche de lui maintenant que je savais, maintenant que nous avions notre petit secret.

« Ça avance avec Lockwood ? me demanda-t-il un jour.

– Greville ! Je t'en prie !

– C'est un gentil garçon. Puissant mais docile.

– À t'entendre, on dirait un cheval de trait…

– Tu sais ce qu'on dit des chevaux, ma chérie ?

– Non, je ne sais pas. Et je ne veux pas le savoir. »

Mais comme Greville persistait à parler de lui, à constamment évoquer l'homme et ses charmes dans nos conversations, je considérai Lockwood comme je ne l'avais pas fait auparavant. Je me rendis compte qu'il me regardait tout le temps en douce, qu'il ne ratait pas une occasion de se tenir aussi près de moi que l'autorisaient les convenances. Greville avait raison : Lockwood était vraiment fou de moi.

Un soir, quelques semaines après mon fiasco avec Greville, Lockwood et moi terminions notre travail dans la chambre noire, nimbés par la luminosité épaisse et irréelle de l'ampoule rouge. J'accrochais des bandes de négatifs développés et je sentais son regard jouer sur moi comme un rayon invisible transperçant le rouge. Je me dis : pourquoi pas ? Il faut bien que ça arrive un jour, et le plus tôt sera le mieux. Ayant laissé cette pensée m'entrer dans le crâne, je ressentis les conséquences physiques qui l'accompagnent : ce frisson dans les entrailles, cette faiblesse dans les os qui anticipent le plaisir.

Lockwood tendit le bras pour allumer la lumière, mais je lui attrapai le poignet. Nous échangeâmes un long regard.

« Qu'y a-t-il, miss Clay ? demanda-t-il dans un souffle.

– Aimeriez-vous m'embrasser, Lockwood ? »

LIVRE DEUXIÈME

1927-1932

1

La vie est douce

Je m'emparai de mon petit appareil Ensignette et pris une photo de Lockwood Mower endormi nu sur le lit. Il avait chaud, il avait rejeté le drap et les couvertures et son long pénis pâle détumescent qui reposait sur le haut de sa cuisse était à la fois flasque et à demi congestionné. Le bourgeon pincé de son épais prépuce faisait ressembler son pénis à une plante tubéreuse, pas à son sexe, son membre, pas du tout. Même si c'est moi qui le dis, c'était une magnifique photographie, mon « Mâle nu endormi », et j'en ai gardé un tirage pendant des années, dissimulé dans un dictionnaire anglais-portugais que je consultais peu mais où je pouvais aisément le récupérer pour repenser à lui et aux longs mois que dura notre liaison. Je le perdis lors d'un déménagement après la guerre, ce qui ne laissa pas de me contrarier.

Je rangeai mon appareil dans mon sac, enfilai mon manteau et me hâtai de partir sans le réveiller. J'avais un engagement cet après-midi-là, je devais me rendre dans le West Sussex pour une « fête champêtre » que donnait Miss Veronica Presser, fille de lord Presser, le magnat du minerai de fer, dans le village de North Boxhurst. Ledit village appartenait jusqu'aux dernières briques et tuiles faîtières à la famille Presser, dont le vaste domaine de Boxhurst s'étendait entre Chichester et Bognor Regis.

Je pris le métro de Kensington High Street jusqu'à Walham Green en essayant de me concentrer sur le travail qui m'attendait

81

plutôt que sur les quelques heures que je venais de passer avec Lockwood. Greville m'avait sous-traité le contrat Presser (c'était pour *Beau Monde*), qui pouvait s'avérer déterminant dans ma carrière balbutiante de photographe professionnelle.

« Si tu réussis la séance Presser, tu récupéreras toutes mes commandes pour *Beau Monde*, m'avait assuré Greville. Garanti. »

J'habitais maintenant un studio miteux dans une maison d'Eel Brook Common. Pas de salle de bains, juste une petite cuisine et des toilettes à l'extrémité de la pièce principale toute en longueur. J'utilisais toujours la chambre noire de Falkland Court, dont Greville m'avait donné un trousseau de clés, arrangement qui me convenait car il me permettait de voir Lockwood en toute discrétion aussi souvent que je voulais. Et, finalement, c'était assez souvent.

Je rangeai mes deux appareils (l'Excelda quart de plaque et le Goerz) dans ma sacoche en cuir, fourrai une dizaine de cartes de visite professionnelles dans mon sac à main avec l'espoir de futures commandes et me dirigeai vers la gare de Victoria. Changement à Hayward's Heath pour Amberley, puis taxi pour North Boxhurst. La journée s'annonçait longue.

Miss Amory Clay

Professional photography

Tel: DUK 366

*

*   *

JOURNAL DE BARRANDALE, 1977

Je suppose que tous, hommes et femmes, nous nous souvenons de notre premier amant, que cela nous plaise ou non ; bon, pas bon, couci-couça. Mais j'ai l'impression que les femmes se rappellent plus de choses, se rappellent mieux les détails. Je peux encore faire revivre dans ma tête la quasi-totalité de cette première nuit passée avec Lockwood après notre baiser dans la chambre noire. Il a fait preuve à la fois de gentillesse et de maîtrise. Quand il est devenu évident que notre rencontre allait tourner ainsi, que ce ne serait pas juste un petit baiser, quand nous nous sommes retrouvés nus dans son galetas puant à l'étage, toutes lumières éteintes, il m'a demandé si c'était « ma première fois ». J'ai répondu oui. Puis il a voulu savoir si j'utilisais des serviettes hygiéniques ou « ces trucs, là, les tampons ». « Des serviettes, mais pourquoi ? » ai-je répondu. Puis j'ai senti son doigt dans mon corps, qui appuyait, et, soudain, une douleur aiguë qui m'a arraché un cri.

« Voilà qui est réglé, a-t-il dit avant de m'écarter les jambes et de se mettre en position. Non, attendez une seconde. »

Et il a quitté le lit. Je l'ai entendu se diriger vers la petite cuisine en haut de l'escalier, puis revenir se glisser contre moi. Je l'ai senti frotter une substance sur moi. Puis il est entré en moi avec un petit grognement d'effort, mais je n'ai pas senti grand-chose.

« Je vais pas trop me laisser aller, miss Clay, vu que c'est la première fois, m'a-t-il murmuré à l'oreille en commençant à me pénétrer en cadence.

– D'accord, ai-je dit en serrant les poings sur son dos.

– J'arrive pas à croire que ça m'arrive, miss Clay. Que ça m'arrive à moi, Lockwood Mower. Comme si je vivais un rêve. »

Il a tenu parole. Il a expiré bruyamment et roulé sur le côté après environ cinq secondes, et nous sommes restés couchés dans les bras l'un de l'autre.

Je m'attendais à souffrir plus que ça ; toutes les spéculations que nous faisions à Amberley évoquaient des draps maculés de sang et une douleur atroce. J'ai tendu la main pour me toucher délicatement, et j'ai senti une matière cireuse en caillots. La production de Lockwood ? « C'est quoi, ça, Lockwood ? lui ai-je demandé en levant mes doigts couverts d'une couche luisante.

– Juste un lubrifiant. C'est un vieux truc. Je me suis rappelé que j'avais un peu de saindoux à la cuisine. C'est pour ça que vous n'avez rien senti du tout.

– Tu as déjà fait ça ?

– Eh bien, une fois ou deux, a-t-il reconnu avec ce que j'ai deviné être un large sourire. Mon bonhomme a glissé comme un piston bien graissé, miss Clay, a-t-il murmuré en m'embrassant. Serrez-le, allez-y. »

Il m'a pris la main et l'a posée sur son « bonhomme ». À mon tour de sourire en moi-même dans l'obscurité, non pas de plaisir sensuel (il n'y en avait pas vraiment eu) mais de soulagement. Immense et heureux soulagement. C'était fini, c'était fait, tout avait changé.

« Tu peux m'appeler Amory », lui ai-je dit en lui rendant son baiser.

Le lit empestait le ranci et j'ai senti mon dos me démanger. Lockwood puait la sueur et sa pommade bon marché. J'ai inspiré à pleins poumons en m'obligeant à tout mémoriser. Je n'ai jamais oublié… et je n'ai jamais cuisiné au saindoux depuis.

*

* *

Miss Veronica Presser, une grande fille pleine d'allant au sourire chevalin, s'en remit bien volontiers à moi quand je la retrouvai près des courts de tennis en gazon à Boxhurst Park, où se déroulait un tournoi par élimination en un jeu pour une œuvre de bienfaisance. Je l'assurai qu'une pose informelle évoquant le sport serait bien plus intéressante que les insipides portraits classiques qu'on avait tous déjà vus cent fois.

« Absolument, convint-elle. Comme vous voudrez. »

Pour quelqu'un qui, à en croire la rumeur, pesait déjà plusieurs millions de livres, elle se montrait toute simple.

« Soyez aussi naturelle que possible, lui dis-je en réglant le Goerz. Soyez vous-même. Prenez une autre raquette. Oui, c'est ça ! Parfait. »

Clic. Dans la boîte.

« Ce que c'est amusant ! » dit-elle en éclatant d'un rire qui tenait du hennissement.

Miss Veronica Presser à la fête champêtre de North Boxhurst.
© *Beau Monde Publications Ltd, 1928.*

Le lendemain, dans la chambre noire de Falkland Court, je tirai mon portrait de Veronica avec ses deux raquettes de tennis. Très réussi. Il était grand temps, selon moi, de nous éloigner des images stéréotypées de ces filles de la haute société, beautés ou fiancées, débutantes ou héritières. Faisons de ma première commande pour *Beau Monde* une photo qui marquera, et non le énième portrait convenu d'aristo. Néanmoins, mon enthousiasme était tel que je décidai de mentir lorsque je l'envoyai à *Beau Monde* : je leur dis que c'était Miss Presser qui l'avait choisie, que c'était sa préférée. La photo fut donc dûment publiée la semaine suivante, en ouverture pleine page du cahier mondain.

« Bonté divine ! s'écria Greville à la vue du magazine. C'est vraiment elle qui l'a choisie ? On dirait qu'elle a des roues. Ce n'est pas du tout l'esprit *Beau Monde*.

– Elle a dit "Ce que c'est amusant !" quand je l'ai prise.

– Et, dans ta traduction, "Ce que c'est amusant !" signifie "C'est celle que je préfère".

– Ça paraissait implicite. Elle essayait de faire passer un message, tu vois.

– Tu peux te montrer très impulsive, Amory. Je t'avais prévenue.

– C'est vrai, mais…

– Mais c'est la meilleure photo que j'aie vue dans *Beau Monde* cette année. Très naturelle. Meilleure que les miennes.

– Merci, Greville. Tu m'as tout appris, tout. »

Nous étions dans son salon. Dans les rais obliques du soleil couchant, une lumière ambrée et vaporeuse créait un effet voilé, flouté sur les fenêtres côté jardin et nimbait tout ce qu'il y avait dans la pièce d'une irréelle nuance dorée.

« Tu vois toujours le jeune Lockwood ? demanda Greville.

– De temps en temps.

– Il semble beaucoup plus… je ne sais pas, plus net, plus propre. Plus présentable, en tout cas. »

J'avais forcé Lockwood à se laver (et même supervisé le premier bain pour bien le bouchonner), je lui avais acheté une brillantine correcte (« English Musk » de Del Rosa) ainsi que plusieurs changes

LIVRE DEUXIÈME (1927-1932)

de chemises et (il ne fallait pas que Greville le sache) j'avais jeté ses draps gris tout poisseux et lui en avais fourni des propres que j'apportais avec moi quand j'y allais et que je remportais en partant pour les faire relaver.

« Je n'ai jamais aimé cette chemise de flanelle bleue qu'il avait, dis-je. J'ai l'impression qu'il la portait une semaine d'affilée. »

Greville éclata de son rire retentissant de baryton qui n'explosait que lorsqu'il trouvait quelque chose vraiment drôle.

« Amory Clay, qu'est-ce que j'ai fait de toi ? »

Beau Monde me mit à la porte une semaine plus tard, à la suite d'une plainte en justice déposée par un lord Presser outré que sa fille soit devenue la risée de tous au point d'en être mortifiée, humiliée. Le numéro de juin 1928 fut retiré de la vente pour être envoyé au pilon, ce qui coûta plusieurs centaines de livres. Je fus aussitôt sacrifiée sur l'autel d'un espoir d'apaisement de lord Presser. Pour couronner le tout, le rédacteur en chef de *Beau Monde*, un certain Augustin Brownlee, m'annonça clairement qu'il ferait passer le mot chez tous ses concurrents, que ma perfidie et mon manque abject de professionnalisme deviendraient de notoriété publique, bref, que je ne travaillerais plus jamais pour un magazine mondain.

« Je trouve que c'est une bonne photo, une photo d'une vraie personne et pas d'une marionnette », m'assura Lockwood, loyal jusqu'au bout.

J'avais cherché du réconfort auprès de lui pour une nuit, au-dessus de la chambre noire. Il était nu, assis sur son petit lit, et me regardait m'habiller.

« Je suis inemployable, dis-je. Tout ça parce qu'une petite conne d'héritière a perdu son sens de l'humour. »

J'étais en train de prendre les mauvaises habitudes de Greville.

« Mr Reade-Hill peut sûrement...

– C'est lui qui m'a décroché ce contrat pour *Beau Monde*. Il m'a spécialement recommandée. Il n'est plus trop dans leurs petits papiers, du coup. »

J'agrafai mon soutien-gorge et, tandis que je tendais le bras pour attraper ma combinaison, je sentis Lockwood venir derrière moi et me prendre dans ses bras, ses mains serrant mes seins.

« J'aime tes rotoplots, Amory, ils sont si ronds et…

– Ce sont mes seins, Lockwood ! N'utilise pas ces expressions, tu sais que je ne les aime pas. »

Il aimait employer d'étranges mots d'argot pour les parties du corps et les positions amoureuses : les rotoplots, le bonhomme, le chemin, la baratte, Jack et le haricot magique… Il était originaire de St Albans et je me demandais s'il s'agissait là de quelque patois ésotérique du Hertfordshire.

Il regagna son lit sans se laisser perturber. Peu de choses troublaient la surface placide et lisse de sa nature. Il m'aimait avec une intensité exceptionnelle, ça, je le savais.

« Je suis au chômage, Lockwood. Je n'ai plus de boulot.

– Tu en retrouveras. Rien ne t'arrêtera, Amory, rien. »

Ma mère me regardait d'un œil fixe et peu amène. De la grange, j'entendais Peggy faire des gammes sans fin sur son piano. Cela commençait à me donner mal à la tête.

« Pourquoi ne te trouves-tu pas un charmant jeune homme ? suggéra ma mère. Comme ça, tu n'aurais pas besoin d'être photographe. Trouve-toi un avocat ou un militaire ou un… je ne sais pas… même un journaliste. Ou… un pasteur. Un magistrat, un brasseur…

– Sans façon, Mère. Arrêtez là votre liste de professions. »

Je sortis réfléchir dans le jardin. Greville m'avait dit que je pourrais toujours redevenir son assistante mais, quand j'étais partie pour m'établir seule, il avait embauché un remplaçant, un jeune Français du nom de Bruno Desjardins (que je soupçonnais de plaire à Greville) et je n'aurais vraiment pas grand-chose à faire. En dehors de *Beau Monde*, tous mes contrats étaient pour d'autres magazines mondains : *Young Woman's Companion*, *Modern Messenger*, *London Gazette* et consorts ; ces portes me seraient désormais fermées. Il y avait bien les journaux, mais je ne pouvais pas décemment me présenter comme photojournaliste. Et il y avait les portraits… mais il m'aurait fallu un studio, sans compter que les clients ne se bousculaient pas si l'on n'était pas connu.

Je vis trois cochons d'Inde courir sous un buisson de lauriers. Oui, je pourrais toujours prendre des photos d'animaux de compagnie. Je me sentis écœurée. Jamais je ne descendrais aussi bas. De toute façon, les bonnes photos animalières, cela n'existait pas. La photographie, ce n'était pas prendre des photos d'animaux, c'était…

« Oh, c'est toi.

– Salut, Xan. »

Mon frère arrivait de derrière les arbustes, un cochon d'Inde dans chaque main. Il était grand pour ses douze ans et semblait toujours sur ses gardes, comme s'il n'avait pas confiance en vous ou s'attendait à ce que vous ayez un geste violent envers lui. Un long bain ne lui aurait pas fait de mal, tant il avait l'air crasseux.

« Qu'est-ce que tu fabriques ? lui demandai-je.

– Je relâche quelques cochons d'Inde. J'en ai trop.

– Combien ?

– Plus d'une centaine. Mais ils n'ont pas l'air de vouloir partir. »

Il alla jusqu'à la haie qui bornait le jardin et déposa devant ses deux rongeurs tout juste libérés. Ils restèrent là, fronçant le nez. Puis, d'un coup de pied, il leur envoya de la terre et ils coururent se cacher.

« Et si tu les vendais à une animalerie ? Ça te ferait un peu d'argent.

– Ce serait immoral.

– Oh. D'accord.

– Pourquoi es-tu là ? me demanda-t-il avec un regard hostile.

– Je n'ai pas le droit de venir voir ma famille ?

– Si, faut croire.

– Trop aimable, Marjorie.

– Ne m'appelle pas Marjorie », dit-il avant de retourner dans son abri de jardin.

Je traversai la pelouse jusqu'à la grange. Peggy avait fini ses gammes et la porte était entrouverte. Quand la porte était fermée, personne n'avait le droit de la déranger. Je frappai et entrai. Assise au piano, elle faisait des exercices d'assouplissement des mains, serrant et desserrant les poings.

« Salut, Peggoty. »

Elle se retourna et me sourit – il y avait au moins un membre de ma famille qui se réjouissait de me voir. Nous nous embrassâmes et je remarquai qu'elle devenait très jolie : cheveux bruns, grands yeux, nez parfaitement droit. Le nez de mon père, le nez des Clay, pas le nez des Reade-Hill comme moi. Elle bloqua une règle entre le pouce et le petit doigt de sa main droite pour les écarter de force.

« Qu'est-ce que tu fais ? Ça ressemble à de la torture.

– J'ai les mains trop petites. Je n'ai pas un écartement d'une octave. Mme Duplessis dit que je ne réussirai jamais comme pianiste de concert si je ne peux pas couvrir une octave.

– Tu n'as que quatorze ans, ma chérie. Tu grandis encore.

– Je ne peux pas attendre que la nature suive son cours. Le temps n'attend pas les femmes », dit-elle avec un sourire.

Elle portait un pantalon de couleur fauve et un pull vert sapin qui moulait ses petits seins pointus. Elle paraissait dix-huit ans plutôt que quatorze.

« Tu aurais une cigarette ? demanda-t-elle en enlevant la règle avec une grimace. Ouille. »

Elle ferma la porte et toutes les deux nous allumâmes une cigarette, puis, repoussant les piles de partitions, nous nous assîmes sur le canapé au fond de la pièce.

« Mère sait que tu fumes ?

– Bien sûr que non. C'est Xan qui lui vole ses cigarettes pour moi. Mme Duplessis fume, donc on est tranquilles, ici. Tout va bien, Amory ? demanda-t-elle en m'observant d'un air perspicace.

– Non. »

Je lui racontai le désastre *Beau Monde*.

« Reste ici quelques jours. Allez ! Prends-toi des vacances.

– Il faut que je gagne de l'argent.

– Mère dit que nous sommes pauvres, maintenant. L'hôpital de Papa coûte une fortune. Elle dit qu'il faudra peut-être vendre Beckburrow. »

J'essayai d'intégrer ces deux nouvelles. Pauvres. Vendre.

« Mon Dieu, c'est affreux… Comment va Papa ?

– Il a l'air d'aller assez bien. Enfin, quand il est réveillé.

– Et ce que j'ai hérité de tante Audrey ? On ne peut pas l'utiliser pour Papa ?

– C'était réservé pour tes études, d'après Mère.

– J'aurais dû aller à Oxford. Je le savais.

– Une fois que je commencerai à donner des concerts et des récitals, tout ira bien pour nous, dit Peggy avec une petite moue pensive. D'après Peregrine, je pourrai me lancer dans une carrière professionnelle l'année prochaine.

– C'est qui, ce Peregrine ?

– Peregrine Moxon, le compositeur.

– Ah, d'accord. Il te laisse vraiment l'appeler Peregrine ?

– Il insiste, même.

– Comment l'as-tu connu ?

– Il est professeur invité à la Royal Academy. Je suis plus ou moins devenue sa *protégée**… »

Elle se leva, alla jusqu'au poêle, en souleva le couvercle et y jeta son mégot. Quatorze ans pour de vrai, vingt-quatre dans sa tête, songeai-je.

« Tu restes pour le thé ?

– Oui. Ensuite, je ferais mieux de rentrer à Londres pour essayer de ressusciter ce cadavre qu'est ma carrière. »

Nous traversâmes la pelouse jusqu'à la maison, bras dessus bras dessous. J'étais submergée par une sorte de panique à l'idée qu'il faille vendre Beckburrow, avec le sentiment irrationnel que c'était en partie ma faute, que j'avais quelque chose à voir avec la maladie de mon père, avec le prix que nous devrions tous payer.

« Ça va aller pour nous, Pegs, hein ?

– Oh oui ! Il faut juste qu'on tienne un an, le temps que je commence à gagner de l'argent. »

C'est ridicule de compter sur ta sœur de quatorze ans, musicienne prodige ou pas, pensai-je comme nous entrions dans la maison. Il fallait que j'agisse.

Greville m'emmena dîner chez Antonio's, un restaurant italien de Brompton Road que nous aimions tous les deux : *vitello al limone* et valpolicella.

« J'ai usé de toute mon influence, raconta Greville. L'*Illustrated* et le *Modern Messenger* vont te donner du travail, mais sur la base du plus strict anonymat.

– Ce n'est pas comme ça que je vais me faire connaître.

– Ça te fera des sous, au moins. Et Bruno repart à Paris pour une semaine. Tu pourrais travailler pour moi pendant son absence.

– Des petits boulots… Mon loyer qui augmente… Et nous allons peut-être devoir vendre Beckburrow.

– Tu peux toujours réemménager chez moi, ma chère petite, à condition que tu n'essaies pas encore de me séduire.

– Ha, ha ! Enfin, merci, il se peut que je ne puisse pas faire autrement. Mais je suis en train de régresser, tu vois ? Comment suis-je censée aller de l'avant dans ces conditions ? Et comment gagner ma vie ne serait-ce que modestement ? C'est impossible. »

Greville remplit nos verres à ras bord, en hochant la tête et en réfléchissant.

« Ce qu'il faut, c'est que tu changes la perception que le monde a de toi.

– Ben tiens, facile ! dis-je d'un ton peut-être un peu trop sarcastique, mais il ne remarqua pas car il était plongé dans ses réflexions.

– Il faut que tu te fasses… une mauvaise réputation. Non, encore mieux, une réputation sulfureuse.

– Que je prenne d'autres photos comme celle de Veronica Presser ?

– Non, non. Quelque chose de beaucoup plus choquant. Il te faut un scandale.

92

– Un scandale ? Et comment je m'y prends ? »
Il sourit. Il était content de son idée, je le voyais bien.
« Si j'étais toi, ma chérie, j'irais à Berlin. »

*
* *

JOURNAL DE BARRANDALE, 1977

Je contemplais les cartons que je venais de descendre du grenier.
Cinq cartons remplis de boîtes et de vieilles enveloppes brunes par
dizaines. Des tirages, des négatifs, des diapos Kodachrome – les
archives photographiques de ma vie, tout ce que j'avais réussi à
conserver. Certaines des boîtes étaient humides et moisies, d'autres
recouvertes de couches de poussière. Je me suis demandé si cela
valait la peine d'essayer de trier tout ça dans le laps de temps qui me
reste, quel qu'il puisse être. J'ai ramassé quelques boîtes au hasard
et j'en ai repéré une sur laquelle était gribouillée une adresse : 32b,
Jägerstrasse, Berlin 2. J'ai soulevé le couvercle. Elle était vide.

2

Berlin

« Ça paraît très respectable, fis-je remarquer à Rainer. Très raffiné.
– Il faut attendre minuit, dit-il en consultant sa montre avec un
sourire qui découvrit ses petites dents parfaitement blanches. C'est
là qu'on commence à s'amuser. »

Nous étions assis dans un box au fond de l'Iguana-Club, quelque
part dans le nord de Berlin. Nous avions traversé Oranienburgerstrasse et j'avais vu un panneau indiquant la gare de Stettin,
mais il me restait encore à me repérer dans cette ville, la troisième plus grande du monde, comme ne cessaient de me le rappeler les Berlinois. Je sirotai mon verre en attendant minuit. Sur
une estrade en arc de cercle, un petit orchestre de jazz jouait « It
Happened in Monterey ». Au sud de la frontière, pensai-je, c'est
là que je voudrais être, dans un lieu interlope et très, très dissolu.
Quelques couples dansaient sans grand enthousiasme, comme si
les clients attendaient un signal pour pouvoir vraiment commencer
à s'amuser. Presque tous les hommes portaient queue-de-pie et
nœud papillon blanc.

Rainer m'offrit une cigarette et l'alluma pour moi. Rainer Nagel
était un vieil ami de Greville. Je me demandais comment ils s'étaient
connus (et jusqu'à quel point), mais Rainer ne lâcha rien. Petit
homme trapu au visage carré, il avait une beauté d'athlète, mais un
comportement agité, maniaque, comme s'il s'efforçait en permanence

de maîtriser son énergie, toujours à tapoter ses poches, faire tomber la cendre de sa cigarette, vérifier son nœud de cravate. Quand je lui avais demandé ce qu'il faisait dans la vie, il m'avait répondu : « Oh, un peu de tout. J'achète, je vends. » Il parlait un anglais parfait et il était presque trop courtois.

Il claqua des doigts pour attirer l'attention du serveur et, quand l'homme s'approcha, il lui parla à l'oreille pendant une bonne minute. Je portais une robe de crêpe noir à col de velours et une étole en fourrure, noire elle aussi, et j'avais remonté mes cheveux sous un cloche de feutre orné d'une petite plume bleu outremer, l'objectif étant une élégance discrète. Lorsque Rainer était passé me prendre à mon hôtel, le Silesia Hospiz, dans Prenzelstrasse, près de l'Alexanderplatz, il m'avait dit : « Vous êtes très *à la mode**, Amory », avec une insincérité charmante qui me fit presque rire. Je me demandai s'il était « de la jaquette » comme Greville, l'un des nombreux *Schwulen* qu'on voyait partout dans la ville si on regardait bien. Je ne le pensais pas, mais je pouvais difficilement me fier à mon intuition tant elle m'avait fait défaut concernant mon oncle.

À minuit, l'orchestre fit une courte pause. Je remarquai une foule d'hommes et de femmes qui se dirigeaient vers les toilettes, accessibles par un couloir partant du bar et signalées par une enseigne au néon « Klosett ». Rainer lança un regard circulaire sur la salle tandis qu'elle se vidait lentement. Tout cela était étrange, car je savais que les clubs berlinois restaient ouverts jusqu'à 3 heures du matin. Puis l'orchestre revint et se remit à jouer, bien qu'il fût évident que personne ne s'intéressait plus beaucoup à la danse. Les serveurs commencèrent à débarrasser les tables vides.

« Ils ferment ? demandai-je.

– Non. On ouvre. »

Rainer se leva et je l'imitai, non sans saisir l'occasion de prendre vite fait une ou deux photos de la salle avec mon petit Ensignette. Au temps pour la célèbre décadence berlinoise, pensai-je. Où allais-je trouver mon scandale ?

L'Iguana-Club, Berlin.

Rainer me guida entre les tables vers le couloir qui menait aux toilettes.

« Bienvenue au Klosett-Club ! » annonça-t-il.

Devant la porte d'un placard à balais coincé entre les *Damen* et les *Herren*, un grand moustachu vêtu d'un manteau à brandebourgs dorés qui lui descendait jusqu'aux chevilles montait la garde. Rainer lui donna d'abord une carte, puis de l'argent et la porte s'ouvrit, révélant un escalier raide qui aboutissait à un épais rideau de cuir. Tandis que nous descendions, j'entendais des conversations animées et sentais de la fumée de cigare et de cigarette. Rainer leva le rideau pour me laisser passer et je pénétrai dans le Klosett-Club. Voilà qui ressemble plus à ce qu'il me faut, me dis-je.

C'était une pièce étroite et sombre au plafond bas, dont je me demandai si elle avait servi de garage souterrain dans une vie antérieure. Des tables à touche-touche et des chaises à la dorure écaillée faisaient face à une minuscule estrade avec un rideau de scène couvert de sequins chatoyants. Sur chaque table, une petite lampe-champignon à abat-jour cramoisi émettait une lueur très sombre. Je distinguai des accents américains, français et hollandais dans le brouhaha. Quelques serveurs brandissant des plateaux chargés de boissons se faufilaient entre les tables. Il faisait chaud et, sous le parfum et la fumée, il flottait une drôle d'odeur. Huile et graisse ? Peut-être que c'était en effet un ancien garage.

Je me retournai pour voir Rainer en conversation avec un homme très maigre qui portait une veste de satin vert pistache et un nœud papillon jaune. Rainer me fit signe de m'approcher.

« Voici Benno, le directeur, m'annonça-t-il. Et voici Fräulein Clay, la célèbre photographe anglaise. »

Poignée de main. Quand il se pencha vers moi pour me parler en confidence, je vis que les sourcils de Benno étaient peints.

« Vous pouvez prendre toutes les photos que vous voulez, mais seulement du spectacle. Il faudra juste mentionner le Klosett-Club quand vous les publierez, s'il vous plaît. Cela nous fait une bonne publicité. Nous avons un autre photographe ici ce soir, vous voyez ? »

Tout en s'esclaffant, il désignait du doigt un jeune homme en costume sombre appuyé contre le mur du fond. Son col avait l'air trop grand pour son maigre cou, presque par affectation, et ses cheveux blonds et raides formaient une mèche qui lui tombait devant l'oreille droite. Il se retourna pour nous regarder de l'autre bout de la salle, comme s'il savait que nous parlions de lui, et je vis un maigre visage de crève-la-faim aux yeux immenses. Un bel orphelin. Je remarquai qu'il avait un Rolleiflex sur l'épaule. Merde, me dis-je, ma déception me pesant comme un lourd sac à dos. Un autre photographe... un autre photographe, putain ! comme aurait dit Greville. Cet endroit tenait du sentier battu.

« Merci beaucoup, dis-je à Benno, qui me baisa la main et se hâta vers la scène. Nous pouvons partir, ajoutai-je à l'intention de Rainer. Cet endroit est à l'évidence trop connu. Pour l'exclusivité, on repassera, expliquai-je avec un signe de tête en direction de l'autre photographe.

– Tant qu'à faire, regardons le spectacle, proposa Rainer avec un haussement d'épaules sans se départir de sa bonne humeur. Buvez encore quelques verres. Benno nous cherche une bonne table sur le devant. »

Benno nous fit signe et nous plaça au deuxième rang, face à la petite scène, où un homme était en train d'installer un micro sur un pied. Laissant mon appareil dans mon sac à main sous la table, je commandai un gin-orange. Je lançai un coup d'œil à mon rival, en pleine conversation avec Benno en personne, qui nous montrait du doigt : Fräulein Clay, la célèbre photographe anglaise. Puis les lumières baissèrent et deux projecteurs éclairèrent la scène. Une trompette à la main, un Nègre en costume blanc à gros pois noirs façon dalmatien apparut entre les rideaux à sequins et la salle rugit d'enthousiasme.

« Mesdames et messieurs ! dit-il dans le micro en anglais avec un accent américain. Ingeborg Hammer va danser sur "Cocaine Shipwreck" ! »

Cette annonce fut accueillie par des cris et des applaudissements.

« Quelquefois elle danse avec un homme mais, ce soir, elle se produit seule, m'expliqua Rainer en se penchant vers moi. Nous avons beaucoup de chance.
— Vous pouvez me redire son nom ?
— Ingeborg Hammer. Très célèbre ici, à Berlin. »

Le Nègre commença une lancinante improvisation jazzy à la trompette et une silhouette de grande taille émergea des rideaux, vêtue d'une robe vaporeuse dont le décolleté plongeait jusqu'à la taille. Son visage fardé de blanc était un masque mortuaire, avec des yeux charbonneux et une balafre pourpre de rouge à lèvres. Elle resta figée le temps que meurent les applaudissements, bras écartés, mains voletant au son du solo de trompette. Elle devait bien frôler le mètre quatre-vingts. Puis elle se mit en mouvement, exécutant des pas de danse saccadés, impressionnistes, et, inévitablement, son décolleté bâilla, révélant ses seins plats et pendants dont les mamelons proéminents étaient teints de pourpre comme ses lèvres. Elle chancelait et se balançait, se penchait et titubait, agitait ses bras diaphanes en tous sens, s'inclinait au-dessus des tables puis reculait de manière théâtrale. Parfois, elle restait immobile dix ou vingt secondes tandis que le riff de la trompette continuait. Je jugeai la performance à la fois ridicule et totalement envoûtante.

À un moment, elle avança dans notre direction, dansant sur la pointe des pieds à tout petits pas d'oiseau et, du coin de l'œil, je vis mon rival, tête penchée sur son Rolleiflex, qui mitraillait. Ingeborg Hammer prit la pose près de notre table et une bouffée d'un curieux parfum émana d'elle, du camphre, pensai-je, ou du formol, l'odeur d'une morgue ou d'un laboratoire de dissection. Je levai les yeux sur son visage blanc complètement inexpressif, son corps tremblait tandis que les hululements de la trompette entamaient un crescendo annonçant la collision fatale avec les rochers évoquée par le titre « Cocaine Shipwreck ». Ingeborg recula de trois pas, arracha sa robe et tomba au sol, nue, le sexe totalement rasé, une main se contractant nerveusement pendant quelques secondes avant que la trompette pousse un hurlement démoniaque final et que les lumières s'éteignent. Quand elles se rallumèrent quelques instants plus tard, Ingeborg avait disparu. Elle ne revint pas saluer ; le trompettiste éponga son visage luisant avec un mouchoir et accepta les applaudissements pour elle.

« *Das ist fantastisch, nein ?* »

Je me retournai sur ma chaise. Je n'avais pas entendu quelqu'un approcher, mais mon rival était là, accroupi près de mon siège.

« *Ich spreche kein Deutsch*, dis-je, constatant soudain que l'orphelin au visage anguleux et à la mèche tombante était une femme.

– Je m'appelle Hannelore Hahn, annonça-t-elle dans un anglais presque sans accent. Benno m'a dit que vous étiez une célèbre photographe anglaise. Où est votre appareil ? Vous avez loupé un vrai...

– Je vais vous laisser entre vous parler lentilles et temps d'exposition, l'interrompit Rainer en se levant. Appelez-moi demain, Amory. Je vous emmènerai ailleurs. »

Il m'embrassa, serra la main d'Hannelore Hahn et partit d'un pas nonchalant. Hannelore se glissa sur son siège. Elle portait une cravate rayée noire et rouge sur sa chemise à large col et je pus voir, maintenant qu'elle se trouvait assise en face de moi, éclairée par la lueur de la lampe-champignon, qu'elle était très discrètement maquillée – et belle dans un style étrange et vaguement masculin. Ce qui devait être le but recherché.

« C'est mieux quand elle danse avec son partenaire, Otto Deodat, reprit-elle. C'est plus... plus sexuel. Il est très beau, Otto, avec son crâne rasé, vous savez, et il danse souvent nu avec le corps peint. Il est très grand, comme elle. »

Elle sourit, révélant des dents mal alignées qui se superposaient devant, comme si elle en avait trop pour sa mâchoire étroite.

« J'ai beaucoup de photos d'eux que je peux vous montrer, si vous voulez, poursuivit-elle en prenant une cigarette noire parmi les multicolores alignées à l'intérieur de son étui. Vous êtes au gin ? Je peux vous demander de m'en offrir un ? Je n'ai plus d'argent, j'ai tout dépensé pour mon Rollei », expliqua-t-elle en soulevant son appareil.

Consciente d'être pompette en quittant le Klosett-Club, je décidai de rentrer à mon hôtel. Hannelore, qui, elle, ne semblait pas affectée par tous les gins qu'elle avait consommés, me proposa de partager un taxi. Le ciel de flanelle grise annonçait l'aube estivale et l'air était frais. Je frissonnai lorsque nous arrivâmes sur l'Arkonaplatz à la recherche d'un taxi.

Mais alors que le jour se levait et commençait à dissiper l'obscurité, les rues dans lesquelles nous déambulions restaient vides. Nous cherchâmes ici et là (j'étais complètement perdue), faisant en vain des signes de la main et criant quand passait un véhicule, quel qu'il soit, dans l'espoir qu'il se transformerait miraculeusement en taxi. Au bout d'une demi-heure, j'avais dégrisé. Hannelore consulta sa montre.

« On ferait aussi bien de rentrer à pied, dit-elle. Ton hôtel n'est qu'à vingt minutes d'ici. »

Et nous voilà parties dans les rues monochromes où quelques enseignes au néon luisaient dans la pénombre déclinante, le bruit de nos talons résonnant contre les façades des immeubles d'habitation, avec pour seuls compagnons les balayeurs et les travailleurs de la nuit qui rentraient chez eux. Nous passâmes devant un petit hôtel à l'entrée duquel se tenait un serveur vêtu d'une queue-de-pie crasseuse. Une épaisse lueur jaune sortait de la porte entrouverte derrière lui. « On entre ? » demandai-je à Hannelore. Non, non, cet endroit n'est pas pour nous.

Nous tournions dans Oranienburgerstrasse en direction de l'Alexanderplatz quand nous vîmes les jeunes avant qu'ils ne nous voient. Ils étaient cinq, en uniforme marron, ivres, débraillés. Quatre d'entre eux aidaient le cinquième à grimper sur un réverbère pour y arracher une affiche. Hannelore me fit traverser la rue, mais, ayant entendu le claquement de nos talons, ils se retournèrent pour nous regarder, avides de distraction. Ils nous crièrent quelque chose, une obscénité que je ne compris pas. Je jetai un coup d'œil derrière nous et vis le grimpeur se laisser lourdement

101

glisser au sol et jurer à notre intention, comme si sa chute était de notre faute.

« Ne les regarde pas », me conseilla Hannelore, tandis que nous étions la cible d'autres sifflets.

J'entendis leurs grosses chaussures ferrées marteler les pavés : ils nous suivaient et nous criaient rageusement de nous arrêter. Une pierre fit un ricochet devant nous et alla heurter une camionnette garée là.

« Il faut qu'on joue la comédie, d'accord ?

– Quoi ? Oui, comme tu voudras. »

Elle passa son bras autour de mes épaules et m'attira contre la porte d'une boutique. Telle une furie, elle se retourna vers nos poursuivants et leur cria quelque chose d'une voix grave et cassante. De grands beuglements de rire s'ensuivirent et les hommes s'arrêtèrent pour se concerter.

« Qu'est-ce que tu leur as dit ?

– Que j'avais passé toute la soirée à essayer de te mettre dans mon lit et que je n'allais pas les laisser m'en empêcher, expliqua-t-elle en les surveillant du coin de l'œil. Enfin, un truc du genre. Fais semblant de m'embrasser, ils regardent encore. »

Donc nous nous embrassâmes maladroitement, et je me retrouvai à Amberfield pendant mes séances d'entraînement avec Millicent. J'entendis les jeunes hurler comme des loups. Nous nous éloignâmes, et Hannelore leur adressa un geste obscène avant que nous tournions le coin de la rue et que, paniquées, nous nous mettions à courir.

En cinq minutes, nous étions arrivées à mon petit hôtel miteux, le Silesia Hospiz, et sonnions le gardien de nuit, toutes les deux hors d'haleine.

« Mon Dieu ! s'exclama Hannelore. Une vraie nuit berlinoise : Ingeborg Hammer, des Nazis et, en plus, je t'embrasse. »

Le gardien de nuit ouvrit la porte et nous entrâmes dans le vestibule.

« Eh ben, une chance que tu aies été habillée en homme…

– Je m'habille toujours comme ça.

– Oh... C'est quand même une chance. »

Je pris ma clé et, quand je me retournai, Hannelore jetait un coup d'œil dans l'obscur vestibule.

« C'est cher, ici ?

– Ils m'ont fait un bon prix pour un mois. Quarante marks la semaine.

– Si tu me donnes la moitié de ça, tu peux avoir une chambre dans mon appartement. Et tu pourras utiliser ma chambre noire », ajouta-t-elle avec un sourire.

*

* *

JOURNAL DE BARRANDALE, 1977

Pensez un peu à tous ces noms : Hannelore Hahn, Marianne Breslauer, Dora Kallmuss, Jutta Gottschalk, Friedl Dicker... sans oublier Edith Suchitsky, Edeltraud Hartman, Annie Schulz et bien d'autres dont je ne me souviens pas. Si, à Londres, j'avais pu me prendre pour un oiseau rare, j'ai dû en rabattre au fil de mon séjour chez Hannelore, durant lequel j'ai découvert que je rejoignais en fait une sororité de femmes photographes qui, toutes, travaillaient et gagnaient leur vie à Berlin, Hambourg, Vienne ou Paris. Loin d'être décevant, cela m'émancipait, comme de devenir membre d'une société secrète. Nous étions partout, nous les femmes, appareil au poing.

Quand nous avions conçu notre projet berlinois, Greville m'avait prêté cinquante livres – c'était un prêt, avait-il insisté, pas un cadeau, et il comptait bien en obtenir remboursement, pas question de me financer d'agréables vacances à Berlin. Il m'avait aussi mise en contact avec Rainer en m'assurant que son ami connaissait « tous les meilleurs endroits ». J'avais cependant l'impression que Rainer me traitait plutôt en touriste. Ingeborg Hammer avait été photographiée des milliers de fois pour des magazines de tous les pays d'Europe, très demandeurs, selon Hannelore, ce qui expliquait sa présence au Klosett-Club. Elle m'a montré une demi-douzaine d'articles. Avec Ingeborg, les photographes s'assuraient une rente, tout comme Benno, mais il me semblait évident, quant à moi, qu'il fallait que je m'enfonce plus profondément dans les bas-fonds berlinois.

J'ai accepté l'offre d'Hannelore (des économies et une chambre noire, irrésistible !), quitté l'Hospiz et emménagé dans son appartement de la Jägerstrasse, près du Gendarmenmarkt, qui s'est révélé étonnamment vaste : deux chambres, un salon, une cuisine et une troisième pièce aménagée en chambre noire. Les toilettes se trouvaient sur le palier de l'étage inférieur et, si nous voulions prendre un bain, nous allions à l'Admirals-Bad, près de la gare de Friedrichstrasse, à quelques rues de là.

Hannelore n'a pas pour autant cessé de me poursuivre de ses assiduités. La première nuit que j'ai passée dans son appartement, elle est entrée dans ma chambre et s'est glissée dans mon lit, toute nue. J'ai reconnu le stratagème et l'ai repoussée doucement quand elle a essayé de m'embrasser. Elle a renoncé et nous avons traîné une heure au lit à parler de sexe et à fumer. Je me rappelle qu'elle m'a demandé si j'avais jamais été avec un homme. J'ai avoué que oui.

« Merde alors ! C'était bon ?

– En fait, oui, ai-je répondu en pensant à Lockwood avec affection.

– Combien de fois ? a-t-elle insisté, pleine d'espoir.

– Je ne les compte plus.

– Dommage, tu ne sais pas ce que tu perds.

– Quand as-tu compris que tu étais lesbienne ?

– Je ne suis pas lesbienne, je suis pansexuelle », a-t-elle déclaré avec une fierté évidente.

Et comme pour Greville, bizarrement, ces avances sans suite nous ont rapprochées, et elle a paru se détendre du fait de savoir que je ne succomberais pas. Je lui ai parlé de mes projets berlinois, des idées de Greville sur ce qu'il fallait que je fasse pour m'assurer un avenir comme photographe, et elle a proposé de m'aider. Nous travaillions ensemble dans sa chambre noire et elle m'a montré comment maîtriser les techniques de « masquage » et de « surimpression », comment surexposer et sous-exposer certaines parties de la photographie quand on faisait les tirages, en projetant plus de lumière sur des zones précises ou en filtrant la lumière pour créer des ombres portées grâce à divers instruments. Hannelore avait sa propre technique pour « masquer » : elle utilisait un tamis plat à grille très fine. J'aimais bien les effets obtenus et je sentais mes compétences s'élargir. Greville retouchait ses photos, comme tout le monde, mais uniquement pour supprimer les taches et les rides du visage de ses sujets afin d'améliorer leur apparence. La manipulation de la lumière et de l'ombre quand on avait recours à ces techniques était quelque chose qu'il n'avait jamais essayé, pour autant que je le sache ; peut-être pensait-il ne pas en avoir besoin ou bien ne les connaissait-il même pas. Je commençais à avoir l'impression que j'avais déjà avancé en venant à Berlin : l'ère de l'Amory Clay photographe mondaine était terminée. Je changeais.

3

Ein wenig Orgie

Hannelore s'approcha de la table avec une bouteille de schnaps et trois verres. Nous nous trouvions dans un cabaret dansant, le Monokel. Il y avait beaucoup de lesbiennes habillées en marin, beaucoup d'hommes à l'allure bizarre qui semblaient assouvir un fantasme d'hidalgo espagnol avec leur chapeau à larges bords et leurs longs favoris, et, ici et là, des prostituées, à l'évidence, qui attendaient qu'on les invite sur la petite piste de danse. Hannelore ressemblait à un jeune ouvrier avec une chemise sans col, un pantalon de coutil, une veste en cuir et une casquette plate en tweed sur ses cheveux courts. Elle s'assit, emplit deux verres et alluma une cigarette. J'en fis autant.

« Je ne me sens pas vraiment à ma place ici, avouai-je.

– On va penser que tu es mon amie, dit-elle en donnant au mot une accentuation lascive.

– Pourquoi cet endroit ?

– Il y a une fille que je connais qui vient ici. Elle travaille dans un bordel. Si tu la paies, elle et la tenancière, bien sûr, il se pourrait qu'elle t'y invite.

– Et comment je ferais pour prendre des photos ? »

Je sentis un petit frisson d'excitation. Un bordel berlinois… Voilà qui pourrait faire un peu de bruit…

« Si elle vient, elle ne va pas tarder…, dit Hannelore en consultant sa montre. *Et voilà !** »

Hannelore se leva et fendit la foule jusqu'au bar pour revenir, quelques instants plus tard, main dans la main avec une fille petite et rondelette aux cheveux teints en orange carotte.

« Je te présente Trudi. »

Trudi s'assit en face de moi. Sous ses cheveux criards, elle avait un joli visage rond auquel des poches sous les yeux donnaient un air fatigué étrangement touchant. Un châle de laine noué autour de ses épaules couvrait son décolleté. Elle accepta avec joie le verre de schnaps qu'Hannelore lui servit. Elle le sirota en me lançant des regards curieux.

« Tu veux photo juste ? demanda-t-elle dans un anglais hésitant. Ou une passe aussi ?

– Juste des photos. »

Elle échangea avec Hannelore quelques mots rapides que cette dernière me traduisit. Dans cette maison particulière qui servait de bordel semi-clandestin, il y avait une grande salle où tout le monde se rassemblait, comme un club ou un bar, et où les filles rencontraient leurs clients. Les chambres se trouvaient à l'étage. En période d'affluence, par exemple le week-end, des gens (couples, maris et femmes, touristes) venaient juste pour voir ; il serait donc facile d'expliquer ma présence, mais il me faudrait dissimuler mon appareil d'une manière ou d'une autre. Si Trudi se faisait prendre, elle serait mise à la porte et subirait peut-être d'autres châtiments ; il faudrait donc beaucoup d'argent pour la persuader de m'aider.

« Combien ? »

Elle se tourna vers Hannelore, qui lui chuchota quelque chose à l'oreille.

« Cinq cents marks », dit Trudi.

Je gardai mon sang-froid. Cela représentait vingt-cinq livres, soit peut-être un mois de salaire pour une gagneuse comme Trudi en période faste, mais aussi, plus pertinent, à peu près tout ce qui me restait du prêt de Greville. Je fis semblant d'hésiter en fronçant les sourcils, mais je savais que c'était la meilleure occasion qui se présenterait à moi. Un homme aurait peut-être eu la tâche plus aisée, et j'essayai de ne pas penser au risque encouru par une femme seule dans un bordel. Sans compter un autre risque : et s'il n'y avait rien de choquant ou de dépravé à photographier ? Une « grande salle de bar », cela n'évoquait guère le comble de la débauche. Mais le jeu en valait la chandelle, pensai-je en moi-même. Ce serait à tout le moins authentique, réel. Me sentant rougir d'excitation, je fouillai dans mon sac à main pour y trouver mon porte-monnaie.

« La moitié maintenant, la moitié le soir même », intervint Hannelore.

Trudi accepta avec une réticence théâtrale, mais je vis à quel point elle était contente d'avoir l'argent en main.

« Quand y allons-nous ? demandai-je.

– Le samedi soir, c'est mieux. Il y a beaucoup de monde, des fois cinquante personnes dans la salle. Et des fois, ça devient une vraie soirée. *Ein wenig Orgie* », s'esclaffa Trudi.

Traduction d'Hannelore : une petite orgie.

« Voilà qui me convient parfaitement », déclarai-je en nous versant à toutes les trois un autre verre de schnaps pour trinquer au succès de notre entreprise.

Mes fonds s'épuisaient, aussi Hannelore proposa de laisser passer le loyer que je lui devais pour le mois suivant. « Je vais investir dans ton talent, ma chère », me dit-elle. Je dépensai quand même l'équivalent d'environ deux livres pour acheter un sac à main en cuir orné d'un fermoir en strass en forme de fleur. J'enlevai la pierre taillée centrale, découpai un trou dans le cuir au-dessous et cousis à l'intérieur du sac deux étroites lanières de toile qui maintiendraient mon petit Zeiss Contax de façon à ce que l'objectif soit discrètement centré au cœur de la fleur en strass. J'y attachai un câble de déclenchement à distance que j'enroulai dans un ruban scintillant pour en faire une petite poignée. Quand j'appuyai sur le bouton, un léger déclic se fit entendre, mais je supposai que, dans un bar bondé, personne ne le remarquerait. Mes premiers essais dans un café furent probants. Le secret était de bien positionner le sac au jugé. Parfois, le cadrage était de guingois, mais on pouvait toujours rogner, me rappela Hannelore, et l'effet caméra cachée pouvait même constituer un plus. Je sentais son excitation s'accroître à mesure qu'approchait le samedi.

Hannelore suggéra que je m'habille en *garçonne** (l'une des nombreuses sous-catégories des lesbiennes berlinoises) pour éviter de me faire harceler par les clients. De plus, si j'y allais en *garçonne**, toute ambiguïté quant à ma présence dans un bordel serait levée : encore un de ces étranges animaux nocturnes berlinois en train de rôder. Trudi nous déconseilla de mettre la mère maquerelle dans la confidence. « Paie ton entrée, me dit-elle, achète une ou deux bouteilles de champagne et elle te laissera rester toute la soirée. »

Je confiai mon « look » à Hanna (c'est ainsi que je l'appelais maintenant). Elle me coupa les cheveux en un carré court, puis me trouva des lunettes rondes en écaille à verres neutres et me fit porter une longue veste en laine peignée vert olive, chemise, cravate et pantalon coincé dans des bottes souples.

« Tu es parfaite, dit-elle après une dernière inspection. Masculin-féminin. Une jolie *garçonne** avec un *Bubikopf*. Garde tes lunettes. Jolie mais un peu intimidante. »

Nous retrouvâmes Trudi dans le fumoir d'une pâtisserie de Tauentzienstrasse. Elle réclama plus d'argent. J'y vis un mauvais signe, mais Hanna me dit que je devrais lui payer encore cent marks, et le reste quand j'aurais vérifié ce que donnaient les photos. Il faudrait peut-être que j'y retourne plusieurs fois, après tout. Je lui remis la somme, pris congé d'Hanna, qui m'embrassa sur la joue et me souhaita bonne chance, et suivis Trudi dans la rue, puis dans une allée qui menait à une cour. Nous passâmes sous une voûte pour nous rendre dans une autre cour. Elle appuya sur une sonnette encastrée dans une plaque en laiton sur laquelle était gravé « Xanadu-Club ». Ce nom me rappela Xan, mon lunatique petit frère, et me parut de bon augure. J'étais un peu mal à l'aise dans mon personnage de *garçonne**, mais excitée aussi. Amory Clay, photographe, était sur le point de renaître.

La porte du Xanadu-Club fut ouverte par un homme malingre en livrée qui échangea quelques mots avec Trudi.

« Donne-lui vingt marks, ordonna-t-elle.

– Mais bien sûr. »

Je payai et montai dans les salles du club.

Comme tout à Berlin, me semblait-il, le Xanadu-Club était un curieux mélange de banal et d'exotique. Cet étage de la maison, le club mondain, était une succession aléatoire de pièces. Dans deux d'entre elles se dressait un bar et, dans une autre, un piano sur une estrade basse. Le mobilier se composait d'un assortiment de canapés, de fauteuils, de tables et de chaises de restaurant ordinaires rassemblées ici et là dans une lumière tamisée. En attendant l'arrivée de l'orchestre, des haut-parleurs diffusaient du jazz. Il y avait déjà beaucoup de monde, hommes et femmes de tous âges et de toutes tailles. On aurait pu se croire dans la salle d'attente d'une gare mais, en y regardant à deux fois, je remarquai les anomalies : des hommes corpulents d'âge mur en complet-veston gris bavardaient avec de jeunes garçons en marinière ; huit femmes très minces habillées en homme étaient assises autour d'une table ; un homme en costume de Pierrot dansait avec une fille en négligé de satin. Trudi me conduisit à une table en coin de l'autre côté de la piste de danse, et je commandai une bouteille de Sekt à un garçon qui portait un simple short de lin blanc. Trudi partit à la recherche de la *Kupplerin*, la maquerelle.

Je sirotai mon verre de Sekt tiède et observai la pièce plus en détail. De toute évidence, il y avait là des gens venus en simples observateurs, comme les visiteurs curieux d'un zoo humain, et d'autres qui avaient l'intention de participer. Une fois de plus, je me sentis excitée par ma propre audace et ravie de mon déguisement. Deux autres *garçonnes** allèrent sur la piste de danse, comme pour me confirmer que je ne détonnais pas dans cette foule d'originaux. Personne ne me regardait ; on me laissait tranquille, seule avec mon champagne et mon sac à main soigneusement positionné sur la table devant moi. Je le tournai légèrement en direction de deux hommes en costume lustré et large cravate courte qui reluquaient les filles

en fourreau de satin et j'appuyai sur le déclencheur. Dans la boîte !
Ils s'approchèrent de deux filles, s'entretinrent brièvement avec
elles, puis disparurent par une issue située à côté du bar, derrière
un rideau de cuir. Je supposai qu'elle menait à l'étage, où avaient
lieu les parties fines. Je me demandai si Trudi pourrait trouver un
moyen de me laisser visiter les coulisses.

« Amory ? »

Trudi se tenait là, près d'une femme d'âge mûr souriante à la
poitrine monumentale, qu'elle me présenta sous le nom de Frau
Amoureux. Nous nous serrâmes la main.

« J'attends Trudi ici, dis-je dans mon allemand rudimentaire.

– *Oui, oui, ma chérie, je vous en prie**. »

Trudi lui parla à voix basse et se retourna vers moi.

« Je crois que tu devrais offrir une bouteille de Sekt à Frau
Amoureux. »

Je donnai dûment l'argent.

Je quittai le Xanadu-Club à 2 heures du matin, persuadée que je
ne me débarrasserais jamais de ce goût du Sekt bon marché dans
la bouche, même en fumant à la chaîne. Au fil de la soirée, l'atmosphère avait lentement évolué dans le club. Les couples de curieux
étaient partis et l'atmosphère de bordel avait peu à peu pris le
dessus. Les clients et les filles (ou les clients et les garçons) redes-
cendaient des chambres de l'étage pour traîner autour des bars,
boire et flirter, papoter et jouer aux cartes. On se dévêtit, il y eut
d'autres visites à l'étage. L'endroit était bondé autour de minuit,
mais ensuite l'atmosphère s'assagit, les sous-entendus sexuels
semblèrent disparaître des plaisanteries et des rires, qui prirent
une tournure presque familiale. Le portier malingre monta et but
une bière avec Frau Amoureux. Des hommes en maillot de corps
jouaient aux cartes avec des femmes à moitié nues qui avaient fini
leur travail pour la nuit. Les filles buvaient et fumaient en échangeant des commérages. Trudi me rejoignit à la fin de son service
et je commandai encore du Sekt.

« Combien tu coûtes ? demandai-je, enhardie par le Sekt.

– Pour une passe, dix marks, répondit-elle avant d'ajouter avec un regard mauvais à Frau Amoureux : Mais je lui donne la moitié. »

Je me rendis alors compte que gagner cinq cents marks en m'amenant ici était une aubaine inouïe pour elle et, comme si elle avait lu dans mes pensées, Trudi me prit la main et me remercia avec une sincérité évidente. Elle continua de me parler à voix basse, mais à une vitesse trop rapide pour mon entendement. Elle était reconnaissante, je comprenais au moins cela, et il semblait que, si je restais tard, il y aurait encore plus d'animation. La boisson aidant, elle commença à me raconter sa vie et me dit préférer de loin le Xanadu-Club à son ancienne condition de simple *Kontroll-Girl* dans le Tiergarten, dehors par tous les temps, avec toutes sortes de pervers qui exigeaient des choses désagréables. À un moment, elle se pencha même pour m'embrasser sur la joue. Puis elle aperçut un de ses réguliers et s'en alla en ondulant des hanches pour le saluer. Je tournai mon sac. Clic.

Le lendemain, Hanna m'aida à développer les négatifs et à examiner les planches contact. Ça n'avait pas marché : la caméra avait dû légèrement bouger dans le sac malgré les lanières de tissu et la moitié des images étaient des taches floues, comme s'il y avait eu un doigt posé sur l'objectif.

« Il faudra simplement que tu y retournes, me dit Hanna. C'est dommage, certaines auraient été vraiment réussies. »

*
* *

JOURNAL DE BARRANDALE, 1977

Hugo Torrance est passé à l'improviste aujourd'hui. J'ai entendu une voiture s'arrêter devant le cottage, événement tout à fait inhabituel car j'ai mis des pancartes « Voie sans issue » et « Interdit aux voitures » sur l'unique chemin qui mène à la maison, précisément pour décourager les touristes curieux venus sur l'île en croyant qu'ils peuvent se balader où ils veulent. J'ai couru à la fenêtre et j'ai vu Hugo faire pivoter sa mauvaise jambe pour la sortir de sa vieille Jaguar, piétiner sur place pour rétablir la circulation sanguine, puis boiter jusqu'à la porte d'entrée. Je l'avais ouverte avant qu'il puisse frapper.

« Fichtre, quel honneur ! »

Il m'a embrassée sur la joue et j'ai senti l'odeur de son après-rasage : Old Spice.

« Je donne une soirée improvisée demain, m'a-t-il annoncé. Ma fille et son mari arrivent de Londres en avion.

– Hélas, je suis trop vieille pour les soirées.

– Pas tant que moi. Si moi j'en suis capable, tu devrais pouvoir respecter les convenances et faire une apparition, ne serait-ce qu'une demi-heure.

– En fait, je suis plutôt occupée…

– C'est mon anniversaire, Amory. Le grand cap des soixante-dix…

– Ah. »

Il m'a lancé son regard qui tue : l'inspiration audible, les yeux qui s'étrécissent, les sourcils qui se froncent.

« Bien, on se voit à l'hôtel demain soir, a-t-il décrété d'un ton sec. 20 heures. C'est open bar.

– J'y serai. Je m'en réjouis à l'avance.

– Je passe inviter Greer et Calder. Tu seras en pays de connaissance. »

Je l'ai regardé faire marche arrière, tourner et s'en aller. Intéressant qu'il vienne lancer son invitation en personne au lieu de passer un petit coup de fil, ai-je pensé. Comme ça, c'est plus délicat de dire non, donc il doit vouloir réunir un bon nombre d'amis. Hugo Torrance est grand, mince et dégarni, ses rares cheveux blancs contrastant de façon saisissante avec des sourcils d'un noir d'encre. C'est un beau septuagénaire, un ancien soldat dont la jambe gauche a été mise en pièces par des tirs de mitrailleuse à Monte

Cassino en 1944. Il est propriétaire et gérant du Glenlarig Hotel à Achnalorn, unique débit de boissons de Barrandale, aussi est-ce un homme important qu'il est difficile de ne pas voir régulièrement si on aime prendre à l'occasion un verre au bar ou un repas au restaurant. Cependant, je l'évite parce que je sais qu'il a des vues sur moi. Au dernier réveillon, il m'a embrassée au moment où j'étais sur le point de quitter l'hôtel à une heure du matin. Embrassée pour de bon, dans un petit recoin où on accroche les manteaux, et j'ai failli lui céder. Je lui ai rendu son baiser pendant une seconde ou deux avant de me dégager.

« Restez pour la nuit, lady Amory, m'a-t-il dit, la voix pâteuse, en me touchant le visage avant de reculer d'un pas incertain.

– Ne m'appelez jamais ainsi ! » ai-je rétorqué, sous le choc, stupéfaite qu'il sache.

Et maintenant, il m'invite à ses soixante-dix ans. Il ne m'invite pas, d'ailleurs, il requiert ma présence. Eh bien, je peux gérer Hugo Torrance, je connais bien ce type d'homme, l'ancien soldat. Beaucoup trop bien.

*
* *

Berlin. Alors même que je venais d'obtenir mes entrées au Xanadu-Club, Trudi disparut. J'appelai le numéro qu'elle nous avait donné : pas de réponse. Hanna se débrouilla pour découvrir où elle habitait, mais il n'y avait personne. Un beau jour, un messager nous apporta un petit mot disant qu'elle était malade et qu'elle avait besoin des cent cinquante marks que je lui devais encore. « Elle reviendra, m'assura Hanna. Tu n'as qu'à attendre. » Alors, j'attendis. C'était l'été à Berlin ; il y avait plus désagréable, comme endroit, et je savais que, d'une manière ou d'une autre, je trouverais au Xanadu-Club tout ce dont j'avais besoin. Quels souvenirs ai-je gardés de cet été passé à attendre la réapparition de Trudi ? J'étais heureuse de vivre chez Hanna dans la

Jägerstrasse. J'avais un toit, mais mes réserves d'argent s'épuisaient rapidement.

INSTANTANÉS DE BERLIN 1930-1931

Je me rappelle être allée à la gare de Lehrte, au bureau du télégraphe ouvert vingt-quatre heures sur vingt-quatre, pour envoyer un télégramme à Greville. Je lui demandais si je pouvais lui emprunter encore vingt livres ; j'insistais : encore un prêt, et j'ajoutais : « SCANDALE SUIT ». Je me rappelle avoir éprouvé une étrange exaltation en sortant, excitée par ma propre prédiction et, au lieu de rentrer chez Hanna en tram, j'ai pris un taxi Cyklonette (à trois roues, donc moins cher) jusqu'au Mercedes-Palast sur Unter den Linden, où j'ai bu un martini dry au bar et porté un toast à mon avenir.

Je me rappelle que, pendant deux semaines, j'ai enseigné l'anglais à un photographe ami d'Hanna qui s'appelait Arno Hartmann. La quarantaine, marié, deux enfants, il nourrissait le rêve d'aller en Amérique se faire un nom comme photographe paysagiste. « Les paysages européens sont tous vieux, fatigués, trop connus, disait-il. J'ai besoin d'une terre nouvelle. » Je lui prenais cinq marks de l'heure, environ cinq shillings, soit un salaire de misère, mais c'était le prix normal à Berlin. Une heure avec Arno, c'était ce que Trudi se faisait pour une seule « passe » qui devait durer quelques minutes. Après deux semaines, l'anglais défaillant d'Arno n'ayant pas progressé, je lui ai fait la faveur de rendre mon tablier. Les vingt livres de Greville venaient d'arriver, donc j'étais de nouveau riche.

Je me rappelle m'être trouvée, un soir, assise avec Hanna dans un *Nachtlokal* miteux tout près de la portion du Kurfürstendamm qui remonte vers le lac Halensee. Pour une raison qui m'échappe, nous parlions de la crise de 29, constatant que, même à Berlin, il y avait des signes que la vie s'améliorait et recouvrait une certaine stabilité. J'ai allumé une cigarette pour elle et, sans me quitter des yeux, elle a soufflé un jet de fumée sur le côté de sa bouche, façon *garçonne**, tout en rejetant sa mèche de cheveux loin du front d'un geste sec de la main.

« Amory, regarde-moi.

– Je te regarde.

– Tu es sûre que tu n'es pas amoureuse de moi ?

– J'en suis sûre. Je ne le suis pas.

– Même pas un petit peu ? Un tout petit peu ?

– Je t'aime beaucoup, Hanna. Tu es une vraie amie.

– *Beaucoup*. Je déteste ce mot. »

Je me rappelle un chaud après-midi au lac de Motzen. Hanna travaillait pour divers magazines comme *Das Freibad*, *Nur Natur* ou *Extra Post des Eigenen*, dont la vocation revendiquée de célébrer un naturisme innocent et une vie saine dissimulait à peine le véritable mobile de leur publication, à savoir que leurs pages abondaient en photographies de garçons et de jeunes hommes nus ; or lesdits garçons et jeunes hommes nus préféraient souvent une femme photographe, lui avait-on dit, et elle était très sollicitée pendant les mois d'été, quand ils pouvaient prendre des bains de soleil en jouissant de la *Licht*, de la *Luft* et de la *Leben* qu'offraient les lacs et espaces verts dans Berlin et ses environs. Nous nous étions rendues au lac de Motzen pour couvrir un meeting de la « Ligue des Bains d'Air », Hanna s'étant arrangée pour m'obtenir un cachet d'assistante, ce qu'elle faisait bien volontiers quand elle estimait que le magazine en avait les moyens.

C'était une journée de plein soleil, sans un nuage, et ce qui m'a le plus frappée durant cette excursion, ce n'est pas tant la nudité désinvolte que le bronzage extraordinairement intense et foncé qu'affichaient ces Berlinois blonds à la peau si brûlée par le soleil qu'on eût dit des hindous, généreusement arrosés d'huile pour que leur corps puisse mieux frire. Pendant qu'Hanna prenait ses photos d'hommes nus qui posaient avec un disque ou un javelot à la main ou bien plongeaient dans le lac, et de jeunes garçons qui pratiquaient la gymnastique rythmique, je rechargeais ses appareils, m'émerveillant devant la texture irréelle de la couenne cuivrée de ces hommes, comme s'ils appartenaient à quelque espèce extraterrestre ou tribu amazonienne disparue. Pour ma part, je ne ressentais pas le moindre frisson d'érotisme à la vue de ces corps d'hommes nus gambadant sur les rives du lac. C'était l'effet Berlin : il devenait de plus en plus difficile d'être choquée ou offensée. Toutefois, je dois avouer que, depuis, je n'ai plus jamais apprécié les bains de soleil.

Je me rappelle avoir rencontré les parents d'Hanna, venus à l'appartement prendre le thé. C'était un couple sérieux, aisé, bourgeois, d'une politesse irréprochable, portant de beaux vêtements coûteux. Hanna s'était parée dans son style *garçonne** le plus provocant : grosses chaussures basses bicolores à lacets, pantalon large, chemise blanche à manches courtes, nœud papillon ponceau, cheveux plaqués en arrière par de la gomina. Quand elle est sortie du salon pour aller préparer le thé, j'ai surpris le regard angoissé, abasourdi qu'ont échangé ses parents. Qu'était-il arrivé à leur petite Hanna ?

Je me rappelle m'être rendue à l'appartement de Trudi, un studio dans un vieil immeuble près de l'Alexanderplatz. Il y avait eu une grosse bagarre de rue devant la synagogue de Kaiserstrasse et des éboueurs fatigués balayaient les décombres : affiches, bâtons, pavés, débris de verre. Sur la porte de Trudi, son nom écrit à la main sur un bout de papier était punaisé au-dessus du heurtoir : G. Fenstermacher. « Fabricante de fenêtres ». Hanna a trouvé cela très drôle. À ma grande honte, je n'avais jamais pensé que Trudi avait un patronyme ; pour moi, elle était « Trudi » tout court. Hanna et moi nous sommes assises sur son lit tandis qu'elle prenait l'unique chaise. Très amaigrie, elle a confirmé qu'elle s'était absentée pour se faire avorter, qu'il y avait eu des complications et qu'elle avait passé quelque temps à l'hôpital. Sa mère, qui s'occupait déjà de deux de ses enfants, avait catégoriquement refusé d'en prendre un troisième. « Elle ne m'a pas laissé le choix », a dit Trudi, boudeuse, d'un ton acerbe. Je lui ai remis les cent cinquante marks que je lui avais promis et nous sommes convenues de nous retrouver le samedi soir suivant au Xanadu-Club pour une autre séance. Elle m'a demandé cent marks de plus en arguant qu'elle pouvait m'emmener dans un endroit très privé, très secret. J'avais alors reçu l'argent de Greville, aussi, dévorée par la curiosité, j'ai payé.

4

Un endroit très privé, très secret

J'étais assise dans mon coin du Xanadu-Club à boire du Sekt en fumant, trop heureuse de prendre des clichés avec l'appareil caché dans mon sac à main. Il était tard et quelques-unes des filles, qui, elles aussi, avaient bu toute la soirée, improvisaient un strip-tease pour les habitués qui s'étaient attardés. Hommes et femmes (l'ambiance était devenue très hétérosexuelle, à ce stade) bavardaient, s'embrassaient, se caressaient comme des amoureux plutôt que comme des prostituées avec leurs clients, l'air heureux de se voir, de goûter le plaisir de ce moment convivial pour une fois détaché de la sexualité vénale du lieu, dans une atmosphère chaleureuse et amicale. Moi, j'étais contente parce que j'avais du nu, j'avais des prostituées berlinoises débraillées qui bavardaient ensemble sous l'œil de leurs clients assis à côté d'elles. Tout allait bien.

Trudi apparut, portant chapeau et manteau, et elle prit congé de Frau Amoureux.

« On attrape un taxi », me dit-elle.

Nous nous dirigeâmes vers l'est, vers Lichtenberg, le long de rues sombres bordées de vieux immeubles d'habitation. J'aperçus un théâtre et une pancarte « Blumenstrasse », puis nous tournâmes dans la pénombre d'une ruelle. Devant nous, trois autres taxis déchargèrent leurs passagers, que nous suivîmes dans la classique cour humide et mal éclairée pour trouver une petite file d'hommes à la porte d'un appartement, chapeau enfoncé et col remonté. Trudi sonna à une porte voisine. Un homme ouvrit, son visage rouge et bouffi orné d'une grosse moustache affichait un air soupçonneux. Trudi lui dit quelques mots à voix basse, puis se tourna vers moi.

« Il faut que tu lui donnes cinquante marks.

– Mais je viens de t'en donner cent.

– Et je t'ai amenée ici. »

Je payai l'homme à la grosse moustache, qui nous fit monter un escalier de service jusqu'à une cuisine équipée d'un fourneau en étain noirci, d'un évier en pierre et de quelques étagères couvertes de pots et de casseroles. Un autre homme se trouvait là, qui lisait un journal, tout nu en dehors d'une serviette nouée autour de sa taille. Quand il leva les yeux à notre entrée, je vis qu'il avait un bec-de-lièvre très ouvert. Il serra Trudi dans ses bras et l'embrassa.

« Je te présente mon frère, Volker. »

Nous échangeâmes une poignée de main.

« Si tu pouvais lui donner un peu d'argent, ce serait gentil. »

Je donnai à Volker les cinquante marks de rigueur. Merci, Greville.

« Que se passe-t-il ici ? » demandai-je.

Trudi me conduisit vers une autre porte, qu'elle ouvrit discrètement de quatre ou cinq centimètres. Je découvris ce qui ressemblait à un grand salon transformé en un théâtre rudimentaire, où une vingtaine d'hommes avaient déjà pris place, çà et là, sur les rangées de sièges. D'autres arrivaient, à l'évidence prospères, du moins est-ce l'impression que j'en eus quand ils ôtèrent chapeau et manteau à mesure que l'endroit se remplissait. Des flasques en argent circulaient de l'un à l'autre, des cigarettes s'allumaient, les rares conversations se faisaient à voix basse. En face du public, un simple lit de bois, avec une tête de lit, un oreiller et des draps, éclairé par une lampe ordinaire à chaque extrémité. Je commençais à comprendre pourquoi Trudi m'avait parlé d'un endroit très privé, très secret.

Je me retournai au son de pas montant l'escalier. Une jeune femme à lunettes entra dans la cuisine, vêtue d'un manteau en poil de chameau couleur fauve et coiffée d'un chapeau de velours avec un nœud sur le côté. Sur son visage anguleux se lisait la fatigue, comme si elle revenait d'une longue journée de travail au bureau. Elle embrassa Volker avec familiarité et, plongeant dans son sac, lui passa ce qui ressemblait à un tube de dentifrice.

On nous présenta, elle s'appelait Franziska, et je lui donnai les incontournables cinquante marks. Je crus reconnaître en elle une des filles du Xanadu-Club, ce que me confirma un échange à voix basse avec Trudi. À ce stade, j'avais déjà dépensé deux cent cinquante marks dans la soirée, mais je ne le regrettais pas, pressentant que ce que j'étais sur le point de voir les vaudrait bien. Ce qui m'inquiétait plus, c'était la quantité de pellicule restante dans mon appareil, car j'avais pris beaucoup de photos au Xanadu.

Grosse Moustache passa la tête par la porte pour demander si tout le monde était prêt.

« Nous sommes prêts », confirma Franziska avant de passer devant moi pour entrer dans le salon.

Il n'y eut aucun applaudissement, rien que le bruit d'une grosse vingtaine d'hommes qui bougeaient sur leur siège.

Trudi me donna une tape sur l'épaule.

« Je m'en vais, maintenant. Volker t'escortera jusqu'à un taxi.

– À samedi prochain. »

Quand elle fut partie, je me retournai pour voir ce que fabriquait Franziska dans le salon. Elle avait enlevé son chapeau et son manteau et se déshabillait de façon très prosaïque, exactement comme si elle évoluait dans sa propre chambre à coucher, chantonnant pour elle-même, soupirant d'exaspération quand un bouton résistait. Bientôt, elle se retrouva en sous-vêtements. Elle ôta ses lunettes, qu'elle rangea sous l'oreiller.

Je regardai alors Volker, qui avait tombé la serviette. Il avait un corps très blanc à l'exception de ses avant-bras bronzés, des muscles bien dessinés, une mince ligne de poils noirs courant sur sa poitrine jusqu'à son nombril. Il écrasa du dentifrice sur sa paume, se frotta vigoureusement les mains pour en faire une pâte plus onctueuse, puis commença à se masser le pénis.

« Que faites-vous ? » dis-je spontanément en soulevant mon sac. Clic.

Il ne montrait aucune gêne en tirant sur son pénis des deux mains pour faire pénétrer le dentifrice dans sa peau.

« Ouille, ça brûle, lâcha-t-il. Le dentifrice me chauffe. *Stechend*, ajouta-t-il, ce qui voulait dire "ça pique", avec un étrange zozotement dû à son bec-de-lièvre. Quand c'est chaud comme ça, je suis plus gros, vous voyez. »

Il retira ses mains et je vis que ça marchait. Pas d'érection mais, malgré tout, une taille très impressionnante.

« Grands dieux ! »

Je soulevai mon sac et toussai en appuyant sur le déclencheur à distance.

« C'est juste un truc », dit-il en haussant les épaules comme pour s'excuser.

Je me retournai pour regarder encore par l'entrebâillement de la porte. À présent nue, Franziska s'affairait autour du lit à plier et ranger les vêtements qu'elle avait enlevés avant de grimper entre les draps. Volker surgit à côté de moi. Tout ce que je sentais, c'était la pâte dentifrice.

« Dix secondes », dit-il.

Franziska faisait semblant de dormir, respirait profondément et se retournait en tous sens comme si elle était en train de rêver.

Puis Volker entra (le rêve devenu réalité) et le truc du dentifrice provoqua un halètement d'envie mêlée d'admiration parmi le public masculin.

Volker et Franziska firent l'amour comme de bien entendu, de façon classique, orthodoxe, le drap repoussé, éclairés par les deux lampes ordinaires. Quand ce fut fini, Volker revint dans la cuisine à grandes enjambées. Je l'entendis se rhabiller derrière moi, mais je gardais les yeux fixés sur Franziska, qui s'éveilla de son rêve, jeta un coup d'œil alentour, ne vit pas d'homme nu, se sourit à elle-même, s'étira voluptueusement, sortit du lit, commença à mettre ses vêtements, termina par ses lunettes récupérées sous l'oreiller, puis par son manteau et son chapeau de velours et, en bonne secrétaire parée pour la journée à venir, quitta la salle sans un regard.

Il y eut de brefs applaudissements, et j'entendis monter les murmures tandis que Grosse Moustache se frayait un chemin à travers la foule pour récolter de l'argent.

Postée près de moi, Franziska observait la scène, impassible. Elle avait un visage pointu, presque joli, mais avec des lèvres minces aux coins tombants qui lui donnaient en permanence un air réprobateur ou amer.

« Vous le voyez mettre l'argent dans sa poche ? demanda-t-elle.

– Oui.

– Ce sont les pourboires pour nous, pour Volker et moi, mais il les garde, alors que les hommes ont déjà payé pour entrer. Sauf que, ce soir, vous me payez, dit-elle avant d'ajouter en anglais avec un petit sourire : Merci beaucoup, miss.

– Qui a eu l'idée de ce spectacle, lui ? demandai-je en montrant du doigt Grosse Moustache dans la salle, qui se vidait vite. Ou Volker ?

– Non, moi. Vous avez une cigarette ? »

Je lui en offris une et en pris une moi-même. Volker était allé aux toilettes sur le palier.

« C'est très futé, votre idée de spectacle, bravo ! » la complimentai-je en m'émerveillant de sa simplicité puissante et imparable.

Le rêve de Franziska. Tous ces hommes qui payaient pour jouir du fantasme de Franziska, pas du leur.

Trudi (en haut) et Franziska devant le Xanadu-Club
avant leur travail. Berlin, 1931.

Je retournai plusieurs fois au club et me débrouillai pour organiser d'autres séances photos avec les filles, qui avaient appris à me connaître et appréciaient beaucoup de se faire photographier. Quand je quittai Berlin deux semaines plus tard, je décidai de rentrer à Londres par avion. Une vraie folie, presque dix livres, qui engloutit tout le restant du second prêt de Greville, mais je n'étais jamais montée dans un aéroplane et j'avais le sentiment qu'un acte symbolique de ce genre s'imposait pour sceller la fin de mon aventure berlinoise.

Hanna m'accompagna à l'aéroport de Staaken. Nos adieux furent tristes, car nous étions devenues de vraies amies, mais elle se débrouilla pour m'embrasser à pleine bouche en me serrant contre elle et en promettant de venir voir mon exposition de photos berlinoises quand elle ouvrirait à Londres.

Je voyageais sur Deutsche Luft Hansa. En traversant le tarmac avec la vingtaine d'autres passagers en direction du gros avion, une sorte d'énorme aile volante à quatre moteurs, je me retournai pour faire un signe de la main en direction de la salle des départs, mais ne vis pas Hanna. Je me demandai si elle était partie.

Ma place se trouvait dans l'aile proprement dite (on pouvait facilement s'y tenir debout), où un hublot carré donnait vers l'avant, exactement comme depuis le cockpit situé à un mètre ou deux de moi sur la droite. Fermeture des portes, démarrage des moteurs, lente avancée sur la piste et, en un rien de temps, l'avion se hissa dans les airs, prit lentement de l'altitude et mit le cap sur Amsterdam, où nous ferions le plein avant de redécoller pour l'aéroport de Croydon. J'éprouvais une formidable exaltation, à la limite de la pâmoison, d'être ainsi arrachée à la terre au son du rugissement des moteurs, de flotter et de me sentir pourtant aussi en sécurité avec, sous les pieds, un sol de métal moquetté.

Sitôt la terre perdue de vue en raison du temps couvert, je me promenai dans le fuselage (l'avion était parfaitement stable) en direction du salon fumeurs, où je m'accordai une cigarette et un gin-vermouth, servi par un steward en veste blanche.

Je lui demandai dans quel genre d'avion je me trouvais. J'ai toujours aimé disposer d'éléments précis, emmagasiner des connaissances pour l'avenir.

« C'est un Junkers, *Fräulein*. Un Junkers G 38. »

Je commandai un autre gin, profitant de cette sensation unique qu'était le survol de l'Europe à bord d'un Junkers G 38, un verre dans une main et une cigarette dans l'autre. J'éprouvais les mêmes humeurs contrastées qu'à Berlin : tristesse de partir et excitation savourée d'avance à la pensée de ce que me réservait l'avenir. Je n'avais tiré aucun cliché du Xanadu-Club ni du spectacle de Franziska, seulement des planches contact : tout cela restait à faire, en usant judicieusement du masquage et de la surimpression. Greville serait content, pensai-je. Je lui avais envoyé un télégramme disant « MISSION ACCOMPLIE ». Et j'avais le pressentiment (non sans une petite dose d'autosatisfaction justifiée, je l'avoue) que mes photos allaient faire du bruit.

5

Un scandale !

Je me retournai pour agiter sous le nez de Greville une boîte de conserve rouillée de potage au curry que j'avais dénichée derrière une pile de vieux sacs en papier brun.

« C'est une épicerie ! lui dis-je. Enfin, c'était une épicerie…

– Si on prend le mot anglais, *greengrocer*, ça peut nous fournir une base pour le nom : la galerie Green and Grocer. »

Greville arpenta la pièce en réfléchissant. Il portait un costume léger de tweed vert mousse, une chemise crème et une cravate en soie moutarde, le tout parfaitement assorti. Je farfouillai dans un autre placard, où je trouvai un paquet moisi de croquettes aux noix et cinq boîtes de levure. J'eus une illumination subite. J'arrachai du mur un morceau de papier peint qui se décollait, attrapai mon stylo dans mon sac, écrivis les mots et montrai ma trouvaille à Greville.

« Ah, ça me plaît, ça ! approuva-t-il. Ça fait à la fois exotique et traditionnel, d'une certaine manière.

– Grösze and Greene.

– J'aime bien l'umlaut et le "e" à la fin de Greene. »

Il testa le nom à voix haute plusieurs fois : la galerie Grösze and Greene. Puis il m'embrassa sur la joue.

« Petite maligne. Comment vas-tu intituler l'exposition ?

– *Berlin bei Nacht.*

– Oui, on continue sur l'allemand. Ça fait plus décadent. »

127

Greville regarda autour de lui et tapa mollement de la pointe du pied dans un piège à souris, qui avait déjà fonctionné car il ne contenait plus de fromage.

« Maintenant, tout ce qu'il nous reste à faire, c'est de donner un bon coup de pinceau à cet endroit. »

Je suis fière de dire qu'au cours des quelques semaines qui suivirent je repeignis à moi seule quatre-vingt-dix-neuf pour cent de la galerie Grösze and Greene (avec un tout petit peu d'aide de Bruno Desjardins). Pendant ce temps, Greville s'occupa du bail, qui était raisonnable (comme tous les loyers dans Soho). J'insistai toutefois pour qu'il soit établi à mon nom plutôt qu'au sien, ce qui nécessita plusieurs visites chez un notaire et même la caution de ma mère comme garant.

Après qu'elle eut signé tous les papiers requis, je l'invitai à déjeuner au Primavera, dans Old Compton Street, où l'on nous servit des escalopes de veau dures comme de la semelle et des petits pois en conserve. En repoussant son assiette, qu'elle n'avait pas finie, ma mère s'appuya sur le dos de sa chaise et me fixa avec curiosité tout en insérant dans son fume-cigarette une cigarette que j'allumai pour elle.

« Pourquoi veux-tu ouvrir ta propre galerie ? me demanda-t-elle d'un ton sceptique. Si tes photographies ont la moindre valeur, une vraie galerie les exposerait certainement.

– Mes photographies sont un peu… choquantes, expliquai-je en me versant un verre de chianti.

– Eh bien, je ne viendrai sûrement pas les voir.

– Eh bien, je ne vous enverrai sûrement pas d'invitation. »

Elle se pencha en avant et je vis deux reflets de mon visage dans les verres de ses lunettes en écaille.

« À quoi joues-tu, Amory ?

– Ce n'est pas un jeu, Mère. J'essaie simplement de m'établir, de faire mon chemin dans le monde.

– Quand tu dis "choquantes", tu veux dire…, commença-t-elle avant de s'interrompre. Non, en fait, je ne veux pas en savoir plus. »

Elle poussa un soupir appuyé et agita la main comme pour chasser une mouche au bourdonnement agaçant.

« Je ne sais pas ce qui arrive à mes enfants. Xan vient d'acheter une moto… Il ne pense plus qu'à ça.

– Quel genre de moto ?

– Comment le saurais-je ? Pourquoi veux-tu toujours connaître le nom exact de tout, Amory ? C'est très singulier.

– Donc, fini les cochons d'Inde ? demandai-je après un haussement d'épaules.

– Il les a tous relâchés dans la campagne… par centaines. Le Sussex va connaître une invasion de cochons d'Inde. »

Elle me regarda de nouveau avec insistance, lâchant des bouffées de fumée comme pour créer une sorte d'écran entre nous, pour que je sois floue, voilée.

« Ton père te réclame tout le temps.

– Je lui ai envoyé une photo.

– Ça n'a fait qu'empirer les choses. Je crois qu'il se sent toujours coupable. Pourquoi ne retournes-tu pas le voir ? Ça lui remonte vraiment le moral.

– J'irai dès que mon exposition sera terminée », dis-je aussi sincèrement que je le pus.

Il fallut malheureusement du temps pour régler la question du bail, mais enfin, enfin, on m'accorda la jouissance provisoire (pendant six mois) du 42a, Brewer Street. Une enseigne fut installée indiquant que les lieux étaient à présent occupés par la galerie Grösze and Greene, et l'exposition annoncée pour la mi-janvier 1932, un mois calme, nous étions-nous dit, pendant lequel il serait donc plus facile de capter l'attention de la presse.

Dans l'intervalle, je m'affairai à tirer une quarantaine de mes photos berlinoises, toutes au même format (vingt-cinq centimètres par quinze) afin de pouvoir commander séparément les cadres et les passe-partout ; je ne voulais pas accorder au premier encadreur venu le privilège de voir mon œuvre à l'avance. *Berlin bei Nacht*

LES VIES MULTIPLES D'AMORY CLAY

devait arriver dans sa galerie sans avoir été vu ni annoncé, « comme l'explosion d'une mine », décrétai-je.

« Ou d'un pétard mouillé, me corrigea Greville. Rien n'est jamais garanti, ma chérie. On ne peut pas savoir si on se fera remarquer... même en janvier, Londres regorge d'expositions.

– Tu peux inviter tes amis mondains. Pense à tous les magazines pour lesquels tu as travaillé.

– Bien vu ! Je vais essayer de rameuter quelques pique-assiettes. »

Il me fallut deux semaines de dur labeur pour tirer et encadrer toutes mes photographies, avec un large passe-partout de carton crème dans un cadre de chêne clair non verni, obtenant un résultat à mes yeux artistique, professionnel, qui s'appelait d'ailleurs un « encadrement muséum », m'avait-on dit. Tandis que j'écrivais les titres et apposais ma signature sous les photos, je songeai (et ce n'était pas la première fois de ma vie) qu'une présentation soignée faisait la moitié du travail si l'on voulait être pris au sérieux.

Greville et moi avions commandé de simples stores de toile pour la grande vitrine sur Brewer Street afin d'être complètement protégés des regards indiscrets. Par une froide soirée du début de l'année, il m'aida à accrocher les photographies à intervalles réguliers sur les murs blancs et vierges. Nous avions arraché le vieux linoléum et assombri le plancher à la teinture pour bois. La galerie Grösze and Greene brillait par son authenticité, il nous fallait bien l'admettre. Là encore, une présentation soignée.

Greville se promena devant la rangée de photos avant que nous les recouvrions toutes de papier kraft ; il s'arrêta devant ma photo de Volker, nu à l'exception de la serviette qui pendait de sa main et lui cachait le bas-ventre.

« "Modèle d'artiste", déchiffra-t-il. Dis donc, il m'a l'air bien monté. »

*

* *

130

JOURNAL DE BARRANDALE, 1977

Pendant sa soirée au Glenlarig Hotel, j'ai laissé Hugo Torrance m'embrasser. J'avais passé un agréable moment à bavarder avec Greer et Calder, à évoquer avec Sandra, la fille d'Hugo, les quartiers de Londres que nous connaissons toutes les deux, et j'avais bu juste un peu trop de whisky.

En sortant des toilettes, j'ai trouvé Hugo qui m'attendait dans la pénombre du palier du premier étage. Il m'a bloqué l'accès à l'escalier, m'a enlacée et m'a embrassée sur les lèvres.

« Reste pour la nuit, Amory », m'a-t-il proposé.

Malgré la tentation, je lui ai opposé un « non » calme mais ferme.

« Je continuerai de tenter ma chance, a-t-il dit en me laissant passer.

– J'espère bien. »

Consciente d'être un peu éméchée, j'ai conduit prudemment sur le chemin du retour. Une fois arrivée, je me suis versé un autre whisky et j'ai attisé le feu, perdue dans mes réflexions. Je me demandais si Hugo Torrance était le dernier homme que j'embrasserais, et cette pensée m'a attristée.

*
* *

Le soir du vernissage de *Berlin bei Nacht*, j'optai pour une tenue sage, l'idée m'étant venue que je ne voulais pas être remarquée, ni identifiée comme « la photographe », « l'artiste ».

« Très discret, commenta Greville à mon arrivée. On croirait que tu es là pour prendre les manteaux. »

Je portais une robe de crêpe georgette bleu marine avec un haut col croisé en soie et un turban.

« Je ne veux pas attirer l'attention, expliquai-je avec une nervosité subite. Je veux juste observer, rester en retrait.

– De l'avantage de s'appeler Amory… Ils vont tous chercher un homme, supposa-t-il en désignant la pancarte posée sur un petit chevalet dans la vitrine qui annonçait l'exposition et mon nom : « *BERLIN BEI NACHT* – Photographies d'Amory Clay ». Ah, oui, mais si quelqu'un veut t'interviewer ? objecta-t-il, le doigt levé.

– On verra quand on y sera. »

Greville avait engagé un traiteur pour servir du vin du Rhin dans des verres à pied vert (parfaitement teuton, pensait-il) et divers canapés : allumettes au fromage, friands à la saucisse, vol-au-vent. Nous avions déposé à l'entrée une petite pile de mon mince catalogue indiquant le prix des photographies. L'invitation que nous avions envoyée plaçait explicitement l'exposition sous le « patronage » de Greville Reade-Hill, aussi se fit-il un devoir d'accueillir tous les invités à leur arrivée tandis que je restais au fond de la galerie en faisant semblant de regarder mes propres photos comme si je les découvrais pour la première fois.

Il y avait du monde, finalement (soixante ou soixante-dix personnes, selon nos estimations), et, comme le vin du Rhin coulait à flots, le niveau sonore dans la galerie augmentait régulièrement, l'atmosphère tenant plus du cocktail que du vernissage guindé. Une fois tous les invités arrivés, Greville et moi, debout dans un coin, observâmes la foule.

« Eh bien, ils ont l'air plutôt riches et bourgeois, dis-je. Le bon public, je suppose. Y a-t-il des journalistes ?

– Personne n'était prêt à l'avouer.

– Mais nous avons besoin de publicité, non ?

– Le bouche à oreille, ma chérie. Il n'y a rien de mieux. Mon Dieu, regarde-moi ça. »

Je me tournai légèrement pour voir un jeune homme un peu dégarni qui portait un manteau gris à col de loutre.

« Vise un peu ses guêtres ! dit Greville en refrénant un gloussement. Tourmenté, riche, laid, vaniteux.

– Falot, timide, myope, stupide », répliquai-je.

Greville avait pour théorie qu'il suffisait de quatre adjectifs pour décrire absolument n'importe qui dans le monde entier. Cette idée s'était transformée en un petit jeu entre nous, auquel nous nous livrions lors des soirées pour occuper les heures d'ennui passées à attendre que les invités viennent se faire photographier.

« Voilà un bon spécimen ! dis-je, en indiquant du menton un homme âgé et corpulent qui contemplait une photo de prostituées berlinoises à demi nues. Obèse, riche, lubrique, hypocrite.

– Frustré, rasoir, prétentieux, froussard.

– Allons faire un petit tour », proposai-je, commençant à me détendre et à m'amuser.

J'attrapai un autre verre de vin sur un plateau tandis que nous déambulions dans la galerie en essayant de repérer les journalistes potentiels. Greville était sans arrêt sollicité par des connaissances, mais, ostensiblement, il ne me présentait pas.

« Les gens vont penser que tu es ma secrétaire, me dit-il en aparté.

– Parfait. Tiens, regarde celui-là, je crois l'avoir déjà vu... »

Il s'agissait d'un jeune homme dégingandé au nez busqué, dont les cheveux longs couvraient le col sur la nuque. Il portait un costume gris anthracite bien coupé, des souliers bordeaux et une écharpe de soie orientale drapée autour de son cou.

« Ah ! Sir Max Gartside. Je crois qu'il écrit pour un journal... à l'occasion.

– Narcissique, élégant, rupin, prétentieux.

– Je vais le sonder ? »

Greville le rejoignit d'un pas nonchalant, et je les regardai bavarder un moment. Gartside montra du doigt une de mes photos et ils rirent à une blague, ce qui me fit redouter qu'ils ne se moquent de moi.

Greville revint en faisant une petite moue de déception.

« Il adore, et il écrit bien pour la *Gazette*, mais il n'a pas été envoyé par le journal.

– Il adore ? Merde alors !

– Il veut acheter Volker, mais je lui ai dit que Volker m'était réservé, qu'il n'était pas à vendre.

– Il n'est même pas un tout petit peu choqué ? demandai-je avec espoir.

– Rien ne choque notre Max, je le crains, déclara-t-il avec un nouveau regard circulaire. Tiens, voilà un candidat intéressant. »

Je me retournai pour voir un homme mince et élégant entrer dans la galerie et prendre un catalogue. Il portait un manteau de cachemire fauve qui était presque de la couleur de ses cheveux. Sable mouillé ? Grès ? En tout cas, ni blond, ni châtain. Dans son épaisse chevelure brillantinée coiffée à l'embusqué, je distinguais les fines raies laissées par les dents de son peigne. Un grand nez, très droit, des yeux bleu glacier, remarquai-je quand il passa près de nous. Je sentis un frisson me parcourir et ma colonne vertébrale se liquéfier l'espace d'un instant.

« Lisse, riche, blasé, arrogant, lâcha Greville du coin des lèvres.

– Beau, assuré, intelligent, étranger.

– Non mais écoutez-moi ça, mademoiselle J'ai-le-béguin. Je te parie qu'il est journaliste. J'ai un sixième sens pour ça. »

Âgé d'une trentaine d'années, l'homme se déplaçait méticuleusement d'une photo à une autre pour les examiner de près avant de vérifier la référence dans le catalogue. À le voir ainsi en passer certaines au crible, se reculer, se rapprocher, je lui trouvai plutôt l'air d'un marchand d'art ou d'un collectionneur. Il chaussa des lunettes non cerclées et colla le nez sur une photo comme s'il y cherchait des signes de retouches ou vérifiait le grain du papier. Français, pensai-je, ou d'Europe centrale. Un aristocrate hongrois, un Esterházy ou un Csesznecky. Sûrement pas anglais.

« Ça pourrait bien être le *Daily Express* », me souffla Greville en me donnant une tape sur l'épaule.

Il faisait allusion à un autre homme mince, d'âge mûr, chauve, avec une pomme d'Adam proéminente coincée dans la fente de son col cassé comme un bouton entre deux sépales, qui faisait rapidement le tour de la galerie.

« Sinistre, bigot, fielleux, nécrophile.

– Puceau, ulcéreux, aigri, moribond. »

134

Nous nous servîmes encore deux verres de vin pour boire à notre santé.

« C'est un vœu que je vais peut-être regretter, mais cela ne me gênerait pas qu'il y ait un peu de scandale, dis-je.

– On veut juste que ton nom apparaisse dans les journaux. Voire une photo ou deux dans un magazine. Ce n'est pas beaucoup demander, commenta Greville avec un nouveau regard circulaire. Ton amie allemande ne vient pas ?

– Si, mais pas pour le vernissage.

– J'ai hâte de la rencontrer. »

Il s'éloigna et j'allai dans l'arrière-boutique à la recherche des derniers plateaux de canapés, soudain accablée par l'épuisement et par un regain d'appréhension à propos de nos grands projets pour ma notoriété. Je m'assis sur une chaise en bois et engloutis mon vin blanc. C'était mon travail, après tout, j'en étais la seule génitrice et c'est moi qui serais dans la ligne de mire, pas Greville. Je fumai une cigarette en essayant de ne plus penser, et j'entendis les bavardages diminuer à mesure que les invités se dispersaient dans la nuit de Soho. J'écrasai mon mégot, puis je me dis de me ressaisir, me levai, lissai le bas de ma robe passe-partout et retournai dans la galerie. Il restait une demi-douzaine de personnes, qui profitaient de l'occasion pour bavarder entre elles. Greville et Bruno Desjardins prenaient congé d'invités sur le départ. Quelqu'un s'éclaircit la gorge juste derrière moi, et je me retournai. C'était mon aristocrate hongrois.

« Félicitations. Ces photos sont très intéressantes. »

Américain, décelai-je avec une déception que je ne m'expliquai pas.

« Comment savez-vous que c'est moi, la photographe ?

– J'ai mes propres méthodes, miss Clay. Il fallait que je sache, alors je sais. »

Il fit un sourire, un de ces larges sourires étranges qui ne découvrent pas les dents. Il tendait la main pour serrer la mienne. Une poignée de main légère. Juste une formalité, un contact des doigts.

135

« Je me présente : Cleveland Finzi.

– Quant à moi, vous savez qui je suis.

– Je voudrais vous offrir un verre, si vous me le permettez.

– J'ai beaucoup à faire…

– Non, non, pas maintenant. Je suis à Londres pour deux semaines. Vous avez le téléphone ?

– Comment ? Oui.

– Puis-je vous appeler ? »

Dans un pathétique état de trouble, j'allai chercher mon sac à main dans l'arrière-boutique. Je fouillai… pas de cartes. Imbécile ! Je gribouillai mon numéro sur une feuille vierge arrachée à mon agenda de 1931 et la lui rapportai. Très impressionnant ! Il rangea le bout de papier dans une poche intérieure et me donna sa carte. J'y jetai un coup d'œil : CLEVELAND FINZI. *GLOBAL-PHOTO-WATCH.*

« Oh. Vous êtes journaliste.

– J'étais. Je suis devenu rédacteur en chef, dit-il avec un sourire poli. C'est un magazine américain. Vous en avez peut-être entendu parler.

– Oui, maintenant que vous le dites, absolument, répondis-je dûment alors que tel n'était pas le cas.

– Je vous appellerai d'ici deux jours. Je suis impatient de discuter avec vous.

– Je suis impatiente de discuter avec vous », répétai-je comme une demeurée.

Les trois jours suivants, je gérai les entrées de la galerie Grösze and Greene. Il n'y avait hélas jamais beaucoup de visiteurs. Par précaution, Greville avait décidé d'imposer un prix d'entrée : un shilling pour devenir membre du Club de Photographie Grösze and Greene durant vingt-quatre heures, ceci afin de prévenir toute poursuite pour obscénité (car il s'inquiétait maintenant du caractère explicite de certaines photos) ; l'exposition ne serait ouverte qu'aux « membres du club », pas au grand public. Je le suivis bien volontiers

LIVRE DEUXIÈME (1927-1932)

dans ce stratagème sans préjuger de son efficacité, puisque l'inconvénient évident en était qu'il décourageait les badauds d'entrer par curiosité ou par hasard. Pendant les trois jours que je passai là, la recette ne totalisa plus d'une livre qu'une seule fois. Un jour, je n'engrangeai qu'un maigre gain de cinq shillings.

Je restais assise là, entourée de mes photos berlinoises, avec l'impression de me trouver dans une espèce d'entre-deux. J'aurais dû jubiler (c'était ma première exposition en tant que photographe indépendante, et dans le West End de Londres, qui plus est), mais mon esprit ne cessait de retourner à l'énigmatique Cleveland Finzi de *Global-Photo-Watch* et à son invitation. Était-il sincère ou simplement poli ?

Le troisième jour, alors que j'étais assise, vêtue de mon manteau d'écureuil (le temps ayant viré au grand froid), à l'accueil de la galerie déserte depuis une bonne heure, j'entendis la sonnerie du téléphone dans l'arrière-boutique. Je courus décrocher, sachant confusément que c'était enfin Cleveland Finzi.

« Oh. Bonjour, Greville, dis-je, incapable de cacher ma déception.

– Tu as une très bonne critique dans le *Scotsman*.

– Vraiment ?

– Écoute : "Miss Clay abhorre les poncifs et elle a donc exploré Berlin en quête de vécu. Évitant les lieux communs, elle a posé un œil neuf sur la réalité, avec beaucoup de lucidité et d'honnêteté." C'est pas magnifique ?

– Je devrais me réjouir, en effet. Ma première critique.

– On va peut-être pouvoir en décrocher quelques autres, maintenant. Je vais voir si je peux faire circuler. »

Je raccrochai et la sonnerie retentit de nouveau dans l'instant qui suivit.

« Qu'y a-t-il, Greville ?

– Miss Clay ? Ici Cleveland Finzi.

– Oui.

– Allô ? Vous êtes là ?

– Oui, c'est moi. Miss Clay.

– J'ai essayé votre appartement, mais ça ne répondait pas. Heureusement, j'ai pensé que je vous trouverais peut-être à la galerie.

– Heureusement, oui.

– Je voudrais vous inviter à boire un cocktail. Je suis descendu à l'Earlham, dans le Strand. 18 heures ce soir, ça vous convient ?

– Oui, oui, ça convient. »

Je semblais avoir perdu toute capacité à formuler des phrases simples en anglais.

« Je vous retrouverai au bar, le Palm Court, à 18 heures. »

Je réussis à convaincre Bruno de me remplacer après le déjeuner et me rendis chez un coiffeur de Charing Cross Road pour un shampoing et une mise en plis. Je n'aurais pas le temps de rentrer à Fulham me changer, mais je pouvais du moins avoir l'air complètement différente de la créature anonyme que Finzi avait rencontrée au vernissage. Sans mon turban, les cheveux défaits et brillants, maquillée avec une pointe d'extravagance, plus ma fourrure... Si je ne retirais pas mon manteau en écureuil, j'avais une chance de projeter une image relativement glamour.

Je descendais d'un pas alerte Charing Cross Road en direction de Trafalgar Square, un foulard en soie protégeant ma nouvelle coiffure, lorsque je passai devant l'entrée du Bardmont Concert Hall. Je ne sais pas pourquoi (peut-être parce que j'étais en avance pour mon rendez-vous de 18 heures), je m'arrêtai et jetai un coup d'œil à l'affiche du concert de la soirée. Je lus : « Le New London Symphony Orchestra. Soliste : Miss Dido Clay ».

Dido Clay ?

Au programme : Chopin, Debussy et un poème symphonique de Peregrine Moxon, *Énée à Carthage*. Dido Clay ne pouvait être que ma sœur, Peggy.

Ce nouveau nom fut mon sésame : « Je suis venue voir ma sœur, Miss Dido Clay », annonçai-je, et un portier en livrée me guida dans les couloirs jusqu'aux salles de répétition, au fond du bâtiment. En approchant, j'entendis une musique jouée au piano, dans un style moderne atonal que je ne reconnaissais pas.

Le portier me tint la porte ouverte. La tête penchée, les yeux clos, une cigarette au bec, Peggy martelait un crescendo qui se termina en un accord dissonant. Blam ! Ensuite, elle leva lentement les mains du clavier et se renversa en arrière, la cigarette à la verticale.

« Peggy ? »

Elle se retourna brusquement, me reconnut, poussa un petit cri de joie, retira la cigarette de ses lèvres et accourut pour m'embrasser.

« Ne m'appelle plus jamais, jamais Peggy, murmura-t-elle d'un ton sec.

– Désolée, Dido.

– Je suis Dido maintenant. Pour toujours.

– Dido, Dido, Dido. »

Ses cheveux tirés en un chignon serré lui donnaient un air strict et sophistiqué. J'eus à nouveau cette sensation étrange qu'elle était plus âgée que moi, du haut de ses dix-sept ans. Et elle me serra encore dans ses bras, ma petite sœur.

« Amory chérie ! Tu es ravissante. Que fais-tu ? Tu vas à une soirée ?

– J'ai rendez-vous avec un homme. Un Américain.

– Ça c'est bath ! Il est riche ?

– Peut-être. Mais je suis en retard, il faut que je file. J'ai vu ton nom sur l'affiche, dehors, et il fallait que je vérifie si c'était bien toi. Dido, ma petite chérie..., dis-je avec un sourire.

– Je te raconterai tout. C'est Peregrine qui a eu l'idée. Je te téléphonerai ; j'ai un concert et deux récitals cette semaine. »

Elle me lança un sourire malicieux et, l'espace d'un instant, je retrouvai la Peggy d'autrefois.

« Je suis impatiente de tout savoir sur ton amoureux américain. »

Une dernière embrassade, et je retournai dans la rue avec un début de mal de tête. Je repoussai toute pensée de Peggy-Dido et tournai dans le Strand en direction de l'Earlham Hotel. J'annonçai au réceptionniste que j'avais rendez-vous avec Mr Finzi au Palm Court. Il me précéda le long d'un couloir où résonnaient des notes de harpe et de piano, puis dans le grand salon encombré de grappes serrées de fauteuils et de canapés sous le célèbre lustre monumental brillant de tout son éclat. La gorge un peu sèche, le pouls sans doute un peu plus rapide que la normale, je me répétai de ne m'attendre à rien.

À ma vue, Finzi se leva et me fit signe. Il portait un costume gris sombre de coupe raffinée, et seul un étrange objet en argent qui maintenait son col autour de son nœud de cravate (en plus de l'épingle classique) révélait qu'il était américain.

« J'imagine qu'une tasse de thé ne vous dit trop rien, commença-t-il.

– Je vais prendre un brandy-soda, merci. »

Dès qu'il eut commandé (lui-même prit un whisky-soda), il aborda le sujet de l'exposition. Il me couvrit de compliments et, tout en l'écoutant, je m'émerveillai devant le degré incroyable d'assurance tranquille qu'il dégageait, à tel point que je commençai à me demander s'il jouait la comédie. J'ai connu des gens dont l'aplomb imperturbable n'est qu'une façade dissimulant une insécurité maladive, mais je découvris très vite qu'il n'y avait rien de faux chez Cleveland Finzi. Peut-être son accent américain contribuait-il à cette impression d'aisance en société, aussi…

« Vous ne m'écoutez pas, miss Clay, dit-il d'un ton posé.

– Si, si.

– Je viens de vous poser une question.

– Et j'y ai répondu.

– Non. »

Je sirotai mon brandy, histoire de gagner du temps.

« Je suis désolée si je parais distraite, mais je viens d'avoir une conversation avec ma sœur qui m'a laissée perplexe. Elle a changé de prénom.

– Je comprends que cela ait pu vous troubler.

– Elle s'est toujours appelée Peggy mais, maintenant, elle insiste pour qu'on l'appelle Dido.

– Dido, répéta-t-il avant d'y réfléchir. Je préfère à Peggy. C'est un joli nom, Dido.

– À propos de noms, votre famille est-elle italienne ?
– Pardon ?
– Finzi.
– Oh, Finzi est un nom juif.
– Ah oui ?
– Juif séfarade. Je crois qu'à l'origine, nous étions italiens. Et encore avant, venus d'Espagne, bien sûr.
– Bien sûr, oui… Très intéressant. »

Il poursuivit par des questions précises sur mes photos. Comment avais-je obtenu mes entrées dans les bas-fonds berlinois ? Avais-je dû payer pour prendre les photos ? Étaient-elles posées ou prises sur le vif ? Et cetera. Ma description de mon sac à main avec appareil dissimulé l'impressionna au plus haut point et, quand il m'interrogea sur l'étape du tirage, j'eus la satisfaction de pouvoir lâcher quelques remarques éclairées concernant le masquage et la surimpression.

Seconde tournée, cigarettes… Je crois avoir réussi à paraître relativement posée pendant notre conversation et à ne pas trop le dévorer des yeux. Ceci étant dit, si Cleveland Finzi m'avait invitée à monter dans sa chambre pour y danser nue autour de son lit, j'aurais dit oui sur-le-champ.

Il me raccompagna jusqu'au vestibule, s'excusant de devoir abréger notre conversation en raison d'un autre rendez-vous. Nous nous serrâmes la main devant l'entrée principale. Il n'était pas grand (enfin, plus grand que moi, bien sûr), mais son allure leste et découplée laissait deviner un corps d'athlète sous ses vêtements élégants.

« Et maintenant, miss Clay ?
– Pardon ? Que voulez-vous dire ?
– Votre travail. Vos photos.
– Oh, je ne vois pas plus loin que l'exposition. Mais j'ai déjà reçu quelques propositions de travail intrigantes, mentis-je.
– Cela ne me surprend pas, dit-il en souriant. Vos photos sont très… intrigantes. Vous avez vraiment l'œil pour saisir les gens.

141

Surtout, prévenez-moi si vous venez un jour à New York, je vous en prie. Je peux vous promettre un excellent dîner. »

Dehors, dans le Strand, la nuit était cinglée par des bourrasques de vent et des rafales de pluie. À la lueur des réverbères nimbés d'une auréole humide, je marchai jusqu'au métro dans des vapeurs de brandy-soda.

6

Le salaire du péché

La sonnerie du téléphone me réveilla à 7 heures. J'allai décrocher en chemise de nuit dans mon salon.

« Ça y est, m'annonça Greville. Le *Daily Express*. Je crois que nous pourrions avoir des ennuis. »

J'enfilai vite quelques vêtements, attrapai mon manteau, me plantai un chapeau sur la tête, courus jusqu'au kiosque de la station Walham Green acheter un exemplaire du *Daily Express*, m'engouffrai dans un salon de thé proche de l'entrée du métro et commandai un thé et un petit pain au cassis (légèrement grillé) pour prendre le temps de me ressaisir. J'entrepris ensuite de parcourir le journal d'un œil attentif et découvris l'article en page 11. Le titre annonçait : « Étalage immonde de photographies obscènes », et le sous-titre : « Un exhibitionnisme éhonté sous couvert d'art ». Je continuai à lire dans un curieux état de torpeur, comme si je lisais un article sur une guerre dans un pays lointain. « Miss Clay plonge son appareil dans la fange la plus nauséabonde et la plus décadente qu'elle ait pu trouver... Des hommes lubriques frayent avec des femmes à peine vêtues... Il est difficile d'imaginer vision plus bestiale et dégradante. » Ma torpeur s'accentua. Cependant, au fil des lignes fustigeant mon vice absolu, il m'apparut que ce qui avait vraiment choqué ce journaliste (l'homme à la pomme d'Adam proéminente) ou, plutôt, ce qui l'avait excité, c'étaient les clichés de femmes à demi nues que la compagnie d'autres femmes à demi nues ne gênait pas. Il ressassait ce point alors que seules trois photos dans toute l'exposition témoignaient d'un tel commensalisme. Pas un mot sur Volker vêtu de sa nudité candide, ni sur les filles batifolant au lit ou bronzant sur le balcon en sous-vêtements. La virulence quasi hystérique de cet anathème était plus que révélatrice : pour avoir monté cette exposition, je méritais d'être lapidée à mort ou jugée pour sorcellerie et soumise à l'ordalie. « Ce répugnant déballage au cœur de notre grande ville, au cœur de notre grand empire, constitue une offense pour tout citoyen britannique respectable et pieux. »

Sortant peu à peu de ma torpeur, je sirotai mon thé qui refroidissait et j'eus le sentiment d'être envahie par un froid de même nature quand je pris conscience des ennuis que je m'étais peut-être attirés. Question notoriété, c'était réussi.

De retour chez moi, j'appelai Greville. Pas de réponse. Je téléphonai à la galerie. Il décrocha et me parla tout bas, d'une voix tremblante, comme s'il craignait d'être entendu.

« La police est ici. Ils ont saisi toutes les photographies et ils les emportent dans une camionnette…

– Ils les ont saisies ? Ils les emportent ?

– Et il y a trois cents personnes qui font la queue pour entrer.

– Il faut que je vienne ?

– Ce serait aussi bien. Mais il n'y a rien que nous puissions faire. »

Il avait l'air effrayé, et cela ne ressemblait pas du tout au Greville que je connaissais. Je pris un taxi jusqu'à Brewer Street et constatai à mon arrivée que la file des amoureux de la photographie s'était dispersée et qu'un agent de police solitaire et souriant montait la garde devant la galerie. Greville m'ouvrit la porte et, en entrant, je ressentis un choc viscéral en voyant les murs à présent atrocement nus.

« Où les ont-ils emportées ? » demandai-je.

Je commençais à comprendre la frayeur inhabituelle de Greville : les « autorités », les gardiens de la décence publique, l'État avaient été offensés, avaient agi et avaient fait appliquer leur loi.

« Au commissariat de Savile Row.

– Que va-t-il se passer ?

– L'inspecteur, qui a une sale tête mais qui est très courtois, m'a informé que la galerie va être poursuivie pour obscénité.

– La galerie ? Tu veux dire moi.

– Eh bien, ma chérie, le bail est à ton nom. »

Dans un nouvel état de torpeur encore plus désagréable, j'allai dans l'arrière-boutique nous préparer une tasse de thé bien fort. « Quand on a un problème à résoudre, il faut toujours faire quelque chose de matériel », disait ma mère – adage simplet qui m'apparut soudain frappé au coin du bon sens. Nous sirotâmes notre thé en discutant de notre situation.

« Je croyais que le fait de nous être constitués en club nous mettait plus ou moins à l'abri, dis-je.

– Moi aussi, convint-il en s'allumant une cigarette. C'est le conseil qu'on m'avait donné. Le souci, semble-t-il, c'est que les photos étaient à vendre. Si elles n'avaient pas été à vendre, nous aurions été tranquilles. Peut-être. Mais là, ils peuvent te poursuivre pour avoir exposé des photos obscènes avec une intention "commerciale ou lucrative". C'est ça le problème. »

Je sentis monter ma peur, et l'angoisse évidente de Greville n'arrangeait rien. Je ne l'avais jamais vu aussi lamentablement inquiet et nerveux.

« Alors, qu'est-ce que je fais maintenant ? demandai-je dans un souffle.

– Je pense que tu devrais te trouver un avocat. »

L'avocat que je trouvai était le frère aîné de ma meilleure amie à l'école, Millicent Lowther. Lors de notre entrevue dans ses bureaux de Chancery Lane, il se déclara plus que ravi de se charger de mon affaire. C'était un jeune homme d'une petite trentaine d'années,

145

émacié et grave, presque chauve, qui aurait pu être tout à fait séduisant s'il s'était permis un sourire de temps en temps. Bien qu'il fût très maigre, il avait des traits réguliers et des yeux pleins de bonté. Mais il s'était blindé dans son personnage rigide, tout de professionnalisme et d'efficacité.

« Malheureusement, ils maintiennent les poursuites pour obscénité. En tant que titulaire du bail de la galerie, vous devez vous présenter devant le tribunal de première instance de Bow Street mardi en huit.

– Que me conseillez-vous ? » demandai-je d'une petite voix.

La diatribe du *Daily Express* avait été suivie par d'autres articles de journalistes prompts à me condamner bien qu'ils n'eussent pas vu l'exposition tant les photos avaient été rapidement saisies. Détail sans importance au vu des épithètes qui s'accumulaient : dépravé, sordide, honteux, pervers, scandaleux, dégénéré, vil, répugnant, j'en passe et des meilleures, voilà les mots qui s'agrégeaient autour de mon nom. Calomnies faciles venant de parfaits inconnus... c'était de la diffamation pure et simple.

Arthur Lowther me demanda si cela me gênait qu'il fume la pipe. Je n'y voyais aucune objection, dis-je en allumant une cigarette pour lui tenir compagnie. Deux bonnes minutes plus tard, il parvint à produire une mince volute de fumée avec sa petite pipe de bruyère. Cela lui donnait un air un peu ridicule plutôt qu'adulte, mais je savais qu'il faisait ça à mon intention, pour que je prenne au sérieux ses réflexions.

« Je suggère que vous plaidiez coupable, déclara-t-il.

– Non ! C'est un non catégorique ! »

Il ferma les yeux. Attendit. Les rouvrit. Ils étaient d'une jolie nuance de gris-brun.

« Dans ce cas, nous pourrions essayer de monter une défense arguant que les photographies étaient des œuvres d'art.

– Oui, bonne idée.

– Mais il faudrait que des personnalités éminentes se portent garantes de cette position. »

Il sortit un tasse-braise de la poche de son gilet et l'utilisa sur le tabac rougeoyant dans le fourneau de sa pipe, qui sembla alors s'éteindre. Il la reposa, agacé, et leva de nouveau les yeux sur moi.

« Connaissez-vous quelques artistes célèbres ? Des hommes politiques, des personnes jouissant d'un certain statut social ?

– Euh… non.

– Alors, plaidez coupable, miss Clay. Payez l'amende. Promettez de ne plus jamais exposer ces photographies en Angleterre.

– Qu'adviendra-t-il de mes photos ?

– Elles seront détruites.

– Mais c'est tellement injuste, monsieur Lowther !

– Appelez-moi Arthur, je vous en prie. Millicent me parlait de vous tout le temps. J'ai l'impression de vous connaître depuis des années.

– C'est tellement injuste, Arthur… Ces photos sont des… traces documentaires. C'est ainsi que les gens vivent… à Berlin. Tout ce que j'ai fait, c'est de montrer au monde la vérité sur la vie de ces gens.

– Je vous crois, Amory… si je puis me permettre, dit-il, manifestement sincère. Mais vous vous êtes débrouillée pour offenser gravement le *Daily Express*, et c'est pour cela que nous sommes dans ce pétrin. Vous économiserez beaucoup de temps et d'argent, sans parler de la tension nerveuse, si vous suivez mon conseil. »

Il entreprit de tracer les grandes lignes de la défense qu'il comptait présenter au juge : ma jeunesse, mon enthousiasme, le fait que la galerie était un club… tout cela serait utile quand on en arriverait à l'amende, qui se situerait quelque part entre vingt et cinquante livres, selon ses estimations.

Je pensai aux options qui se présentaient à moi et je compris, en étant réaliste, que je ne pouvais rien faire. L'aventure Grösze and Greene était terminée.

Le mardi suivant, j'étais assise derrière Arthur Lowther au tribunal de Bow Street quand il informa le juge, sir Pellman Dulverton, que sa cliente, Miss Amory Clay, souhaitait plaider coupable d'obscénité et présenter à la cour des excuses sans réserve. Je fus

147

condamnée à une amende de trente livres et à ne plus jamais montrer mes « images dégoûtantes » au public britannique. Sir Pellman Dulverton, un homme pâle, impassible, qui arborait des lunettes et une petite moustache en bataille, me traita de jeune étourdie égarée et il exprima l'espoir que cela me servirait de leçon. Je gardai la tête baissée et opinai, modeste, réprimandée.

Arthur Lowther et moi nous tenions devant le tribunal de Bow Street. Nous fumions chacun une cigarette – pas de pipe, constatai-je avec satisfaction.

« Je sais que cela vous semble être une horrible défaite, dit-il. Mais dans une semaine vous l'aurez pratiquement oubliée et, dans un mois, cela aura complètement disparu de votre vie. L'essentiel était d'éviter que cette affaire s'éternise et assombrisse chaque moment de votre existence.

– Vous avez parfaitement raison. Il faut seulement que je voie les choses sous cet angle, je suppose. Que j'essaie de ne pas en rester aigrie. »

Je cherchai Greville des yeux. Il avait promis de venir m'apporter son soutien moral, mais il n'y avait aucun signe de lui.

« Pourrais-je vous inviter à dîner un soir, Amory ? demanda Arthur Lowther, le rouge montant à ses joues hâves. Nous pourrions à la fois nous apitoyer et fêter cela. Et j'aimerais vous connaître mieux. Ne pas être obligé de parler tout le temps d'obscénité. »

Il réussit à produire un de ses rares sourires qui le transfiguraient.

N'ayant aucune excuse à ma disposition, je dis oui, bien sûr, et lui donnai ma carte. Je lui étais reconnaissante, après tout, et ses honoraires m'avaient surprise par leur modestie. J'allais devoir emprunter encore de l'argent à Greville pour payer l'amende. Arthur héla un taxi en maraude.

« Je rentre au bureau. Puis-je vous déposer quelque part ? »

Je déclinai, prétextant un rendez-vous, pris congé en lui serrant la main et partis à grands pas vers le métro. Maintenant que mes photos avaient été détruites par le tribunal, je devais absolument m'assurer que les négatifs étaient en sécurité.

Je trouvai Greville en compagnie de Bruno dans la chambre noire de Falkland Court ; tous deux portaient une blouse blanche par-dessus leur costume car ils allaient se mettre à développer. Greville s'excusa d'avoir manqué le procès : la fille d'un comte avait annoncé ses fiançailles et voulait qu'on la photographie tout de suite.

« Ça ne fait rien, dis-je. Tu n'as rien manqué : ça a été réglé en quelques minutes. Je veux juste récupérer mes négatifs.

– Quels négatifs ?

– Ceux de mes photos de Berlin.

– Bruno, mon cher, pourriez-vous faire un aller-retour à l'appartement et me rapporter ma serviette ? »

Une fois Bruno parti, Greville se tourna vers moi et je vis immédiatement que son humeur soucieuse et agitée avait fait un retour en force.

« Ma chérie, les négatifs ont été saisis. Je te l'ai dit.

– Saisis ? Mais non, tu ne m'as rien dit de tel.

– Je suis sûr que si. Ce soir-là, quand la galerie a été fermée. Je suis certain de t'en avoir parlé. Ce même inspecteur de police qui a fait une descente à la galerie est passé ici me les réclamer. »

Je me sentis vidée, comme si on aspirait mon sang hors de mon corps.

« Mais, Greville, pourquoi lui avoir dit que tu les avais ? Tu aurais pu… je ne sais pas… inventer une histoire. Tu aurais pu dire que c'était moi qui les avais.

– Facile à dire pour toi, ma petite Amory. Mais tu n'étais pas dans ton salon en face d'un inspecteur et de deux agents atrocement baraqués ! protesta-t-il en ôtant sa blouse blanche, qu'il jeta dans un coin. Ils ont dit qu'ils allaient fouiller partout. Ils étaient très agressifs. »

Je regardai Greville chercher une cigarette dans ses poches et me sentis soudain le cœur gros. Le vieux cliché s'appliquait parfaitement : j'avais l'impression que mon cœur pesait plus lourd dans ma poitrine. Je sus que c'était la fin de quelque chose entre nous

149

deux, et je soupçonnai que nous en étions tous les deux conscients. Rien ne serait plus jamais pareil. Je poussai un soupir.

« Donc ils ont pris aussi les négatifs, résumai-je d'un ton neutre malgré ma contrariété.

– Que pouvais-je faire ? Il fallait bien que je les leur donne, sinon ils auraient mis la pièce sens dessus dessous, protesta-t-il avant de fermer les yeux et de lisser ses cheveux déjà lisses. Il y a une limite au scandale que peut supporter une carrière, Amory. Je suis associé à toi. Je ne peux pas laisser les choses dégénérer. Les gens vont…

– Ça va, je comprends, l'interrompis-je d'une voix éteinte.

– J'ai gardé les planches contact. Il y a au moins une trace. »

Je savais bien qu'il se sentait coupable, quand il me les remit dans une enveloppe de kraft cartonné. Puis il me fit un chèque du montant de l'amende… Il insista. Malgré toute ma rage et mon aigreur, je lui devais toujours de l'argent.

« Eh bien, ça a marché, d'une certaine façon, dit-il avec un sourire penaud. Au moins, tout le monde connaît ton nom maintenant.

– Oh oui ! Amory Clay la vile, la dépravée, l'immorale… C'était ton idée, Greville, pas la mienne, lançai-je sur un ton un peu acerbe, je l'admets.

– Eh bien, comme disait le poète, les plans les mieux conçus des souris et des hommes souvent ne se réalisent pas. Ça aurait pu marcher du feu de Dieu. »

Bruno revint avec la serviette de Greville et je fis mes adieux. En m'embrassant sur le pas de la porte, Greville m'informa qu'il y aurait bientôt un grand bal dans le Yorkshire et qu'il aurait besoin d'aide, si j'étais intéressée. Il me téléphonerait pour me donner les détails, ça pourrait être amusant, toute cette foule de noceurs. C'était un geste, une manière de dire que la vie allait continuer comme avant, mais nous savions tous les deux, je crois, que notre vieille complicité, notre vieille camaraderie, avait disparu. Je fis l'erreur, en partant dans la ruelle, de me retourner pour lui dire au revoir en agitant l'enveloppe qui contenait mes planches contact, seule trace encore existante au monde de *Berlin bei Nacht*. Je suis sûre qu'il y vit un signe d'adieu.

Trois jours plus tard, dans un restaurant sans intérêt de Kensington, le Huntsman's Halt, alors que notre dîner se terminait par un cognac et un café, Arthur Lowther me prit la main et me demanda en mariage d'une voix tendue. Après avoir réussi à masquer ma stupéfaction, je déclinai aussi poliment que je pus : non, je regrettais, mais ça ne serait pas possible, j'étais vraiment désolée, mais non, et je partis à la première occasion.

De retour dans mon appartement de Fulham, je restai assise à contempler les trois planches contact de mes photos berlinoises, mes pensées voletant de cette première demande en mariage aux problèmes techniques que poserait l'utilisation d'un banc de reproduction avec un objectif adapté pour prendre un bon cliché d'une minuscule photo non retouchée, quand le téléphone sonna. Avec l'affreux pressentiment que c'était Arthur qui allait m'encourager à me donner le temps de la réflexion, à ne pas prendre de décision hâtive, je rassemblai toutes mes forces pour décrocher.

« Oh. Bonjour, monsieur Finzi.

– J'ai lu un article sur votre procès dans le *Times*. Je compatis.

– Merci. Mais ce n'était pas vraiment un procès. J'ai plaidé coupable.

– C'était la chose à faire. Vous savez, je pense que vous devriez y voir un signe.

– Un signe de quoi ? »

Je tendis la main vers un paquet de cigarettes, l'ouvris, pris l'une des deux dernières et l'allumai. C'était un plaisir d'entendre l'accent américain rassurant de Cleveland Finzi ; il avait l'air encore plus sûr de lui, pour autant que ce fût possible.

« Un signe de ma stupidité ? repris-je en soufflant la fumée.

– Un signe de l'importance de ce que vous aviez fait. Vos photos ont choqué les gens. Elles ont produit un effet. Il n'y a pas beaucoup de photographes qui peuvent en dire autant, dans le monde d'aujourd'hui.

   – Je vais essayer de me consoler avec cette idée.

   – Qu'allez-vous faire maintenant, miss Clay ?

   – Vous voulez dire avant de me suicider ?

   – Ça ne presse pas. Vous pouvez faire ça n'importe quand. Vous êtes déjà venue à New York ?

   – Non.

   – Cela vous plairait ?

   – Un jour, peut-être. Oui.

   – Avant de vous suicider.

   – De toute évidence. Ha, ha !

   – Et si je vous offrais du travail ? proposa-t-il après un silence. Cela pourrait vous attirer ici ? »

Je sentis mon cœur palpiter, ma gorge se serrer. Je tirai fort sur ma cigarette.

« Eh bien, peut-être, dis-je prudemment, sentant poindre autour de moi des implications, des attentes, un avenir même.

   – Deux cents par mois. Qu'en pensez-vous ?

   – Deux cents quoi ?

   – Dollars. »

Photographies extraites de l'exposition
Berlin bei Nacht *(originaux disparus).*
Filles du Xanadu-Club, Berlin, 1931.

*
* *

JOURNAL DE BARRANDALE, 1977

Aujourd'hui, c'est l'anniversaire de Xan. Il aurait soixante et un ans. Pauvre Xan. J'ai retrouvé son livre de poèmes et j'ai lu celui qu'il m'avait dédié. Cela m'a fait pleurer, et je déteste pleurer, à mon âge.

L'Anti-cliché (pour Amory)

Nous étions
à des tropiques
opposés,
Capricorne et
Cancer,
diamétralement alignés.
Mais
la vie est un
vertigineux
chemin de fer aérien.
Timor mortis
nous écrase tous deux
dans les tenailles
de son étau.
Nous nous raccrochons
à cette chère
existence,
craignant
la solitude indigne
de la mort,
le long
bonjour.

LIVRE TROISIÈME

1932-1934

1
Fragments d'Amérique

1er janvier 1934. Sans raison précise, je me réveillai très tôt, comme si je voulais donner le coup d'envoi de cette année particulière, lui faire prendre son envol d'emblée avec l'énergie nécessaire. Je me glissai hors du lit et m'habillai. La lumière du matin était morne et terne – ce soupçon de jaunisse dans l'air qui annonce la neige. J'enfilai mon lourd manteau de tweed et sortis. Mon appartement, en rez-de-chaussée sur cour, se trouvait dans Washington Square South, à Greenwich Village. Un long couloir desservait un salon, une cuisine, une salle de bains et une chambre, la seule pièce claire, car elle ouvrait sur une courette où poussait un grand et frêle ailante. Le tout pour quinze dollars par mois.

Je me rendis au 365, dans West 8th Street, pour acheter des cigarettes. 365 n'était pas l'adresse du magasin, cela indiquait qu'il ne fermait jamais, pas même le jour de l'An. Quand j'arrivai, Achille, le propriétaire, était en train d'ouvrir la grille articulée de la porte sur rue. En face, un jeune Chinois balayait les marches d'un restaurant de chop suey. Le Village s'éveillait, l'année commençait.

Achille était un homme râblé aux jambes arquées, dont le menton et la mâchoire s'ornaient en permanence d'une barbe de trois jours à poils blancs.

159

« Bonne année, miss Amory ! » lança-t-il en m'entraînant dans la boutique.

C'était un long couloir flanqué d'étagères qui se terminait par un comptoir. Du papier tue-mouches tombait en spirale du plafond à caissons étamés. Une pancarte au-dessus du comptoir indiquait : « On vend de tout sauf de l'alcool. »

Je demandai un paquet de Pall Mall pour moi (petit clin d'œil à Londres depuis New York) et un de Camel pour Cleveland. Comme j'étais la première cliente d'Achille en 1934, je décidai d'être de bon augure et lui achetai quelques bricoles en plus : de la lessive Rinso, des céréales Wheat Krumbles et un sachet de petits pains à la cannelle.

« Et je vais prendre de l'Alka-Seltzer.

– Vous avez fait la fête hier soir ?

– Non, non. Je me suis couchée tôt. J'ai un ami qui vient déjeuner.

– Un ami qui fume des Camel, je parie. Une parfaite hôtesse. Je sais que vous, c'est les Pall Mall, miss Amory. »

La discussion se poursuivit. J'éprouvais un curieux plaisir à être connue dans le voisinage, comme si j'étais installée là pour un certain temps, comme si cela donnait à ma vie un semblant de normalité, comme si être ici, dans cette ville, était quelque chose que j'avais projeté, pas simplement quelque chose qui m'était arrivé.

« Espérons que 1934 sera meilleure que 1933, dit Achille en emballant mes achats.

– Au moins, on peut boire un verre sans se faire arrêter, maintenant », remarquai-je, ce qui nous fit rire tous les deux.

Au cours des trois dernières semaines, six magasins de vins et spiritueux avaient ouvert dans un rayon de deux rues autour de Washington Square. En Amérique, on pouvait de nouveau boire au grand jour.

« Oui, ça nous change ! convint Achille en hochant la tête. Mais je dois dire que les *speakeasies* manquent un peu dans le paysage. »

Je rentrai tranquillement chez moi avec mes emplettes et m'installai dans un fauteuil pour lire *Le Petit Arpent du bon Dieu*, d'Erskine Caldwell, en écoutant du jazz à la TSF, histoire de tuer le temps. J'avais peint les murs du salon en ivoire très clair pour donner le maximum d'intensité à la lumière qui pénétrait par l'unique petite fenêtre, accroché quelques-unes de mes photos ici et là et apporté une touche d'élégance au canapé et aux deux fauteuils de location en les couvrant de jetés matelassés achetés chez un chiffonnier de Bleecker Street. Après la cuisine et la salle de bains, minuscules, le couloir carrelé menait à la chambre du fond, qui donnait sur la cour et son arbre maigrichon et nu. À midi en été, quand les rayons du soleil frappaient la grande fenêtre à guillotine à douze carreaux, la pièce s'emplissait d'une lumière si éclatante qu'on se serait cru sous les tropiques, pas à Manhattan.

À 13 h 30, Cleve ayant visiblement été retardé, je me préparai un gin-vermouth et portai un toast à la nouvelle année en songeant que je vivais à New York depuis bientôt dix-huit mois… même si je me sentais toujours en transit, de passage, avec l'impression que cet appartement, cette adresse, mon travail, mon salaire étaient des aspects très temporaires de mon autobiographie et que la portée qu'aurait ce séjour dans toute vision rétrospective de ma vie ne se laissait pas deviner. Pourquoi ces pensées si mesquines, si pessimistes ? me demandai-je. Ma situation ici était pourtant bien meilleure qu'à Londres, à tous égards : solvabilité, logement, emploi rémunéré, mauvaise réputation ignorée de tous… Mais je ne me sentais pas vraiment installée, et je savais que c'était dû à mon histoire d'amour…

À point nommé, Cleveland Finzi sonna à la porte de l'immeuble et je le fis entrer. Après un long baiser langoureux, nous nous souhaitâmes une heureuse année 1934.

« Tu veux déjeuner ? demandai-je. Ou bien…

– Je voudrais un peu de "ou bien", s'il te plaît. »

Avec un sourire, je me retournai et me rendis dans la chambre en déboutonnant mon corsage. J'entendais derrière moi les fers en demi-lune sur les talons des mocassins de Cleve claquer sèchement au rythme de son pas assuré sur les carreaux de terre cuite du couloir.

*

* *

JOURNAL DE BARRANDALE, 1977

Hier, je suis partie en voiture vers le sud, direction Glasgow, pour consulter mon médecin, Jock Edie. Je me suis levée de bonne heure, parce qu'il faut trois bonnes heures à ma Hillman Imp pour accomplir ce trajet. Le cabinet du docteur Edie se trouve au rez-de-chaussée de sa vaste maison de grès crasseux sur Great Western Road, une villa style Renaissance digne d'un souverain pontife, avec son propre campanile et son hectare de jardin.

Jock Edie est un grand sexagénaire corpulent, capé trois fois en équipe d'Écosse de rugby quand il était étudiant en médecine, avant qu'une blessure à la colonne vertébrale ne mette un terme à sa carrière sportive. Un problème en mêlée, m'a-t-on dit… Je n'en sais pas plus, j'ai horreur du rugby. Il a de magnifiques sourcils épais, broussailleux, semblables à des mini-moustaches grisonnantes retombant sur ses yeux bruns humides. Je l'aime beaucoup et je sais que c'est réciproque, mais nous faisons tous deux très attention à ne pas le montrer en adoptant une attitude aimable, mais un peu sèche, rationnelle.

« Comment vous sentez-vous, jeune fille ?

– Très bien. La grande forme.

– Rien de nouveau pour nous inquiéter ?

– Rien du tout. »

162

Il a déverrouillé un tiroir de son bureau et en a sorti un sac en papier décoré de ballons multicolores qu'il m'a tendu.

« C'est pour vous. Ce ne sont pas des bonbons.

– Merci, Jock. Merci beaucoup.

– Conservez-les dans un flacon ou une boîte en métal hermétiques, pour plus de sécurité. Ou bien dans le réfrigérateur, ce serait encore mieux.

– Oui, chef. »

Il a attrapé un livre sur une table d'appoint : *L'Invasion de l'Allemagne*, du général de brigade Muir McCarty.

« Il y a un assez long passage sur Sholto, là, a-t-il dit en feuilletant l'ouvrage.

– Je n'ai pas envie de lire quoi que ce soit qui concerne Sholto. »

Jock et Sholto s'étaient connus à l'école.

« Le tout très flatteur, a-t-il ajouté.

– Les gens ont toujours été très flatteurs à propos de Sholto. »

Il m'a reconduite à travers le grand vestibule jusqu'à une porte à laquelle un vitrail donnait un bel éclat : saint Michel tuant un dragon vrillé. Jock accrochait ses plus beaux tableaux dans le vestibule, notamment un petit Cadell lumineux près du portemanteau mural à miroir devant lequel je m'arrêtais toujours. Une plage des Hébrides au soleil, blanche comme de la farine, sur un fond d'îles bleu argenté.

« Peut-être passerai-je vous voir à Barrandale, un de ces jours, m'a-t-il dit en redressant le tableau d'un millimètre. Les îles me manquent.

– *Mi casa es su casa*.

– *Gracias, señora.* Vous repartez ?

– J'ai un rendez-vous en ville pour déjeuner.

– Au fait, vous fumez toujours ?

– Oui. Et vous ?

– Oui. Je dois être le seul médecin de tout l'ouest de l'Écosse qui fume encore.

– Je devrais arrêter ? Essayer d'arrêter ?

– Peut-être. Non. Arrêtez-vous quand je m'arrêterai moi.
– Ce n'est pas juste.
– En effet. »

Nous nous sommes embrassés et je suis partie attraper un bus pour le centre-ville en laissant ma voiture dans son allée. Après être descendue à Queen Street, je suis passée devant un pub étrange qui s'appelait The Muscular Arms, et je suis entrée chez Rogano's, sur Royal Exchange Square.

Dans le bar, très animé, je me suis frayé un chemin parmi des jeunes gens bruyants en costume sombre, hommes d'affaires et juristes de Glasgow qui sifflaient des gin-tonic, et j'ai tourné à droite pour pénétrer dans la splendeur Art Déco du restaurant aux murs pâles et à l'atmosphère nettement plus calme, conversations chuchotées, tintement de l'argenterie sur la vaisselle.

« Bonjour, j'ai rendez-vous avec Mrs Pontecorvo », ai-je annoncé au maître d'hôtel.

Assise dans un coin au fond, Dido lisait un journal en fumant une cigarette. Elle devenait rondouillarde, bien plus que lorsque je l'avais vue la dernière fois. Son abondante chevelure noire de jais était relevée en une énorme vague lissée à la laque telle une calebasse noire posée au-dessus de son front. Elle portait une robe en soie d'un rose thé luisant, et trois rangs de perles autour de son cou replet et ridé. Elle donnait un récital le soir même aux City Halls, et se faisait toujours beaucoup d'argent.

Nous nous sommes embrassées et elle a commandé du champagne.

« Ça te va bien, les cheveux courts, ça fait très moderne, a-t-elle remarqué.

– Merci, ma chérie, ai-je dit en ouvrant le menu.

– Sauf que ça fait aussi un peu lesbienne. Et puis, tu devrais te maquiller un peu plus.

– C'est pratique, et de toute façon je me fiche un peu de ce que pensent les gens de mon apparence, ces temps-ci.

– Ah, non, pas de ça ! Il ne faut jamais dire ça, Amory. Ne te laisse pas aller, c'est une pente glissante. »

Elle tirait sur sa cigarette tout en m'étudiant des pieds à la tête, les vêtements, les ongles…

« En parlant de lesbiennes…, a-t-elle enchaîné avec son vieux sourire malicieux.

– Oui, quoi ?

– Tu en as déjà fréquenté ?

– À part avoir été embrassée par une, ça n'est jamais allé plus loin.

– Non, vraiment ? s'est-elle exclamée, soudain intéressée. Elle a dû partir du principe que tu lui rendrais son baiser. Elle a dû sentir quelque chose en toi, tu sais, une âme sœur en quelque sorte. C'était quand ?

– Avant la guerre, à Berlin.

– Ah oui, je me souviens. Tes photos répugnantes…

– On a peut-être toutes une part d'homosexualité en nous.

– Pas moi, ma chérie, a-t-elle affirmé en sirotant son champagne. Je suis hétéro à cent dix pour cent. »

Elle a penché la tête de côté, le temps de réfléchir, puis s'est inclinée vers l'avant pour me parler en confidence.

« Puisqu'on parle de sexe, tiens. L'autre soir, je n'arrivais pas à m'endormir, alors j'ai compté tous les hommes que j'avais connus.

– Connus ?

– Au sens biblique du terme, oui. Tous les hommes avec lesquels j'avais eu une aventure, y compris les hommes mariés. Et tu sais à combien je suis arrivée ? Le chiffre total ? Devine.

– Une vingtaine ?

– Cinquante-trois. »

J'ai dévisagé ma petite sœur. Il n'y avait aucune réponse possible à cette affirmation.

« Je vais commencer par la friture, et après je prendrai le turbot », ai-je annoncé.

Une fois rentrée au cottage hier soir, j'ai emmené Flam jusqu'à la petite baie et je me suis assise sur un rocher pour fumer une cigarette pendant qu'il courait partout sur la plage, reniflait les méduses échouées et coursait les mouettes. Je contemplais les îlots rocheux éparpillés au large et, au-delà, l'Atlantique en songeant : cinquante-trois, mon Dieu ! Je me suis mise à compter les hommes que j'avais connus au sens biblique, moi aussi. Un, deux, trois, quatre, cinq. Sur les doigts d'une seule main. Dido aurait été très déçue.

Quand Flam est revenu vers moi en courant, je lui ai attrapé le museau et secoué un peu la tête, et il a remué la queue en retour.

« Mais qu'il est bêtassou, ce vieux chien ! » ai-je dit à haute voix.

Je me suis levée pour m'étirer. Je me sentais bien, comme toujours après une visite à Jock Edie. Impossible que je sois malade. Ce doit juste être l'âge, le temps qui passe, le corps qui faiblit, qui craque et grince un peu... Sur l'horizon, le crépuscule se délavait en un orange limoneux vers l'ouest à mesure que la nuit progressait. Prochain arrêt : l'Amérique, ai-je pensé. Là-bas, un nouveau jour se lève.

Sur le chemin du retour, j'ai repensé à Cleveland Finzi et à son offre d'emploi totalement inattendue. New York. Deux cents dollars par mois. Deux mille quatre cents dollars par an, presque cinq cents livres. Enthousiaste, j'avais accepté quasiment du tac au tac sans même y penser plus avant. Il m'avait fallu bien plus longtemps, en revanche, pour obtenir tous les papiers requis et régler toutes mes affaires en prévision de la fin de ma vie londonienne. Mais au début de l'automne 1932, j'ai réservé un billet à bord du SS *Arandora Star* en partance de Liverpool, à destination de Halifax en Nouvelle-Écosse, puis de New York.

J'ai d'abord séjourné dans un hôtel « réservé aux femmes » au coin de 3rd Avenue et de 66th Street, le temps de prendre mes marques au travail et d'appréhender cette ville extraordinaire où je venais d'arriver. En tant que débutante à *Global-Photo-Watch*, je devais réaliser tous les clichés que me demandait le directeur du service photo, Phil Adler. *Global-Photo-Watch* était l'un de ces mensuels richement illustrés qui commençaient à proliférer à cette époque, comme *Life*, *Click*, *Look*, *Pic*, *Photoplay* et bien d'autres. *GPW*, selon l'acronyme largement répandu, mettait en avant son côté international. « Le monde dans notre viseur ! » clamait le slogan.

Quand je travaillais dans les bureaux d'East 44th Street, il m'arrivait à l'occasion de croiser Cleveland Finzi (ou plutôt Cleve, comme tout le monde l'appelait familièrement) et d'échanger quelques mots avec lui. Il était ravi de me voir. Avais-je trouvé où loger ? Le travail m'intéressait-il ? Nous discutions un peu avant de repartir chacun de notre côté, et je me demandais combien de temps il allait lui falloir, quand et où cela se ferait.

Un soir, trois mois après mon arrivée, il m'attendait dans le hall en marbre alors que je quittais une réunion. Il m'avait promis un dîner quand je serais à New York, non ? Étais-je libre ce soir, par hasard ?

*
* *

Debout devant la fenêtre, nu, Cleve contemplait la cour à travers les voilages.

« C'est quoi, comme espèce d'arbre, ça ? me demanda-t-il sans se retourner. J'en vois partout dans Greenwich Village.

– Un ailante. On appelle aussi ça un "arbre du paradis". »

Cette vision de dos de Cleve me réjouissait : le torse en V, la raie profonde entre ses deux petites fesses, les cuisses effilées.

« Mais si tu restes plus longtemps devant la fenêtre, Mrs Cisneros va avoir une crise cardiaque ! » plaisantai-je, faisant allusion à la veuve qui habitait en face dans la cour.

Je me redressai dans le lit, laissant glisser le drap qui dénuda mes seins, pour attraper mon paquet de Pall Mall sur la table de chevet.

Quand Cleve se retourna, je constatai que son pénis enflait et se durcissait. Il avait un membre plus court que Lockwood, mais plus large et plus épais au bout ; le gland paraissait nettement plus gros (pas de prépuce, bien sûr), et arrondi, en forme de casque médiéval – une « salade », surtout en usage chez les archers, lui expliquai-je un jour à sa plus grande surprise. Mes connaissances improbables, mon besoin de toujours savoir le nom précis des choses le décontenançaient et semblaient même vaguement l'irriter, comme ma mère. Il s'adossa au cadre de la fenêtre et croisa les bras.

« Comment tu sais ça ? Le nom débile de l'arbre, là ?

– Je te l'ai déjà dit : j'aime connaître l'appellation exacte des choses. Je ne veux pas d'un bête "arbre" anonyme dans ma cour. Je veux savoir comment il s'appelle. Quelqu'un a pris la peine de l'identifier, de le nommer et de le classifier, alors "arbre" tout court, ça ne lui rend pas justice. »

J'allumai ma cigarette. Cleve se plaisait à rester debout là, à me regarder, à m'écouter, exposant candidement sa virilité. Je m'assis en tailleur sous le drap, posai les coudes sur mes genoux et m'inclinai en avant, ce qui laissait pendre mes seins en toute liberté. Lockwood m'avait dit aimer cette posture, qui lui faisait toujours de l'effet. Les yeux de Cleve papillonnaient.

« L'ailante est originaire de Chine, ajoutai-je pour l'asticoter. Il s'épanouit dans un sol pauvre et demande peu de soin. Comme moi.

– Ah, pauvre miséreuse ! ironisa-t-il en s'avançant vers le lit. Tu as faim ?

– Je te l'ai dit : je m'épanouis dans un sol pauvre », rétorquai-je en empoignant son pénis.

Cleve partit à 18 heures, au motif qu'il devait absolument être rentré chez lui dans le Connecticut pour l'heure du dîner. Un repas en famille, je ne l'ignorais pas, avec son épouse Frances et leurs deux jeunes fils, Harry et Link. Après son départ, je me fis un autre cocktail à base de gin et me replongeai dans mon livre, mais je sentis ma mélancolie du Nouvel An faire un retour en force. Arrête, ressaisis-toi, m'exhortai-je. Je vivais une liaison passionnelle avec un homme fascinant, je gagnais ma vie, je gagnais même plus d'argent que jamais, et en tant que photographe professionnelle à New York – qu'y avait-il donc là de si déprimant ? Mais j'étais la maîtresse de Cleveland Finzi, me serinait une petite voix acerbe dans ma tête ; je ne pouvais être avec lui que dans le secret, en toute discrétion. Et l'évidence s'imposait : en sa compagnie, tout était grandiose ; en son absence, la vie redevenait cette attente humiliante et ennuyeuse d'un moment où la voie serait libre pour un rendez-vous insoupçonnable.

Je m'en étais ouverte à lui (l'éternelle complainte de toute maîtresse depuis les origines de l'adultère), et il m'avait dit qu'il comprenait mais que, pour diverses raisons, il lui fallait se montrer très prudent, très, très prudent. Qu'aurais-je pu répondre, alors que je m'étais engagée dans cette situation en parfaite connaissance de cause ? Cependant, il arrivait parfois que deux semaines ou davantage se passent avant qu'il puisse me consacrer une soirée ou un après-midi. J'étais à New York depuis plus d'un an, sa maîtresse pratiquement depuis le début, plus heureuse que jamais et en même temps plus insatisfaite. Mon monde était bancal. Peut-être que tu n'étais pas taillée pour le rôle de maîtresse, me soufflait ma petite voix acerbe.

« Bonne année 1934 ! » me lança Phil Adler alors que j'entrais dans son bureau.

C'était un homme élancé d'une trentaine d'années, aux cheveux drus et courts, qui portait des lunettes non cerclées. Nous avions de grands débats bon enfant, essentiellement à propos de photographie.

« Tu viens d'Europe, non ? demanda-t-il en m'indiquant une chaise en face de lui.

– Il paraît, oui, rétorquai-je en m'asseyant.

– Tu as déjà entendu parler d'un auteur français qui s'appelle…
Jean-Baptiste Charbonneau ? termina-t-il après un coup d'œil à un
papier posé sur son bureau.

– Non.

– Eh bien tu vas lui tirer le portrait cet après-midi. »

Charbonneau, m'apprit Phil en se référant à ses notes, était un
diplomate de grade intermédiaire en poste au consulat de France,
qui écrivait par ailleurs des romans. Son troisième, *Le Trac*, venait
de paraître aux États-Unis sous le titre *Stage Fright* (chez Steiner &
Lamm) et avait reçu un très bon accueil, avec d'excellentes critiques
dans le *Times*, le *Post*, *New Masses*, *Esquire* et *Atlantic Monthly*.
Ce petit succès avait attiré l'attention de *GPW*.

« Et patati et patata, commenta Phil en faisant semblant de
bâiller. La culture, c'est aussi de l'information, tu sais : un grand
nom de la littérature étrangère, clair-obscur très marqué, cigarette tenue à hauteur de visage, fumée en contre-jour, charme *oh
so French*…

– Je devrais pouvoir m'en sortir. »

Ledit Charbonneau occupait un appartement de location tout
confort près de Columbus Circle. C'était un grand costaud peu soigné
de sa personne, débraillé (taches de nourriture sur sa cravate) avec
une tignasse hirsute de cheveux bruns bouclés, une ombre noire
sur le menton et les joues qui trahissait une pilosité très fournie,
un nez proéminent et des lèvres charnues. Il n'avait absolument
rien d'attirant mais, étonnamment, il rayonnait d'un charme facé-
tieux, comme si tout ce qu'il voyait autour de lui (y compris les
personnes qu'il rencontrait) l'amusait en secret. Il parlait très bien
anglais, avec un fort accent français.

Lorsqu'il m'ouvrit la porte, il me dévisagea d'un air ahuri.

« Qui êtes-vous ?

– La photographe, dis-je en brandissant mon appareil.

– Je m'attendais à un homme, avoua-t-il avec un sourire. À un
monsieur photographe.

– Raté, je ne suis pas Monsieur Photographe.

– Mais vous deviez venir demain.

– Eh bien je suis là aujourd'hui. »

Il me fit entrer et, à ma suggestion, partit aussitôt changer de cravate. Dans son salon dépourvu de bibliothèque, les livres s'empilaient au petit bonheur telles de grosses stalagmites montant vers le plafond. Je baissai le store, installai mon projecteur sur sa table de travail et réalisai un portrait classique en clair-obscur marqué, mais sans la cigarette qui fume (débutante ou pas, j'avais ma fierté). Menton posé sur la paume de la main, index tendu sur la pommette. Tout fut bouclé en une demi-heure. Nous évoquâmes Berlin, où il avait récemment été en poste.

« Que pensez-vous du nouveau chancelier ? demandai-je.

– Un malade, non ? *Un fou**. »

Je répondis que, sans avoir suivi l'actualité de très près, j'avais vu assez de Nazis lors des quelques semaines que j'avais passées à Berlin pour me suffire *ad vitam*.

La conversation se poursuivit. Charbonneau m'offrit une de ses cigarettes françaises jaunes. Je préférai m'allumer une Pall Mall. Nous nous levâmes et restâmes un moment à fumer, puis il reprit la parole.

« J'imagine que, maintenant, vous vous attendez à ce que je vous invite à dîner. »

Je lui montrai ma bague de fiançailles. C'était l'idée de Cleve. Je l'avais achetée pour trois fois rien dans un bazar. Me présenter comme fiancée à un jeune homme resté en Angleterre m'évitait tout problème avec mes collègues célibataires et expliquait mes absences à des soirées ou des pots de fin de journée. Le stratagème fonctionna : Charbonneau leva les deux mains en signe de feinte défaite.

« Je n'avais pas vu. Je m'incline face à mon rival.

– À la réflexion, merci beaucoup, j'accepte avec plaisir.

– Hmm, à la réflexion, c'est toujours là qu'on a les meilleures idées, non ? »

171

Qu'est-ce qui me poussa à accepter l'invitation de Charbonneau ? Sans doute un effet de mon insatisfaction latente. Pourquoi rentrer à Washington Square South pour passer encore une soirée en solitaire avec mon gin, ma radio et mon livre ? Je trouvais Charbonneau amusant, je soupçonnais qu'il serait de bonne compagnie. Je me devais bien cela.

Enchanté, il suggéra le Savoy-Plaza Hotel à 19 heures. Je pris un taxi jusqu'à Central Park South et le retrouvai dans le vestibule. Il choisit le vin avec un soin méticuleux et commanda un steak si saignant qu'il en était cru, d'après moi. Il me bombarda de questions sur moi : où j'étais née, ce que faisaient mes parents… Me délectant de cet interrogatoire en douceur et de la deuxième bouteille de vin, je me surpris à m'ouvrir à lui, à lui raconter l'histoire du fiasco Grösze and Greene et, à mots couverts (j'avais enlevé ma bague de fiançailles), mon espèce de liaison ici à New York.

« Et votre pauvre fiancé en Angleterre, alors ?

– Eh bien, c'est plus un ami qu'un fiancé. C'est une ruse qui a fait ses preuves. »

Nous arrivions au terme du repas. Charbonneau en était à son deuxième cognac et à son deuxième café. Je sirotais un verre de porto.

« Assez parlé de moi ! lançai-je en cherchant mes cigarettes dans mon sac. Parlez-moi de votre roman.

– Oh, ce n'est pas grand-chose, commença-t-il en haussant les épaules. Cent trente pages. Je l'ai écrit il y a sept ans, non, huit ans, mais comme il vient de paraître en anglais, il faut que j'arrive à me souvenir de ce que j'ai bien pu raconter. C'est sur un homme qui a *le trac**, mais le trac à chaque fois qu'il doit faire l'amour.

– Il est impuissant, quoi.

– Non, non. Vous avez déjà eu le trac ? C'est une sensation physique terrible. Ça n'empêche pas de monter sur scène, de jouer son texte, mais je vous assure que *le trac véritable**… ça s'empare de

172

votre être tout entier, termina-t-il en dessinant une spirale avec sa cigarette.

– C'est un roman autobiographique, alors ? »

Il éclata de rire, au point que certains clients proches de notre table se retournèrent pour le dévisager.

« Vous êtes très vilaine, mademoiselle Clay. *Méchante**. Non, j'ai déjà eu le trac, mais seulement au théâtre, dans ma jeunesse.

– Voilà qui me rassure. »

Il me fixa des yeux, et je vis la cendre de sa cigarette tomber sur sa manche sans qu'il prenne la peine de la balayer.

« Il se trouve que, à titre personnel, je me suis mis en congé de sexualité, annonça-t-il.

– Vraiment ?

– Oui, je suis un peu las de tout ce... comment dire ? De toute cette folie autour du sexe.

– Je vois.

– Ces temps-ci, je préfère discuter avec une jeune femme belle et intéressante plutôt que de la... baiser », acheva-t-il dans un murmure en se penchant en avant.

C'était un test, bien sûr. Sauf que Charbonneau ne pouvait pas savoir que j'avais travaillé avec ce charretier de Greville Reade-Hill, ce qui fait que j'encaissai sans broncher.

« L'un n'exclut pas forcément l'autre, vous savez, rétorquai-je, avant de me pencher en avant moi aussi pour lui dire dans un souffle : On peut tout à fait avoir une conversation avec les gens qu'on va baiser. »

Il se carra dans son siège avec un sourire incertain. Je pense que, fait exceptionnel dans sa vie, Jean-Baptiste Charbonneau se retrouvait à court de mots. Sans rien dire, il se contenta d'agiter son index sous mon nez en une réprimande amusée.

*
* *

JOURNAL DE BARRANDALE, 1977

Ainsi ma nouvelle vie américaine à New York progressait-elle avec son mélange de satisfactions et de déceptions. Je voyais Cleve dès qu'il pouvait se libérer de son épouse et de sa famille, et, pour compenser lorsqu'il n'était pas libre, je me suis mise à dîner régulièrement avec Jean-Baptiste Charbonneau, environ une fois par semaine.

Je me rappelle un voyage avec Cleve en Californie pour l'inauguration du pont de Santa Roma, dans le comté de Sonoma, l'un des premiers grands projets du New Deal à être achevé. Quatre jours entiers ensemble, un record. Nous avons pris un Boeing 247 pour traverser le pays, mon deuxième voyage en avion avant ce qui serait le troisième pour rentrer à New York. Peut-être parce que j'avais Cleve assis à côté de moi et que cette parenthèse de quatre jours a commencé et s'est achevée par de longs vols intérieurs comportant beaucoup de décollages et d'atterrissages, j'ai découvert que j'adorais l'avion, malgré les violentes turbulences que nous avons essuyées. Je n'ai jamais ressenti d'inquiétude ni de peur, même s'il y aurait sans doute eu de quoi. Non, j'étais enivrée par cette sensation improbable d'être propulsée dans les airs par une machine en métal luisant, de contempler la terre loin en contrebas, de fendre la couche nuageuse jusqu'à l'azur lumineux.

Je me rappelle la première nuit où Cleve et moi avons fait l'amour. Je savais que cela allait arriver. Après tout, c'est pour ça que j'étais allée aux États-Unis, même si je dois avouer que l'argent m'avait aussi attirée. Sa voiture a quitté Manhattan pour le comté de Westchester au nord-est, jusqu'à un motel de l'autoroute 9 qui s'appelait le Demarest Motor Lodge. Nous avons avalé un repas sans intérêt, mais nous n'étions pas venus là pour des motifs gastronomiques. Il y avait huit chambres doubles avec salle de bains à l'étage.

« Je pourrais vous reconduire chez vous, mais j'ai pris la précaution de réserver deux chambres, au cas où nous serions trop fatigués, m'a informée Cleve.

– Maintenant que vous le dites, je me sens en effet un peu trop fatiguée pour refaire la route jusqu'à Manhattan. Quelle bonne idée vous avez eue ! »

Et on est montés dans nos chambres. Cinq minutes plus tard, Cleve frappait discrètement à ma porte.

Je me rappelle qu'on a fait l'amour deux fois, cette nuit-là, et encore une fois au petit matin. Cleve a insisté pour mettre un préservatif – il avait apporté le nécessaire. Et je me rappelle, sur la route du retour vers Manhattan, la béatitude que je ressentais, comme si j'avais pris de la drogue. Sur le siège avant, je me suis blottie contre Cleve, qui était au volant, pour sentir sa chaleur, la main posée sur sa cuisse. Je regardais à travers le pare-brise le trafic des banlieusards qui roulaient vers Manhattan en notant des détails insignifiants : la couleur des voitures, beige, gris souris, noir luisant, bordeaux, et le ciel barré de grandes poutrelles de nuages dont l'espacement régulier semblait calculé. J'observais tout cela avec un regard neuf, innocent. J'ai porté une main à ma gorge et j'ai senti ma peau me picoter, sensible au moindre contact, vibrante de vie, sans doute sous l'effet de mon extase intérieure. Presque comme si je couvais une grippe.

Je me rappelle Phil Adler s'inquiétant de savoir si tout allait bien, quand je suis entrée dans son bureau.

« Pourquoi tu me demandes ça ?

– Tu as l'air différente, comme si tu n'étais pas tout à fait là. Il te faut trois secondes pour répondre à chacune de mes questions.

– Ah bon. Peut-être que je couve une grippe. »

Il m'a envoyée photographier le pont de Brooklyn pour la troisième fois.

Il y avait de gros travaux de réparation en cours, et je n'ai pas totalement respecté les instructions. Ce fut la première de mes compositions « abstraites ». Peut-être avais-je eu l'inspiration. Phil l'a décrétée inutilisable.

2
L'hôtel Lafayette

Mes dîners avec Charbonneau suivaient à présent une certaine routine. Comme Paris lui manquait, il essayait toujours de dénicher un restaurant français et, quelle que fût la qualité des mets, se déclarait toujours atrocement déçu par ce qu'il qualifiait de parodie de cuisine française, de fiasco américain. Je le contredisais souvent, histoire d'attiser son indignation – pour mon palais anglais, tout cela semblait délicieux. Il pouvait disserter sur tout ce qu'il mangeait ; jusqu'aux petits pains individuels et au sel qui n'échappaient pas à sa vigilance gastronomique. Presque malgré moi, j'appris beaucoup sur ce que l'on pouvait exiger de l'acte nécessaire de s'alimenter, des viandes, poissons ou légumes que nous mâchons et avalons pour pouvoir survivre. Mais Charbonneau appliquait à toute l'opération une analyse tellement experte que cela m'en paraissait presque malsain.

Notre quête du summum de la gastronomie française à New York nous fit écumer tous les restaurants français que Greenwich Village pouvait offrir : Le Champignon, Charles, Montparnasse et tant d'autres. *Pas brillant**, fut son jugement le plus clément.

Un soir, nous nous retrouvâmes à la Waldorf Cafeteria sur 6th Avenue, où Charbonneau affirmait avoir déniché un bordeaux « acceptable », un château-pavie 1924. D'une humeur étrangement orageuse, il avait déjà critiqué mon choix de rouge à lèvres (« Ça ne vous va pas du tout, ça vous fait une bouche trop fine »), mais je n'y prêtais pas attention. Moi-même dans un état d'esprit particulier, n'ayant pas vu Cleve depuis plus de trois semaines (il était en mission au Japon et en Chine pour *GPW*), je n'étais pas à mon plus accommodant.

« N'habitez-vous pas dans le quartier ? demanda sèchement Charbonneau.

– J'habite Washington Square, à quelques rues d'ici.

– Me feriez-vous visiter votre appartement ?

– Pourquoi donc ?

– Je voudrais juste pouvoir visualiser l'endroit où vous habitez, Amory. Pour compléter le tableau, en quelque sorte. »

Je l'amenai donc chez moi. Il fit le tour, regarda un moment mes photos puis passa le nez dans ma chambre. J'étais en train de lui servir un scotch avec de l'eau quand il arriva derrière moi, posa les mains sur mes seins et m'embrassa le cou.

« Qu'est-ce que vous foutez, Charbonneau ? m'indignai-je en faisant volte-face pour le repousser.

– Il est temps qu'on apprenne à mieux se connaître.

– Alors le congé de sexualité est terminé ?

– Oui, il faut croire. Retour au boulot. »

Il essaya encore de me peloter, mais j'attrapai le pic à glace sur la desserte et le brandis sous son nez.

« Un romancier français poignardé par une photographe anglaise, menaçai-je. Arrêtez tout de suite !

– Mais je vous veux, Amory. Et je crois que vous me voulez aussi.

– Pourquoi gâcher une belle amitié comme la nôtre ?

– Je n'ai pas envie d'une "belle amitié", plaida-t-il d'un ton défait. Je veux quelque chose de beaucoup plus compliqué et de beaucoup plus exaltant que ça. De plus dangereux. Alors, si on pouvait juste passer dans votre chambre…

– Non, Charbonneau ! *Non, merci**. J'en aime un autre.

– Ah, l'amour ! Quel rapport ? »

Il attrapa son verre de scotch et s'assit en marmonnant d'un ton irrité. Puis il me présenta ses excuses. Il était fatigué, pas dans son assiette, j'étais jolie, sa libido faisait un retour en force.

« Ne m'en voulez pas, Amory.

– Je ne vous en veux pas. Mais ne recommencez jamais.

– Je vous le promets. »

Le côté paradoxal (mais non inédit pour moi) des « avances » de Charbonneau et de leur ratage flagrant fut que notre amitié en sortit renforcée. Quelque chose avait été mis sur la table et explicitement écarté, mais cette révélation eut un effet bénéfique sur nos rencontres ultérieures. Nous parlions à présent en toute franchise, avec le même abandon que deux amants. L'horizon était totalement dégagé.

Cleve revint de son voyage en Asie.

« Je ne comprends rien à ce monde, m'avoua-t-il d'une voix médusée, étrange. Je vois bien ce qui se passe sous mes yeux à Shanghai ou Tokyo, mais je n'arrive pas à l'analyser. Je pourrais tout aussi bien me trouver sur Mars ou Neptune, ajouta-t-il avant de me dévisager. Tout va bien ?

– Oh oui, depuis toutes ces années qu'on ne s'était pas vus. »

Après avoir passé l'après-midi à faire l'amour dans mon appartement, nous étions au café de l'hôtel Lafayette sur University Place. Je buvais un gin-orange, Cleve un Américano. À la table voisine, deux vieux messieurs jouaient aux dames. Je m'allumai une Pall Mall.

« Il s'est passé quelque chose pendant mon absence ? s'enquit-il, conscient de mon humeur irritable, presque rancunière.

– Il s'est passé beaucoup de choses. Le monde ne s'est pas arrêté de tourner, Cleve.

– Tu m'as l'air différente.

– Les gens changent, en deux mois. Tu ne m'as pas vue depuis longtemps, et moi non plus. »

179

Je baissai les yeux vers le carrelage en losange qui dallait le sol du café, blanc cassé avec un motif floral rosâtre qui se répétait tout le long de la salle. Cleve parla à voix basse.

« Pardon ? Je n'ai pas entendu.

– J'ai dit : "Je t'aime, Amory." Je tiens à ce que tu le saches. J'en ai vraiment pris conscience en étant éloigné de toi. »

Je levai les yeux et me sentis défaillir : un si bel homme, avec son nez droit et fin et son épaisse chevelure couleur sable mouillé, un professionnel si compétent, plein d'assurance... Mon état de choc venait sans doute de ce que je n'avais jamais pensé qu'il le dirait en premier. Quand je me projetais par la pensée dans notre future vie, j'étais toujours persuadée que ce serait moi qui ferais cette déclaration et qu'il aurait à y répondre. Mais non, ce fut lui qui osa se lancer.

« Merci. Tu sais que j'éprouve les mêmes sentiments pour toi. »

Il tendit le bras par-dessus la table pour prendre ma main dans la sienne.

« Quand je t'ai vue ce soir-là à ton vernissage, dans cette galerie pittoresque, j'ai su qu'il m'était arrivé quelque chose.

– Et nous voilà, plus de deux ans après... Quelque chose t'est arrivé à toi ce jour-là, mais il faut que quelque chose nous arrive à nous aussi maintenant, Cleve, ne le vois-tu donc pas ? osai-je marteler avec insistance.

– Je sais, reconnut-il en fronçant les sourcils, avant de faire signe au serveur de nous remettre ça. Je sais bien. Je n'ai pas été correct. Je veux que tu viennes à la maison. Je veux que tu rencontres Frances.

– Mais tu es complètement...

– C'est son anniversaire la semaine prochaine. Nous organisons une grande fête. Il y aura une centaine de personnes. Il faut que tu viennes voir par toi-même, que tu la rencontres.

– Pourquoi ai-je un affreux pressentiment ?

– Si tu viens, tout sera mille fois mieux, tu verras, m'assura-t-il avec son grand sourire qui ne révélait pas ses dents. Nous

180

allons être ensemble, Amory. Pour toujours. Je ne peux pas te
laisser partir. »
Qui pourrait se targuer de percer à jour les pulsions humaines ?
Une lubie me poussa à me demander si l'attrait sexuel que j'exerçais
sur Charbonneau avait subtilement changé le comportement que
j'adoptais en présence de Cleve. C'était la saison des amours, et il
y avait un autre mâle dominant dans le voisinage. Je crois sincèrement que nos instincts préhistoriques fonctionnent encore à plein
régime dans certaines situations, surtout en matière de sexualité
et de séduction, et s'expriment dans nos tripes, loin en dessous de
la peau, loin du cerveau. Quoi qu'il en soit, malgré ma réaction
de façade, je me sentais béate au souvenir de ses derniers mots :
« Nous allons être ensemble, Amory. Pour toujours. Je ne peux
pas te laisser partir. »

Lors de notre dîner suivant, Charbonneau s'avéra d'humeur parti-
culièrement grincheuse. Nous étions dans un très mauvais restaurant
de Midtown du nom de P'tit Paris. Alors que nous consultions le
menu, il passa dix minutes à pester contre l'apostrophe.
« Ronchon, irritable, égocentrique, gâté-pourri, assenai-je.
– Pardon ?
– Vous. Je regrette de ne pas avoir mon appareil, dis-je dans le
but de couper court à ses jérémiades. Je prendrais une photo formidable : "Français en colère". »
Ma remarque ne l'amusa nullement.
« Oh, je les ai vues, vos photos.
– C'est censé vouloir dire quoi ?
– Vous vous prenez pour une artiste. J'ai lu vos titres : "Garçon
à la raquette de ping-pong", "Garçon, qui court".
– C'est faux ! Je me prends pour une photographe, pas pour
une artiste. Je donne des titres à mes photos pour m'en souvenir,
pas par prétention. Ce qui n'empêche pas qu'il y a de grands
artistes qui sont des photographes : Stieglitz, Adams, Kertész,
August Sander…

– Ce n'est pas un art ! m'interrompit-il avec agressivité. On vise, et clic. C'est un mécanisme. »

Il sortit son stylo à plume de la poche de son veston et me le tendit, ainsi que le menu qu'il avait retourné.

« Voilà mon stylo, voilà du papier blanc. Dessinez-moi un "Français en colère", et là on pourra discuter pour savoir si c'est de l'art ou non. »

Je n'allais pas me laisser entraîner dans ce débat en lui permettant d'imposer ses termes.

« Mais vous devez bien reconnaître qu'il y a de grandes photographies !

– D'accord. Il y a des photographies mémorables. Des photographies admirables.

– Et qu'est-ce qui les rend mémorables ou admirables ? Quels critères utilisez-vous pour les juger, pour rendre ce verdict ?

– Je n'ai pas à y réfléchir. Je le sais d'instinct, c'est tout.

– Alors peut-être devriez-vous y réfléchir, justement. On juge une grande photo de la même manière qu'un grand tableau ou un film, ou une pièce de théâtre, ou un roman, ou une sculpture. C'est de l'art, *mon ami**.

– Voulez-vous que nous quittions cette infâme gargote pour aller boire un bon verre ailleurs ?

– Je dois me coucher tôt. Je suis invitée à un anniversaire dans le Connecticut. »

Charbonneau me lança un regard perspicace. Je lui en avais trop raconté par le passé.

« Ah, le fameux amant américain. Vous allez rencontrer sa femme et ses enfants ?

– Je vais changer le cours de ma vie, plutôt. »

3

Le grand tournant

Je fis le trajet en voiture jusqu'à New Hastings avec Phil Adler et son épouse Irene, qui passèrent me prendre devant la gare de Grand Central dans leur break Studebaker. Avec sa carrosserie en bois, le véhicule ressemblait à un abri de jardin roulant, mais il nous emmena à bonne allure vers le Connecticut. Beaucoup d'employés de *GPW* avaient été invités, m'apprirent-ils. Le temps frais et humide était inhabituel pour la fin du printemps, et, recroquevillée à l'arrière, j'étais bien contente d'avoir mis mon manteau en poil de chameau.

« Tu es déjà allé chez eux ? demandai-je à Phil.

– Oui, Cleve organise parfois une réception pour la fête du travail.

– Moi non, intervint Irene. En général, c'est sans les épouses.

– Alors qu'y a-t-il de différent, aujourd'hui ?

– Je crois que c'est ses quarante ans, répondit Phil.

– À Frances ?

– Oui.

– Alors elle est plus âgée que lui.

– Amory, tu es remontée comme un coucou, aujourd'hui, commenta Phil.

– Non, je veux dire… Je ne pensais pas que… J'ignorais… balbutiai-je, le cerveau en ébullition. Elle est comment, Frances ?

183

– Belle, élégante…
– Riche ?
– Oh, pas qu'un peu ! dit Irene de façon appuyée.
– Intelligente ?
– Elle a fait Bryn Mawr.
– Donc je résume : belle, élégante, riche, intelligente. »
Je me disais confusément que Greville aurait trouvé mieux. N'ayant aucune image mentale de Frances Finzi, j'expliquai à Phil et Irene le Jeu de Greville, l'idée de résumer quelqu'un en quatre adjectifs bien choisis.

« C'est tellement anglais ! railla Irene.
– Tu as déjà rencontré Frances ?
– Une fois, oui, il y a des années.
– Parfait, alors décris-moi Frances Finzi en quatre adjectifs.
– Froide, hautaine, élégante, ploutocratique, dit-elle après réflexion.
– C'est injuste, protesta Phil. Ce n'est pas sa faute si elle a hérité de l'argent. Moi, je dirais "chanceuse". Enfin, non… ce n'est peut-être pas très approprié, se ravisa-t-il.
– C'est la fille d'Albert Moss, expliqua Irene. De Moss, Walter & Co, la banque d'investissement. Ça fait partie du tableau. Je suis désolée, mais elle est très ploutocratique, à sa manière. Attends un peu de voir la maison. »
Je commençais à apprécier Irene, un petit bout de femme au visage anguleux dont les yeux rayonnaient d'intelligence et de perspicacité.

« Moi je trouve l'adjectif "ploutocratique" inapproprié, persista Phil. Je ne vois pas ça en elle.
– Dit Phil, toujours aussi loyal, ironisa Irene. CQFD. »

La résidence des Finzi était une demeure néo-georgienne en brique rouge dûment imposante sise au cœur d'un grand parc, avec un toit en croupe bas à grand porte-à-faux. Sur le pignon central était accolé un curieux porche rond soutenu par des piliers, et toutes les fenêtres du rez-de-chaussée s'ornaient de frontons brisés. Un tantinet surchargé, à mon goût : le porche rond semblait avoir été ajouté après coup et gâchait les lignes épurées.

Des hommes en ciré rouge nous indiquèrent de nous garer sur une pelouse plus bas, puis d'autres, équipés de parapluies car il bruinait à présent, nous escortèrent le long de chemins pavés de briques jusqu'à la vaste étendue gazonnée à l'arrière de la maison, où avait lieu la fête sous une marquise joliment décorée. Un orchestre de jazz jouait à un bout et, à l'autre, des chefs en toque blanche s'affairaient derrière des chauffe-plats en argent. Serveurs et serveuses patrouillaient, munis de carafes remplies de cocktails de fruits alcoolisés ou non.

Malgré tout cet étalage de richesses, l'atmosphère était informelle. Les hommes portaient des tenues sport, certains sans cravate. Les enfants couraient partout, pourchassés par des nounous et des gouvernantes. Si le sous-texte indiquait une opulence de rentier, le message principal était clair : profitez de la journée, buvez, mangez, déambulez dans le grand parc, et surtout amusez-vous.

Me sentant trop habillée avec ma robe à sequins noirs et col cape et mes chaussures noir et blanc à talons bas, je résolus de garder mon manteau. De toute façon, il faisait un froid de canard. Mais ce n'était pas la météo qui me rendait nerveuse, tendue. C'était l'anticipation. Je semai Phil et Irene sitôt que je pus décemment le faire et entrai dans la maison en quête de Cleve.

Je le trouvai sur la terrasse arrière, une longue galerie surélevée à balustrade, en compagnie de quatre autres hommes. Vêtu d'un costume en seersucker bleu ciel, d'une cravate mauve et de chaussures en toile beige, Cleve fumait un cigare. Je passai deux fois devant le petit groupe pour qu'il puisse me voir, puis repérai un coin discret à l'autre bout de la terrasse et le photographiai avec le petit Voigtländer que j'avais apporté dans ma poche, prise d'un désir pervers de voler si possible un cliché de la légendaire Frances. Mauvaise idée, pensais-je à présent, quelque peu impressionnée par la splendeur de la vaste résidence des Finzi. J'attendis.

Cleve me rejoignit deux minutes plus tard et me serra la main. Ses yeux débordaient de sentiments, au point qu'il m'apparut presque au bord des larmes.

« Merci d'être là. J'étais convaincu que tu ne viendrais pas.

– Je ne pouvais pas ne pas venir...

– Ça compte beaucoup pour moi, Amory.

– J'espère..., commençai-je sans parvenir à me rappeler ce que j'espérais vraiment.

– Viens que je te présente Frances. »

Je posai mon Voigtländer près de mon sac sur une table en fer forgé et suivis Cleve dans la maison, essayant sans grand succès de me libérer de mes appréhensions.

L'intérieur était spacieux et de bon goût, quoique un peu trop meublé. Pas le moindre espace vide en vue, mais des tables d'appoint, des ensembles de fauteuils, des cache-pots plantés de fougères et de palmiers. Les peintures se déclinaient dans des tons pastel, et les énormes compositions florales posées sur toutes les surfaces disponibles créaient un effet légèrement oppressant d'élégance surchargée.

Alors que nous traversions le vestibule à damier de marbre beige et marron, deux petits garçons coururent vers Cleve en criant : « Papa ! Papa ! » Leur père leur intima d'arrêter de bouger et de se tourner vers moi.

« Je te présente Harry et Lincoln », annonça Cleve.

Six et quatre ans, devinai-je, ou peut-être sept et cinq (je n'étais pas douée pour deviner l'âge des enfants). Je serrai leur main tendue.

« Bonjour, je m'appelle Amory. »

Ils me rendirent mon bonjour poliment, mécaniquement, sans aucune curiosité à mon endroit. Un brun, un blond. Des enfants banals avec la même coupe de cheveux courte et le même visage poupin. Je ne retrouvais Cleve dans aucun des deux.

« Allez, les garçons, filez ! leur dit Cleve. Amory va aller voir Maman. »

Ils partirent en courant, et Cleve me précéda dans un long salon spacieux dont les quatre fenêtres en saillie donnaient sur la pelouse arrière. Il y avait un piano demi-queue, une demi-douzaine de canapés mœlleux et une desserte chargée de boissons. Au-dessus de la cheminée trônait un portrait d'apparat de près de trois mètres de haut représentant une femme du siècle dernier portant une robe de bal en soie et une étole en peaux de ouistitis.

« Frances, tu es là ? demanda Cleve d'une voix timbrée avant de me proposer : Tu veux un verre ?

– Avec plaisir, mon chéri. Brandy et soda. Bien tassé. »

Je devais me rappeler que cet homme était mon amant, que nous nous étions retrouvés nus ensemble dans un lit quelques jours auparavant. Le fait que je m'apprêtais à rencontrer « Maman » ne changeait pas la réalité d'un pouce.

Cleve s'affaira près du bar, et je me retournai pour découvrir une femme vêtue d'une robe de cocktail en organza de soie abricot qui manœuvrait son fauteuil roulant pour passer la double porte à l'autre bout du salon. Elle roula silencieusement vers moi sur le parquet.

Cleve me tendit mon cocktail avec un sourire.

« Amory Clay, je vous présente Frances Moss Finzi. »

Nous nous serrâmes la main en souriant à pleines dents. Elle portait des gants en daim gris d'une telle finesse que je crus toucher de la peau. Malgré mon sourire, mon esprit ressemblait à une zone de catastrophe naturelle : fondations ravagées, toit effondré, incendie à tous les étages, hurlements, raz-de-marée.

« Bonjour, je suis enchantée de faire votre connaissance, déclara Frances Moss Finzi d'une voix grave de fumeuse.

– Amory est notre nouvelle photographe vedette. Elle vient d'Angleterre.

– Félicitations ! Cleve, je voudrais une cigarette. »

Un coffret en laiton repoussé fut trouvé, ouvert, une cigarette fut choisie, allumée. Je déclinai et fis un sort à mon brandy serré. Frances avait un visage captivant, hors du commun : des yeux bleu pâle aux paupières tombantes, un front haut, des traits masculins dont l'harmonie était gâchée par la vilaine permanente serrée qui frisait sa chevelure auburn et crêpait au-dessus des oreilles. Elle aurait pu s'offrir mieux, selon moi.

« Bon anniversaire ! dis-je en levant mon verre.

– Un grand tournant, répondit-elle avec un sourire. Mais tout le monde y passera, c'est une consolation. »

Me visait-elle en particulier ? Quoi qu'il en soit, la conversation fut anodine, polie. Comment trouvais-je New York, après Londres ? Avais-je un logement correct ? Elle adorait Greenwich Village. La photographie était la forme d'art démocratique de notre époque. Elle aimait beaucoup prendre des photos, elle aussi. Clic, clic, clic.

« Cleve, si tu me faisais rouler vers le vaste monde ? Et va me chercher un châle. Je vais braver les éléments. »

Je les suivis sur la terrasse, puis m'éclipsai après avoir pris temporairement congé pour me précipiter sous la marquise, où j'avalai un verre entier du punch aux fruits et fumai une cigarette.

Phil et Irene passèrent par là.

« Tiens, Amory, on croyait t'avoir perdue. Tu t'amuses bien ?

– Pourquoi ne m'as-tu rien dit, Phil ?

– Dit quoi ?

– Que Frances était dans un pu… dans un satané fauteuil roulant.

– Mais je pensais que tu savais. Tout le monde le sait.

– Pas moi.

– C'est comme Roosevelt avec ses attelles orthopédiques. Notre estimé président est un handicapé. Tout le monde le sait, donc personne n'en fait mention.

– Oui, eh bien, moi, j'ai eu un sacré choc. Qu'est-ce qui lui est arrivé ?

– Accident de voiture, répondit Irene. Juste après la naissance du deuxième.

– Lincoln, précisa Phil. Non, Harry. Lincoln ? C'est lequel, le deuxième, déjà ?

– Lincoln. Il y a eu un accident, poursuivit Irene. Atroce. Et elle est en fauteuil roulant depuis. Avec deux petits en bas âge, c'est vraiment très triste. »

Je faisais le calcul. Si Lincoln avait quatre ou cinq ans, voilà plusieurs années que Frances était en fauteuil. Je regardai autour de moi d'un œil distrait, et je repérai Cleve qui me hélait depuis l'autre bout de la marquise.

« Je reviens », m'excusai-je en me dirigeant vers lui.

Cleve m'emmena dans le jardin et nous descendîmes une grande volée de marches jusqu'à un lac ornemental bordé de quenouilles et de cardères. Une dizaine d'oies voguaient sur l'eau. Il y avait un petit hangar à bateaux décoré de moulures tarabiscotées, près d'un débarcadère où était amarré un canoë gigantesque à la proue extravagante.

« Il semblerait que tu aies oublié de me dire que ta femme est clouée dans un fauteuil roulant, attaquai-je en parvenant à maintenir un ton de voix calme.

– Je n'y pense même pas. Cela fait des années, maintenant.

– Eh bien, je ne te cache pas que ça m'a un peu secouée. Et c'est un euphémisme.

– Tu sais quels sont mes sentiments pour toi, Amory, dit-il en me regardant. Cela ne change rien à rien.

– Désolée, mais je ne suis pas de cet avis.

– J'avais besoin que tu voies ça de tes propres yeux.

– Pourquoi ?

– Parce que je ne peux pas la quitter, évidemment.

– Évidemment.

– C'est moi qui conduisais quand on a eu l'accident. Nous avions bu tous les deux, mais ce n'était pas ma faute. Un jeune qui avait emprunté la Buick de son père nous a percutés et nous avons dévalé un talus. J'ai eu un hématome à un coude. Frances s'est brisé la colonne vertébrale. Elle est devenue paraplégique.

– Mon Dieu, c'est affreux ! »

S'ensuivit un moment partagé de contemplation silencieuse des eaux agitées du lac d'ardoise. Je m'étreignis pour me réchauffer. J'éprouvais le besoin impérieux de partir.

« C'est pour ça que je voulais que tu la rencontres, dit-il de son ton si éminemment rationnel. Comme ça, tu peux comprendre.

– Comprendre quoi ?

– Comprendre ce que nous aurons. Toi et moi.

– Je ne te suis pas. De quoi parles-tu ? Qu'est-ce que nous avons, toi et moi ?

– Tout. Tout, sauf le mariage. Mais néanmoins le mariage de deux êtres, de deux esprits, une union totale hormis les formalités juridiques. Je veux t'embrasser, dit-il en se tournant vers moi. Je veux te serrer dans mes bras. Tout ça, ce ne sont que des mots. Je veux que tu sentes l'amour que j'éprouve pour toi. Je t'aime, Amory. J'ai besoin de toi dans ma vie.

– Et moi j'ai besoin de réfléchir…, répondis-je en reculant d'un pas, me sentant sur le point de défaillir, de sombrer dans le lac glacé. Je dois réfléchir à tout ça. Digérer. »

Je me retournai et m'éloignai sans regarder en arrière. Je me rappelai quelque chose que disait mon père : « L'inertie est un état d'esprit très sous-évalué. Si tu sens que tu es obligée de prendre une décision, alors décide de ne pas prendre de décision. Laisse passer du temps. Ne fais rien. » Et ce fut ce que je décidai de faire. Je regagnai la terrasse pour y récupérer mon sac et mon appareil, et je me mis à la recherche de Phil Adler.

Il me dit qu'ils comptaient rester encore un peu, mais proposa de me déposer à la gare de New Hastings, où je pourrais prendre un train pour regagner New York. Il partit chercher la voiture, et je me retrouvai à traîner dans le vestibule et le grand salon en essayant de mettre mon cerveau au repos, d'ignorer les contradictions hurlantes qui exigeaient en masse de se faire entendre. Alors que je déambulais ainsi, je repérai sur un guéridon un petit cadre parmi d'autres, un instantané de Cleve et Frances, en gros plan, de profil, tous deux en tenue sport. Pris au début de leur mariage, supposai-je, bien avant l'accident. Je soulevai le cadre en écaille de tortue, le retournai et dégageai les petites pattes en laiton avant d'empocher la photo et de fourrer le cadre dans le tiroir d'une commode. Je ne m'expliquai pas ce qui m'avait poussée à faire ce geste. J'y avais peut-être vu une sorte de trophée, un trophée volé que je pourrais garder en souvenir de cet après-midi glacial dans le Connecticut. Un symbole de quelque chose qui venait de se terminer, ou qui allait bientôt se terminer.

Je retournai dans le vestibule, où Frances prenait congé d'un couple d'invités. Je me figeai, mais elle tourna la tête au même instant et me repéra. Elle fit pivoter son fauteuil et se propulsa dans ma direction, affichant son sourire d'hôtesse totalement creux.

« Vous ne nous quittez pas déjà ?

– Je rentre en Angleterre demain, dis-je, mentant sans difficulté. J'ai encore des bagages à finir. »

Elle leva les yeux vers moi depuis son fauteuil, un magnifique siège en ébène et vannerie tressée blanchie, le modèle le plus élégant que l'argent pouvait offrir, songeai-je ; mais elle aurait aussi bien pu me toiser du haut de quelque trône surélevé, tant son comportement était empreint de hauteur régalienne et de condescendance.

« Cleve couche avec vous, n'est-ce pas ?

– Ne soyez pas ridicule ! Enfin, quelle…

– Mais si, bien sûr. Je devine toujours qui sont ses maîtresses.

– Je refuse d'accorder à votre accusation indigne la moindre…

– Vous n'êtes pas la première depuis mon accident, miss Clay. Vous êtes peut-être la quatrième ou la cinquième. Je ne tiens pas vraiment le compte. En tout cas, ce qui est sûr, c'est que vous ne serez pas la dernière. »

Elle s'éloigna, non sans m'avoir d'abord adressé un petit sourire de commisération. Je la regardai quitter le vestibule. Bravache, apeurée, puissante, menacée. Phil Adler passa la tête par la porte d'entrée. « Prête ? »

Cleveland et Frances Finzi, vers 1929,
avant l'accident (la photo que j'ai volée).

4
Au sud de la frontière

Me sentant incapable de revoir Cleve après « l'Incident du Connecticut », comme je surnommai l'épisode, je dis au bureau qu'on
m'avait diagnostiqué une pleurésie aiguë et que je devais garder
la chambre pendant au moins une semaine.

Bien sûr, Cleve téléphona. Je ne répondis pas. Alors il vint à
Washington Square, sonna à l'interphone, réussit à se faire ouvrir
la porte, frappa chez moi et, puisque je ne réagis pas, glissa un mot
sous la porte. « J'ai essayé de t'appeler. Il faut qu'on parle. Tout
va bien. Je t'aime. C. »

Je me demandai dans quel monde il pouvait bien vivre pour que
tout aille bien. Je ne lui en voulais pas, je ne le détestais pas, je
restais juste ébahie par sa complaisance.

Chose étrange : quand je développai la pellicule de mon Voigtländer, curieuse de voir ma photo volée de Cleve sur la terrasse
(pas très réussie, en fait), je découvris un cliché dont je n'étais pas
l'auteur, un plan large de Cleve et moi en train de parler au bord du
lac. Qui l'avait pris ? Quelqu'un avait emprunté mon Voigtländer
et figé cet instant pour le préserver. Et, raisonnai-je, cette personne
avait aussi voulu que je le voie, ou du moins avait su que je le
verrais un jour… Phil Adler ? Irene ? Un inconnu ? Non, j'y vis la
main gantée de daim de Frances Moss Finzi. Voilà qui me troubla.

Sur ces entrefaites, avec ce malin penchant pour l'imprévu qui caractérise la vie, un bouleversement arriva sous la forme d'un télégramme d'Hannelore Hahn m'annonçant qu'elle et sa compagne de voyage, Constanze Auger, passaient quelques jours à New York avant de descendre vers le Mexique. Il fallait absolument qu'on se voie.

Nous nous retrouvâmes au Brevoort Hotel sur 5th Avenue. Hanna avait changé : cheveux longs jusqu'aux épaules, elle portait une robe en crêpe de Chine couleur crème à col de velours rouge. C'est Constanze Auger qui jouait le joli garçon, le *Bubi* : cheveux blonds coupés court avec une lourde mèche qui retombait sur l'œil, visage bronzé, boléro bleu marine à épaulettes sur pantalon large vert pomme, souliers d'homme à talons plats et, pour casser toute cette masculinité, paire de pendants d'oreilles en jais. Elle avait une personnalité très austère et tendue. En moins d'une minute, je compris qu'elle n'avait pas l'aisance d'Hanna ni son sens de l'humour caustique. Pour Constanze, la vie était une mission sérieuse avec une portée qu'elle seule pouvait apprécier ou comprendre, et dont le mot « rire » était totalement exclu. Très belle, grande, mince, elle fit se retourner les têtes au Brevoort. Elle m'apprit qu'elle était journaliste. Hanna et elle allaient au Mexique écrire un livre, textes : Constanze, photographies : Hanna.

Assise là à les écouter m'exposer leurs projets, je me surpris à les envier. Le parfum entêtant de Berlin et de cette impression ambiante que tout était possible balayait Greenwich Village et en remontrait au lieu et à ses habitants. Nous partageâmes un repas, des boissons, des cigarettes, des rires (même Constanze rit, au bout du compte). Je me serais crue de retour au Klosett-Club. Le Brevoort, où je les avais délibérément emmenées car c'était le cœur intellectuel vibrant de Greenwich Village, me paraissait sclérosé, inhibé, anémié, provincial, mais peut-être était-ce dû à mon humeur aigrie, endolorie.

L'alcool aidant (je commandai plusieurs tournées de bourbon-ginger ale, mon cocktail préféré du moment), je m'ouvris à elles et leur racontai ma liaison avec Cleve et le fiasco du week-end à New Hastings.

« Moi, je te le dis, Amory, il l'a fait exprès, déclara Constanze en s'allumant une cigarette roulée. Il manipule, comment dit-on ?, il déplace les lignes, il plante les poteaux dans une configuration différente.

– Il change les règles du jeu. Il impose les siennes, tu veux dire. Oui...

– Comment a-t-il pu t'inviter à venir rencontrer sa femme handicapée ? s'insurgea Hanna, l'air sincèrement choquée. C'est malsain.

– C'est juste qu'il voit le monde différemment, répondis-je, me sentant obligée de le défendre, d'une certaine manière. Quelque chose qui peut sembler difficile, compliqué, pour moi ou pour quelqu'un d'autre, ne lui apparaît pas comme tel. Pour lui, tout peut être résolu.

– Ça s'appelle de l'arrogance, cette attitude, lâcha Constanze. Ou du *Solipsismus*, oui ? Je vis seul dans mon monde à moi. Je n'ai aucun problème. Qui êtes-vous ? Que me voulez-vous ?

– Je ne crois pas qu'il ait la moindre idée de la façon dont je le vois, dis-je, sentant toute rationalité échapper à mon esprit embrumé par l'alcool. Je crois qu'il serait outré si je le qualifiais d'arrogant. Choqué.

– Tu ne peux pas rester ici, me dit Hanna en me prenant la main. Pas dans cette situation. C'est impossible, *Liebchen*. Pourquoi ne viendrais-tu pas avec nous ?

– Au Mexique ?

– Oui, renchérit Constanze. Apporte ton appareil. Deux photographes et une journaliste. On va faire un livre formidable. »

À la fois enhardie et désorientée par cet agréable état d'ébriété propice à l'apitoiement sur soi-même, soutenue par ces deux femmes fortes et passionnées, je vis dans cette proposition la solution idéale. J'avais de l'argent à la banque, ce serait une belle aventure et, surtout, cela montrerait à Cleve que je n'étais pas prête à me soumettre à sa vision biaisée et solipsiste de notre avenir.

Le lendemain, je pris rendez-vous avec lui au bureau en fin d'après-midi. Il était très calme.

« Comment te sens-tu, Amory ?

– Beaucoup mieux, merci. J'avais besoin de repos.

– Bien sûr. »

Assis derrière son grand bureau, il avait tombé la veste et relevé ses manches de chemise à l'aide de jarretières de bras en métal tressé pour en protéger les manchettes. Une fois de plus, je regrettai de ne pas avoir mon appareil pour saisir Cleve ainsi, le regard chargé de messages malgré sa délicate position de patron de sa maîtresse. Toutes ses contradictions réunies en une seule pièce : détendu / guindé ; rédacteur en chef / mari adultère ; bel homme / mauvais époux ; potentat qui allait en l'occurrence se retrouver impuissant.

« Je démissionne, annonçai-je.

– Ah, ça non. Je refuse.

– La décision ne te revient pas. Je rentre à Londres. »

Je crois qu'il était sincèrement stupéfait. Il ne s'attendait absolument pas à une déclaration de ce genre.

« Ne prends pas de décision à la légère, dit-il.

– C'est tout sauf à la légère. C'est ma vie d'avant qui était légère.

– Prends des vacances. Je trouverai une solution. Ne t'inquiète pas.

– Je n'ai pas besoin que tu trouves une solution, Cleve. Ça te changera. »

Je me sentis soudain fondre à l'intérieur, envahie malgré moi par mon amour pour lui. L'homme qui pouvait trouver une solution. Qui pouvait trouver une solution à tout. Non.

Je me levai et lui tendis la main, doutant de pouvoir lui parler sans que ma voix se brise – or il y avait une secrétaire juste de l'autre côté de la porte. Il enserra ma main dans les siennes.

« Amory… je trouverai une solution. Ce n'est pas terminé. Appelle-moi quand tu seras rentrée. Je viendrai à Londres te voir. »

Et il articula les mots « Je t'aime. Je t'aime » en silence.

« Adieu, Cleve, dis-je dans un murmure pour dissimuler mon émotion. Pendant un temps, je t'ai vraiment aimé, moi aussi. »

*

* *

JOURNAL DE BARRANDALE, 1977

J'ai menti à ma sœur, Dido. En fait, j'ai couché avec une femme, une fois. Avec Constanze Auger à Guadalajara, au Mexique, en 1934, et je soupçonne aujourd'hui que c'était à l'instigation d'Hanna. Nous étions arrivées à Guadalajara, nous avions trouvé un petit hôtel propre, avec de l'eau courante potable et de l'électricité, quand tout soudain Hanna avait dû se rendre au consulat allemand à Mexico pour régler un problème de permis de séjour, ou autre souci administratif, et donc s'absenter deux jours.

Constanze et moi sommes restées à l'hôtel, le mal nommé Emporia Paradiso, en attendant son retour, coincées là l'une avec l'autre. Nos rôles respectifs pendant notre aventure au sud de la frontière ayant été clairement définis, nous n'éprouvions aucun malaise. Cependant, au fil de la première journée, j'ai eu l'impression de n'être qu'un écouteur géant : Constanze parlait constamment, passionnément, de ce livre qu'Hanna et elle allaient créer (peut-être avec un peu d'aide de ma part). Cela tenait de l'obsession, mais je ne savais pas encore reconnaître ce syndrome, à l'époque.

Le premier soir, elle a frappé à ma porte et je me suis dit « Oh, non, c'est reparti pour le monologue », mais avant que j'aie pu allumer la lumière, elle a enlevé son pyjama de coton et s'est glissée dans mon lit. Nous nous sommes embrassées, sa langue a touché la mienne. À la seconde où deux êtres humains, quel que soit leur sexe, se retrouvent nus et collés l'un à l'autre dans les confins d'un lit et l'obscurité d'une chambre, l'instinct animal s'embrase. Quoi que vous puissiez en penser (non, non, très peu pour moi, merci

197

bien), la proximité immédiate d'un corps nu et chaud actionne certains déclencheurs. Cette montée de désir atavique peut s'avérer de courte durée, mais elle se fait sentir très vite. Constanze et moi nous sommes embrassées. Elle m'a léché les tétons, mes mains ont couru le long de son dos et je lui ai pétri les fesses. Comme elle avait une poitrine étonnamment plate, de tout petits seins d'adolescente, j'avais l'impression d'être au lit avec un grand garçon élancé (moins un élément anatomique) et je ressentais cette pulsion sexuelle. Peut-être aurait-il pu se passer quelque chose, mais soudain elle a demandé à ce qu'on allume la lumière, elle m'a pris une de mes cigarettes américaines et elle est restée couchée près de moi à fumer en me confiant ses doutes récents quant au fait qu'Hanna soit la meilleure photographe pour réaliser toutes les ambitions qu'elle nourrissait pour son livre, tout cela comme si les quelques dernières minutes n'avaient jamais eu lieu. Allongée près d'elle, médusée, toute mon excitation retombant d'un coup, fumant moi aussi une cigarette, je me suis demandé si j'étais en train de me faire offrir le poste de photographe officielle de la grande caravane de Constanze. *Nein danke, Constanze...*

Puis elle s'est dite terriblement fatiguée, elle m'a embrassée, elle a remis son pyjama et elle est partie. Dès que nous nous sommes retrouvées seules à son retour, le lendemain, Hanna m'a demandé si Constanze et moi avions couché ensemble. Je lui ai répondu que oui, plus ou moins.

« Elle peut se montrer féroce, Constanze, a-t-elle déclaré d'un ton songeur, sans prendre la mouche. Parce que toi et moi on s'est connues à Berlin, elle te voulait pour elle-même.

– Eh bien, elle ne m'a pas eue. »

Hanna m'a ensuite présenté le programme. Mexico ne faisait plus partie du circuit, finalement. Nous allions plutôt descendre vers le Costa Rica et trouver un endroit où séjourner à San José. Je l'ai laissée parler en écoutant d'une oreille. Puis Constanze nous a rejointes, m'a posé sur le front un baiser affectueux, presque possessif, comme une tante embrasserait sa nièce préférée, ce qu'elle

198

n'avait jamais fait auparavant. Et j'ai aussitôt compris que je devais laisser ces deux femmes à leur relation complexe et incompréhensible et retourner à Londres. Il n'y avait plus rien ici pour moi. Je n'étais qu'une pièce rapportée, un jouet, un aiguillon pour des escarmouches émotionnelles auxquelles je n'avais aucune envie de participer. New York, c'était fini, et l'aventure latino-américaine d'Hanna et de Constanze était vouée à se terminer en une crise épouvantable, j'en étais absolument sûre. Il était temps de faire une sortie discrète, temps de remettre ma vie sur sa trajectoire initiale.

LIVRE QUATRIÈME

1934-1943

1

Les Chemises noires

Cet été-là à Londres, je me réveillais très tôt chaque matin. Quand venait le point du jour, vers 5 heures, le sommeil m'abandonnait et je me jurais pour la énième fois de remplacer mes rideaux légers à motifs floraux par un tissu plus opaque et plus occultant. Je me tournais et me retournais sous les draps, je donnais un bon coup de poing dans l'oreiller, j'essayais de me rendormir, mais toujours en vain. Donc, on se sort du lit, on met sa robe de chambre, on se traîne dans la cuisine, on pose la bouilloire sur la gazinière, on allume le feu et on laisse la journée démarrer.

J'habitais un petit appartement au dernier étage d'un bâtiment de King's Road, dans le quartier de Chelsea, à mi-chemin entre la mairie et Paultons Square. Le logement du dessous était un duplex occupé par l'écrivain Wellbeck Faraday et son épouse américaine, May, une sculptrice, et au rez-de-chaussée se trouvait une quincaillerie. Les Faraday se couchaient très tard, bien après minuit, et bruyamment. Quand je me réveillais tôt, je prenais soin de marcher en chaussons ou pieds nus pour ne pas les réveiller, parce que j'aimais bien les Faraday. Je crois qu'ils m'aimaient bien aussi, parce qu'ils m'invitaient constamment à dîner pour rencontrer leurs amis, mais je gardais mes distances en prétextant une surcharge de travail. Ils menaient une vie compliquée (n'est-ce pas le cas de tout le monde ?). May Faraday avait un atelier à Fulham où elle passait ses journées, tandis que Wellbeck recevait des visiteurs – ou plutôt, des visiteuses. Quand nous étions seules, May me demandait si des gens venaient en son absence, mais je plaidais toujours l'ignorance. C'est eux qui m'avaient sous-loué l'appartement du haut, donc ils étaient de fait mes logeurs, et je voulais qu'ils me chérissent comme la locataire idéale.

J'allai m'asseoir sans bruit dans ma petite cuisine et me fis un thé en regardant les premiers rayons du soleil caresser la cime des platanes de Dovehouse Green. Je mangeai un pain au lait un peu rassis retrouvé dans la huche, puis retournai dans ma chambre choisir ma tenue du jour. Les bureaux de *Global-Photo-Watch* étaient situés dans Shoe Lane, une ruelle perpendiculaire à Fleet Street, et le personnel se réduisait à moi et ma secrétaire, Faith Postings, mais, en tant que « directrice » en titre, je m'imposais pour quelque raison perverse de faire honneur à la fonction en cultivant un chic permanent. Comme disait ma mère, entre autres multiples homélies : « Tu ne sais jamais qui tu peux rencontrer, mieux vaut toujours faire bonne impression. » Ce matin-là, je choisis un twin-set beige tricoté au point de vague et un chemisier chocolat tout simple à col noué. Cleve avait tenu à m'octroyer des défraiements pour mes vêtements, et je l'avais pris au mot. Mon placard débordait, mais je le vivais comme une imposture : ce n'était pas vraiment moi, cette « directrice ».

Ainsi allait le cours de mes pensées pendant les dix minutes de marche sur King's Road qui me séparaient de la station Sloane Square, où je prendrais un métro jusqu'à Blackfriars avant un autre trajet de dix minutes à pied jusqu'au bureau. J'arrivai avant Faith et mis de l'eau à chauffer. Elle se présenta à 8 h 30 précises, feignant la surprise de découvrir sa patronne à pied d'œuvre et le thé déjà en route.

Faith Postings était une grosse fille disgracieuse d'une vingtaine d'années, originaire de Bermondsey, et une travailleuse aussi efficace qu'inépuisable. Je crois qu'elle me vénérait : rien en mon pouvoir n'empêchait ses salves occasionnelles de compliments.

Je suis bien sûre que c'est mon expérience new-yorkaise qui l'impressionnait, puisque je n'étais guère plus âgée qu'elle, et aussi ma carrière en tant que photographe, ou bien peut-être mes vêtements neufs et élégants. Quoi qu'il en soit, elle s'employait à gommer son accent du sud de Londres pour le rendre plus conforme au mien, mais j'appréciais son dévouement à ma personne et par extension à *GPW*. Avec mes six ans de plus qu'elle, j'aurais pu être sa sœur, mais il me semblait occuper un rôle quasi maternel dans sa vie, ce qui ne laissait pas de m'inquiéter. Elle aurait fait tout ce que lui demanderait Tante Amory, je le savais.

Elle se servit une tasse de thé, prit place derrière son bureau, situé près de la porte à l'opposé du mien, et consulta son bloc-notes.

« Ah oui ! Après votre départ hier soir, le secrétariat de Mr Mosley a téléphoné : il accepte une interview jeudi prochain. »

Voilà une nouvelle qui me parut fort intrigante.

« Où ça ? À Black House ? Ce n'est pas très loin de chez moi. »

Le QG d'Oswald Mosley se trouvait à Chelsea, dans un ancien institut de formation des maîtres.

« À confirmer. Ils ont dit qu'un hôtel serait peut-être plus approprié.

– Envoyez un message à New York. »

Les bureaux de *GPW* s'enorgueillissaient d'un téléscripteur Creed Mark II qui trônait dans un coin sur une table réservée. Je l'avais surnommé l'Oracle de Delphes. De temps à autre, il s'animait, cliquetait et crachait une bandelette de papier où s'imprimaient comme par miracle des caractères alphanumériques. Je n'avais aucune idée de qui envoyait ces instructions (certainement pas Cleve en personne) car elles n'étaient jamais signées, mais les messages de notre téléscripteur Creed organisaient notre programme de travail chaque jour. « Photo requise duc et duch. York », « Org. intrvw Irene Ravenal », « Frnir liste joueurs retenus pr finale coupe d'Ang. », etc.

Hier était arrivée l'injonction suivante : « Intrvw Oswald Mosley dès que pos. ». Faith avait dûment téléphoné à la British Union of Fascists (BUF). Alors que notre demande était examinée (nous étions un magazine américain, ce qui impressionnait toujours), un autre message plus cryptique nous parvint : « Défilé BUF East End. Infos requises. Besoin urgnt photos. »

Quel défilé ? Je passai quelques coups de fil à certains des journalistes que nous employions, mais aucun n'avait entendu parler d'une possible manifestation fasciste. Aucun défilé ou rassemblement n'était prévu, d'après les informations que je pus recueillir. Je n'en fus pas surprise, car la BUF de Mosley avait essuyé d'humiliantes défaites publiques quand leurs rassemblements avaient été dispersés à Leicester, Hull et Newcastle l'année précédente. Le nombre d'adhérents du parti déclinait, et il n'avait pas présenté de candidat aux dernières élections législatives. Quelqu'un à New York semblait en savoir plus que nous-mêmes à Londres. En conséquence, il nous fallait à l'évidence de meilleurs renseignements. Je jetai un coup d'œil à Faith Postings, la fille de Bermondsey, qui s'allumait une cigarette à l'autre bout de la pièce.

« Que se passe-t-il, miss Clay ?

– Mettez votre manteau et votre chapeau. Vous allez devenir membre de la British Union of Fascists. »

Sentant la faim me tenailler à l'heure du déjeuner, alors que Faith était partie depuis deux heures, je descendis Shoe Lane jusqu'à Fleet Street pour trouver un restaurant de tourtes ou de viandes. J'atterris dans un Sandy's Sandwich Bar, où je commandai une croquette poulet-jambon avec un verre de lait et m'installai à un comptoir en vitrine qui donnait sur l'agitation de Fleet Street. Je me demandais quelles nouvelles Faith me rapporterait.

Je finis mon verre de lait puis fouillai dans mon sac à la recherche de mon étui à cigarettes quand j'entendis une voix dire : « Amory ? Amory Clay ? »

Je me retournai sur mon siège pour découvrir Dieu. Miss Ashe, impeccable en manteau noir de soie et velours à col de fourrure et canotier à boucle incliné sur l'œil à un angle canaille.

« Je n'arrive pas à y croire, dit-elle, l'air sincèrement heureuse de me voir. Je pensais justement à vous hier soir. Comme c'est étrange. Je vais à un enterrement à St Bride's, expliqua-t-elle en indiquant du doigt le voile roulé sur le bord de son chapeau. Ça me donne toujours atrocement faim, les enterrements. Je viens de manger deux tourtes au porc et de boire une bouteille de bière au gingembre. »

Je sortis avec elle sur Fleet Street, en m'obligeant à ne voir en elle qu'une vieille dame élégante, et surtout, qui ne détenait plus aucun pouvoir sur moi. Du calme, j'ai le droit de m'en fumer une si je veux. Alors je m'arrêtai et pris un malin plaisir à allumer une cigarette.

« Alors, que devenez-vous ? me demanda-t-elle pendant que je rangeais mon étui et mon briquet. Vous êtes mariée ? Vous avez des enfants ?

– Ni l'un ni l'autre.

– N'attendez pas trop !

– Comme vous ? »

Je vis le regard glacial bien connu revenir dans ses yeux un instant, et je me sentis obligée d'ajouter aussitôt :

« En fait, je suis presque fiancée.

– Alors, presque félicitations. Vous êtes en ville pour faire les magasins ?

– Je dirige une agence là-bas, dis-je en pointant Shoe Lane du doigt. *Global-Photo-Watch*. C'est un magazine américain. Je suis la directrice londonienne.

– Vraiment ? fit Miss Ashe en me regardant de plus près.

– Je suis photographe professionnelle, annonçai-je avec une certaine fierté avant d'attendre que cette nouvelle fasse son chemin.

– Bonté divine !

– Je gagne cinq cents livres par an, mentis-je.

– Il faut que vous veniez à l'école en parler. Mais ne leur dites pas combien vous gagnez, sinon elles voudront toutes devenir photographes. Et ça, ce ne serait pas acceptable », ajouta-t-elle avec son maigre sourire.

Je m'en voulais à présent d'avoir enjolivé, mais je tenais à ce qu'elle sache qu'elle avait fait erreur, qu'elle était faillible, qu'elle ne connaissait pas ses élèves aussi bien qu'elle le croyait.

« Je serais ravie de venir, dis-je.

– Vous avez une carte ? »

Je fouillai dans mon sac et en trouvai une, que je lui tendis. Elle l'étudia intensément, comme s'il avait pu s'agir d'une contrefaçon.

« Eh bien dites-moi, Amory Clay, *Global-Photo-Watch*… Je vais vous envoyer une invitation officielle. Comment va votre bien cher père ?

– Pas beaucoup mieux, hélas.

– Je suis désolée de l'apprendre. Ah, les victimes de la guerre… Nul doute qu'il s'agit d'un brave soldat, qui en est réduit à cela, se désola-t-elle, l'air un instant émue, en désignant du doigt un homme d'âge mûr qui vendait des allumettes sous un porche. Eh bien, au revoir, Amory, ma chère. Je suis très fière de vous. »

Sur quoi elle m'effleura la joue de sa main gantée et traversa Fleet Street à pas rapides en direction de l'église St Bride's.

Je restai plantée là un moment, étrangement remuée par cette rencontre et énervée contre moi-même. Dieu avait encore le pouvoir de me déstabiliser, constatai-je avec irritation. Je retournai au bureau d'un pas tranquille, en me demandant comment j'aurais pu faire pour mieux gérer cette rencontre, mais sans trouver d'idées valables ou cohérentes.

Faith était de retour et me montra sa carte de membre de la British Union of Fascists.

« Bravo ! la félicitai-je. Quelles nouvelles ?

– Il s'avère qu'ils ont beaucoup de défilés prévus, dit-elle, l'air contente d'elle-même. De gros défilés. Pour célébrer le quatrième anniversaire.

– Le quatrième anniversaire de quoi ?

– De la fondation du parti. Octobre 32. »

– Ah oui, bien sûr. Mais le message parlait d'un défilé imminent.

– Il y a un petit défilé prévu la semaine prochaine. Mercredi, à 11 heures, annonça Faith en consultant son calepin. Pour tâter le terrain. Un test en prévision des gros rassemblements prévus pour octobre.

– Où ça ?

– De la Tour de Londres à la salle paroissiale de l'église St Dunstan's, dans Maroon Street. William Joyce va prononcer un discours. Pas Mosley, hélas. Il y aura une centaine de Chemises noires, à ce qu'on dit.

– C'est où, Maroon Street ?

– À Stepney. »

Je faillis demander « C'est où, Stepney ? », mais je me retins. Je la regardai fixement.

« J'aimerais que vous participiez à ce défilé, Faith. Mais seulement si vous en êtes d'accord.

– Si vous voulez que j'y sois, j'y serai, miss Clay, dit-elle avec loyauté. Mais je ne crois pas que ce sera une grande manifestation.

– Peu importe. Personne d'autre ne couvrira l'événement. Ce sera peut-être notre grand scoop. Les Chemises noires qui défilent jusque dans l'East End…, imaginai-je en sentant l'excitation croître en moi. Vous défilerez, moi je prendrai les photos, et après on aura notre interview de Mosley. Envoyez un message à New York. »

J'achetai un index géographique des rues de Londres, avec cartes dépliables détaillées. En les étudiant, je pris conscience que l'East End aurait aussi bien pu se trouver dans le royaume de Siam, au Tanganyika ou en Sibérie, en ce qui me concernait. Pour moi, Londres s'arrêtait à Aldgate et à la City et toutes ces rues de maisons basses, de docks et de quais et les méandres du fleuve faisaient partie d'une *terra incognita* où seuls pénétraient les indigènes. Dans mon index, je lus :

« À l'est de la City commence Whitechapel, un quartier essentiellement peuplé de juifs (tailleurs, couturiers, fourreurs, bottiers, cigariers, etc.). Leur implantation dans ce quartier, ainsi que dans Mile End et Stepney, s'explique principalement par les persécutions subies en Russie au XIXe siècle. »

Je dépliai ma belle carte détaillée de l'Est londonien pour y repérer les grandes artères, Whitechapel Road, Commercial Road et Cable Street, qui traversaient Stepney, Limehouse, Bromley, Poplar, Bow et Stratford en direction de l'estuaire de la Tamise. Je ressentis cet étrange frisson d'anticipation que doit goûter l'explorateur sur le point de s'aventurer dans l'inconnu en Afrique. Sauf que, en l'occurrence, la carte n'était pas vierge. La moindre rue, la moindre ruelle, la moindre venelle avait un nom précis. Cette terre densément peuplée comptait des églises, des écoles, des commissariats, des hôpitaux, des bureaux de poste et des bâtiments municipaux. J'allais pénétrer dans le cœur millénaire de l'Angleterre, et les noms que je déchiffrais évoquaient la longue et complexe histoire de notre pays : Shadwell, Robin Hood Lane, Regent's Canal, Lochnagar Street, Ropemaker's Field, Wapping Wall… Mais personne de ma connaissance n'allait jamais dans ces quartiers.

*

* *

JOURNAL DE BARRANDALE, 1977

J'imagine que dans toutes les maisons, à tout instant donné, il y a toujours une demi-douzaine d'équipements ou d'appareils qui ne fonctionnent pas correctement. Une ampoule grillée, une poignée de porte branlante, une latte de parquet qui craque, un fer à repasser qui ne chauffe plus. Ainsi, dans le cottage, il y a un robinet d'eau froide dans la salle de bains qui goutte en permanence, un tiroir dans la cuisine qui refuse de se fermer complètement et un fauteuil qui a mystérieusement perdu une roulette. Et la Hillman Imp doit avoir une fuite d'huile, si l'on en juge par les taches foncées sur le gravier. Et ma radio perd parfois de la réception pendant dix minutes, pour ne plus offrir que des voix étouffées couvertes par une pétarade de coups de feu, avant de se remettre à bien fonctionner, curieusement.

Telle maison, tel corps. J'ai un bleu sur le tibia, une vieille écharde dans la paume de ma main qui a l'air de s'infecter, un ongle incarné au gros orteil et le cartilage de mon genou gauche qui m'envoie une bonne décharge chaque fois que je me lève d'un siège. On fait avec. On appuie plus sur la jambe droite, on utilise la main gauche, on glisse un livre sous le fauteuil à l'emplacement de la roulette manquante. Je m'étonne toujours de ces compromis avec lesquels nous apprenons à vivre. Nous continuons notre chemin clopin-clopant, en réparant ici, en improvisant là.

Et puisque je parle de compromis dans ma vie, je vois à présent que Cleve Finzi était mon chevalier sans peur et presque sans reproche. Qu'il ait été beau et puissant, orgueilleux et égocentrique, voire un peu rasoir à l'occasion, ne parle pas en ma défaveur. À certaines périodes de notre vie, nous, hommes ou femmes, avons besoin précisément de ce genre de personne. Le bonheur qu'ils sont pour l'œil nous comble. Beaux messieurs, jolies dames, c'est un plaisir d'être simplement à leur côté. Et puis, la maturité arrivant vous souffle que ce genre de personne ne suffira plus, et on devine instinctivement qu'il nous faut quelqu'un, ou quelque chose, de beaucoup plus singulier.

Donc j'ai quitté Cleve et New York et sa femme terrifiante pour m'enfuir vers le sud avec Hanna et Constanze. Une erreur. Une de plus.

Je me rappelle que Cleve a appelé le bureau la semaine avant le défilé. Le téléscripteur nous avait informées de l'heure de son appel. Le téléphone a sonné, l'opératrice nous a connectés et nous avons parlé à travers, ou plutôt sous, l'Atlantique. Il y avait beaucoup de crachouillis et d'interférences sur la ligne, mais j'entendais distinctement sa voix. J'ai fait signe à Faith de sortir du bureau, je me suis bouché une oreille d'un doigt et j'ai écouté la voix de mon ancien amant qui parcourait les milliers de kilomètres entre nous.

« Tout est prêt, ai-je annoncé, très professionnelle. Nous allons couvrir tout le défilé. Je vais engager un autre photographe et je prendrai des photos moi aussi, donc à nous deux nous devrions avoir un bon résultat.

– Que c'est bon d'entendre ta voix, Amory !

– Je connais l'autre photographe. Il est très compétent.

– Tu me manques. »

Pourquoi les déclarations les plus simples et les plus éculées nous affectent-elles tant ?

« Toi aussi, tu me manques, ai-je répondu après m'être raclé la gorge, heureuse qu'il ne soit pas dans la pièce avec moi. Mais cela vaut mieux ainsi.

– Envoie-moi au plus vite tout ce que tu as. Tu choisis les photos et tu les recadres. On va faire un grand papier sur le fascisme en Angleterre. L'Italie, l'Allemagne, et maintenant l'Angleterre…, dit-il avant de marquer une pause. C'est quand, ce défilé, rappelle-moi ?

– Mercredi.

– Parfait. On va griller tout le monde, sur ce coup. Ils ont l'air aussi affreux que les Nazis, tes Chemises noires.

– Eh bien, nous verrons cela mercredi, et en gros plan. »

Quand il a évoqué les détails pratiques pour l'envoi des photos aux États-Unis, il m'a dit de ne pas regarder à la dépense. Coursier à moto jusqu'à Southampton, paquebot le plus rapide disponible, etc. Je l'ai assuré que je ne ménagerais aucun effort financier, et il a raccroché après un « Bonne chance. Ne me déçois pas, ma chérie » plutôt léger.

Je me rappelle m'être rendue dans le Sussex ce week-end-là, à Beckburrow, et y avoir trouvé Xan, ainsi que mon père, à ma grande surprise. Il avait l'air en forme, quoique amaigri, et il portait un béret, à l'évidence pour masquer une tête rasée. Avant le déjeuner, nous sommes allés nous promener dans le jardin.

« Je vais mieux, maintenant, m'a-t-il annoncé avec un large sourire. Je suis guéri. Je reste à la maison.

– Que s'est-il passé ? »

Je me sentais toujours mal à l'aise, avec lui. Je n'arrivais pas à cerner son humeur, et cela me rendait tendue. Cette jovialité était-elle authentique ou feinte ?

« C'est une merveilleuse opération, toute récente. »

Il a ôté son béret et j'ai vu deux cicatrices roses, rondes comme de petites pièces de monnaie, juste au-dessus de ses tempes. Ses cheveux commençaient à peine à repousser.

« Tu vois, ils percent le crâne des deux côtés, et puis ils coupent les fibres, tu vois, les connexions jusqu'aux lobes frontaux de ton cerveau. C'est incroyable. J'ai arrêté de m'inquiéter pour tout. Tout. Je suis redevenu moi-même. »

Il a ouvert les bras pour m'étreindre, me serrer fort.

« M'as-tu pardonné, ma chérie ? m'a-t-il murmuré dans le creux de l'oreille.

– Bien sûr, Papa. Bien sûr. »

Je me rappelle avoir retrouvé Lockwood au Dreadnaught, un pub de Fleet Street. Nous avons échangé une poignée de main guindée et des sourires nerveux. Il s'était laissé pousser une petite moustache qui ne lui allait pas. Il m'a annoncé de but en blanc qu'il était fiancé. Je l'ai félicité en affichant une joie sincère (espérais-je), et il a commencé à se détendre.

Il m'a appris qu'il avait été recruté à temps partiel pour le *Daily Sketch* mais espérait bientôt y décrocher un plein-temps. Je lui ai proposé de travailler en free-lance pour *Global-Photo-Watch*, et il a aussitôt accepté.

« J'adore ce magazine. Je le trouve meilleur que *Time*, meilleur que l'*Illustrated*, même.

– Mercredi, 11 heures du matin à la Tour de Londres.

– Il s'agit de quoi ? »

Je lui ai expliqué et j'ai précisé que je serais sur le terrain également.

« Mais il ne faut pas qu'on nous voie ensemble. Et sois discret, cache ton appareil le plus possible. J'ai entendu dire que les Chemises noires n'aiment pas les photographes. »

Lockwood y a réfléchi quelques instants en caressant sa petite moustache du bout des doigts.

« Tu paies combien ?

– Cinq livres la journée, plus dix shillings pour chaque photo retenue.

– Ça me paraît correct. »

J'ai ensuite entrepris de lui expliquer le genre de photographie que *GPW* publiait, mais, voyant qu'il n'écoutait pas vraiment, je me suis interrompue.

« Je pense souvent à toi, Amory, a-t-il avoué avec une certaine maladresse. Il y a des moments où je n'arrive pas à te chasser de mon esprit. Je me demande où tu es, ce que tu fais…

– J'ai passé beaucoup de temps à l'étranger. À Berlin, d'abord, puis à New York, et même au Mexique.

– Ah, quelle vie palpitante !

– Pas tant que ça, pour être honnête. »

Quand il est allé au bar chercher une autre tournée, je l'ai regardé debout là, grand, mince, carré d'épaules, et j'ai repensé à nos moments partagés dans sa petite mansarde au-dessus de la chambre noire de Greville. Et je n'ai rien ressenti. C'est étrange, mais les émotions intenses se diluent naturellement à mesure qu'on avance dans la vie, les moments d'intimité absolue deviennent des souvenirs banals dont on se rappelle à peine, comme des vacances dans un pays exotique, ou un cocktail lors duquel on a beaucoup trop bu, ou une victoire dans une course le jour de la fête des sports à l'école – ça ne fait plus vibrer. Ma liaison avec Lockwood avait eu lieu, elle s'était terminée et elle s'agrégeait à la fibre particulière de mon histoire personnelle. J'aimais bien Lockwood et je savais que c'était un bon photographe. Voilà tout ce qui comptait, à présent.

Je me rappelle avoir reçu une lettre d'Hanna, de Berlin, la veille du défilé. Elle était rentrée de son périple, mais elle m'écrivait surtout pour m'annoncer la triste nouvelle du suicide de Constanze deux mois plus tôt à São Paolo. Après le choc initial, j'ai éprouvé de la surprise, puis une sorte de compréhension. Je ne connaissais pas bien Constanze, mais j'avais bien vu à quel point elle était fébrile et tendue, à quel point elle détonnait dans notre monde. Les deux femmes s'étaient disputées (« ce fut très cruel », écrivait Hanna) et séparées après un an de vie commune au Costa Rica. Hanna était partie vers l'est pour écumer les Caraïbes, tandis que Constanze s'était installée plus au sud, au Brésil. La lettre accompagnait un exemplaire de l'ouvrage qu'elles avaient réussi à produire ensemble avant leur rupture explosive : *Winter in Mexico und Costa Rica : Tagebuch einer Reise*. Il contenait trois de mes photographies, non créditées. C'était ma première incursion dans les pages d'un livre publié.

Hannelore Hahn, Guadalajara, Mexique, 1934.

2
L'émeute de Maroon Street

Le mercredi matin à 10 heures, comme prévu, je retrouvai Lockwood à la station Fenchurch Street. Il me montra le petit appareil qu'il utilisait, un Foth Derby. J'avais mon Zeiss Contax, car il se rangeait très bien dans mon sac à main. Il avait plu pendant la nuit, et les trottoirs étaient encore humides sous une lumière grise et crue. Je me félicitai d'avoir mis mon imperméable et un chapeau rond de feutre vert.

Nous trouvâmes une buvette et commandâmes chacun une tasse de thé.

« Tu as faim ? me demanda-t-il. Moi, je prendrais bien une de ces brioches à la crème.

– Ne te gêne pas, Lockwood, je t'en prie. Tes notes de frais couvrent toutes tes dépenses.

– Je suis impatient, dit-il en savourant sa brioche.

– Il faut qu'on soit extrêmement prudents. Ce défilé n'a pas été annoncé. La police est au courant, mais les détails n'ont été communiqués qu'aux membres de la BUF. Ils ne veulent pas attirer l'attention de la presse, sinon il y aurait des affiches partout.

– Pourquoi tant de mystère ?

– Ils ont prévu des manifestations plus importantes en octobre. Aujourd'hui, c'est un test. Si jamais quelqu'un te repère en train de prendre des photos, mets ton appareil dans ta poche et déplace-toi.

– Oui, patron. »

L'idée était de nous positionner le plus loin possible l'un de l'autre pour éviter les doublons et de nous retrouver au bureau à la fin de la journée. Nous irions aussitôt en chambre noire développer, tirer et sélectionner nos clichés préférés avant de les envoyer sur-le-champ en Amérique.

Nous marchâmes jusqu'à Trinity Square, en face de la Tour de Londres, où s'était rassemblée une foule d'environ deux cents personnes et une trentaine de Chemises noires, des jeunes forts-à-bras poseurs en pseudo-uniforme, avec képi et bottes cavalières, l'air menaçant, qui rangeaient en colonne les manifestants (des membres de la BUF, supposai-je), parmi lesquels je repérai Faith, sans chapeau, avec juste un foulard violet noué sur les cheveux.

À 11 heures fut dépliée une large bannière « BRITISH UNION OF FASCISTS AND NATIONAL SOCIALISTS ». Quatre policiers firent leur apparition, montés sur de magnifiques chevaux de bataille.

Au son de violents coups de sifflet, le défilé s'ébranla doucement, Chemises noires en tête, emprunta Minories vers le nord, tourna à droite dans Whitechapel High Street et rejoignit Commercial Road. La circulation avait été bloquée par la police montée, et les passants regardaient la scène avec une curiosité un peu goguenarde, me sembla-t-il. Aucun sentiment de menace fasciste ne planait sur la capitale du pays.

J'avançai d'un pas vif pour dépasser la tête du cortège, puis, me cachant sous des porches ou derrière des véhicules en stationnement, commençai à prendre des photos. Je regardai autour de moi sans repérer Lockwood.

Alors que la manifestation progressait en rangs bien ordonnés le long de Commercial Road, je pris conscience que de petits groupes d'hommes jeunes, postés à des coins de rue, observaient la scène en échangeant des murmures d'un air fébrile, tendu. Fusèrent ici ou là des cris sporadiques de « Fascistes ! » ou « À bas les fascistes ! ». En réponse, les Chemises noires levèrent le bras en

un salut romain et scandèrent à l'unisson : « Étrangers, dehors !
Étrangers, dehors ! » Dès l'instant où un meneur des Chemises
noires s'approchait d'un des groupes, les jeunes s'éparpillaient
dans la nature. Mais l'atmosphère s'était chargée d'une tension
palpable. Cette manifestation n'avait pris personne par surprise ;
des informations avaient dû transpirer. Les manifestants serrèrent
les rangs et les Chemises noires formèrent un cordon de sécurité
de part et d'autre.

Saisie du pressentiment que tout cela allait mal tourner, je
remarquai que le nombre de Chemises noires s'accroissait l'air de
rien à mesure que des hommes jeunes en uniforme rejoignaient
discrètement le cortège. Je réussis à prendre en photo une vingtaine de Chemises noires qui sortaient en phalange de la station
Stepney alors que le défilé virait à gauche dans White Horse Street
en direction de la salle paroissiale de St Dunstan's.

Et là, j'eus la preuve irréfutable que cette manifestation secrète
n'avait jamais été secrète. Au croisement avec Matlock Street, un
camion retourné sur le flanc était flanqué de barricades rudimentaires,
brouettes, cageots, vieux meubles. Les chevaux de la police s'arrêtèrent, il y eut de nouveaux coups de sifflet, et le cortège ralentit
jusqu'à s'immobiliser. Les groupes de jeunes occupant les ruelles
et les rues adjacentes étaient bien plus imposants, à présent, et je
remarquai aussi des femmes parmi eux. Les habitants de Stepney
n'allaient pas laisser ce défilé avancer. Ils commencèrent à crier :
« Vous ne passerez pas ! Vous ne passerez pas ! »

Je pris en photo une jeune femme qui cachait derrière son dos
une poêle à frire – une arme potentielle, supposai-je. Puis, sur le
trottoir d'en face, je repérai Lockwood : il traînait près d'un groupe
de policiers, dont un inspecteur muni d'un mégaphone, qui s'avança
et sembla s'adresser au camion renversé, comme s'il le tenait pour
personnellement responsable de ce blocage.

« Je vous ordonne de démonter ces barricades ! cria sa voix
amplifiée. Cette manifestation est autorisée. Vous n'avez aucun
droit de l'arrêter ! »

Il reçut pour toute réponse une bordée d'injures et une volée de pavés et de légumes, surtout des pommes de terre. Les manifestants reculèrent instinctivement de quelques mètres dans White Horse Street.

J'entendis un bruit de pas précipités et me retournai pour découvrir d'autres Chemises noires qui affluaient depuis une ruelle. Il y avait aussi des renforts de police (comme quoi des incidents avaient bien été anticipés), qui entreprirent d'éloigner le cortège de la barricade de Matlock Street et de le refouler vers la gauche, dans Salmon Lane. Je consultai le plan que j'avais arraché dans mon index des rues. Leur objectif était de contourner la barricade par Maroon Street pour rejoindre St Dunstan's. C'était donc à Maroon Street qu'il fallait être, aussi décidai-je de m'y rendre par des voies détournées pour pouvoir voir arriver le cortège. Je courus dans Belgrave Street, où je vis des hommes et des femmes sortir en masse des maisons, armés de gourdins de fortune, pieds de chaise, manches de pioche ou piliers de rambarde, et se précipiter vers Maroon Street pour bloquer les manifestants avant qu'ils puissent s'y engouffrer. Je photographiai à la dérobée un jeune homme en maillot de corps équipé d'un lance-pierres et d'un sac de billes, puis courus jusqu'à St Dunstan's.

En un temps record, les contre-manifestants avaient réussi l'exploit de barrer Maroon Street avec un tramway réquisitionné ; ils s'affairaient maintenant à desceller des pavés avant de les concasser pour en faire des projectiles potentiels, et à balancer du haut des maisons mitoyennes des meubles destinés à ériger d'autres barricades improvisées. Cependant, il devenait clair que c'était la police, et non les Chemises noires, que les habitants antifascistes de Stepney allaient devoir affronter. Des renforts impressionnants avaient afflué, des dizaines et des dizaines d'agents de police serrés en une ligne dense de bleu marine à l'avant du cortège. La bannière de la BUF avait été repliée, et j'espérai que Faith s'était éclipsée.

Le défilé s'engagea d'un pas régulier dans Maroon Street. Au premier rang, les policiers formaient une chaîne humaine, bras dessus bras dessous ; au deuxième, les manifestants brandissaient ostensiblement des gourdins. Il allait y avoir des crânes fracassés. Chose étrange dont je me rendis compte en mitraillant le cordon de police, toutes les Chemises noires avaient soudain disparu.

Devinant qu'elles allaient opérer un autre mouvement de contournement pour aller sécuriser et encercler la salle paroissiale avant l'arrivée du cortège, je courus dans Ocean Street jusqu'à Ben Jonson Road, m'arrêtai au croisement et jetai un œil au coin de la rue.

Une cinquantaine de Chemises noires armées de fouets en cuir et de massues se faisaient admonester par un homme en costume gris perle. Il leur donnait des instructions et gesticulait en désignant certaines rues.

Je tournai le coin, braquai mon appareil et pris cinq photographies en succession rapide. C'est alors que l'une des Chemises noires me repéra : il cria et me pointa du doigt.

« Attrapez-la ! beugla l'homme en costume gris d'une voix furieuse. Attrapez-la tout de suite ! »

Sans m'arrêter pour voir combien me poursuivaient, je fis volteface, contournai St Dunstan's par l'arrière et débouchai sur une petite place délimitée par quatre rues noirâtres qui s'appelait Spring Garden Square.

Fatale erreur. Ou plutôt, manque de chance.

Je pense que j'aurais pu m'échapper si une trentaine de Chemises noires n'avaient pas été stationnées à Spring Garden Square en attente d'instructions. Je courus quasiment dans leurs bras, appareil toujours à la main, et me figeai sur place. Ils se retournèrent d'un bloc pour me dévisager. Je rangeai mon appareil dans mon sac.

« C'est une journaliste rouge ! cria quelqu'un derrière moi.

– Non, c'est faux ! » protestai-je.

Je fus aussitôt encerclée, immobilisée, alors que mes poursuivants initiaux débouchaient de Ben Jonson Road. Je regardai de droite et de gauche, repérant au passage l'homme au costume gris perle, et frémis d'horreur au souvenir du soir où Hanna et moi étions tombées sur un groupe de Chemises brunes éméchées à Berlin. Chemises brunes hier, Chemises noires aujourd'hui. Sauf que je n'avais pas Hanna avec moi, aujourd'hui.

« Hé, vous, écoutez-moi ! criai-je à l'intention de l'homme en costume gris. Je travaille pour un magazine américain ! »

À la seconde où j'eus prononcé ces mots, je me rendis compte que, dans leur logique à eux, j'aurais aussi bien pu dire : « Je travaille pour un magazine juif ! »

« Prenez-lui son putain d'appareil ! » ordonna l'homme en costume gris perle.

L'une des Chemises noires m'attrapa par le bras. Il avait un nez camus et des joues empourprées par l'excitation et la colère.

« File-moi ton appareil, sale traînée juive !

– Non ! Lâchez-moi ! »

Je jetai un coup d'œil en arrière pour essayer de repérer l'homme en costume gris perle, comme s'il pouvait incarner la raison au cœur de toute cette rage animale, mais il semblait avoir disparu. De derrière St Dunstan's nous parvenaient des braillements à mesure que la manifestation progressait dans Maroon Street.

Trois Chemises noires s'emparèrent de moi. On m'arracha mon sac, on trouva mon appareil, on l'ouvrit, on en extirpa la pellicule et on la déroula.

Nez-Camus me donna une grande gifle, si violente qu'elle fit voler mon chapeau et me dévissa le cou. Je poussai un cri de douleur.

« Sale pute juive ! Sale communiste ! » hurla-t-il en me postillonnant sur les joues.

Je fus jetée à terre et vis des bottes réduire mon appareil en morceaux. J'entendis alors des sifflets de police stridents résonner par-dessus le mugissement grave et puissant de la foule dans Maroon Street. Encerclée par ces jeunes hommes qui me toisaient de toute leur hauteur, je perçus leur anxiété, leur hésitation. La police se rapprochait, or les Chemises noires, contrairement aux Nazis à Berlin, n'avaient pas encore le contrôle des rues. L'état de droit régnait toujours à Londres, malgré sa fragilité. Je devinai leur envie de faire demi-tour et de détaler, je les vis regarder à droite et à gauche d'un air embarrassé.

« Donnez-lui une bonne leçon, les gars ! » cria Nez-Camus alors que l'attroupement commençait à se disperser vers des lieux plus sûrs.

Il me cracha dessus. Puis l'un de ses sbires me décocha un coup de pied dans le bras, presque sans y penser. Ce geste sembla libérer quelque chose chez les autres, et une demi-douzaine d'entre eux se mirent à me rouer de coups de poing et de gourdin alors que je gisais au sol. Je me roulai en boule par instinct de survie, me protégeai la tête de mes bras repliés et me répétai en boucle en moi-même : « Ne me frappez pas à la tête ! Ne me frappez pas à la tête ! » Mais ce faisant, j'avais laissé mon dos rond à découvert, sans défense. Un violent coup dans les reins me fit me cambrer par réflexe sous l'effet de la douleur et, juste à cet instant où j'étais vulnérable, prostrée, Nez-Camus me donna un grand coup de pied dans le bas-ventre. Je sentis quelque chose se rompre en moi. Je n'eus pas le réflexe d'encaisser le coup, car je m'inquiétais de cette douleur fulgurante dans mon dos, et quand la pointe de sa botte heurta mon bas-ventre je la sentis s'enfoncer profondément et faire des ravages.

J'étais à peine consciente, du sang me dégoulinait sur le visage en raison d'une coupure à l'arcade sourcilière. Je plaquai les deux mains sur mon ventre meurtri en poussant un hurlement primal d'agonie, qui les fit sursauter et se reculer comme si j'avais la peste.

J'entendis vaguement quelqu'un dire : « Ah, ben c'est réussi, Lenny », alors que le monde sombrait dans le brouillard et la pénombre.

Puis il y eut des sifflets de police, comme des chants d'oiseaux perçants et violents, jusqu'à ce que, soudain, j'aie conscience de la voix de Lockwood qui me disait à l'oreille : « Tout va bien, Amory. Tu es en sécurité, maintenant. Ne t'inquiète pas, on va t'emmener à l'hôpital. » Et ce fut tout.

*
* *

JOURNAL DE BARRANDALE, 1977

L'Émeute de Maroon Street (aussi appelée l'Échauffourée ou la Rixe) a été éclipsée deux mois plus tard, en octobre, par la célèbre « Bataille de Cable Street », lors de laquelle des milliers d'habitants de l'East End ont bloqué puis repoussé un énorme défilé des Chemises noires de Mosley et de milliers de partisans de la BUF. Les six mille policiers mobilisés se sont heurtés à la foule antifasciste. Les Chemises noires, refoulées, ont quitté l'East End de Londres avant de se faire disperser par un Mosley plein d'aigreur au pont de Charing Cross. On peut arguer que c'est cette rebuffade, cet échec, qui a mis fin à tout véritable mouvement fasciste de type européen en Grande-Bretagne. Malgré la virulence du message que Mosley et ses acolytes ont continué de marteler, le fait est que la British Union of Fascists n'a jamais pris le contrôle des rues de Londres. C'est peut-être ce qui leur a sapé le moral et nous a préservés.

Je dois signaler que je n'ai eu aucune connaissance de tout ce qui s'est passé durant le restant de l'année 1936 (guerre d'Espagne, abdication du roi Édouard VIII, réélection de Roosevelt, constitution de l'Axe Rome-Berlin), car je gisais dans une salle du London Hospital à Whitechapel. Les docteurs trouvaient « trop dangereux » que je sois déplacée, et qui aurait pu les contredire étant donné la gravité de mon état après le tabassage en règle que j'avais subi ?

Global-Photo-Watch a malgré tout récupéré des clichés, ceux pris par Lockwood, et exploité cette exclusivité en publiant un numéro spécial. Le monde a été averti du sinistre potentiel de la British Union of Fascists, et j'ai appris par la suite qu'un large débat s'était ensuivi. Lockwood s'est fait un nom et a été promptement recruté par le *Daily Sketch* comme photographe en chef, mais, je le répète, je n'ai rien su de tout cela à l'époque.

Clichés de l'Émeute de Maroon Street, 1936
(photographies : Lockwood Mower).

Le diagnostic était évident : je souffrais d'une hémorragie vaginale intermittente chronique en raison de l'ultime coup de pied de Lenny Nez-Camus. Je restais alitée deux jours sans symptôme, pensant que tout était rentré dans l'ordre, et je me réveillais le lendemain dans des draps trempés de rouge vif.

J'ai reçu trois transfusions sanguines avant la fin de l'année, sans aucune amélioration visible. Je portais une protection renforcée qui combinait une couche avec une culotte élastique en caoutchouc, ce qui permettait de contenir les pertes de sang et d'éviter les accidents les plus embarrassants. Au fil des mois, je me suis affaiblie régulièrement. Les médecins qui débattaient à mon chevet n'avaient aucune solution à m'offrir en dehors d'une prescription de diète et de repos. Je ne mangeais que des nourritures fades, fromage frais, flan, gâteau de riz, galettes de pomme de terre, semoule au lait, comme si ces mets insipides et incolores pouvaient enrayer le flot de sang ininterrompu.

Néanmoins, au printemps 1937, j'ai été jugée assez bien portante pour être transférée à Persimmon Hall, une clinique près de Lewes, plus proche de chez moi. Et c'est une fois là-bas que j'ai enfin commencé à recouvrer lentement la santé. Je m'asseyais sur un banc dans le jardin quand il faisait beau (équipée de ma couche caoutchoutée à protection renforcée), et je pouvais recevoir des visites de ma famille et de mes amis. Malgré mon régime lacté et crémeux, je restais très amaigrie, anémique et constamment fatiguée, mais, me disais-je, j'étais sur la voie du rétablissement.

Lockwood est passé me raconter toute l'histoire de mon sauvetage, non sans me remercier profusément pour l'emploi stable au *Sketch* qui avait découlé de la publication de ses clichés. Faith Postings est venue elle aussi, et m'a narré l'équipée à moto jusqu'à Southampton avec les photographies et les négatifs de Lockwood. Ma mère et Xan étaient mes visiteurs les plus réguliers, et même mon père venait de temps en temps, quoique je percevais le frémissement ténu de l'angoisse en lui sous son sourire permanent, son plaisir inconscient de se retrouver de nouveau dans un environnement médicalisé. Dido m'envoyait un gros bouquet de fleurs chaque semaine. Greville est venu aussi et m'a fait beaucoup rire. Et puis Faith Postings est passée un jour m'annoncer la fermeture des bureaux londoniens de *GPW*.

Et enfin, j'ai reçu la visite de Cleve Finzi.

3

Persimmon Hall

« Clinique » me semblait une appellation moins appropriée que
« hôtel de charme » pour désigner Persimmon Hall, sis dans son
vaste parc arboré en retrait de la route qui reliait Lewes à Uck-
field. Le bâtiment principal, un grand manoir en grès pâle de style
georgien, était flanqué de deux longues ailes plus récentes donnant
sur les pelouses et jardins. Il y avait deux salles communes, mais
la plupart des patients disposaient de chambres individuelles où
ils se faisaient chouchouter par le personnel en livrée (femmes de
ménage, concierges, servantes) et par les infirmières.

Par les portes-fenêtres de ma chambre dans l'aile est, j'avais vue
sur le jardin de devant, ses sentiers dallés, ses bordures de plantes
herbacées et ses bancs en teck bien disposés devant un petit mur de
soutènement. Quelques marches descendaient vers deux pelouses et
une mare à nénuphars. Des cèdres, des rhododendrons et des arau-
carias délimitaient le parc. Tout cela était fort bourgeois et reposant.

Je découvris que la convalescence après une longue maladie
simplifie la vie de façon inimaginable. Tout ce que le patient est
censé faire, c'est supporter sa maladie et essayer de se remettre ;
les autres contingences – toilette, repas, communication avec le
monde extérieur – sont prises en charge par d'autres personnes en
coulisses, pour ainsi dire. Je restais au lit, faible et fatiguée, et on
me nourrissait, on me donnait des médicaments, on m'emmenait

en promenade, on changeait ma couche quand elle était trempée de sang et on m'administrait chaque soir un somnifère qui me faisait ponctuellement perdre conscience.

Et le monde continuait de tourner et l'histoire de s'écrire. L'incendie du *Hindenburg*, la guerre sino-japonaise, la sortie de *Blanche-Neige et les Sept Nains*, mais aussi la fermeture des bureaux de *GPW* dans Shoe Lane et le licenciement de Faith Postings. Ma mère et Xan vidèrent mon appartement de King's Road, stockèrent mes maigres possessions au garde-meuble et résilièrent le bail alors que je gisais dans mon lit, léthargique et insouciante. Je dois avouer qu'il y a quelque chose d'addictif à se retrouver ainsi totalement inutile et dépendante. On régresse. Une agréable sensation de totale irresponsabilité s'enracina en moi et me poussa à me demander, par une chaude journée enso-leillée où j'étais assise dehors sur un banc, une tasse de thé à la main, pourquoi la vie ne pouvait pas être toujours comme ça. C'était presque idéal. Je succombais à l'attrait puissant du statut de semi-invalide.

Les mois passèrent. Je continuai à perdre du poids, mais plus len-tement, malgré les quantités de pitance incolore que j'ingérais. Je me sentais toujours fatiguée et, à intervalles réguliers de quelques jours, mon corps se vidait rituellement d'une demi-pinte de sang environ.

Ce fut ma mère qui me prévint concernant Cleve. Nous étions assises sur le banc à l'extérieur de ma chambre, bien emmitouflées tant il faisait frais.

« Ah, il faut que je te dise ! lança-t-elle au milieu d'une anecdote qu'elle me racontait. J'ai eu un coup de téléphone assez spécial d'un Américain. Un certain Mr Finzi. Il dit te connaître.

– C'était mon patron à New York, Mère.

– Oui, eh bien il veut venir te voir. Ici. Tu imagines ? »

J'éprouvai pour la première fois depuis des lustres une véritable excitation. Je me sentis de nouveau entièrement vivante pendant un instant.

229

« Je n'y vois aucun inconvénient, répondis-je en réprimant un sourire. Ça me fera de la distraction. »

Cleve vint donc à Persimmon Hall un mercredi matin de juin. Vêtue de ma robe de chambre à motifs écossais, j'étais assise sur mon banc à regarder la mare aux nénuphars et les South Downs au-delà, quand je le vis arriver par le sentier qui partait du bâtiment principal, escorté par une infirmière.

Je ressentis ce vieil élan du cœur, ce léger frisson dans la colonne vertébrale, puis je me ressaisis.

Il portait un costume trois-pièces bleu marine et une cravate rouge vif, retenue à sa chemise par son habituelle pince. Son épaisse chevelure était plaquée par de la gomina et il avait l'air très bronzé, comme s'il rentrait d'une croisière de plusieurs semaines sur un océan ensoleillé. Incroyablement beau, songeai-je. Trop beau, même, ça en devenait ridicule.

Il posa un baiser sur ma joue et s'assit près de moi sur le banc pour me regarder de près, me jauger.

« Je peux te prendre la main ?

– Cela ferait jaser tout le monde ! Mais bon, vas-y, courons ce risque. »

Il enserra ma main entre les deux siennes.

« Tu as l'air en forme, Amory. Quoique un peu trop amaigrie, je dois le dire.

– Merci. Ce n'est pas vrai, mais tu as bien tourné ton compliment. Toi, en revanche, tu as bonne mine à un point, c'est honteux. »

Nous discutâmes de ma santé, de la perplexité générale concernant mon état. Je lui expliquai que j'avais été examinée par une dizaine de médecins, que j'avais passé des radios, que je suivais un traitement de fer concentré sous forme de comprimés, mais que quelque chose de très grave s'était produit pendant mon agression, avec ce dernier coup de pied de Lenny Nez-Camus, et que mon corps ne s'était toujours pas remis de ce profond traumatisme.

Il eut l'air à la fois consterné et blessé. Il se leva, enfonça les mains dans les poches de son pantalon et se mit à faire les cent pas.

« Amory, il faut que je te l'avoue : j'ai le sentiment que tout cela est de ma faute.

– Ne sois pas ridicule.

– C'est moi qui t'ai donné l'ordre de couvrir cette manifestation. J'ai même insisté. Regarde ce qui s'est passé dans le monde depuis. Cet événement n'était pas si important. Pourquoi étais-je à ce point-là obnubilé ?

– Tu ne pouvais pas savoir. C'était juste la faute à pas de chance. Et si j'avais été renversée par un bus, tu t'en voudrais aussi ?

– Tout ça vient du fait que tu avais un appareil photo à la main.

– Si j'étais passée par une autre rue, ça ne serait pas arrivé. Je n'ai pas eu de chance, voilà tout. »

Il s'assit de nouveau et me reprit la main.

« Je te remercie de dire ça, mais je ne peux pas m'empêcher de penser que ma… que mon insistance… que mon injonction…

– N'a rien à voir là-dedans. »

Il se détendit, sourit, m'embrassa sur le front.

« J'ai le droit de fumer ici ?

– Du moment que tu me laisses tirer une bouffée. »

Il partagea une cigarette avec moi, puis m'annonça qu'il voulait m'envoyer un spécialiste de Londres, un éminent gynécologue, car mon régime de mets blancs et de pilules au fer ne lui semblait pas à la pointe de la médecine et risquait, selon lui, de ne pas suffire.

« Oui, bien sûr, acceptai-je. C'est très gentil de ta part. »

Avant de partir, il me dit : « Dès que tu es sur pied, on rouvre les bureaux. On te remet au travail. On te remet à la photo. »

Sir Victor Purslane, qui avait présidé à la naissance de quelques dizaines de rejetons de membres mineurs de la famille royale et d'aristocrates de tout premier plan, prenait vingt guinées la demi-heure pour une consultation dans son cabinet de Wigmore Street. Très grand, très mince, il marchait avec cette légère voussure qu'affectent les hommes dégingandés. Il avait le crâne chauve, et ses cheveux gris sur les tempes étaient rejetés en arrière par-dessus ses oreilles, formant ainsi deux ailes huileuses. Élégant, chèrement vêtu, poli à l'excès, il lui manquait la beauté – il avait de petits yeux bouffis et chassieux.

Il fut escorté jusqu'à ma chambre par une garde d'honneur composée de deux infirmières et du docteur Wellfleet, le directeur de Persimmon Hall. Un grand ponte avait daigné descendre en province ; leur obséquiosité frôlait le grotesque.

Il procéda à un examen complet, interne et externe, étudia mes radios, consulta mon dossier du London Hospital à Whitechapel et les bilans quotidiens de Persimmon Hall. Si généreux qu'avait pu être le défraiement que sir Victor avait reçu de Cleve, je percevais en lui l'envie de partir dès que le permettrait la décence : il résistait vaillamment à la tentation de consulter sa montre de gousset accrochée à une chaîne en or et rangée dans la poche de son gilet. Persimmon Hall n'était pas son habitat naturel.

Sir Victor finit quand même par regarder sa montre avec un soupir.

« Miss Clay, vous allez être déçue, annonça-t-il.

– Décevez-moi donc, sir Victor.

– Je ne sais pas ce qui ne va pas. Je ne sais pas pourquoi vous faites de telles hémorragies.

– Ah.

– Le traumatisme que vous avez subi en est la cause, mais ça, vous le savez aussi bien que moi, sinon mieux, dit-il avant d'ajouter, l'air soudain mal à l'aise : La médecine moderne et ses exploits... Nous pensons tout comprendre du corps humain, nous pensons avoir percé tous ses mystères, mais en fait, je crois que nous le connaissons très mal. »

Il sortit de sa poche un petit étui en argent repoussé et préleva une des cinq cigarettes qu'il contenait, puis l'alluma avant de poursuivre :

« La semaine dernière, j'ai assisté à la naissance d'un petit garçon de trois kilos six en pleine santé. Il est mort hier. Je ne sais absolument pas pourquoi.

– "Il y a plus de choses dans le ciel et sur la terre, Horatio..."

– "Que dans toute votre philosophie." Tout juste. »

Il se leva, plaça la paume de sa main sur mon front et lissa mes cheveux vers l'arrière. C'était un geste spontané, impulsif, peut-être déclenché par son souvenir de la mort inexplicable de ce bébé, et le voilà qui se retrouvait confronté à un autre mystère. Dès qu'il eut pris conscience de ce qu'il faisait, il retira prestement la main.

« Il vous faut du temps, miss Clay. Beaucoup de temps. Vous allez guérir, mais c'est votre propre corps qui devra faire tout le travail. Nous autres médecins ne pouvons vous aider avec nos médicaments. Je n'ai aucune idée du temps que cela prendra, mais, dans quelques mois, j'imagine, vous commencerez à vous sentir réellement mieux. Vous le saurez. Vous êtes une jeune femme dans la force de l'âge. La nature va opérer son traitement.

– Merci.

– Ne me remerciez pas. Ça, c'était la bonne nouvelle. Et maintenant, la mauvaise.

– La mauvaise ? m'inquiétai-je.

– Mon opinion est que, suite aux sévères blessures internes subies lors de votre agression, vous ne pourrez jamais porter d'enfant. »

Je le regardai d'un air ahuri. Je n'avais pas envisagé ce problème ne serait-ce qu'un seul instant.

« Vraiment ? Vous en êtes sûr ? demandai-je d'une voix faible, me sentant soudain brûlante.

– L'hémorragie chronique, la coagulation du sang observée pendant les premières semaines... Tout suggère une infertilité irréversible.

– Bien, dis-je, les larmes aux yeux. Je vais devoir y penser. L'accepter.

– Oui, je comprends. Et maintenant, il faut vraiment que j'aille attraper mon train. »

Il me serra la main de façon très formelle et repartit.

*

* *

JOURNAL DE BARRANDALE, 1977

Aujourd'hui, j'ai eu droit à un de ces étranges épisodes méditerranéens dont jouit parfois la côte ouest de l'Écosse. Un ciel d'azur immaculé, pas le moindre souffle de vent, un soleil de plus en plus chaud, des ombres découpées au rasoir. Il ne manquait que les cigales… J'ai emmené Flam à la petite baie et j'ai pique-niqué sur place. Sandwich au fromage, pomme, carré de chocolat, et gin-tonic gardé au frais dans une thermos.

Quand je repense à ma consultation avec sir Victor Purslane et à son pronostic, je me rappelle encore le choc ressenti, mais la conséquence la plus curieuse de sa visite fut l'arrêt presque immédiat de l'hémorragie. Deux jours ont passé, puis quatre, puis six, sans que je saigne. Il avait raison sur un autre point : je sentais le changement en moi. Quelque chose s'était produit, une page avait été tournée, je le savais, et j'ai commencé à me sentir mieux, lentement mais sûrement. Moins fatiguée, j'ai recouvré mon énergie naturelle et j'avais envie de manger des aliments colorés. Ma perte de poids s'est interrompue, et mon visage pâlot a un peu retrouvé sa bonne mine disparue.

Dido est venue me rendre une de ses rares visites un jour, en apportant en main propre son bouquet hebdomadaire.

« Mon Dieu ! Qu'est-ce qui t'est arrivé ? Tu respires la santé. Il faut absolument que tu sortes de cet endroit affreux. »

Et je suis donc rentrée à la maison à Beckburrow, où j'ai récupéré mon ancienne chambre. Une infirmière a été engagée pour s'occuper de moi, mais elle est restée moins de quinze jours car elle n'avait rien à faire. Je me suis mise à manger la même chose que le reste de la famille, tourte au bœuf, poulet rôti, brocolis, crumble aux framboises, et j'effectuais des promenades de plus en plus longues avec mon père, jovial et souriant en permanence.

Mes parents avaient été informés de mon infertilité par une lettre manuscrite de sir Victor. Il n'y avait guère eu d'effusions. De fait, ma mère (mère de trois enfants) m'a dit très posément un jour, alors que nous étions seules : « Tu finiras peut-être par trouver que c'est un mal pour un bien, ma chérie. »

Xan était souvent à la maison pendant ma convalescence, je m'en souviens. Contre toute attente, il avait intégré Balliol College, à Oxford. Après des années de médiocrité crasse, il avait connu une bouffée soudaine d'énergie intellectuelle, comme si un barrage s'était rompu, et obtenu d'excellents résultats à son examen de fin d'études secondaires. Il est allé passer son entretien à Balliol vêtu d'un costume jaune poussin avec nœud papillon assorti. Quand on l'a interrogé sur ses ambitions, il a dit vouloir devenir poète. Il a obtenu une bourse de cent livres.

J'ai retrouvé un certain intérêt pour les affaires de ce monde. J'écoutais la TSF, je lisais les journaux. J'ai appris que l'Allemagne avait annexé l'Autriche, qu'une météorite de cinq cents tonnes s'était écrasée près de Pittsburgh en Pennsylvanie, qu'on venait d'inventer un café « instantané », qu'Orson Welles avait provoqué la panique générale avec une adaptation radiophonique de *La Guerre des mondes*.

Mon père, quant à lui, vivait dans l'instant, dans l'ici et le maintenant. Sa lobotomie (car telle était bien l'opération qu'il avait subie) ne paraissait pas l'avoir trop changé, à première vue. Il était constamment de bonne humeur, mais avait perdu tout intérêt pour son ancienne profession, pour le monde des lettres : il n'écrivait plus un mot, ne lisait plus un mot. Toute sa vie intellectuelle semblait se concentrer sur les problèmes d'échecs en deux coups : il les inventait, les peaufinait, les testait et les envoyait aux journaux ou aux revues spécialisées. Et il avait perdu toute notion de ponctualité. Il arrivait pour le déjeuner à 17 h 30, ou bien se présentait à un rendez-vous chez le dentiste à Brighton avec trois jours de retard. Je l'ai une fois attendu à la gare de Lewes pendant deux heures (il devait venir me récupérer en voiture). J'ai téléphoné à Beckburrow, pour apprendre qu'il était parti me chercher juste après le petit-déjeuner. Personne n'avait la moindre idée de ce qu'il avait fait ni d'où il était allé quand il est rentré à la maison peu avant minuit ; il nous a juste dit avec un sourire qu'il était passé me prendre à la gare mais que je n'y étais pas. Il jardinait avec ferveur et faisait de longues promenades dans les Downs, un petit échiquier de voyage coincé dans la poche de sa veste. Son monde s'était beaucoup rétréci, mais il s'y sentait parfaitement bien.

Vers la fin de l'année, Cleve m'a envoyé une longue lettre (je lui avais écrit pour l'informer de l'amélioration de ma santé, mais pas du pronostic de sir Victor). Les bureaux londoniens ne rouvriraient pas, m'expliquait-il, en avançant les excuses classiques : les finances, la crise économique mondiale, les difficultés de la presse américaine, le déclin des magazines, la priorité accordée à d'autres secteurs en expansion... Mais il voulait que je rencontre une de ses amies, Priscilla Lucerne, qui allait venir à Londres au début de la nouvelle année. Il nous arrangerait un rendez-vous, car il pensait que cela serait très intéressant pour moi.

En février 1939 est arrivée la lettre de Priscilla Lucerne, qui comptait séjourner une semaine à l'hôtel Claridge's avant de poursuivre son voyage vers Paris. Elle serait ravie de m'inviter à prendre le thé. Je suis donc montée à Londres la retrouver au Palm Court. C'était une petite femme toute mince d'une quarantaine d'années, très élégante, dont les cheveux teints en noir corbeau formaient une frange courte sur le front. Elle portait un rouge à lèvres d'un écarlate profond et utilisait un fume-cigarette de trente centimètres de long. Elle n'a pas réussi à cacher sa déception quand il s'est fait jour que je n'avais jamais entendu parler d'elle, sinon par Cleve. Elle a aussitôt éclairé ma lanterne : elle était la rédactrice en chef d'*American Mode*, et elle voulait m'offrir un poste de photographe salariée.

J'y ai reconnu la main de Cleve Finzi, son sentiment de culpabilité à l'œuvre, qui essayait de me rendre la vie meilleure après le désastre de *Global-Photo-Watch*.

« Mais je ne suis pas photographe de mode, ai-je objecté.

– Cleve Finzi me dit que vous êtes une excellente photographe et c'est tout ce qui m'intéresse, m'a-t-elle répondu en enquillant une autre cigarette dans son fume-cigarette sans me quitter des yeux. Soyons honnête, chère Amory. Photographier un mannequin tombe

236

largement dans la limite de vos capacités. Vous savez comment éclairer une prise de vues intérieure, je suppose.

– Oui, bien sûr.

– Nous choisissons le mannequin, la tenue, le lieu, et même parfois la pose. Je suis sûre que vous vous en sortirez à merveille. »

Que pouvait-elle bien devoir à Cleve Finzi, quelle dette soldait-elle en m'offrant cette chance ? Elle ne semblait pas follement enthousiaste, elle n'a même pas cherché à voir mon portfolio. Je lui ai demandé un peu de temps pour réfléchir, en expliquant que je me remettais à peine d'une longue maladie.

« Prenez tout le temps qu'il vous faut, ma chère », a-t-elle dit avec un grand sourire creux, satisfaite d'avoir accompli son devoir.

J'y ai réellement réfléchi, pendant plusieurs semaines, tout en recouvrant mes forces au point de me sentir à nouveau moi-même. Cleve m'a écrit pour me convaincre. Comme rien d'autre d'intéressant ne se profilait à l'horizon et qu'il fallait bien que je gagne ma vie, j'ai fini par répondre à Priscilla Lucerne que j'acceptais sa généreuse proposition. Il y a eu des formalités à régler, il y a eu les habituels retards administratifs, mais, à l'été 1939, je me suis embarquée une fois de plus pour les États-Unis d'Amérique en laissant derrière moi une Europe au bord de la guerre.

4

Le Capitaine*

Nous avions passé la matinée dans Central Park, côté ouest, à la hauteur des rues autour de 80th Street, à faire des photos en extérieur comme si nous étions à la campagne, et l'après-midi nous étions allés dans un studio de location sur 7th Avenue dans le Garment District. Je prenais des photographies pour la rubrique « Sur le départ » d'*American Mode*. Les deux ou trois dernières pages du magazine présentaient des tenues « accessibles » conçues par des couturiers américains inconnus, ajoutées en fin de numéro pour les lectrices qui ne pouvaient se permettre des vêtements français – même si, de toute façon, on n'en trouvait plus beaucoup maintenant que la guerre battait son plein. C'était là mon pain quotidien. Je n'appréciais pas particulièrement et je n'y excellais pas vraiment, pour être honnête, mais cela me permettait de gagner ma vie et mon nom n'était jamais crédité.

De même, les mannequins que nous utilisions pour ces pages n'étaient pas les plus connues, parfois un peu sur le retour, heureuses d'accepter une réduction de leur cachet habituel du moment qu'elles décrochaient du travail. Le mannequin que j'avais photographié à Central Park s'appelait Kitty Angrec. Trentenaire comme moi, elle se satisfaisait comme moi d'être une fille des dernières pages.

Je la fis poser devant un rouleau de papier grand format magenta éclairé par un spot de cinq cents watts avec une lampe

238

photoflood n° 1 à réflecteur argenté. Je savais que le résultat serait très bien, mais je n'avais pas le cœur à l'ouvrage, et elle non plus. Nous commencions à fatiguer, toutes les deux, après cette longue journée. Je confiai à mon assistant, Todd (ils changeaient constamment, ces jeunes), le soin de sortir la pellicule de l'appareil, de l'étiqueter et de l'envoyer aux labos d'*American Mode*, puis je suivis Kitty dans la loge pour partager un verre et une cigarette.

Kitty était une fille grande et élancée à laquelle il ne manquait pas beaucoup pour être une vraie beauté. Cette étrange géométrie propre à chaque visage (le rapport entre les yeux, le nez et les lèvres) réussissait simplement à la rendre jolie. Elle avait la lèvre supérieure un peu trop large, les sourcils un tantinet décalés par rapport aux cils… J'essayai d'analyser la chose mais n'arrivai pas à mettre le doigt sur le petit rien qui clochait. Chacune alluma sa cigarette. Je sortis une bouteille de rhum et nous en versai dans des gobelets en carton. Kitty commença à se changer.

« Tu veux qu'on sorte ce soir, Amory ? J'ai une baby-sitter. »

Kitty avait un fils de trois ans dont le père servait dans la marine américaine.

« Pourquoi pas ? Qu'est-ce que tu veux faire ? »

Elle se déshabilla pendant que nous en discutions. Elle ôta sa jupe pour révéler des bas résille et des escarpins. Alors qu'elle s'extirpait de sa combinaison, elle lâcha sa cigarette et se baissa pour la ramasser.

« Ne bouge pas ! » dis-je.

Je filai chercher mon appareil, un Rolleiflex que je récupérai auprès de Todd.

« Tu ne l'as pas encore vidé ? »

– Non, miss Clay. »

Je retournai vite dans le vestiaire et allumai toutes les lumières.

« Refais ce que tu viens de faire, demandai-je à Kitty. Baisse-toi comme si tu ramassais ta cigarette. »

239

Elle se pencha en pliant les genoux comme si elle cherchait à attraper une cigarette imaginaire. Clic.

Le cliché qui en résulta fut ma meilleure photographie de mode, à mon humble avis, parmi les centaines que je réalisai pour *American Mode*. Prise en dix secondes avec l'éclairage disponible dans la pièce. Je la fis tirer et l'apportai à Priscilla le lendemain.

« Joli ! dit-elle. Mais je ne peux pas la publier dans *American Mode*.

– Pourquoi pas ?

– Nous ne sommes pas *Harper's Bazaar*, nous ne sommes pas *Vogue*. Nous sommes *American Mode*, et ça change tout, expliqua-t-elle en me rendant mon tirage. Bien essayé, Amory, mais c'est trop… provocant. Cette photo aurait été parfaite pour votre exposition scandaleuse, mais pas dans mon magazine, désolée. »

Je ruminai sa dernière phrase en rangeant la photo dans son enveloppe brune.

« Comment êtes-vous au courant, pour mon exposition ? C'était il y a des années.

– Cleve Finzi m'en a parlé. »

La Cleve Connection, une fois de plus.

« Bon, j'aurai tenté ma chance, en tout cas.

– Continuez votre travail comme vous le faites, Amory, dit Priscilla en commençant à farfouiller dans les papiers posés sur son bureau. Nous sommes tous très contents de vous. »

Il ne me fallut pas longtemps pour comprendre que je n'avais rien d'une photographe de mode. Je regardais régulièrement les clichés que je réalisais pour *American Mode*, et je n'y voyais que rigidité, faux-semblants, affectation… médiocrité. Les quelques instantanés que je prenais des mannequins quand elles se changeaient, buvaient un café ou discutaient à la fin d'une séance me paraissaient mille fois plus vivants. Sauf que personne n'en voulait.

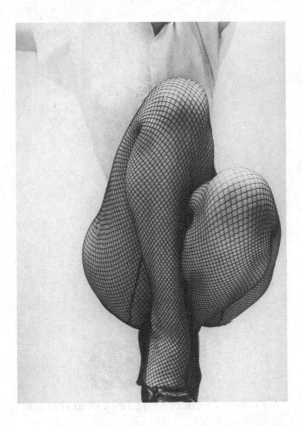

Mais je m'acquittais dûment des missions que l'on me confiait, et je vivais cette vie agréable que les États-Unis permettent si aisément. Je gagnais trois cents dollars par mois, et j'habitais dans l'Upper East Side (je n'avais pas voulu retourner à Greenwich Village). J'allais bien, j'avais repris du poids, mes cheveux étaient brillants. Aucune perte de sang hormis à l'occasion une petite trace ou une tache sur ma culotte. Mes règles n'avaient jamais repris, comme l'avait prédit sir Victor. Certains mois, je ressentais les douleurs habituelles, les sensations, les démangeaisons, les changements d'humeur, mais rien ne se passait. La botte en cuir de Lenny Nez-Camus avait fait son œuvre.

Le temps passant, il m'arriva de me demander pourquoi j'étais revenue à New York. L'explication principale en était que ce retour

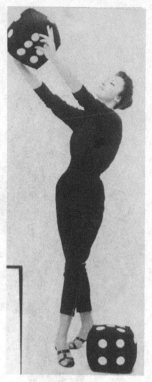

Les années American Mode. *Le meilleur et le pire.*

symbolisait le retour de ma santé, raisonnais-je. Mon ancienne vie avait repris, Amory Clay faisait de nouveau de la photo et elle était payée pour ça, même s'il me paraissait étrange de résider en Amérique alors que l'Europe était en guerre. Je lisais les journaux, j'écoutais les informations à la radio, je recevais des lettres de la maison, et je me mis à envoyer des colis de nourriture à Beck-burrow. La réalité indéniable de la guerre se trouvait néanmoins reléguée très loin à l'arrière-plan.

Le matin, je quittais mon appartement au coin de 3rd Avenue et de 65th Street et marchais jusqu'au métro, achetant au passage un quotidien où je lisais des articles sur le Blitz, la prise de Singapour par le Japon, la reprise de Tobrouk par l'Afrika Korps, le triomphe de la marine américaine dans la mer de Corail, mais comme j'aurais étudié un chapitre dans un vieux manuel d'histoire. Ici, Manhattan brillait de tous ses feux, l'abondance américaine coulait à flots et les distractions ne manquaient pas.

Bien sûr, la véritable raison de mon retour était Cleveland Finzi. Notre liaison reprit à peine deux semaines après mon arrivée. Ce n'était plus comme dans nos jours d'insouciance passée, sans même parler de mon angoisse lors de notre première relation sexuelle, la première depuis mon accident, mais heureusement tout se déroula bien. Pas de douleur, juste du plaisir. Ma libido fonctionnait normalement.

Je me sentais peut-être la même, mais Cleve avait changé. Sa vigilance extrême frôlait la paranoïa. Nous devions nous rencontrer dans des conditions de secret que n'eût pas reniées un maître espion.

« Frances ne sait même pas que tu es de retour, m'expliqua-t-il quand je me plaignis de toutes les mesures de sécurité ridicules que nous étions obligés de prendre pour couvrir nos traces. Si elle l'apprenait, ça l'achèverait.

– Ce serait un bon début ! Désolée, ce n'était pas drôle. »

Nous étions allongés dans mon lit, à boire un scotch-soda. Nous venions de faire l'amour. C'était l'heure du déjeuner.

« Elle ne doit jamais apprendre que tu es à New York, insista-t-il. Tu n'imagines même pas les conséquences que cela aurait.

– D'accord, dis-je en tendant le bras pour attraper une cigarette. Message bien reçu. »

Je ne voulais plus parler de Frances Moss Finzi. Cleve trouva un briquet et alluma ma cigarette, puis la sienne.

« Il faut qu'on soit très prudents, Amory. Très prudents.

– Bien sûr. Je ne voudrais pas mettre en péril ton heureux mariage. »

Il sembla se détendre quand je prononçai ces mots, comme si je l'avais dit sérieusement.

« Mais tu es là, et tu es en bonne santé, et on est ensemble. C'est ça l'essentiel. »

Il me serra dans ses bras et m'embrassa, et je sentis mes poumons enfler et ma tête tourner, comme toujours. Il me faisait cet effet-là, Cleve. Il réussissait encore à m'émouvoir et à me troubler, quel que fût le degré de la culpabilité qu'il ressentait ou s'imaginait pouvoir faire taire, quel que fût le degré de mon agacement ou de ma frustration face à sa complaisance égocentrique. Je le voyais pour ce qu'il était, mais je ne pouvais pas lui résister. Ou du moins, pour être plus précise, je ne pouvais pas me donner le mal de lui résister. Peu m'importait : j'étais en mode *carpe diem*. Je me le devais, me disais-je, en récompense de tout ce que j'avais enduré depuis ce jour terrible de l'Émeute de Maroon Street. Si je n'étais pas complètement heureuse, je n'étais pas complètement malheureuse, en tout cas, et il fallait que j'apprécie la situation à sa juste valeur.

Le cataclysme de Pearl Harbor fut un bouleversement instantané, tel un énorme système météorologique balayant tout le pays. La pression atmosphérique changea, les baromètres sociaux s'affolèrent. À New York, j'eus l'impression qu'on nous imposait soudain de devenir sérieux et responsables. Les vacances prolongées étaient finies, le devoir nous appelait, le monde en conflit venait frapper à notre porte. C'était comme si la nation avait grandi collectivement pour devenir adulte du jour au lendemain.

Je reçus des lettres enthousiastes de ma mère et de Dido. Enfin ! Enfin ! Pourquoi avoir tant tardé ? En ce qui me concernait, malgré ma joie face à ce changement dans l'équilibre des forces en présence, l'effet majeur de l'attaque-surprise de la flotte américaine par les Japonais à Hawaii fut le retour de Jean-Baptiste Charbonneau dans ma vie.

J'étais dans mon appartement, un samedi après-midi de janvier 1942, quand le téléphone sonna.

« Amory Clay ?

– C'est moi-même.

– Je n'y crois pas ! *Putain !**

– Qui est à l'appareil ?

– Charbonneau, qui veux-tu que ce soit ? »

En souvenir de notre premier dîner, nous convînmes de nous retrouver au Savoy-Plaza le lendemain soir. J'arrivai volontairement en avance et m'assis dans le hall en l'attendant, de bonne humeur, impatiente. Peut-être Charbonneau était-il ce dont j'avais besoin, maintenant : un véritable ami.

Un grand moustachu mince portant un uniforme militaire inconnu passa la porte à tambour et regarda autour de lui. Était-ce lui ? Oui ! Charbonneau, soldat ! Impossible ! Il me repéra et se dirigea vers moi en ouvrant grand les bras. Après une étreinte, il me prit la main et inclina la tête sans l'embrasser pour un baisemain à la française, formel et symbolique. Puis il me serra de nouveau dans ses bras et je le sentis se coller à moi de façon un peu trop familière. Je le repoussai.

« Hé ho, du calme !

– Tu es magnifique.

– Et toi, très bizarre.

– Je suis capitaine dans les Forces françaises libres. Tu devrais me saluer. »

Il recula d'un pas pour m'inspecter de pied en cap, comme un fermier son bétail.

« Oui. Tu as les cheveux plus courts. Et tu as perdu du poids.

– Toi aussi. J'ai été malade assez longtemps, mais maintenant je vais mieux.

– Et moi, j'ai échappé aux Nazis. »

Une fois dans la salle de restaurant, il nous fallut essayer trois tables différentes avant que Charbonneau soit enfin satisfait. Il commanda une bouteille de champagne et une de château duhart-milon 1934 à faire décanter pour accompagner le plat principal.

Il leva sa coupe et me sourit.

« J'ai l'impression de revivre, Amory. Comme si rien ne s'était passé depuis la dernière fois où nous avons dîné ici. »

L'ironie de la chose ne nous échappa pas. Le siècle galopait de l'avant sans nous attendre.

Puis il me raconta la défaite de la France, la fuite de Paris à Bordeaux, où le gouvernement provisoire avait établi sa capitale pendant deux semaines. Après l'Armistice, Charbonneau avait pensé rester en France, mais il avait jugé qu'il valait mieux tenter sa chance à l'étranger, donc il était parti en Espagne, puis au Portugal.

« Lisbonne est une ville intéressante, dit-il d'un ton songeur. Je t'y emmènerai un jour. »

Début 1941, il avait rallié Londres en hydravion pour s'enrôler dans les Forces françaises libres du gouvernement en exil de De Gaulle.

« Eh oui. Et quand je suis arrivé à Londres, je t'ai cherchée. Je suis allé à ton petit appartement. Fermé. Pas d'Amory.

– J'étais déjà ici.

– Et nous voilà maintenant tous les deux à New York, dit-il en se carrant dans son siège. La vie est décidément étrange.

– Cet uniforme ne te va pas très bien.

– Les FFL sont une armée sans moyens. Mais on m'a conseillé de le porter pour être pris au sérieux. Celui-ci, je l'ai emprunté. Même ces médailles ne sont pas à moi. »

Il pointa du doigt la rangée de rubans sur sa poche de poitrine gauche. Puis il eut un air amer et termina son champagne cul sec.

« On n'aime pas beaucoup les Frenchies, à Washington. Roosevelt déteste de Gaulle, Churchill déteste de Gaulle. Mes compatriotes ne comprennent pas. Ne sommes-nous pas alliés ? Eh bien il faut croire que non, répondit-il en nous reservant du champagne. Un fonctionnaire américain du Département d'État m'a dit : "De Gaulle n'est qu'un général de brigade dans l'armée française, pourquoi devrions-nous lui donner tout cet argent, tout ce

soutien ?" Amory *ma puce**, c'est un vrai problème, crois-moi »,
se plaignit-il en fronçant les sourcils.

Notre plat arriva, là encore en hommage au passé : steak saignant et salade de tomates. Charbonneau nous versa le duhart-
milon.

« Viande américaine, vin français, beauté anglaise... Le monde
est en guerre, mais la vie est belle. »

Après avoir trinqué et bu une gorgée, il me prit la main. Je savais
ce qui allait arriver.

« J'ai l'impression que c'était écrit, que c'était notre destin, de
nous retrouver comme ça, commença-t-il à mi-voix en me regardant
dans les yeux. Je veux passer le reste de la nuit avec toi. Je n'ai
pas envie de te dire des bêtises romantiques, de débiter ces âneries
pendant des heures. Je te respecte trop, je te le dis carrément, Amory,
en toute franchise*.

– Non.

– Pourquoi non ? s'étonna-t-il, l'air sincèrement contrarié.
Qu'est-ce qui ne va pas, chez moi ?

– Rien du tout, mais j'en aime un autre. »

Il se marmonna quelque chose à lui-même en français, puis
poussa un soupir et me regarda.

« Je t'aurai un jour, Amory. Attends un peu. »

J'éclatai de rire.

« Mange ton steak, *mon capitaine**. Ça refroidit. »

Je me rappelle précisément où j'étais quand j'ai appris la nouvelle
de Pearl Harbor : dans un petit café sur 6th Avenue, où je prenais un
déjeuner tardif, sandwich au bœuf et soda Dr. Pepper (mes goûts
s'américanisaient). C'était un dimanche matin à Hawaii, et les premiers reportages catastrophés arrivaient par radio sur la côte Est.
Dans le restaurant soudain silencieux, tous les clients se sont mis
à regarder la TSF posée sur le comptoir comme s'il s'agissait d'un
machiavélique instrument de propagande.

« John Jack Anthony ! s'est écrié quelqu'un au fond de la salle
– un juron américain que j'entendais pour la première et la dernière
fois de ma vie. Qu'est-ce qui va se passer maintenant ? »

Je me rappelle que Dido est venue à New York vers la fin de
1941 pour donner un récital à Carnegie Hall, dans le cadre d'une
grande campagne de soutien à l'engagement américain aux côtés
des Britanniques. Au programme, musique anglaise : Elgar, Delius,
Moxon, Vaughan Williams.

Après son récital, elle m'a emmenée au 21 Club, où les clients se
sont levés pour l'applaudir à son entrée. Ma petite sœur de vingt-
sept ans, ma mère courage, toute pâle, si belle, pleine d'assurance,
qui envoyait des baisers alentour et acceptait ces acclamations avec
une modeste révérence. Une nouvelle incarnation de Britannia. J'ai
reculé de quelques pas pour ne pas être au centre de l'attention.

Au menu : œufs Bénédicte et chablis frappé.

« J'ai l'impression d'être dans un autre monde, un autre univers,
m'a-t-elle confié. Le voyage pour venir a été un vrai cauchemar. Et
si tu voyais Londres ! Le couvre-feu, les ténèbres impénétrables. Et
quand le soleil se lève, des ruines fumantes partout. Les gens ont
peur, ils sont malheureux. Essaie donc d'acheter une boîte d'allumettes. Impossible. Les gens te disent : "Mieux vaut être mort que
vaincu." C'est atroce. »

Elle a jeté un regard circulaire dans la salle illuminée et bruyante.

« On est en train de perdre, Amory. On ne va pas gagner tout
seuls, pas même avec les Russes – de toute façon, ils ne vont plus
tenir très longtemps, maintenant. C'est ça qui nous terrifie, a-t-elle
dit avant de baisser la voix. Pourquoi les Américains ne participent
pas ? Qu'est-ce qui les retient ? Ils ne voient donc pas le danger
épouvantable ?

– C'est très compliqué. Quand tu auras passé ne serait-ce qu'un
jour ou deux ici, tu commenceras à comprendre. Ce qui se passe
en Europe paraît à des millions de kilomètres. Ça n'a rien à voir
avec nous.

– Je vais reprendre des œufs Bénédicte. Ça fait très glouton, non ? Des œufs, des œufs, des œufs ! Quel régal ! »

J'ai hélé un serveur pour commander une deuxième tournée d'œufs et une autre bouteille de chablis.

« Au fait, a commencé Dido en s'allumant une cigarette. Tiens-toi bien, Xan s'est engagé dans la Royal Air Force. »

Je me rappelle avoir été envoyée par *American Mode* faire une séance photos à Taos, au Nouveau-Mexique, en janvier 1942, juste avant mes retrouvailles avec Charbonneau. Les photos n'étaient pas destinées à la rubrique « Sur le départ », mais allaient constituer le fil rouge du numéro spécial mode de l'été, donc nous avions besoin de soleil. J'ai supposé que Priscilla n'avait pas pu trouver de photographe un tant soit peu renommé et en avait donc été réduite à me confier cette mission. Il a plu toute la semaine, et aucune de mes photos n'a été retenue. J'ai proposé ma démission, qui a été acceptée, puis rejetée vingt-quatre heures plus tard. Cleveland Finzi gérait ma vie, une fois de plus.

Ce que cet incident m'a appris était qu'il fallait que j'arrête de photographier des jolies filles vêtues de robes coûteuses. J'ai décidé de fouiller dans mes petites archives pour essayer de réunir une collection de mes œuvres, de celles dont j'étais fière. Il n'y avait pas grand-chose. Alors je me suis remise à prendre des photos, une série que j'ai baptisée « Absences » : des assiettes propres sur une table de cuisine, des chaises vides sur le sentier en gravier d'un jardin public, un chapeau et une écharpe accrochés à un portemanteau… La présence humaine était absente, mais ses traces demeuraient. J'ai cru avoir puisé mon inspiration dans mon sentiment de solitude en Amérique, loin de chez moi, mais, en y réfléchissant, je me suis rendu compte que ces photographies de lieux vides ou récemment abandonnés renvoyaient peut-être à mon infertilité. À cette absence qui dominait mon existence.

Je me rappelle être allée au grand magasin Saks Fifth Avenue, avoir acheté un tailleur gris à carreaux verts pour trente-cinq dollars et l'avoir gardé sur moi pour me rendre directement à l'Algonquin Hotel retrouver Cleve. Nous avons bu des cocktails, puis nous sommes montés dans la chambre qu'il avait réservée et nous avons fait l'amour. Ce soir-là, nous sommes allés voir un film, *Dark November*, et dîner chez Sardi's avant de retourner à l'Algonquin. Alors que nous rentrions à pied dans les rues pleines de soldats et de marins – l'Amérique en guerre ! –, je me rappelle m'être sentie particulièrement heureuse, comme si j'avais remporté un prix. Mais alors que je prenais conscience de ce bonheur, j'ai compris aussi que la vie n'allait pas pouvoir continuer ainsi. Pour tout le monde, le changement était dans l'air. Le monde entier changeait, moi y compris.

Je me rappelle le moment où j'ai su que tout était fini. Cleve et moi étions descendus dans un petit hôtel, le Sawtucket Inn, dans la baie de Cape Cod. Je ne l'avais pas vu depuis plus d'un mois, mais il avait réussi à nous organiser cette escapade de deux nuits sans que Frances n'en soupçonne rien. Il lui avait dit qu'il allait à l'enterrement d'un collègue et serait absent deux jours.

Nous étions au lit, ce matin-là, nous complaisant dans cette béatitude ouatée qu'on ressent quand on a fait l'amour au réveil et qu'on sait qu'on n'a pas à se lever pour aller travailler, ni pour aller nulle part si on n'en a pas envie, et qu'on envisage vaguement la possibilité de baiser encore avant de prendre un solide petit-déjeuner. Tu veux ? Quand pourrons-nous être de nouveau ensemble comme ça ? Je ne sais pas si j'en suis capable. Oh, tu vas en être très capable, laisse-moi faire…

La conversation banale s'est portée sur un film. Cleve s'est penché au-dessus de moi et a écarté mes cheveux de mon front. J'ai senti son pénis enfler contre ma cuisse. Il m'a embrassé le cou.

« C'est juste comme cette scène dans le film qu'on a vu, tu sais ? a-t-il remarqué. Quand Haden Frost regarde… Comment elle s'appelle, déjà ? Lucille Villars. C'était quoi, le titre ? Et on sait, on sait qu'ils vont finir au lit.

– Quel film ? » ai-je demandé en fronçant les sourcils.

Cleve m'a caressé les seins, m'a embrassé les tétons puis l'oreille droite.

« Mais enfin, tu l'as dit toi-même. L'échange de regards le plus sexy de toute l'histoire du cinéma.

– J'ai dit ça, moi ?

– Le plus sexy de toute l'histoire du cinéma, oui.

– Mais Haden Frost ne joue pas dans *Dark November*.

– Je sais bien. C'était dans *I Want Tomorrow*.

– Je n'ai pas vu ce film. »

Il ne m'écoutait pas vraiment. Fatale erreur.

« Mais on en a parlé pendant une demi-heure, ma chérie. Tu te rappelles ? On se disait que dans les films, ce genre d'échange de regards, si c'est bien fait, ça peut en dire plus que dix pages de dialogue. C'est le talent des acteurs qui... »

Il s'est arrêté tout net en comprenant. Je me suis relevée en position assise, le cerveau tournant à plein régime. Il s'est écarté de moi pour attraper ses cigarettes.

« Je n'ai jamais vu ce film, ai-je répété. Nous n'avons jamais eu cette conversation. »

Très fort, ce Cleve. Il n'a rien laissé paraître. Il a pris son temps pour allumer sa cigarette et m'a souri en haussant les épaules.

« Désolé, ça devait être avec Frances, alors.

– Sans doute. »

Je me suis blottie contre lui pour qu'il ne puisse pas voir mon visage et l'expression de choc qui devait s'y afficher. J'avais compris qu'il fréquentait quelqu'un d'autre. Frances n'allait jamais au cinéma à cause de son fauteuil roulant. Il y avait une autre femme dans la vie de Cleve Finzi. Nous étions donc trois.

*
* *

251

JOURNAL DE BARRANDALE, 1977

Aujourd'hui, déjeuner au Glenlarig Hotel avec Alisdair McLennan, le fils de Greer et Calder. Il est venu leur rendre visite avec ses deux enfants, qu'il leur confie le plus souvent possible. Il voulait me rencontrer pour parler du Vietnam, d'où ce déjeuner. Il a une trentaine d'années, de beaux cheveux d'un blond vénitien, un visage rond banal, des yeux bleu layette aux cils clairs, mais il séduit par la vigueur et le rayonnement de son intellect. C'est un de ces esprits à la curiosité permanente et aux opinions tranchées qui ont toujours quelque chose à dire sur tout. Il n'a jamais été à court de remarques pertinentes, que ce soit sur le volume quotidien d'algues échouées sur la plage, la manipulation du parti travailliste par les syndicats, le monopole des ferries sur la liaison avec les Hébrides occidentales, ou Anthony Eden, le meilleur Premier ministre de l'histoire du pays, tellement sous-estimé. Son cerveau surpuissant faisait feu de tout bois.

Il m'a fallu moins de deux minutes pour le prendre en grippe. Non pas en raison de son intelligence manifeste, mais parce qu'il est de ces hommes qui ne peuvent pas dissimuler leur attirance sexuelle, leur curiosité sexuelle, envers tout ce qui porte un jupon.

Alors que nous buvions un gin-tonic au bar de l'hôtel, j'ai bien senti qu'il me déshabillait du regard, qu'il passait en revue mes seins, mon visage, mes cheveux, mes vêtements. Et moi, du haut de mes soixante-neuf ans, je papotais tandis que son envahissante lubricité à tête chercheuse m'évaluait, puis me rejetait sans autre forme de procès. Peut-être est-ce un réflexe typiquement masculin, de jauger le potentiel sexuel de chaque femme rencontrée, je n'en sais rien, mais tous les hommes que j'ai connus veillaient à le faire discrètement, sauf si la rencontre se produisait avec une finalité charnelle avouée, bien sûr.

J'ai vu le radar sexuel d'Alisdair McLennan passer de mon corps à celui d'Isla, la jeune serveuse qui nous a apporté nos menus, une grosse fille quelconque, hormis des yeux caramel singuliers, et j'ai senti son intérêt lubrique oisif se promener sur elle quand elle a pris notre commande, comme le faisceau lumineux d'une torche invisible qui explorait, envisageait, et puis s'éteignait soudain. Aucun intérêt.

En conséquence, j'ai opté pour une attitude un peu sèche, un peu cassante, cynique, comme pour lui dire : j'ai repéré ton manège, mon gars, et ça ne marche pas. Mais je ne crois pas qu'il ait perçu ces subtiles nuances – ce genre d'homme ne les perçoit jamais. C'est une variante de l'égocentrique : ils n'ont jamais conscience que les autres les jugent.

Bref, nous avons vaguement parlé du Vietnam. J'ai dit que cela remontait à si loin que mes remarques ne seraient sans doute plus d'actualité.

« Vous avez eu des problèmes, quand vous étiez là-bas, non ? a-t-il demandé d'un ton dégagé en nous resservant du vin.

– Comment le savez-vous ? ai-je lâché, glaciale.

– Toute cette histoire avec les SAS.

– Vous n'avez pas répondu à ma question : Comment le savez-vous ?

– J'ai lu votre dossier.

– Quel dossier ?

– Tout le monde a un dossier quelque part, surtout quand on a vécu une vie aussi intéressante que la vôtre, a-t-il dit avec un sourire sans pouvoir cacher son sentiment de supériorité. Je travaille dans la diplomatie, alors j'ai accès aux dossiers. »

J'ai pris tout mon temps avant de répondre. J'ai bu une gorgée de bordeaux, j'ai reposé mon verre, je l'ai fait tourner un moment sur la nappe. Et puis j'ai regardé Alisdair droit dans les yeux.

« La fin des années 60, c'était une époque très compliquée. Tout le monde mentait. Tout était chamboulé.

– Oui, enfin, c'est de l'histoire ancienne », a-t-il commenté avec un sourire avant de changer de sujet.

J'ai aussitôt deviné que, même s'il allait officiellement à Saigon en tant que diplomate, il travaillait en réalité pour les services de renseignement. Un espion, ou un officier traitant. Voilà pourquoi il avait voulu me rencontrer.

« Vous avez toujours des contacts sur place, au fait ? m'a-t-il demandé plus tard en vidant la bouteille.

– Non, ils sont tous morts. »

5

Opération *Torch*

L'aspect troublant de la liaison que j'entamai avec Charbonneau fut que tout sembla normal presque d'emblée, comme si nous étions amants depuis des années, la seule question que je me posais étant de savoir pourquoi cela nous avait pris si longtemps.

Nous avions dîné ensemble deux ou trois fois, dès qu'il pouvait s'absenter de Washington pour venir à New York. Vers la fin de l'année, il m'appela, de fort méchante humeur, pour me dire qu'il avait besoin de fuir l'enfer de Washington et *sa foutue mission**. Dîner ? Choisis un nouveau restaurant français (forcément un restaurant français) et on le teste, comme on faisait avant. J'ai besoin de distraction. « Passe donc boire un verre chez moi avant, proposai-je. Je dénicherai un endroit sympa. »

Mon nouvel appartement se trouvait sur 65th Street, entre 3rd Avenue et Park Avenue. J'habitais au dernier étage d'une vieille maison de ville décrépite, avec une entrée privative sur le côté. Une dame très âgée et sa domestique occupaient le reste de la bâtisse, mais je les voyais rarement. Il était déjà arrivé que je reste deux mois entiers sans les croiser.

Charbonneau entra, ôta sa veste de capitaine trop grande pour lui et visita mon logement alors que je nous préparais des Manhattan. Je l'entendis ouvrir des placards et des tiroirs et faire couler l'eau dans la salle de bains, comme s'il envisageait de louer. Il revint au salon et je lui tendis son verre.

« Tu vas bien ? lui demandai-je. Tu as l'air un peu abattu.

– On va envahir l'Afrique du Nord demain. Le Maroc. Enfin, c'est vous qui allez envahir. Les Américains et les Anglais vont aller se battre contre des Français. *C'est bien déprimant**.

– Ils vont aller se battre contre les mauvais Français. Toi, tu fais partie des bons Français.

– C'est très compliqué.

– Tout est très compliqué, Charbonneau. La vie est compliquée. Tu me le répètes sans cesse.

– C'est top secret, alors n'en parle à personne.

– *Bon courage aux Alliés !** dis-je en levant mon verre.

– Tu as un accent épouvantable, mais j'approuve le message, commenta-t-il avec un sourire navré. Au moins, on a douze millions de soldats russes dans notre camp. Comment pourrait-on perdre, à long terme ? Qu'est-ce qui se passe, Amory ? demanda-t-il, l'air soudain mal à l'aise. Pourquoi tu me regardes comme ça ?

– Je te regarde, c'est tout. Un chat regarde bien un évêque.

– Tu nous as trouvé un restaurant ?

– Non.

– Ah parfait, alors on ne mange pas, s'emporta-t-il sans pouvoir cacher son exaspération. On n'a qu'à commander du chinois.

– Après. »

Il me regarda, comprenant enfin de quoi il retournait. Il ferma les yeux et exécuta une petite danse de la victoire avec pas chassés et roulement d'épaules. Puis il me regarda.

« Alors ?

– La réponse est oui. »

Allongée dans l'obscurité de ma chambre près de Charbonneau, qui dormait d'un sommeil repu, je pensais à Cleve. Avais-je fait ça à cause de ce que j'avais découvert sur l'autre femme, l'inconnue ? Peut-être. Puis je me dis : peut-être que c'est plus compliqué, comme tout le reste, comme dit Charbonneau. Peut-être que c'est une façon de me prouver que je suis libre.

Le lendemain matin, j'apportai à Charbonneau un café au lit.

« C'est un café "léger" ou "fort" ? demanda-t-il.

– Léger, je crois. Et j'ai mis beaucoup de lait chaud.

– Ah, l'Amérique !

– J'ai quelque chose à te dire, commençai-je en m'asseyant près de lui. Je t'ai raconté que j'avais été très malade. Une des conséquences de cette maladie est que je ne peux pas avoir d'enfants. »

Il haussa les épaules, posa son café et me prit la main.

« Oh, tu sais, ça pourrait être pire. J'ai une fille, je ne la vois jamais.

– Tu as une fille ?

– De mon premier mariage. Elle s'appelle Séverine. Elle a dix ans.

– Je ne sais pas grand-chose sur toi, en fait.

– Ni moi sur toi, rétorqua-t-il en rejetant d'un coup la couverture. Tu veux qu'on apprenne à mieux se connaître ? »

*
* *

JOURNAL DE BARRANDALE, 1977

Je devrais sans doute préciser, par esprit de justice envers les autres hommes avec lesquels j'ai fait l'amour, que le pénis de Charbonneau était assez court et boudiné, même s'il avait un gland étonnamment gros et lourd, en proportion. Mais ce qui m'a d'abord choquée en le voyant nu, c'est sa pilosité. De l'épaisse toison noire qui lui recouvrait le torse, le ventre et l'entrejambe émergeait son petit pénis d'une pigmentation sombre. Il avait aussi des poils sur le dos, et évidemment sur les bras et les jambes. D'abord un peu alarmée (je n'avais jamais vu d'homme aussi velu), j'ai découvert quand il m'a prise dans ses bras que ses poils étaient doux et souples, comme une belle fourrure de qualité, et, au bout d'un moment, j'ai fini par trouver sa présence hirsute assez excitante.

Aujourd'hui, j'ai ressorti mon vieux Leica et je suis allée à l'autre bout de la baie, où il y a des petites flaques dans les rochers. Il faisait beau, de rares nuages filaient dans le ciel illuminé par un soleil de plomb, et je voulais prendre en photo le brasillement, le chatoiement, le scintillement. En d'autres termes, je voulais capter la lumière de telle façon qu'on ne puisse pas savoir qu'elle se reflétait en fait dans une flaque. C'est mon nouveau projet, ma nouvelle obsession. Des instantanés de jeux de lumière, voilà ce que je veux saisir, des moments abstraits de feux d'artifice luminescents qu'aucun peintre ne pourrait reproduire. Des fenêtres qui reflètent des réverbères, des gros plans d'un capot chromé en plein cagnard, des petites flaques constellées de taches de soleil. La lumière figée, la lumière statique. Seul l'œil automatique en est capable. J'ai un nouveau livre en tête.

*
* *

Après quelques semaines de ma liaison intermittente avec Charbonneau, il me sembla que Cleve commençait à se douter de quelque chose. Il sentait un changement en moi, mais il serait faux de dire qu'il avait des soupçons.

Environ deux jours après le dernier passage de Charbonneau fuyant Washington et son *projet inutile**, je reçus un appel de Cleve tard le soir. Je m'en inquiétai, car il ne téléphonait jamais chez moi.

« Qu'est-ce qui se passe ?

– Je veux te voir, mais au bureau. Un vrai rendez-vous.

– Et si Frances l'apprend ?

– Ça n'a plus d'importance.

– Qu'est-ce qui est arrivé ?

– Viens, je t'expliquerai. »

Je le retrouvai le lendemain aux bureaux de *GPW* dans Midtown. Je croisai Phil Adler dans le couloir, et il fut si surpris de ma présence qu'il renversa par terre la moitié du gobelet d'eau qu'il tenait à la main.

« Amory ! Tu es revenue ! Mon Dieu ! Appelle-moi, il faut absolument qu'on se voie ! lança-t-il en m'embrassant sur la joue. Je suis tellement content !

– Revenue, pas vraiment, mais d'accord, je t'appellerai. »

Cleve me fit asseoir en face de lui, et chacun de nous alluma une cigarette. J'avais toujours Charbonneau à l'esprit, et je découvris que je pouvais regarder objectivement Cleve sans que des miasmes d'émotion viennent me brouiller la vue. Il portait des bretelles mauves sur sa chemise bleu ciel, et sa cravate cerise était un peu desserrée. Il était l'image même du beau rédacteur en chef dans son grand bureau d'angle, mais je ne fus pas aussi éblouie que j'avais pu l'être auparavant. Je compris que c'était cet aspect de sa vie que Cleve chérissait par-dessus tout, et cela expliquait pourquoi il ne quitterait jamais Frances. Il serait trop compliqué, trop dur, trop délicat de maintenir ce standing, sinon. Et bien sûr, je faisais partie moi aussi de cette parfaite image lustrée. Merci, Jean-Baptiste. Je voyais à présent Cleveland Finzi sous un jour cru.

« Que se passe-t-il, Cleve ?

– Nous rouvrons les bureaux de Londres.

– Vraiment ?

– Et bien sûr nous voulons que ce soit toi qui les diriges.

– Pourquoi ?

– Il y a des centaines de milliers de soldats américains en Angleterre, et il ne cesse d'en arriver d'autres. Des fantassins, des marins, des aviateurs. Nous sommes en dehors du coup. *Collier's*, *Life*, le *Saturday Evening Post*, tout le monde se précipite. J'en ai parlé au conseil, ils ont convenu qu'il fallait relancer nos opérations là-bas. Tu as déjà occupé ce poste, tu as tous les contacts. Ça nous donnerait une longueur d'avance. »

Je restai assise là en silence pendant quelques secondes. Je fis tomber ma cendre dans le cendrier. Je sus instantanément que j'allais accepter, mais je voulais qu'il ait à se battre.

« Je suis bien, ici, répondis-je. Et puis, tu me manquerais.

– Je viendrai tout le temps. Et quand je serai là-bas, ce sera différent, ce sera mieux. On n'aura pas besoin de se cacher, de fonctionner comme des agents secrets.

– Mais… mon appartement ? Et *American Mode* ?

– Je m'occuperai de tout. Soixante-quinze livres par mois plus les frais. »

Je me dis : Diana Vreeland touche cinq cents dollars par mois, et elle est responsable mode chez *Bazaar*.

« Je peux y réfléchir ?

– Non, c'est hors de question. Il faut que ce soit toi. Je ne peux envoyer personne d'autre.

– Quand faudrait-il que je parte ?

– Hier. »

Charbonneau se servit un autre verre de vin, puis termina la bouteille à mon invitation.

« Ouvrons-en une autre, suggéra-t-il. Je quitte Washington et mon boulot *chiant** pour venir te voir à New York, et là, la vie prend enfin du sens. Ça me donne envie de me saouler. De me saouler comme un Polonais.

– Comme un Polonais. J'aime bien cette expression. Mais n'abuse pas non plus. Nous voulons profiter de notre dernière nuit ensemble. »

Il en recracha son vin, puis s'essuya le menton avec sa serviette et reposa doucement son verre.

« Qu'es-tu en train d'essayer de me dire, Amory ?

– Je retourne à Londres. J'ai un nouveau travail. Désolée de gâcher cette belle soirée en t'annonçant une mauvaise nouvelle.

– Eh bien, pas si mauvaise que ça, dit-il en souriant de son grand sourire de chat satisfait. Une des raisons pour lesquelles je bois tant est que je ne savais pas comment t'annoncer ma nouvelle à moi.

– C'est quoi ?

– Je retourne à Londres, moi aussi. »

LIVRE CINQUIÈME

1943-1947

1

Le Typhoon

« Le capitaine d'aviation Clay, je vous prie.

– Ah oui, mademoiselle, nous vous attendions. Rappelez-moi le nom de votre journal, si cela ne vous dérange pas ?

– *Global-Photo-Watch*. C'est un magazine américain. »

Je me trouvais dans le bureau de l'adjudant à la base Cawston de la Royal Air Force dans le Norfolk. Un sergent de section vérifiait le registre des rendez-vous et comparait la notification à mes papiers d'identité et à mes lettres d'introduction. Tout semblait en ordre.

« Je vais vous y conduire en voiture, mademoiselle. Je peux vous aider à porter vos appareils ?

– Non, merci, tout va bien. »

Une fois dehors, il me fit monter à bord d'une voiture d'état-major vert olive et traverser la base à toute vitesse en passant devant des hangars bas, sur le toit desquels poussait de l'herbe, et des batteries de DCA réparties un peu partout, en direction des aéroplanes garés le long d'une étroite piste au loin.

« J'aurais pensé que vous seriez plus intéressés par les Américains d'à côté, commenta le sergent de section.

– Je vais les voir demain.

– Ce qui est sûr, c'est que vous mangerez bien, là-bas, ça oui. C'est un autre monde, mademoiselle, laissez-moi vous le dire. »

Et il poursuivit dans la même veine culinaire, comparant avec envie ce que proposait le mess des officiers de la RAF Cawston et le festin gastronomique de « bouffe sensass » servi à la base de l'US Air Force à Gressenhall. Je le laissai discourir, sans lui révéler ma familiarité avec la « bouffe » américaine, car j'étais anxieuse à la perspective de voir Xan après si longtemps. J'avais l'impression d'avoir manqué un chapitre entier de sa vie, sinon deux. Le timide écolier éleveur de hamsters que je connaissais était parti à Oxford, avait publié un recueil de poésies et était devenu pilote de chasse. Comment ces changements de vie radicaux s'étaient-ils opérés ? Puis, après un instant de réflexion, je songeai qu'ils se produisent constamment. Le temps est un cheval de course, qui avale les kilomètres en galopant vers la ligne d'arrivée. Détournez le regard un instant, soyez préoccupé pendant un instant, et imaginez un peu ce que vous avez raté.

Le sergent arrêta notre véhicule devant un chasseur-bombardier Typhoon que protégeait un glacis semi-circulaire en sacs de sable long de deux mètres. Le Typhoon était gros et trapu pour un avion monoplace, fortement incliné sur son robuste train d'atterrissage, et doté d'une prise d'air béante telle une bouche sous son hélice à trois pales. Debout à côté, Xan nous regarda arriver, une main dans une poche, l'autre tenant sa cigarette. Conformément aux instructions, il portait son blouson en mouton retourné et sa combinaison de vol. Il me parut plus grand et plus mince que lors de notre dernière rencontre à Beckburrow. Je le serrai dans mes bras, puis me reculai pour le regarder des pieds à la tête.

« Ça alors, Marjorie, qui l'eût cru ? »

Il éclata de rire et, l'espace d'un instant, je retrouvai le petit garçon en lui.

« Je le savais ! dit-il en agitant l'index. Quand j'ai lu la demande, "Miss A. Clay de *Global-Photo-quelque-chose*" qui voulait me tirer le portrait, j'ai flairé un loup.

– Je voulais juste te voir. Je dois prendre en photo tous ces pilotes américains et leurs bombardiers, demain, alors je me suis dit que j'en profiterais pour rendre visite en douce à mon petit frère. »

Je lui demandai de poser devant son Typhoon, appuyé contre l'aile près du cockpit ouvert, comme s'il allait monter à bord et partir en mission, et fis semblant de le photographier (en fait, il n'y avait pas de pellicule dans mon appareil) pour le bénéfice du sergent de section du bureau de l'adjudant qui regardait la scène d'un air approbateur.

Je fis le tour de l'avion. Ce gros appareil bien solide, ce tank avec des ailes, bénéficiait d'une remarquable capacité d'emport, contrairement aux autres chasseurs type Spitfire ou Hurricane. Celui-là, c'était un monstre.

« C'est quoi, comme avion ? demandai-je.

– Un Typhoon.

– Je sais, imbécile. Quel modèle ?

– Un Hawker Typhoon I-B. Il peut tirer des roquettes.

– Pourquoi il a ces rayures noires et blanches peintes dessus ?

– Je n'ai pas le droit de te le dire.

– Ça a à voir avec le débarquement ?

– Si on allait au mess ? J'ai un cadeau pour toi. »

Le sergent nous accompagna au mess des officiers, un vieux presbytère en dehors de l'enceinte de la base. Le salon donnait sur un jardin à l'anglaise avec un court de tennis dont l'herbe n'avait pas été tondue. J'entendais un coucou lancer son appel dans les bois au-delà du mur de clôture en brique rose.

Xan m'apporta un gin-orange, et il prit une demi-pinte de bière. En fumant une cigarette, nous échangeâmes des propos convenus sur la famille : la santé de Papa (bonne, stable), Mère, la gloire de Dido, les cousins, les tantes et les oncles. Puis il me tendit un petit volume rangé dans un sac en papier brun.

Je sortis le livre et le regardai, émerveillée. Une couverture violette avec des lettres vieil or. *Poèmes verticaux*, de Xan Clay, V.L. Lindon et Herbert Percy. Je sentis des larmes de fierté ridicule me monter aux yeux. Je feuilletai rapidement quelques pages pour me distraire de mon émotion. Je compris aussitôt le titre : tous les poèmes étaient minces comme des échelles, seulement un ou deux mots par ligne.

« Pourquoi cette verticalité ?

– Lis la postface. Enfin, pas maintenant, bien sûr, mais quand tu auras un moment, dit-il avec un sourire en se reculant sur sa chaise pour chercher un cendrier. C'est un petit mouvement poétique qu'on a lancé avec deux de mes amis d'Oxford pour essayer d'écrire une poésie différente, qui sorte de l'ordinaire, qui bouscule un peu les codes. Peut-être que tu pourrais écrire un papier sur nous dans ton *Global-Photo-Machinchose*.

– Il faut que tu me fasses une dédicace !

– Oh, mais c'est déjà fait. »

Je regardai la page de titre : « Pour Amory, avec toute l'affection de Marjorie Clay ».

Je me mouchai et toussai, histoire de cacher les larmes qui avaient commencé à couler.

« Tu es censée te réjouir, pas pleurer, me taquina Xan.

– Ce sont des larmes de joie, Marjorie. Tu n'imagines pas à quel point je suis fière de toi. »

Je pris sa tête entre mes deux mains pour l'attirer vers moi et le couvris de baisers. Il dut lutter pour me repousser.

Une demi-heure plus tard, il demanda au gérant du mess d'appeler un taxi pour me ramener à mon hôtel de Fakenham. Alors que nous attendions sous le porche du presbytère, Xan me présenta ses camarades pilotes et officiers qui entraient ou sortaient. Ils avaient tous l'air de faire l'école buissonnière. C'était le curieux effet que mes frère et sœur produisaient sur moi : j'avais l'impression d'être la grand-tante de Xan, d'avoir des dizaines d'années de plus que lui, alors qu'avec Dido, j'étais une enfant.

Il m'embrassa sur la joue et m'ouvrit la portière du taxi.

« C'est affreux, je ne t'ai même pas posé la moindre question sur ta vie ! se désola-t-il. Je n'ai parlé que de moi.

– C'est précisément pour ça que je suis venue te voir. Comme ça, je suis complètement *au courant**.

266

– Tu es heureuse, Amory ? Tu en as l'air.

– Je suis heureuse de t'avoir vue, mon grand », dis-je pour éluder la question.

Quand le taxi démarra sur la route de Fakenham, je regardai par la vitre arrière et vis Xan me faire un signe de la main. Puis quelqu'un lui demanda du feu et il se retourna pour chercher son briquet dans sa poche.

Je séchai mes dernières larmes. Pourquoi me rendait-il si lacrymale ? Sans doute la transformation qui s'était opérée en lui. Pendant que j'avais le dos tourné, il était devenu quelqu'un de complètement différent. Un Xan compétent, un jeune homme qui pouvait monter dans son bel avion armé de roquettes, le propulser dans l'air et aller livrer bataille. Ce genre de révélation avait de quoi secouer.

« Alors, mademoiselle, me lança le chauffeur par-dessus son épaule. Vous pariez sur quand, pour le débarquement ? Juillet ou août ? »

Les poètes verticaux, Oxford, 1942.
De gauche à droite : Herbert Percy, V.L. Lindon et Xan Clay.

267

LES VIES MULTIPLES D'AMORY CLAY

« Prémonitions »
de Xan Clay

Les étoiles
Annoncent
La chute
Des nonces.
Les guitares
Accordées
Mènent à
Des accords
Cachés.
Des hourras
Saluent
La découverte
D'une vie
Sur Mars.
Le temps
Est las
À Shangri-La.

2

High Holborn

Les nouveaux bureaux de *GPW* (Londres) se trouvaient à l'extrémité ouest de High Holborn. Nous disposions de trois pièces au dernier étage d'un bâtiment donnant en biais sur les toits crasseux du British Museum : mon bureau, l'annexe de Faith et un genre de salle d'attente pour les journalistes et les photographes qui devint rapidement un club informel. Nous avions un placard bien garni en alcools (gin, whisky, bourbon, sherry) et en cigarettes (grâce à notre maison mère new-yorkaise), deux sofas moelleux fatigués et des murs couverts de photographies et d'anciens numéros de *Global-Photo-Watch* encadrés. Dans l'intervalle entre la fermeture des pubs après le déjeuner et leur réouverture le soir, c'était un lieu de convivialité couru pour venir passer le temps pendant les heures creuses de l'après-midi. Boissons gratis, cigarettes gratis et communauté d'esprit.

Nos bureaux, ouverts au début de l'été 1943, étaient devenus une sorte d'antichambre pour divers journaux et magazines américains ainsi que pour de petites agences de presse. En effet, notre efficacité dans l'obtention rapide d'accréditations via l'ETOUSA (European Theatre of Operations U.S. Army) semblait avoir bientôt fait le tour des rédactions. Cela n'avait rien à voir avec moi. C'était Faith Postings qui assurait tout le travail de liaison avec l'administration, et à l'évidence elle y excellait. De fil en aiguille, nous nous étions

269

donc retrouvés à servir d'intermédiaires (contre rémunération) pour une dizaine d'autres publications et agences de presse américaines, dont *Mademoiselle* et le *Louisiana Post-Dispatch*. Quand le journaliste ou le photographe obtenait son accréditation de l'ETOUSA, il se voyait affecté à une unité spécifique (l'aviation était la plus recherchée), où il serait supervisé par l'officier de presse de l'unité et ses services.

Au stade où en était la guerre, les démarches se déroulaient sans trop d'accrocs. Une fois accrédités, les journalistes (parmi lesquels des femmes) recevaient un uniforme et le rang honorifique de capitaine. Il y avait toujours des quantités infinies de paperasse, mais, après l'affectation, l'atmosphère de travail dépendait des dispositions particulières de chaque unité envers la presse, qui allaient de accommodantes et amicales à hostiles et autoritaires, attitude généralement déterminée par la personnalité et la probité de l'officier responsable.

Un jour, à la fin du mois de mai 1944, Faith passa la tête par la porte avec une moue penaude.

« Il y a un monsieur étrange qui demande à vous voir. Très insistant. Il dit qu'il vous connaît.

– Comment s'appelle-t-il ?

– Mr Reade-Hill, à ce qu'il dit. »

Greville était debout dans notre club-room, à inspecter les photographies accrochées au mur à travers des bésicles aux verres si épais qu'ils semblaient opaques.

« Greville ? »

Il se retourna, ôta ses lunettes et traversa la pièce à grands pas pour me prendre dans ses bras et m'embrasser sur la joue. Je sentis émaner de lui l'odeur de la pauvreté, cette puanteur aigre des gens qui ne se lavent pas, des vêtements sales. Très pâle, très marqué, il négligeait sa moustache, grise à présent. Dans son costume lustré par l'usage, des rapiéçages évidents avaient été grossièrement cousus – par Greville lui-même, cela ne faisait aucun doute.

Nous sortîmes nous promener, nous arrêtant pour un thé et un sandwich dans un café avant de nous poser sur un banc de Bloomsbury Square sous le soleil humide de mai. La discussion avait enfilé les banalités – nouvelles de la famille, multiples questions convenues sur mon travail chez *GPW*. J'attendais que soit évoquée la vraie raison de notre rencontre.

À l'extrémité de la place, du côté de Great Russell Street, un ballon de barrage argenté à trois ailerons, à demi dégonflé, se faisait redescendre sur son camion à l'aide d'un treuil par une demi-douzaine de jeunes équipières de la WAAF, dont les voix de petites filles excitées parvenaient jusqu'à nous de l'autre bout de la pelouse.

« Voilà, ma chérie, je suis plus ou moins fauché, ces temps-ci, annonça Greville en observant le ballon de barrage pour éviter de croiser mon regard. Le jeune Bruno m'a hélas coûté une fortune en dépenses diverses. »

Je sentais bien que sa fierté et son assurance coutumières s'étaient muées en amertume. Je me rappelai sa silhouette élégante et fringante dans son habit de soirée quand il frayait avec les têtes couronnées, les aristocrates et les millionnaires.

Les WAAF s'affairaient à l'arrière de l'immense ballon maintenant posé sur l'herbe, sans doute pour y rechercher la fuite. Il devait faire quinze mètres de long, et, vu qu'il était à moitié dégonflé, il enflait et ahanait comme un être vivant respirant à grand-peine, un monstre marin chimérique échoué sur cette petite place du centre de Londres.

« J'ai parlé à ta mère, disait Greville, tout contrit. Et elle m'a dit en passant que, euh, tu recrutais la moitié des photographes de Londres.

– C'est faux. Nous ne traitons qu'avec des Américains. Nous sommes un magazine américain.

– Ah oui, bien sûr, suis-je bête. Je me disais bien qu'elle faisait erreur. Enfin bon, ça nous a donné l'occasion de nous revoir, au moins, commenta-t-il avant de se tourner vers moi. Je ne me suis jamais pardonné notre… notre petite brouille au sujet de tes photographies disparues. Tes photos de Berlin.

– On ne s'est pas brouillés, Greville. Toute cette histoire était un vrai cauchemar.

– Je regrette quand même de ne pas avoir fait preuve de plus de courage. Je crois que c'est à cause de tous ces policiers qui étaient là dans mon salon. Et puis le mot "obscénité" employé à tout va. C'est un mot très dérangeant, "obscénité", surtout quand il est répété toutes les cinq secondes, c'est très déstabilisant. Je n'avais pas toute ma tête.

– C'était il y a si longtemps », le rassurai-je.

Sans y penser, je posai ma main sur son genou, et je sentis les os, l'absence de chair, une petite bûchette sous la toile usée de son pantalon. Je retirai ma main.

« Et puis cette satanée guerre m'a achevé, reprit-il avec véhémence avant de m'expliquer que, depuis 1939, son travail de photographe mondain s'était quasiment tari : Moi qui ai tiré le portrait au prince de Galles ! Et tu sais le dernier boulot que j'ai eu ? Il y a trois mois ? Une grosse conne qui voulait que je prenne en photo son cacatoès.

– Ah. La photographie animalière.

– Tout juste. L'enterrement de première classe. »

J'y réfléchis un instant. Je ne pouvais pas supporter l'idée de Greville Reade-Hill en train de photographier des animaux de compagnie.

« Il y a peut-être un job que je pourrais t'obtenir, annonçai-je. Mais ça voudrait dire partir à l'étranger. En Italie.

– J'adore l'Italie.

– Greville, il y a aussi la guerre, là-bas. Ce n'est pas des vacances. »

Je me souvins que l'un de nos photographes à *GPW* avait été blessé par des éclats d'obus et rapatrié.

« Oui, bien sûr. Tu ne m'envoies pas à Monte Cassino, j'espère ? Ça n'a pas l'air d'une partie de plaisir, là-bas.

– Non. Mais je pourrais t'obtenir une accréditation comme photographe pour nous auprès du 2ᵉ Corps d'armée.

– Britannique ?

– Non, américain.

– J'adore les Américains.

– À une condition : que tu ne t'approches pas du front.

– Alors là, aucun risque ! »

Je me levai en même temps que lui et lui suggérai de revenir au bureau avec moi pour fournir à Faith toutes les informations nécessaires. Pendant notre petite marche tranquille jusqu'à High Holborn, je sentis la confiance de Greville renaître, je constatai une métamorphose physique : il avait l'air soudain plus grand, il allongeait sa foulée, comme s'il avait reçu une sorte de transfusion mystique.

« Tu habites où en ce moment ? demandai-je, percevant aussitôt son embarras.

– Eh bien, dans un genre d'hôtel à Sandgate, sur la côte sud. Ta mère a eu la grande gentillesse de me dépanner. Ça paie combien, ton boulot, par curiosité ?

– Cent dollars la semaine.

– En vrai, ça fait combien ?

– À peu près vingt livres.

– Formidable ! Nom de Dieu, tu me sauves la vie, Amory chérie. »

Il hocha la tête, carra ses épaules et se tourna de nouveau vers moi avec un sourire.

« Amory, ma chérie, toi qui es si débrouillarde, si serviable, si sympathique, si adorable... Tu ne pourrais pas m'accorder une petite avance sur salaire, par hasard ? »

*
* *

273

JOURNAL DE BARRANDALE, 1977

Ce matin, j'ai ramené Flam de son séjour d'une nuit à la clinique vétérinaire d'Oban et je l'ai porté jusque dans le cottage pour le coucher dans son panier au coin du feu. Il avait l'air un peu plus animé, il a même essayé de me lécher le visage, visiblement heureux d'être de retour à la maison. Après l'avoir installé, j'ai déposé devant lui un bol de nourriture pour chien « à forte teneur en protéines ». Il l'a reniflé mais sans plus d'intérêt que cela.

Hier matin, quand je suis descendue au rez-de-chaussée, je l'ai trouvé assis dans son panier, visiblement mal en point, le cou et la tête bien bas, toussant toutes les cinq secondes environ. En le regardant de près, j'ai constaté que quelques mucosités étaient sorties de ses narines. Il s'est un peu requinqué en me voyant arriver, mais il bougeait de façon apathique. Alors je l'ai pris dans les bras, je l'ai posé sur le siège avant de la Hillman Imp et je l'ai conduit chez le nouveau vétérinaire à Oban. Étonnamment, c'est une jeune vétérinaire néerlandaise (mariée à un Écossais) du nom de Famke Vogels. « Bien charpentée », comme aurait dit ma mère par euphémisme, mais j'ai apprécié Famke parce qu'elle ne s'embarrassait pas de formalités, elle allait droit au but. Elle m'a dit de lui confier Flam pour la nuit et de revenir ce matin pour le diagnostic.

« C'est juste une pneumonie bactérienne, m'a-t-elle annoncé à mon arrivée. Il n'y a pas de quoi s'inquiéter. »

Elle lui avait fait un vaccin antimicrobien et elle m'a prescrit des cachets d'antibiotiques à lui donner deux fois par jour.

« Vous savez comment vous y prendre ? m'a-t-elle demandé.

– Oui, ce n'est pas mon premier chien. »

Mon premier chien, lui aussi un labrador noir, s'appelait Flim. Il s'est fait renverser par un tracteur et a eu la colonne vertébrale brisée. Quand le fermier affolé m'a conduite jusqu'à ce pauvre chien allongé sur le bas-côté, tout désarticulé, gémissant, j'ai su qu'il n'y avait plus rien à faire. Ou plutôt, qu'il n'y avait qu'une seule chose à faire.

Le vétérinaire à Oban, le prédécesseur de Famke, un Mr McTurk, lui a jeté un coup d'œil et m'a dit : « Vous avez bien conscience qu'il n'y a pas d'autre solution, non ? » J'en ai convenu. J'ai déposé un baiser d'adieu sur le museau de Flim, qu'on a emmené pour le délivrer de cette douleur atroce, pauvre bête. Je l'ai enterré en pleurant à chaudes larmes au bout de la plage sur la baie. Je me disais : Pauvre chien, heureusement que sa douleur a cessé et que son départ de cette terre s'est fait si rapidement, sans autre souffrance que celle qu'il a déjà endurée. Quelle chance. Nous devrions avoir cette même chance, la chance des chiens malades.

Alors que Flam s'installait, je suis allée chercher le flacon de médicaments et me suis accroupie près de lui.

« C'est l'heure de tes petites pilules, mon gars. »

J'essaie de ne pas lui parler comme à un être humain doué de raison, mais, ainsi que vous le dira n'importe quel propriétaire de chien, c'est impossible.

Je lui ai ouvert la gueule et j'ai déposé le comprimé à l'arrière de sa langue sur le côté. Puis je lui ai refermé la gueule en serrant, museau vers le haut, pendant une ou deux secondes. Il était parfaitement docile, mais il ne semblait pas avoir avalé, alors je lui ai soufflé sur le nez et lui ai doucement caressé la gorge. J'ai senti le réflexe de déglutition et lui ai lâché la gueule. Il s'est léché les crocs. La pilule était passée.

Je l'ai embrassé sur le front, lui ai grattouillé les oreilles et l'ai vu donner un ou deux coups de queue de satisfaction.

« Qu'est-ce que tu ferais sans moi, hein, Flam ? »

Il a essayé de se relever en position assise pour me lécher le visage, mais je l'ai repoussé, saisie d'une pensée pénible : qui m'administrera mon comprimé, à moi, quand le temps sera venu ?

*
*   *

Je me rappelle aujourd'hui que Charbonneau avait été bien trop confiant sur son affectation. J'ai voyagé de New York à Londres au début de 1943 sur le *Queen Mary*, excusez du peu, alors que Charbonneau était envoyé en Afrique du Nord au lendemain des débarquements de l'opération *Torch* et se retrouvait plongé dans les luttes intestines pour le contrôle des Forces françaises libres. J'ai supposé que les autorités gouvernementales en exil, quelles qu'elles puissent être, estimaient que son expérience aux États-Unis et son savoir-faire leur seraient très utiles auprès d'Eisenhower et de son entourage.

Je me rappelle être entrée dans le grand hall du Savoy pour y rejoindre Cleve lors de sa première visite, l'avoir vu debout là à m'attendre, vêtu d'un costume sombre et d'une chemise blanche éblouissante, et m'être dit que je vivais dans un rêve absurde, dans un conte. Nous avons dîné au Grill du rez-de-chaussée avant de monter dans sa chambre faire l'amour. Son attitude était radicalement différente, à Londres. Je le retrouvais comme jadis, à Greenwich Village, parfaitement détendu, enthousiaste, drôle, caustique, et il ne regardait jamais par-dessus son épaule lors de nos promenades londoniennes.

De ce point de vue-là, Cleve avait eu raison : quitter New York et sa paranoïa ambiante avait rallumé la flamme de notre liaison, renouée environ toutes les six semaines. Mais, dans l'intervalle, j'avais changé. J'avais maintenant à prendre en compte le facteur Charbonneau, sans que Cleve le sache. J'avais reçu une courte lettre agacée de Charbonneau au bureau, en provenance d'Alger. Je me rappelle cette phrase : « Moi qui critiquais Washington, je me couperais la main droite pour y retourner aujourd'hui. » Pauvre Charbonneau.

Je me rappelle avoir accompagné Greville à la gare de Victoria pour son départ vers l'Italie. Il allait rejoindre un convoi naval en partance de Portsmouth. Son uniforme sombre de correspondant de guerre, ses écussons sur l'épaule et son calot posé de travers sur l'œil lui donnaient un air à la fois élégant et canaille. Il transportait dans une musette en bandoulière son équipement photographique et autres objets indispensables. J'ai constaté avec émotion que sa moustache était bien taillée et teinte en brun noisette. Il était presque redevenu lui-même et je lui en ai fait compliment.

« Pour ne rien te cacher, j'ai demandé à mon tailleur de retoucher l'uniforme. Il m'allait très mal.

– En tout cas, vous avez une allure toute martiale, capitaine Reade-Hill, le parfait correspondant de guerre héroïque. Mais ne fais rien de trop héroïque, s'il te plaît.

– Trouillard est mon deuxième prénom, a-t-il rétorqué en m'embrassant, avant de murmurer : Merci mille fois, ma chérie. »

Je me rappelle que la conséquence la plus agaçante de mon départ précipité de New York a été que je n'ai pas pu assister au lancement de mon premier livre, *Absences* (Frankel & Silverman, 1943). Il est paru dans un silence critique assourdissant deux mois après mon retour à Londres. Mon éditeur, Lewis Silverman, a dit qu'il m'en envoyait six. Ils ne sont jamais arrivés, sans doute victimes d'un service postal erratique en temps de guerre, ou bien d'une attaque de sous-marin allemand. J'ai demandé à Cleve de m'en apporter lors de ses séjours en Angleterre, mais il oubliait toujours, évidemment. J'ai fini par dénicher un exemplaire d'*Absences* après la guerre, en 1946, trois ans après, date à laquelle il n'était plus disponible depuis longtemps. Je me demande si cette expérience est unique dans l'histoire du livre. C'est un ouvrage de collectionneur, très rare, m'ont dit les bouquinistes quand j'ai essayé d'en trouver un.

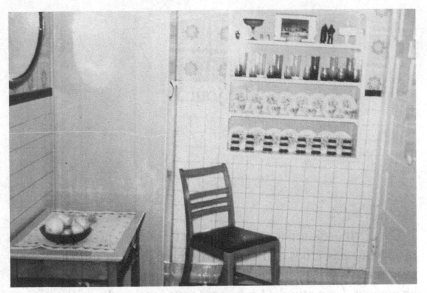

*Images extraites d'*Absences, *d'Amory Clay*
(Frankel & Silverman, 1943).

3

Le jour J

Cleve vint séjourner une semaine à Londres à la fin du mois de mai. Nous passâmes deux nuits ensemble dans sa suite au Savoy, avec une vue magnifique sur les eaux brunes du fleuve toujours changeant. Le matin du 4 juin, après notre seconde nuit, nous restâmes au lit jusqu'à midi après avoir commandé au service d'étage des toasts, de la confiture et une théière dans laquelle j'ajoutai du bourbon. Il me fit l'amour une nouvelle fois avant de descendre tranquillement au Grill pour le déjeuner.

La salle était remplie de gradés de l'armée de terre ou de la marine, sans compter quelques habitués. N'eussent été les uniformes et le menu quelque peu restreint par rapport à la normale, on n'aurait jamais cru que c'était la cinquième année de guerre. Notre distraction fut d'écouter la conversation de deux vieilles dames lourdement fardées assises à la table derrière la nôtre, et dont les voix patriciennes bien timbrées portaient loin.

« Je vais aller vivre en Irlande après la guerre, annonça l'une.

– Je crains que l'Irlande ne devienne un peu trop smart, commenta l'autre.

– Ce ne sera jamais aussi smart que le Kenya.

– J'imagine que non… Mais il y a de jolies maisons.

– De jolies maisons, et beaucoup de personnel pas cher.

280

– C'est toujours un avantage, en effet. Pourquoi ne pas rester à Londres ?

– Londres sera morne et horrible. J'ai besoin de changement. J'ai besoin d'une tranquillité paradisiaque. »

Cleve se pencha vers moi et murmura : « Et c'est pour ces gens-là que nos gars sont en train de sacrifier leur vie ?

– Oh, elles ne sont pas vraiment représentatives de… »

À cet instant, je vis Charbonneau entrer dans le Grill, et je m'interrompis au beau milieu de ma phrase. Il portait son uniforme kaki et son képi de gendarme, qu'il ôta prestement. Il fut conduit à une table près du mur du fond, à quelque distance de la nôtre. J'avais la bouche sèche et je me sentis soudain faible. Cleve héla un serveur pour lui demander un autre café.

« Payons juste la note, tu veux bien ? demandai-je.

– Non, non. Je ne raterais la suite de la conversation pour rien au monde. »

À point nommé, la première vieille rombière dit : « Vous savez quoi ? Je trouve que Gloria manque de féminité. »

Ce à quoi sa compagne répondit : « Elle n'est pas très sociable, c'est ça son problème. »

Je n'en saisis pas plus, car juste à ce moment-là, Charbonneau me repéra et croisa mon regard. Pendant un instant atroce, je crus que j'allais vomir en le voyant se lever pour traverser toute la salle dans notre direction.

« Bonjour, arrivai-je à articuler en espérant feindre assez de surprise. Comment allez-vous ? »

Cleve ayant reporté son attention sur nous, je fis les présentations.

« Cleveland Finzi, je vous présente… Désolée, j'ai oublié votre nom.

– Jean-Baptiste Charbonneau. »

Il me serra la main en y mettant discrètement une petite pression, puis il serra celle de Cleve.

« J'ai rencontré Miss Clay à New York. Elle est venue me photographier.

– Ah oui ! s'exclama Cleve. Nous avions publié un article sur vous, je me rappelle. Vous avez écrit un livre, un best-seller.

– Best-seller pendant une semaine environ, corrigea Charbonneau, que la situation semblait amuser, avec une modestie inhabituelle mais très charmante.

– Quelle coïncidence ! commentai-je d'une voix plus faible que je ne l'aurais souhaité. Nous voilà tous réunis au Grill du Savoy.

– J'étais ravi de vous revoir, me dit-il avec un petit salut. Heureux de vous avoir rencontré, monsieur Finzi, ajouta-t-il à l'intention de Cleve avant de retourner à sa table.

– Ça va ? s'inquiéta Cleve.

– À vrai dire, je ne me sens pas très bien. Je crois que je ferais mieux de remonter dans la chambre. »

De retour dans la suite, je continuai ma comédie. J'allai dans la salle de bains, me raclai la gorge et crachai dans le lavabo avant d'y faire couler de l'eau. Je prétextai une petite indigestion, je ferais mieux de rentrer, je te verrai demain.

Cleve voulut appeler un médecin, mais je déclinai, affirmant que tout irait très bien. Il me fit asseoir et boire un verre de Bromo-Seltzer effervescent, dont il avait une boîte dans son sac. Je me repris.

« C'est bon pour la nausée, ça ? demandai-je.

– C'est bon pour tout. »

Une demi-heure plus tard, je sortis de Savoy Court et débouchai dans le Strand pour tomber sur Charbonneau, qui m'attendait devant un magasin en fumant une cigarette.

Je le ramenai à mon nouvel appartement dans Chelsea, au coin d'Oakley Street et de King's Road, et nous servis un whisky avec de l'eau tandis que Charbonneau nous refaisait son numéro de locataire potentiel, ouvrant les tiroirs, jetant un coup d'œil dans ma petite chambre, actionnant la chasse d'eau.

« C'était lui, pas vrai ? dit-il quand je lui tendis son whisky.

– Pardon ?

– Ton petit ami américain. C'était lui.
– "Petit ami" n'est pas le terme approprié. C'est l'homme que j'aime, oui.
– Tu ne l'aimes pas, c'est évident.
– Tu te trompes, Charbonneau, je l'aime.
– Je croyais que tu m'aimais moi.
– Ha ha. Je suis très attachée à toi, mais c'est Cleve que j'aime.
– N'importe quoi. *Au fond**, tu m'aimes vraiment. »
Je fermai les yeux. Je me refusais à poursuivre cette conversation.

Je ne m'étais jamais considérée comme facile, comme une « femme de mauvaises mœurs », selon l'expression de ma mère. À trente-six ans, je n'avais jamais fait l'amour qu'avec trois hommes dans toute ma vie. Un peu léger pour me taxer de nymphomane, mais, allongée dans mon lit près de Charbonneau qui ronflotait, j'avais du mal à accepter le fait que j'avais couché avec mes deux amants au cours des dernières vingt-quatre heures – enfin, même moins de vingt-quatre heures. Cela ne me ressemblait pas, et pourtant, c'était indéniablement le cas. Que m'arrivait-il ? Je trouvai du réconfort dans le fait que rien de tout cela n'était prémédité.

Je sortis discrètement du lit et allai à pas de loup dans la cuisine. Il était 5 h 05, d'après la pendule posée sur l'étagère près de la gazinière, et une douce lumière d'agrumes (pamplemousse et orange) commençait à teinter le ciel au-dessus de Chelsea. Si je me fiais aux sombres cimes des platanes de Carlyle Square qui s'agitaient, ce serait une journée venteuse et nuageuse. Où diable était passé l'été ? Nous étions au mois de juin, quand même ! Je posai la bouilloire sur le feu et allai chercher la théière. Je laisserais Charbonneau dormir pour me donner le temps de m'éclaircir les idées. Je ne m'étais pas attendue à ce qu'il resurgisse dans ma vie de façon si gênante.

Il émergea vers 9 heures en quête de café, vêtu de son pantalon kaki et de ma robe de chambre trop petite, les manches en tissu écossais remontant haut sur ses poignets velus. Je m'étais habillée, entre-temps, et j'avais réglé des paperasses pour *GPW*. J'avais appelé au bureau en me disant toujours souffrante, car j'avais un déjeuner prévu avec Cleve et c'était hors de question, tant que Charbonneau serait dans les parages. Il me serra dans ses bras et m'embrassa dans le cou.

« Tu es ce qu'il y a de mieux pour moi, Amory. Quand je ne suis pas avec toi, je me surprends à penser à toi, pas constamment, mais très souvent. Et ça, ce n'est pas normal, pour moi, dit-il avec un sourire.

– Qu'est-ce qui est normal pour toi ?

– Tu as du café ? demanda-t-il en ignorant ma question. Je ne supporte pas votre thé anglais.

– Pourquoi étais-tu au Savoy ? Quelle coïncidence incroyable que tu aies déboulé comme ça !

– Non, je savais que tu y serais. Je suis allé à ton bureau, et ta charmante secrétaire m'a dit que tu étais en rendez-vous au Savoy. Alors j'y vais, je te demande à la réception, pas de Miss Clay. Et là je te vois, avec ce type, en train d'entrer dans le Grill. Alors je ressors, je vais boire un verre dans un pub, et je me dis, non, je dois voir mon Amory, je me fiche de savoir avec qui elle est. Et nous voilà ! conclut-il avec un geste des mains. Ça ne te fait pas plaisir ?

– J'ai de l'extrait de café.

– Laisse tomber. Je vais fumer une cigarette. »

Il alla près de la fenêtre, alluma sa cigarette et regarda King's Road en contrebas. J'entendis soudain un crépitement de gouttes de pluie sur la vitre.

« Pas de débarquement aujourd'hui, ça c'est sûr ! remarqua-t-il.

– De quoi parles-tu ?

– Du débarquement en France. Ce sera sans doute pour demain. »

Faith frappa à la porte de mon bureau. Deux coups, ce qui signifiait que c'était important. Je faisais passer un entretien à un

284

photographe et cinq autres attendaient dans le club-room, car nous avions urgemment besoin d'envoyer quelqu'un en Normandie, *GPW* n'ayant aucun journaliste embarqué avec la flotte de débarquement. Je n'arrivais pas à comprendre comment nous avions pu être si négligents... ou peut-être avions-nous été tenus à l'écart. Cleve n'en savait pas plus, donc je devais m'activer au plus vite.

« C'est votre mère, m'annonça Faith. Elle dit que c'est assez urgent. »

J'allai au bureau de Faith prendre le combiné.

« Mère, que voulez-vous ? Je suis débordée.

– J'ai une mauvaise nouvelle à t'annoncer, ma chérie.

– Quoi ? Quelle mauvaise nouvelle ?

– Ton père est décédé. »

6 juin 1944. *Le débarquement**. Et le jour de la mort de mon père. Le jour J. Le jour ci-gît Papa.

Assis sous son abri préféré, un petit kiosque en bois qu'il avait fait construire au bout du jardin à Beckburrow, mon père travaillait à l'un de ses problèmes d'échecs en deux coups quand ma mère lui avait demandé de rentrer pour le déjeuner. Après le repas, il avait dit se sentir fatigué et était monté faire une sieste. Elle l'avait appelé une fois le dîner prêt, en vain, donc elle était allée dans sa chambre et l'avait trouvé encore endormi, pensait-elle. Elle l'avait secoué par l'épaule, mais il était mort, très probablement d'une crise cardiaque.

L'enterrement eut lieu le 10 juin (remarquablement vite étant donné les événements historiques que nous étions en train de traverser) à St James the Less, l'église paroissiale de Claverleigh. Ce fut un service court, un seul cantique, une seule lecture (je lus un poème tiré du recueil de Xan, « Un moine, son regard ») et un éloge funèbre du dramaturge Eric Maude, qui avait adapté pour la scène la nouvelle de mon père « La Belladone bienfaisante », le seul vrai succès de sa vie. Maude était un vieil homme rougeaud doté d'une crinière de cheveux blancs vaporeux comme des pissenlits et d'une mémoire défaillante. Pour une raison mystérieuse, il ne cessait d'appeler mon père « Brotherton » au lieu de Beverley. « Ma collaboration avec Brotherton fut des plus enrichissantes. » L'irritation de ma mère croissait à vue d'œil.

Parmi les personnes présentes, quelques anciens collègues du magazine *Strand* et des maisons d'édition pour lesquelles mon père avait été lecteur. Son propre éditeur n'était pas présent. Dido était là, bien sûr, et elle interpréta une toccata puissante et complexe de Buxtehude alors que nous sortions en file dans le cimetière au son de la musique. Xan effectuait des missions de combat au-dessus du nord de la France avec son Typhoon, et Greville était en Italie avec le 2e Corps d'armée américain.

Quand le cercueil fut mis en terre, l'air résonna pendant quelques minutes du passage de dizaines de bombardiers volant en altitude en direction de la Manche. Tout le monde leva les yeux. Au moment de la bénédiction finale, le bruit des avions s'éloigna, et je regardai autour de moi dans le petit cimetière, les yeux secs. J'étais heureuse que la mort de mon père ait été si soudaine, juste désolée que les vingt-cinq ans écoulés depuis son atroce expérience lors de la Première Guerre mondiale aient été si ravageurs et déprimants ; j'étais heureuse que les dernières années de son existence aient été plus calmes et que ses troubles soient à présent terminés. « Qu'il repose en paix », dit le pasteur en cachant mal son ennui. Il aurait aussi bien pu dire « Passe-moi le sel ». Mais je partageai le sens de ces mots.

Au moins la journée était-elle ensoleillée dans l'East Sussex, quoique frisquette, et le vrombissement diminuendo des avions fut remplacé par le chant d'un ramier dans les hêtres plantés contre le muret en pierre de taille qui délimitait le cimetière. Chaque fois que j'entendrai des ramiers, je penserai à mon père, songeai-je en trouvant du réconfort dans cette association d'idées.

Nous décidâmes de rentrer à pied à Beckburrow, où des biscuits et du sherry seraient servis en guise de petite veillée funèbre.

Dido et moi escortions Eric Maude, qui s'aidait d'une canne mais avançait d'un bon pas, se disant plus qu'heureux de marcher, se rappelant (complètement à tort) ses nombreuses promenades avec Brotherton dans les environs de Claverleigh. Nous eûmes tôt fait de rattraper ma mère en tête du cortège, car elle voulait arriver la première à la maison. Elle était dans tous ses états, les sourcils froncés, l'air contrarié.

« Ne vous inquiétez pas, Mère, dis-je en lui prenant le bras. C'était une très belle cérémonie.

– Il n'y a même pas eu de notice nécrologique. C'est honteux ! »

Son humeur ne s'arrangea pas, et elle se retira dans sa chambre le reste de l'après-midi, une fois les invités repartis.

Dido et moi décidâmes d'aller dans le kiosque, munies d'une bouteille de sherry et d'un paquet de cigarettes. L'échiquier de mon père y était toujours, avec six pièces dessus : un fou, un pion, deux cavaliers et deux rois. Le dernier mat en deux coups sur lequel il avait travaillé.

« Tu y comprends quelque chose, à ces problèmes qu'il inventait ? me demanda Dido en désignant le jeu du doigt.

– Non, rien du tout. Mat en deux coups. C'est bluffant.

– Il était infichu de se rappeler l'heure qu'il était, mais il arrivait à résoudre des problèmes d'échecs insolubles. Ah, les mystères du cerveau humain… Tu étais sa préférée, dit-elle brusquement en remplissant de nouveau nos verres. Un homme étrange, notre père. Xan et moi, il nous tolérait tout juste.

– Il a essayé de me tuer, Dido.

– Ah oui, c'est vrai, j'avais oublié », lâcha-t-elle en s'allumant une cigarette.

Je repensai à ce que venait de dire Dido et me demandai si c'était vrai. Avais-je été la préférée de mon père ? Si oui, alors cela rendait sa plongée dans la folie d'autant plus poignante et la fissure inévitable qui s'était creusée entre nous d'autant plus triste et regrettable. Tout avait changé, ce jour-là, au lac. Assise aujourd'hui face à ce problème d'échecs impossible, je sentis le remords m'envahir de façon presque insoutenable. Qu'avais-je véritablement perdu ? Qu'avait fait cette guerre à mon père ? De quel aspect de sa personnalité m'avait-elle privée à jamais ?

Dido me disait quelque chose. Je me réjouis de cette distraction.

« Désolée, je pensais à Papa.

– J'ai une nouvelle à t'annoncer. Je quitte Peregrine. »

Je pris le temps de la réflexion. Voilà qui était hautement symbolique : elle se séparait de Peregrine Moxon, le compositeur, le mentor, l'homme qui avait créé Dido Clay à partir de la modeste Peggy, l'enfant prodige.

« Tu le quittes, juste, ou tu le quittes pour un autre ?

– Je le quitte pour un autre.

– Je le connais ?

– Reggie Southover. »

Inconnu au bataillon.

« Je devrais connaître ?

– M'enfin, Amory ! Reginald Southover, le dramaturge.

– Ouf, ce n'est pas Eric Maude, en tout cas.

– Très drôle. Tu as forcément entendu parler de lui. Il avait deux pièces dans les théâtres du West End l'été d'avant la guerre.

– J'étais à New York, à l'époque.

– Enfin bref, nous sommes fous amoureux.

– Quel âge a-t-il ?

– Cinquante-cinq ans. Non, cinquante-sept.

– Dido, tu en as vingt-neuf.

– Je suis plus vieille que mon âge.

– Je te l'accorde. Il est riche ?

– Cela n'a rien à voir, dit-elle avant de marquer une pause. Il est assez riche, je le reconnais.

– Et Peregrine, alors ?

– Il dit qu'il va se tuer.

– Le pauvre.

– Moi je dis : bon vent ! »

Je fermai les yeux tandis que Dido énumérait les innombrables défauts de Peregrine, son égoïsme boursouflé, sa veulerie en tant qu'homme, son acharnement à vouloir contrôler la carrière de Dido par pure jalousie. Moi, j'essayais de visualiser mon père avant sa maladie, et je le revis à l'équilibre, en train de se moquer de nous, de nous plaindre, nous autres pauvres habitants leurrés dans notre monde sens dessus dessous.

Peggy (Dido), mon père et moi vers 1918.

Je me rappelle le mois de juin 1944. Je suis restée à Beckburrow pour tenir compagnie à ma mère, et je faisais la navette en train avec Londres, ce qui n'était d'ailleurs pas vraiment nécessaire puisqu'elle a semblé reprendre aisément le cours de son ancienne vie. J'imagine qu'elle n'avait presque pas remarqué la présence discrète de mon père les années précédentes, tandis qu'elle vaquait à ses occupations. Il restait seul et travaillait à ses problèmes d'échecs ; une cuisinière et une gouvernante géraient tout et le surveillaient, et le couple ne se retrouvait que pour le repas du soir, parfois même pas. Maintenant il était parti, et avec lui les traces infimes qu'il avait laissées à Beckburrow.

Pendant ces semaines de juin, le ciel de l'East Sussex grouillait de chasseurs qui faisaient des allers et retours en France. Puis, à la mi-juin, sont apparues les bombes volantes, les V1, aussi grosses que de petits avions monoplaces, annoncées par l'insupportable vrombissement pétaradant de leur moteur. Je me rappelle être montée sur le toit de nos bureaux de Holborn et en avoir vu trois d'un coup. L'une d'elles a connu une avarie de moteur et a décrit une parabole comme une pierre qu'on aurait jetée, pour atterrir quelque part dans le quartier de la cathédrale St Paul's. Il y eut un boum retentissant, et un nuage de fumée et de poussière de brique a bourgeonné esthétiquement au-dessus du point d'impact. À Chelsea, quand j'étais couchée, je les entendais souvent arriver, comme une motocyclette ou une tondeuse à gazon aériennes. Malgré l'aspect presque risible de ce bruit, je me pétrifiais dans mon lit, car le bruit, ça allait – c'est quand il s'arrêtait soudain qu'on était submergé de peur en imaginant l'engin chuter depuis le ciel nocturne.

Je me rappelle avoir vu Cleve brièvement, une seule fois, après la nuit passée avec Charbonneau. Il ne semblait rien soupçonner. Tout allait bien, et il m'a annoncé qu'il serait de retour en août. J'ai néanmoins dit à Charbonneau qu'il ne pouvait pas rester chez moi, ce qui l'a contrarié au point de le faire bouder. Je ne me voyais pas jouer les tranches de jambon dans le sandwich Charbonneau-Finzi. Je n'aimais pas leur présence simultanée à Londres, alors que la situation à New York m'avait paru différente, paradoxalement. Comment l'expliquer ? Peut-être parce que Cleve était redevenu lui-même et que je me sentais coupable de le trahir. La vie est assez compliquée comme ça et, après la mort de mon père, je n'avais pas besoin d'autres complications.

Finalement, Charbonneau n'est pas resté très longtemps à Londres. Une semaine après le départ de Cleve, il a reçu un ordre d'affectation en Corse pour préparer l'opération *Dragoon*, le débarquement de Provence, qui s'est déroulé deux mois plus tard. Il était officier de liaison entre l'armée B du général de Lattre de Tassigny et la 7e armée américaine. Il m'envoyait régulièrement des cartes postales pour me dire en détail à quel point il s'ennuyait et à quel point il s'empiffrait.

Je me rappelle avoir pris trois jours de vacances à Woolacombe, dans le Devon, vers la fin du mois de juin. Un photographe anglais de *GPW*, Gerry Mallow, y possédait une maison de campagne et un ketch baptisé le *Palinure*, au mouillage dans le port d'Ilfracombe. Nous partions en pique-nique sur le ketch, avec moult bouteilles de bière et de cidre, et voguions jusqu'à l'île de Lundy.

Expérience étrange que de partir ainsi en vacances avec des gens que je ne connaissais pas très bien. Je me promenais, je lisais des livres et j'oubliais le bureau, confié à Faith. De manière inconsciente, je m'en rends compte aujourd'hui, je faisais aussi le deuil de mon père. Je ne ressentais pas de peine, je procédais au bilan d'une relation qui n'était plus. Mon lien filial avec B.V. Clay s'était brisé l'après-midi où, pris de folie, il avait essayé de nous tuer tous les deux. L'ombre de ce drame avait plané sur toutes nos rencontres ultérieures et, malgré les signes d'affection courtoise de mise entre nous, je me méfiais toujours de lui, je restais sur mes gardes. La relation avait été rompue, et tout ce qui en restait, c'était la désignation officielle : père et fille.

J'avais emporté un appareil à Woolacombe, bien sûr, mais je ne m'en suis guère servi. Un jour où nous avions sorti le *Palinure*, je l'ai laissé près de la timonerie, et quelqu'un a pris une photo de moi. Je ne l'ai découverte que quinze jours plus tard, quand j'ai fait développer la pellicule.

Moi à bord du Palinure, *1944.*

*

* *

JOURNAL DE BARRANDALE, 1977

Je n'ai pas beaucoup de photos de moi, ce qui est caractéristique des photographes professionnels, je pense, mais j'ai toujours bien aimé celle-là, pour une raison qui m'échappe. C'est celle que je préfère après celle prise le jour de mon mariage.

Flam a fait une convalescence éclair. Le Flam habituel est de retour. Je l'ai emmené chez les McLennan aujourd'hui, et la promenade l'a beaucoup fatigué. Je ne dois pas oublier qu'il est aussi vieux que moi, en années de chien.

*

* *

Je me rappelle que la sonnette de mon appartement de Chelsea a retenti très tôt le matin du 1er juillet. Il était 6 h 30 à la pendule de la cuisine. Elle sonnait, sonnait encore. J'ai enfilé ma robe de chambre et je me suis précipitée à l'entrée rue. C'était ma mère, telle que je ne l'avais jamais vue, les cheveux en bataille, les yeux rouge vif à force d'avoir pleuré. Je l'ai aussitôt fait monter. Elle était incapable de parler tant elle sanglotait. Je l'ai aidée à s'asseoir. Elle est restée là, toute tremblante, à regarder ses mains.

« Que se passe-t-il, Mère ? Qu'est-ce qui est arrivé ?

– C'est Xan. J'ai reçu un télégramme. »

J'ai senti mes poumons se vider et ma colonne se cambrer. Je me suis assise au ralenti.

« Xan est porté disparu. Ils m'ont dit qu'il avait "disparu au combat". »

4

Paris

Je consultai de nouveau la carte.

« Prenez la prochaine à droite », ordonnai-je à Pearson Sorel, le chauffeur de ma jeep.

Nous cahotions le long d'un sentier encaissé entre de hautes haies de noisetiers et de hêtres dans les profondeurs du *bocage** normand. La jeep tourna à droite et pénétra dans l'avant-cour d'une ferme baptisée Le Moulin à Vent. Un colley retenu par une laisse émit une rafale d'aboiements agressifs, puis se recoucha.

« Attendez là », dis-je à Pearson avant de descendre de la jeep pour me diriger vers la porte d'un bâtiment bas en pierre au toit de tuiles peu pentu, passant devant une grange en bois ouverte et une petite écurie à deux stalles.

Je portais un treillis vert olive et un casque pour me donner l'air le plus martial possible. J'avais mon appareil dans mon havresac et une cartouche de deux cents Lucky Strike en offrande si nécessaire. Je frappai à la porte et dis « *Bonjour** » à la vieille dame voûtée couverte d'un châle qui vint m'ouvrir. Elle me toisa des pieds à la tête et cria : « Arnaud ! Arnaud ! » Arnaud fit dûment son entrée. C'était un homme au sourire édenté, aux joues rosies et arborant une moustache très fournie, façon Nietzsche. Fils ou mari ? Pas évident. Je lui montrai le document en ma possession, rédigé en français, car je ne maîtrisais pas assez cette langue pour lui expliquer le motif de ma visite. Il alla chercher une paire de lunettes et lut soigneusement le document.

« *Ah, finalement ! Suivez-moi, mademoiselle**. »

Je lui emboîtai le pas pour traverser la cour et passer entre la grange et l'écurie. Le terrain descendait vers un grand verger d'environ un demi-hectare. En ce mois de septembre, les feuilles jaunissaient et le sol entre les arbres était jonché de pommes arrachées par le vent. Arrivée à la moitié du terrain, je remarquai les arbres fracassés à l'autre bout, certains proprement fendus en deux, et là, comme une sorte d'étrange ruine métallique de guingois, reposait le Typhoon de Xan. Je vis le gros cône d'hélice profondément planté dans l'herbe, les pales et le fuselage brisés, la verrière en Perspex restée ouverte, le siège et le tableau de bord déjà parsemés de taches de rouille et de mousse, et même une toile d'araignée tendue entre le manche à balai et le carénage du cockpit. Une aile arrachée lors de l'impact gisait à cinquante mètres, l'autre se dressait presque à la verticale, de façon irréelle, exhibant les glissières vides où les roquettes avaient été accrochées.

Étonnamment, le Typhoon ainsi désintégré me parut encore plus massif ici que près de la piste à la base RAF Cawston. Peut-être était-ce la taille des pommiers, bas et larges même à maturité, qui provoquait cette illusion d'échelle et accentuait l'effet surréaliste de cet avion échoué dans un verger.

Arnaud se plaignait, et je compris qu'il voulait savoir pourquoi cette épave n'avait pas été évacuée de son terrain depuis plus de deux mois.

« *Bientôt**, dis-je avec assurance, comme s'il était en mon pouvoir de faire procéder à son enlèvement. *Très bientôt**. »

Je fis le tour du Typhoon en prenant des photographies et en pensant à l'ultime mission de Xan. J'avais exploité mes réseaux de journaliste pour recueillir un maximum d'informations auprès du ministère de l'Air, puis de son escadron.

Xan avait fait une sortie dans la région d'Argentan à la fin juin, avec pour cible un château soupçonné d'abriter un quartier général militaire. Avec les trois autres Typhoon de sa formation, ils avaient lâché leurs roquettes en n'essuyant que des tirs de DCA peu nourris et avaient sérieusement endommagé le château. Ce fut donc par manque de chance que l'avion de Xan fut touché. Des témoins l'avaient vu décrocher après son premier passage, de la fumée à l'arrière de son appareil, puis s'écraser dans un verger de pommiers quelques kilomètres plus loin. Xan avait survécu au crash et attendait debout près de son avion quand il avait été abattu par les premières troupes allemandes affolées arrivées sur place. Une semaine plus tard, quand les forces canadiennes avaient reconquis le secteur, le prêtre local les avait emmenées auprès du corps de Xan, qui reposait dans la crypte de son église.

Voilà les maigres éléments que j'avais pu rassembler et, alors que je faisais le tour de l'avion, j'essayai en vain d'empêcher mon esprit de remplir les blancs. Le soulagement de Xan d'avoir survécu au crash, sa sortie un peu ankylosé du cockpit, une cigarette, peut-être… Puis il entend les cris, il voit les soldats allemands accourir entre les arbres, il se résigne à être fait prisonnier, il lève les mains en l'air. Et puis les coups de feu…

Je me retournai vers Arnaud.

« *Le pilote. Il était là ?** demandai-je en désignant l'herbe près de l'avion. *Ou plus loin ?** »

Arnaud haussa les épaules pour signifier qu'il l'ignorait. Beaucoup de soldats allemands se cachaient dans le village lors des attaques aériennes. Ils avaient vu l'avion s'écraser et étaient accourus. Lui était resté à distance.

« *Il a été abattu, le pilote. Vous savez ?**

– Oui, c'était mon frère, dis-je sans réfléchir avant de lire l'incompréhension sur son visage et de traduire : *Il était mon frère**. »

Cela sonnait différemment en français, sans appel, d'une certaine manière, et c'en fut trop pour moi. Je me mis à pleurer, et le vieil homme me prit par la main pour me faire lentement sortir du verger.

*
*　*

JOURNAL DE BARRANDALE, 1977

Je repense à Xan toutes ces années plus tard, trente ans ou plus, et je me maudis encore de ne pas avoir eu de pellicule dans mon appareil le jour de ma visite à la base RAF Cawston. Pourquoi cela me chagrine-t-il tant ? J'ai plein de photos de Xan enfant, jeune homme, il est figé dans le temps pour toujours. Mais j'ai comme l'impression qu'il aurait été bon de l'avoir photographié près de son avion, de ce Typhoon qui est devenu son cercueil. Erreur stupide. Une de plus.

J'ai repensé à ces erreurs que nous commettons tous, ou plutôt au concept d'erreur. Un élément dont on ne prend conscience qu'avec le recul : grosse erreur ou petite erreur. C'était une erreur de l'épouser. C'était une erreur d'aller à Brighton un jour férié. C'était une erreur d'écrire cette lettre à l'encre rouge. C'était une erreur de sortir sans parapluie. On ne sent pas venir les erreurs, elles se caractérisent par leur imprévisibilité. Alors je me suis posé la question suivante : quel est le contraire d'une erreur ? Et je me suis rendu compte qu'il n'existe pas de mot pour ça, précisément parce qu'une erreur naît toujours de bonnes intentions qui tournent mal. On ne peut pas faire une erreur volontairement. L'erreur arrive, et on n'y peut rien.

Je me suis promenée sur la plage de ma petite baie en pensant à Xan. Il n'avait que vingt-sept ans. Près de cent mille pilotes de la RAF ont trouvé la mort pendant la Seconde Guerre mondiale, ai-je lu quelque part. Le fait que Xan n'ait été qu'une unité dans ce chiffre immense rend les choses d'autant plus terribles : un avis de décès envoyé à une famille parmi tant d'autres que ce conflit a éprouvées.

*
* *

Mais ce fut la mort de Xan qui me poussa à aller à Paris. Je me dis qu'il fallait que je quitte Londres, que je fasse quelque chose, et, après la libération de Paris en août, j'envoyai un message à Cleve sur le téléscripteur pour lui suggérer d'y ouvrir des bureaux *GPW*. « Le *New York Times* et le *Chicago Tribune* ont rouvert les leurs, écrivais-je. Nous allons nous retrouver à la traîne. » Une semaine plus tard, le feu vert arrivait, à une condition : je serais codirectrice avec un certain R.J. Fielding, journaliste et correspondant de guerre chevronné qui venait d'être renvoyé par le *Washington Post* pour une raison obscure, et aussitôt engagé par Cleve. Cela ne me dérangeait pas, je m'en fichais, j'avais juste ce désir pressant d'aller en France découvrir l'endroit où Xan était mort.

R.J. Fielding, dit « Jay », était un quinquagénaire grand et mince qui avait couvert la guerre d'Espagne et la guerre sino-japonaise dans les années 30. L'association de cheveux gris coupés en brosse courte et de lunettes à verres non cerclés lui donnait une allure de professeur athlétique. Il était veuf et posait un regard caustique et imperturbable sur la condition humaine. J'appris à beaucoup l'apprécier et, suite à la mort de mon père, je dus trouver en lui le modèle paternel que je recherchais.

Paris en 1944 était une magnifique illusion. Si on n'ouvrait les yeux qu'à demi, la ville semblait intacte, aussi sublime que toujours, même après quatre ans de guerre ; si on ouvrait plus grand les yeux, les transformations qu'elle avait subies devenaient apparentes. Des petites choses : le claquement des chaussures à semelle de bois et non de cuir ; la fourniture d'électricité très erratique ; pas d'eau chaude ; un plat de petits pois en boîte servi sans aucune excuse dans un grand restaurant. Mais malgré ces privations, l'atmosphère était festive et enivrante : la libération libérait et ces inconvénients mineurs n'allaient pas pouvoir entamer l'esprit des lieux.

Les nouveaux bureaux de *GPW* occupaient un appartement au dernier étage d'un immeuble de la rue Louis-le-Grand dans le *deuxième arrondissement**, à quelques pâtés de maisons de l'hôtel Scribe, quartier général des correspondants de tous les journaux, stations de radio et agences de presse qui couvraient l'avancée des Alliés vers la frontière allemande. Rue Louis-le-Grand, nous avions transformé le salon en un bureau (sans téléphone) où étaient installées deux tables, une pour Jay Fielding et une pour moi. Une des chambres revenait à notre noble secrétaire, Corisande de Villerville, une jeune femme au visage rond et diaphane, polie jusqu'à l'excès, qui parlait un anglais parfait et se disait ravie de travailler à toute heure en échange du modeste salaire que nous lui versions. J'avais une chambre au Scribe, mais je dormais souvent dans la chambre d'amis de l'appartement, car toute l'agitation qui régnait au Scribe me déplaisait – trop de gens qui jouaient au correspondant de guerre, fiers et ivres de joie de se trouver dans le Paris libéré. Tous les moyens de communication étaient centralisés au Scribe, et les censeurs militaires, aussi, qui relisaient tous les articles et visionnaient tous les clichés, ce qui fait que j'étais contrainte d'y passer le plus clair de mes journées. C'était un soulagement de quitter l'hôtel pour retrouver le calme et le vide de l'appartement. Jay Fielding avait une chambre au Lancaster (je pense qu'il disposait d'une fortune personnelle), et moi, bien sûr, j'avais Charbonneau.

Comme il occupait rarement son petit appartement du boulevard Saint-Germain, il me donna un jeu de clés, mais je n'y passai qu'une nuit toute seule, car l'atmosphère Charbonneau (ses objets, son bazar, ses odeurs, ses empreintes personnelles, pour ainsi dire) me perturbait trop en son absence. Il sillonnait la France libérée pour le compte des FFI, semblait épuisé en permanence, se plaignait constamment, mais il était néanmoins heureux de m'avoir dans sa ville, et il m'aimait beaucoup en uniforme.

« Les uniformes américains sont tellement plus seyants que les anglais ou les français, tu sais, me disait-il en me déshabillant des yeux. Plus chics. Plus sport. Même la forme du casque américain est mieux. *Soigné**.

– Mais oui, mais oui. »

Ce genre d'analyse m'horripilait. Comme nombre d'intellectuels français de l'époque, Charbonneau entretenait une condescendance sophistiquée envers les États-Unis (primaires, vulgaires, philistins, zéro gastronomie, obsédés par le fric, etc.), mais était simultanément un américanophile passionné pour tout ce qui touchait à la culture (cinéma, jazz et littérature).

L'un de ses auteurs préférés, Brandon Ritt, se trouvait à Paris, où il travaillait pour le magazine *Time*, et Charbonneau s'était arrangé pour le rencontrer. Ils étaient devenus plus ou moins amis, et il lui proposait souvent de dîner avec nous. J'avais vaguement entendu parler de Ritt durant mes années new-yorkaises. Il n'avait écrit qu'un seul roman de six cents pages, *Le Beau Mensonge*, qui avait reçu un excellent accueil au point de devenir un best-seller avant-guerre et d'être adapté en film (un flop). Il vivait depuis près de dix ans sur ce succès tout en travaillant à une suite très attendue et annoncée partout, *L'Affreuse Vérité*. À quarante et quelques années, il avait une beauté ravagée, dissolue (c'était le plus gros buveur que j'aie jamais rencontré, à l'époque), et il oscillait étrangement entre une autodérision souvent désarmante et un égocentrisme démesuré, insupportable. « Je suis peut-être un écrivain de merde, mais je suis plus riche que tous les bons écrivains », l'ai-je entendu dire un jour. Charbonneau, qui n'avait pas conscience de cette ambivalence, était toujours prêt à louer le génie en Ritt, et ce dernier ne se lassait pas de l'entendre.

Après mon voyage en Normandie pour retrouver le site du crash de Xan, j'essayai de me concentrer sur mon travail. Jay et moi ne chômions pas : les armées alliées, qui avaient pris pied en Italie et en Provence, progressaient à toute vitesse à travers la France et la Belgique sur une ligne de front qui s'étendait à présent de la Manche à la Suisse, et se préparaient toutes pour la percée finale en Allemagne. En dehors des activités propres à *GPW*, nous nous occupions toujours de faire accréditer les reporters et les photographes d'autres journaux et magazines, donc nous avions des journées bien remplies.

Un jour, j'allai au Scribe présenter une jeune journaliste qui venait d'arriver des États-Unis à l'officier responsable des relations presse du SHAEF (le Supreme Headquarters Allied Expeditionary Force, qui avait remplacé l'ETOUSA). Elle s'appelait Lily Perette et avait douze ans de moins que moi. Alors que nous étions assises dans le vestibule en attendant notre rendez-vous, elle essaya de deviner à quelle unité elle allait être affectée. « N'importe où du moment que c'est dans la 3e armée de Patton », me dit-elle, et je me surpris à l'envier. Lily Perette fut en effet assignée à la 3e armée et elle m'en fut ridiculement reconnaissante, comme si c'était grâce à moi. En allant boire un verre au bar du Scribe avec elle pour fêter cette bonne nouvelle, je pris conscience que j'avais toujours la bougeotte, que je ne me remettais pas de la mort de Xan et que je voulais être sur le terrain à agir et non pas à Paris, submergée par la paperasse. J'étais photographe, me rappelai-je à moi-même, pas gratte-papier, alors pourquoi ne serais-je pas assignée à une unité, moi aussi, comme Lily Perette ?

J'envoyai un télégramme à Cleve pour lui demander son autorisation. Il refusa. Je menaçai de lui présenter ma démission. Il accepta à contrecœur. J'accomplis la procédure d'accréditation (je serais toujours officiellement employée par *GPW*) et j'attendis de connaître mon affectation. Cela s'avéra plus long que je ne l'aurais cru, car il y avait tant de journalistes en partance pour le front européen, maintenant que la guerre semblait entrer dans sa phase finale, que les unités sur le terrain n'en voulaient pas plus – ils commençaient à devenir un fardeau. Autour de moi au Scribe, des dizaines d'hommes et de femmes attendaient eux aussi une affectation. Je demandai à Jay Fielding d'utiliser son expérience d'ancien correspondant de guerre et de faire jouer ses relations.

Je me rappelle Charbonneau m'annonçant qu'il avait une semaine de permission et que nous allions partir en voyage. Il avait une voiture, un laissez-passer et, surtout, six jerrycans d'essence. Je lui ai dit que je devrais rentrer immédiatement à Paris si je recevais mon affectation, mais, en toute honnêteté, cela paraissait peu probable, donc j'étais impatiente de partir.

Nous avons emprunté les *routes nationales** jusqu'à un village provençal du nom de Sainte-Innocence, à une quinzaine de kilomètres à l'est de Saint-Rémy. Le voyage nous a pris deux jours, à travers une France provinciale qui ne gardait que peu de traces de l'occupation. Nous aurions pu être dans les années 30, en train de rouler vers le Sud dans la grosse Citroën noire de Charbonneau, avec des étapes dans des auberges où nous mangions étonnamment bien, reprenant la route au petit matin toutes vitres ouvertes pour profiter du soleil en regardant le défilé monotone des platanes de part et d'autre.

Nous sommes arrivés à Sainte-Innocence au crépuscule, et Charbonneau est allé récupérer les clés d'une maison chez le boucher du cru. À la sortie du village, nous avons emprunté un chemin de terre qui grimpait jusqu'à un petit bois de pins parasols sur un promontoire adossé tel un marchepied ou un seuil à une montagne plus haute et plus rocailleuse.

Charbonneau a ouvert le portail en fer et, dans une lumière à peine suffisante, nous sommes entrés dans un jardin mal entretenu planté de lauriers roses, de romarins et d'une longue rangée de cyprès servant de barrière contre le mistral. La maison elle-même était un *mas** provençal classique en crépi rose, un bâtiment long et étroit à un étage, profond d'une seule pièce, avec une terrasse le long de la façade. Une vieille grange en pierre se dressait en face, formant ainsi une sorte de cour.

« Nous sommes au Mas d'Épines, m'a expliqué Charbonneau en regardant alentour après être sorti de la voiture. Avant, il n'y avait que des buissons de ronces.

– C'est très beau, c'est magnifique. C'est à qui ?

– À moi, a-t-il répondu avec le sourire du propriétaire. Je l'ai
acheté grâce aux droits d'auteur de mon quatrième roman, *Cacapipitalisme*. Un petit cadeau que je me suis fait. Je ne suis pas
revenu depuis 1939.

– Oh là là, quelle chance ! »

Charbonneau arrivait toujours à me surprendre…

La maison était dans un état répugnant, remplie de feuilles mortes
et d'années de poussière accumulée. Des oiseaux avaient niché dans
certaines pièces, des araignées avaient tissé leur toile dans tous les
coins et je ne voulais même pas penser à la population de rongeurs.
Nous avons allumé une lampe à pétrole, passé le balai dans une
chambre et mis des draps propres que nous avions apportés avec
nous sur un matelas en crin de cheval. Charbonneau avait acheté
plusieurs bouteilles de vin rouge local et un gros *saucisson sec** à
Sainte-Innocence, et nous nous sommes installés sur le parapet de
la terrasse alors que la nuit tombait pour manger des tranches de
*saucisson** et boire autant de vin que nous le pouvions raisonna-
blement. À un stade agréable d'ébriété, nous sommes allés au lit
après avoir chassé une chauve-souris de la chambre.

« J'adore cette maison, ai-je dit, allongée dans ses bras, en
caressant sa douce toison. Je ne sais pas pourquoi, mais je l'adore.

– Nous pourrions être heureux ici. Tu ne crois pas ?

– C'est une proposition ?

– Disons plutôt une invitation.

– Mais je dois rentrer à Paris. Je vais recevoir mon affectation.

– Cette guerre sera bientôt terminée, a-t-il dit en se plaçant au-
dessus de moi pour me regarder dans les yeux. Plus vite que tu ne
le penses. Que feras-tu à ce moment-là, Amory Clay ? »

Je me rappelle qu'un jour, alors que nous étions rentrés de notre
semaine en Provence et que j'attendais toujours mon affectation,
Jay Fielding et moi étions dans le vestibule de l'hôtel Scribe à nous
demander où nous allions manger quand j'ai vu Brandon Ritt sortir
de l'ascenseur et venir vers nous d'un pas un peu incertain.

« Jay, Amory ! Une soirée au Ritz, ça vous dit ? Boissons à volonté.

– D'accord, comme ça je pourrai peut-être prendre une douche, a répondu Jay, sachant que le Ritz était le seul hôtel de Paris à disposer d'eau chaude en continu. Tu viens, Amory ?

– Pourquoi pas ? »

Nous avons fait à pied le court trajet qui séparait le Scribe de la place Vendôme. Je n'étais jamais allée au Ritz, et traverser la grande place dominée par sa colonne en direction de l'entrée de l'hôtel (Ritt s'étant lancé dans une diatribe contre un auteur américain dont je n'avais jamais entendu parler) puis pénétrer dans l'immense vestibule constituait une de ces expériences de voyage dans le temps que réservait Paris en 1944. Je portais mon uniforme – veste kaki sombre, jupe gris perle, calot dans mon sac –, mais, alors que nous montions au troisième dans l'ascenseur pour rejoindre la suite où se déroulait la fête, dont j'ai entendu la rumeur à peine arrivée au deuxième, je me suis prise pour quelque ingénue dans un film des années 20, une jeune oie blanche se rendant à une soirée décadente où le dévergondage serait de mise.

Ritt nous a précédés dans le couloir, où traînaient une dizaine de personnes que la suite ne pouvait déjà plus contenir tant les fêtards arrivaient toujours plus nombreux. Nous nous sommes frayé un chemin à l'intérieur. Le brouhaha était assourdissant, comme si tout le monde hurlait au lieu de parler. Les fenêtres donnant sur la place Vendôme avaient été ouvertes en grand pour essayer de disperser les nuages de fumée de cigarettes et de cigares provenant essentiellement de deux tables de poker à huit. Sur une grande commode surmontée d'un miroir biseauté orné de bougeoirs en cristal s'alignaient des bouteilles de bourbon, de gin et de rhum, ainsi que des seaux de glace contenant des magnums de champagne.

J'ai bien vite allumé une cigarette (phénomène étrange, fumer dans une pièce enfumée évite d'avoir les yeux qui piquent). Ritt m'a apporté une coupe de champagne. Jay avait disparu, peut-être en quête d'une salle de bains inoccupée où se doucher.

« Vous êtes une femme très séduisante, Amory, a attaqué Ritt d'un ton concupiscent. Parlez-moi de Charbonneau et vous. Quelle est la situation, au juste ?

– Nous allons nous fiancer, ai-je menti.

– Formidable ! Toutes mes félicitations ! Alors, peut-être qu'on pourrait s'amuser un peu avant que vous ne soyez vraiment *fiancés**…

– Je ne pense pas que Jean-Baptiste apprécierait.

– Jean-Baptiste me laisserait baiser sa…, a commencé Ritt en me prenant dans ses bras, vite interrompu par un grand rugissement.

– Ôte tes sales pattes de cette jeune femme, sale enfoiré de plumitif ! »

Je me suis retournée pour découvrir un homme râblé avec une grosse barbe. Il a donné l'accolade à Ritt, ils ont mimé un petit combat de boxe à vide, puis, tout essoufflé, Ritt a fait les présentations :

« Amory Clay, la plus jolie photographe sur tout le théâtre des opérations en Europe. Waldo Tête-de-Nœud. »

Nouvel éclat de rire.

« Bonsoir, enchantée de faire votre connaissance.

– Vous êtes anglaise ? s'est-il étonné en me regardant de la tête aux pieds. Mais vous portez un uniforme américain. Ça me plaît, a-t-il commenté avant de repérer l'écusson sur ma manche. Ah, correspondante de guerre, comme moi. Bienvenue au club.

– Oui, en effet, je suis anglaise.

– Eh bien je vais vous dire, belle Anglaise, si vous êtes photographe, il y a un homme ici que vous devez absolument rencontrer. *Dónde está Montsicard ?* » a-t-il hurlé.

Un cri lui est parvenu en réponse d'une des tables de poker, et « Waldo » m'y a escortée en titubant gravement. Un jeune homme élancé portant un costume bon marché s'est levé. Il avait une peau olivâtre, contre laquelle le blanc de sa chemise au col ouvert semblait luire.

« Felip Montsicard, je vous présente une belle photographe anglaise, a dit Waldo pendant que je serrais la main à Montsicard.

305

Felip était le meilleur photographe de toute la guerre d'Espagne, bordel ! »

Waldo est reparti d'un pas chaloupé, me laissant avec Felip Montsicard en personne. Je me retrouvais au cœur d'un étrange ballet de personnalités. Qui allais-je rencontrer ensuite ? Marlene Dietrich ? Maurice Chevalier ? Oscar Wilde ?

Montsicard a proposé d'aller remplir mon verre, et il est parti en me laissant de nouveau seule. J'ai allumé une autre cigarette et je me suis rapprochée de la fenêtre pour toucher les épais rideaux de brocart doré, si denses, si lourds, retenus par des embrasses de velours noir tressé. De l'autre côté de la pièce, entouré par des fêtards qui l'acclamaient, Brandon Ritt était en train de casser une chaise, de la réduire en miettes, comme si elle l'avait sauvagement attaqué.

Montsicard est revenu avec ma coupe de champagne.

« Alors comme ça, vous êtes photographe ? Chez qui ? a-t-il demandé avec un fort accent espagnol.

– *Global-Photo*.

– C'est bien. Je suis chez *Life*.

– Je sais.

– Alors vous savez qui je suis. Montsicard, le photographe.

– Oui, et je suis ravie de faire votre connaissance.

– Vous connaissez Capa ? C'est lui, là-bas, a-t-il dit en pointant du doigt un petit homme aux cheveux bruns qui regardait ses cartes à une des tables de poker.

– Non, je ne le connais pas.

– C'est lui, Capa. »

Ritt jetait à présent les vestiges de la chaise par la fenêtre donnant sur la place Vendôme.

« Ritt n'est pas méchant, a commenté Montsicard avec tact. Mais il est très malheureux en amour, vous savez. »

Jay Fielding s'est frayé un chemin jusqu'à moi, ses cheveux courts luisant de gouttelettes d'eau.

« Où étais-tu ? lui ai-je demandé.

– Je t'ai dit, j'ai pris une douche. »

En tournant la tête, j'ai vu Capa se lever de la table de poker pour aller à celle des boissons. Jay a embrassé la pièce d'un regard circulaire.

« Ils sont tous là, ce soir. Regarde, voilà Irwin Shaw. George Stevens, John Steinbeck... Il ne nous manque plus que Marlene Dietrich », a-t-il ajouté avec un sourire.

Et c'est à ce moment précis que Marlene Dietrich a fait son entrée.

Charbonneau se montra très agacé quand je lui racontai ma soirée. Extrêmement agacé.

« Brandon t'a emmenée au Ritz ?

– Il m'a juste proposé de l'accompagner à une soirée. Comment j'aurais pu savoir ?

– Mais pourquoi ne me l'as-tu pas dit ? Pourquoi tu ne m'as pas téléphoné ?

– Je te croyais à Bordeaux. Ritt m'a posé la question et j'ai dit que tu étais en déplacement. »

Son exaspération rendait sa voix anormalement stridente. Il s'énervait de plus en plus.

« Mais j'étais ici, chez moi, à me tourner les pouces !

– Comment aurais-je pu le savoir ?

– Irwin Shaw était là ?

– Tout le monde était là, oui, et Irwin Shaw aussi. Tout le monde. Même Marlene Dietrich.

– *Putain !** »

Il arpenta son petit salon en fulminant, fâché contre moi. Comme dans son appartement new-yorkais, les murs étaient bardés de piles de livres qui montaient jusqu'au plafond.

« J'ai vu Robert Capa, et j'ai rencontré Felip Montsicard.

– Qui c'est ?

– Des photographes. Des photographes très connus.

– Je me fous des photographes !

– Merci beaucoup.

– Tu as parlé à Shaw ?

307

– Oui, pendant un bon bout de temps.

– De quoi ?

– Je ne sais plus. J'étais atrocement saoule, à ce stade.

– *Ce n'est pas vrai. Ce... n'est... pas... vrai !** »

Il finit par se calmer, au bout d'un moment, et nous traversâmes le boulevard pour aller au Café de Flore manger des carottes arrosées d'une bouteille de très mauvais bourgogne.

« J'ai une nouvelle à t'annoncer, dis-je aussi légèrement que possible alors que nous éclusions notre vin.

– Tu vas épouser Ernest Hemingway ?

– J'ai enfin reçu mon affectation. Je vais rejoindre la 7e armée américaine dans les Vosges. »

5

Le supertank

Nous étions tous assis sur des pliants en toile, quatre journalistes et deux photographes, à attendre l'arrivée du colonel Richard « Dick » Bovelander dans le hall d'entrée glacial d'un petit château près de Villeforte, sur les contreforts des Vosges, à l'ouest de Strasbourg, à quelques kilomètres derrière la ligne de front virtuelle que tenait la 7ᵉ armée en novembre 1944.

L'humeur de chacun variait de mécontent à résigné. Le colonel Bovelander, commandant du 631ᵉ régiment d'infanterie parachutiste auquel nous avions été rattachés, n'aimait pas la presse. Il nous avait tenus à grande distance de tout combat, loin à l'arrière, et, à mesure de l'avancée impitoyable de la 7ᵉ armée vers le Rhin, nous avait successivement consignés dans toute une série de bâtiments : une abbaye, des *maisons de maître**, et maintenant ce château. Nous avions vu les maires de villages libérés remettre des bouquets à différentes unités américaines ; nous avions visité des hôpitaux de bases militaires et des dépôts de matériel de l'échelon arrière ; nous avions couvert le passage en convoi de centaines de camions, photographié des transports de chars qui déchargeaient leur cargaison, assisté sur base au décollage d'escadrons de chasseurs P-51 Mustang en mission de soutien terrestre, etc. Bref, nous avions eu accès à toutes les activités d'une armée moderne sur le terrain sauf aux combats.

Nous avions donc déposé une réclamation unanime au nom de nos journaux et magazines respectifs, d'où cette rencontre organisée avec le colonel Bovelander. Nous étions six, dont deux femmes, moi et une reporter chevronnée de *McCall's* qui s'appelait Mary Poundstone (et qui, soupçonnais-je fortement, ne m'aimait guère, car elle préférait être la seule femme dans une équipe). Les quatre hommes, trois journalistes et un photographe de l'Associated Press, se satisfaisaient de cette vie ennuyeuse mais facile. C'est Mary et moi qui avions formé alliance afin d'obtenir ce consensus, ce front uni pour la liberté d'expression, et nous n'allions pas nous laisser intimider par les admonestations de Bovelander.

Il fit son entrée à grands pas, accompagné de son officier de relations publiques. À trente-deux ans, il était l'un des plus jeunes commandants de régiment de l'armée américaine. Blond, grand, portant beau, il arborait son accessoire signature, un bandana rouge noué autour du cou. « Ah le péquenot ! avait ironisé Poundstone la première fois qu'elle l'avait vu. Non mais je te jure, c'est le détail qui tue. »

« Mesdames et messieurs, commença Bovelander sans autre formalité. Votre réclamation a été dûment étudiée et rejetée. Je n'apprécie pas de perdre ainsi mon temps. Quiconque ne suit pas à la lettre les instructions du capitaine Enright ici présent sera mis aux arrêts et poursuivi, prévint-il en désignant son officier de relations publiques près de lui.

– Poursuivi pour quoi, je vous prie ? lança Mary Poundstone.

– Pour insubordination. Bonne journée ! dit-il avec un sourire avant de sortir.

– Bon, eh bien au moins on aura protesté, commentai-je.

– Il faut que je me fasse muter, moi », déclara Poundstone avant d'aller parler à Enright.

Je sortis sur la terrasse à l'arrière qui donnait sur un jardin tout en longueur mal entretenu. Au bout de la pelouse sillonnée d'ornières laissées par des véhicules se dressait un poste de secours avancé, avec une grande bâche ornée d'une croix rouge qui recouvrait le toit de tuiles d'une magnifique écurie. J'allumai une cigarette et marchai dans cette direction. Je connaissais certains membres du personnel médical, qui se trouvaient aussi loin que nous du front et semblaient voyager avec nous à mesure de l'avancée. Je repérai un jeune soldat de ma connaissance, Ephraim Abrams, qui entassait des cartons à l'arrière d'une jeep dont le moteur tournait. Je l'avais photographié, debout près d'un canon de 88 mm abandonné, et lui avais donné un tirage pour qu'il puisse l'envoyer à ses parents dans le New Jersey.

« Vous partez où ? lançai-je.

– On va sur Villeforte. On l'a reprise hier.

– Je peux venir avec vous ?

– Bien sûr.

– J'en ai pour deux secondes. »

Je courus dans ma chambre chercher mon casque, mes appareils et de la pellicule et retournai au pas de course à l'écurie. Je sautai à l'arrière de la jeep, rabattis mon casque sur mon front et me nouai un foulard devant le visage alors qu'Abrams démarrait pour nous faire sortir de la cour et emprunter un chemin boueux en direction de Villeforte. Comme toujours, la circulation était dense dans les deux sens, des camions, des jeeps, des half-tracks et une longue colonne de prisonniers allemands qui marchaient d'un pas lourd vers la captivité. Il nous fallut presque une heure pour parcourir trois kilomètres. Villeforte ne gardait pas trop de traces des combats : le toit de la *mairie** présentait un trou béant et quelques grosses fermes à la périphérie utilisées comme points fortifiés avaient été quasiment rasées (murs effondrés, monceaux de gravats), mais il ne restait pas d'incendie actif et l'horloge du clocher de l'église indiquait l'heure correcte.

Abrams se gara devant un dépôt de matériel et je descendis d'un bond, non sans avoir discrètement chipé un brassard à croix rouge trouvé par terre dans la jeep.

« Vous rentrez quand ? demandai-je.

– Dans une heure à peu près.

– Ne partez pas sans moi. »

Je m'éloignai le long de la route qui menait en ville, puis je mis mon brassard et ressentis une soudaine poussée d'adrénaline, comme si je faisais l'école buissonnière. J'étais en train de désobéir

311

à Bovelander, de contrevenir à un ordre explicite. Qu'il aille se faire foutre ! songeai-je, avant de m'arrêter en voyant une petite unité de la police militaire qui réglait la circulation un peu plus loin. Je tournai à droite sur un chemin de ferme et, sitôt hors de vue, coupai à travers un pré en direction d'une autre route qui me mènerait au centre-ville, en prenant la flèche de l'église comme point de repère. Je passai par-dessus une barrière en bois et me figeai soudain.

Le corps d'un soldat allemand gisait là sur le pâturin écrasé, à quelques mètres d'une grande haie de prunelliers, la tête écrabouillée, charpie de sang, d'os et de cheveux. Je jetai un regard alentour, prise de vertige. Comment les brancardiers avaient-ils pu le rater ? Je sortis mon appareil et le pris en photo. Mon excitation s'était évaporée, remplacée par une appréhension et une vigilance maximales. C'était mon premier cliché de photographe de guerre. Je poursuivis mon chemin.

Cadavre d'un soldat allemand, Villeforte, novembre 1944.

312

Je m'aventurai prudemment dans les étroites ruelles de Ville-forte, dont toutes les maisons verrouillées présentaient des volets clos. Ici et là dans les rues se trouvaient des groupes de soldats assis, couchés, en train de manger ou de fumer. Aucun ne me prêta attention – mon brassard à croix rouge était le parfait laissez-passer.

Je fus néanmoins stoppée par une sentinelle quand je voulus pénétrer sur la place principale.

« Désolé, me dit-il. Les gradés inspectent le tank. »

Je reculai et fis un détour. Le tank ? Depuis une rue perpendiculaire, je réussis à voir la place en biais et découvris un énorme char allemand, aussi grand qu'une maison me sembla-t-il, peint en gris sable et apparemment intact, sur lequel se hissaient des soldats américains. J'entendais leurs discussions animées et, de temps à autre, un cri de joie. Je m'avançai à pas de loup jusque sous un porche, d'où je pris quelques clichés. Je n'avais jamais vu un tank aussi énorme. Une arme secrète prise à l'ennemi ? Était-ce une autre raison de tenir la presse à l'écart de Villeforte ?

Je consultai ma montre. Il était temps d'aller retrouver Abrams au dépôt de matériel. Je repartis en empruntant une allée pavée pentue au bout de laquelle je voyais des champs. Je jubilais, je me félicitais de m'être ainsi absentée sans permission. Comme Poundstone, je comptais bien demander ma réaffectation dans une autre unité avec un commandant plus conciliant. Bovelander était le cadet de mes soucis, il…

L'air s'emplit soudain d'une étrange combinaison de bruits : des sifflements métalliques stridents, le déchirement d'une grosse toile, puis, aux confins de la ville, une salve de déflagrations. Je sentis le souffle balayer les rues et happer mes vêtements. Je m'accroupis. Des cris, puis encore des sifflements stridents et des explosions et, après quelques secondes, des tirs frénétiques en réaction, comme si toutes les armes stationnées à Villeforte ripostaient.

Char allemand inconnu, Villeforte, novembre 1944.

Je courus jusqu'au bout de la ruelle et me plaquai contre le mur de la dernière maison avant la campagne. Devant moi, un grand champ labouré et, au-delà, des taillis disséminés d'arbres dénudés. Je risquai un regard sur le côté et vis une escouade de GIs à couvert derrière le muret d'un jardinet. De temps à autre, l'un d'eux passait la tête par-dessus et tirait quelques balles en direction d'une cible cachée dans un bois à l'autre bout du champ. Je jetai moi aussi un coup d'œil. J'entendais des bruits de moteur dans les broussailles près des arbres et je crus voir grouiller de petites silhouettes en uniforme vert-de-gris.

Je hélai les GIs et courus vers eux, courbée en deux à l'abri du muret.

« Qu'est-ce qui se passe ?

– Ces enfoirés contre-attaquent. Vous êtes infirmière ?

– Hein ? Oui. »

314

Des obus se mirent à tomber dans le bois de l'autre côté du champ – les nôtres, supposai-je. D'énormes volutes de fumée chocolat s'élevèrent, puis l'onde de choc nous frappa. J'observai la lente chute d'un arbre : d'abord des craquements, le déchirement du bois fendu, puis une éruption de branches et de brindilles quand il heurta le sol. L'air était saturé des détonations d'armes légères. Des tuiles furent arrachées au toit de la maison derrière nous, et des éclats se mirent à pleuvoir sur nous et autour de nous. Tout le monde baissa la tête. Je suis sous le feu, songeai-je. Alors, c'est comme ça que ça fait ?

L'homme à la barbe naissante auquel j'avais parlé, dont l'écusson rond sur le bras s'ornait d'une étoile, se mit à crier.

« OK les gars, on se tire ! dit-il en indiquant l'entrée d'un étroit chemin creux. On se bouge le cul. Je vais en reconnaissance. »

Et le voilà parti vers le chemin creux, courant à moitié courbé. Il arriva à bon port sans essuyer de tir et s'accroupit entre les hauts talus.

« OK, ramenez-vous ! brailla-t-il. Un par un ! »

De nouveau, des tuiles furent touchées derrière nous. Les éclats tombèrent avec un bruit fragile, presque mélodique, comme celui d'un carillon éolien. Personne ne bougea. L'un des soldats me regardait d'un air étrange.

« Vous êtes infirmière ?

– Plus ou moins.

– Allez, les mecs, putain ! » hurla l'homme à l'orée du chemin creux.

Je fourrageai dans ma musette et en sortis mon deuxième appareil, que j'équipai d'un objectif 50 mm avant d'enrouler la pellicule. La photographe en moi se disait : Ne rate pas ça ! Une contre-attaque. On est sous le feu. Ne rate pas ça !

Le GI dans le chemin creux appela de nouveau, mais personne ne semblait avoir très envie de suivre cet intrépide soldat et de traverser en courant les quelques mètres à découvert le long du champ labouré, même pour atteindre l'évidente sécurité que fournissaient les hauts talus. Il agita le bras en criant. Retentit soudain une grosse explosion derrière lui. Un énorme nuage de fumée envahit le chemin creux et enveloppa le soldat. Il tomba à terre et sa carabine s'en alla voltiger en l'air pour atterrir à six mètres de là. Il se releva, apparemment indemne, et se mit à courir vers nous sans se soucier de récupérer son arme, son barda heurtant sa hanche alors qu'il essayait d'atteindre le muret. Je passai la tête par-dessus et pris quelques photos du bois. J'entendais toujours la pétarade de fusils et de mitraillettes, mais je ne voyais plus rien bouger dans les arbres.

« Couchez-vous, bordel ! » me hurla l'homme qui courait vers nous.

Je me retournai et le vis se faire toucher, juste un tressaillement qui raccourcit sa foulée. Par pur réflexe, mon doigt appuya sur le déclencheur. Le soldat tomba à terre et ses camarades se précipitèrent pour le tirer à l'abri du muret. Il était complètement amorphe. Ils le traînèrent jusqu'à la rue qui menait à la place principale et l'adossèrent au mur d'une maison, firent cercle autour de lui et dégrafèrent sa veste et ses sangles. Clic, je pris une nouvelle photo. Au même instant, je vis un half-track se profiler à l'autre bout de la rue en pente et je courus dans sa direction, avec la présence d'esprit de fourrer mon appareil dans ma besace.

« On a un blessé là en bas ! » hurlai-je, et les hommes descendirent du half-track pour courir vers moi.

Assis à son bureau, le colonel Richard « Dick » Bovelander me toisa avec un regard méprisant.

« Vous savez que vous avez le rang de capitaine de l'armée américaine ? demanda-t-il.

– Oui, je le sais.

– Donc, comme vous êtes rattachée à mon régiment, je suis votre officier supérieur.

– En théorie.

– En théorie, je peux demander à la police militaire de vous mettre aux arrêts et de vous emprisonner en l'attente d'une comparution en cour martiale.

– Écoutez, colonel, nous savons tous que…
– Non, c'est vous qui allez m'écouter, miss Clay. Je vous ai donné un ordre, et vous y avez désobéi à peine quelques minutes plus tard. Vous auriez très bien pu vous faire tuer.
– J'étais juste curieuse.
– Nous sommes en zone de guerre. Pas simplement en extérieurs, où des photographes comme vous ont l'occasion d'aller prendre des clichés. »

Je fermai les yeux une seconde. Bovelander allait réclamer sa livre de chair quoi que je puisse dire. Malgré tout, j'avais l'impression que, en d'autres circonstances, nous aurions pu nous apprécier mutuellement.

« J'exige la pellicule qui se trouve dans votre appareil, dit-il en tendant la main.
– Non, c'est hors de question.
– Prévôt !
– Bon, d'accord, d'accord. »

J'avais prévu cette éventualité. Je sortis mes deux appareils de ma besace, rembobinai le film, soulevai la trappe et tendis les pellicules. Deux pellicules toutes neuves. Celles que j'avais utilisées étaient coincées sous mes aisselles dans le haut de mon soutien-gorge.

« Mon colonel, nous autres journalistes et photographes ne sommes pas une présence subversive qui essaierait de vous compliquer la tâche. Vos soldats, qui sont des fils, des pères, des neveux, des petits-fils, appartiennent à une autre armée, celle des centaines de milliers de membres de leur famille qui sont restés aux États-Unis, qui tiennent à eux et qui veulent savoir quelle vie ils mènent. Vos ordres nous empêchent de faire notre travail. C'est injuste.
– Vous êtes anglaise, miss Clay, n'est-ce pas ?
– En effet.
– Peut-être qu'ils font les choses différemment dans l'armée britannique, mais tant que vous êtes sous mon commandement, vous recevez vos ordres en tant que soldat américain. »

317

Il me regarda de nouveau avec cette expression hautaine. Je croisai les jambes et pris une cigarette, bien décidée à l'énerver.

« Vous avez du feu, colonel, je vous prie ?

– Le sergent McNeal va vous conduire à votre train. Si vous êtes encore ici dans dix minutes, vous serez jetée en prison.

– Je vous souhaite bonne chance, colonel », dis-je en me levant avant de quitter son QG sans me retourner.

*

* *

JOURNAL DE BARRANDALE, 1977

Le colonel Bovelander a péri sous un tir ami quelques mois plus tard, en mars 1945, lorsque des obus de l'artillerie alliée sont tombés tragiquement plus près que prévu lors de l'opération *Varsity*. Deux membres de son état-major et lui-même ont été tués dans leur poste d'observation. Il a été promu général de corps d'armée à titre posthume. J'aimerais y voir l'effet de la Malédiction des Clay, mais en fait j'ai été désolée d'apprendre la nouvelle. Je ne lui gardais aucune rancœur, même s'il était imbu de sa personne, si bel homme fût-il. Tout bien considéré, quelqu'un comme Bovelander aurait mérité une mort plus héroïque.

Ma photo volée du mystérieux tank allemand (un genre de gros canon automoteur, ai-je appris par la suite) a fait la couverture de *Global-Photo-Watch* en décembre 1944, ainsi que mon cliché du soldat allemand que j'avais trouvé mort dans le champ près de Villeforte. Le gros titre de mon numéro spécial (comme j'aime à le penser) était : « Exclusif : première photo du supertank nazi ». J'ai accédé à une certaine notoriété dans les environs de l'hôtel Scribe. Ravi de mon scoop, Cleve m'a poussée à retourner sur la ligne de front. Plus facile à dire qu'à faire, car Bovelander avait laissé un rapport incisif et infamant sur mon manque de fiabilité, qui complexifiait mes démarches pour l'obtention d'une autre affectation. J'ai continué à déposer des demandes auprès d'autres unités tout en gérant les bureaux de *GPW* avec l'aide infatigable de Corisande, l'équivalente française de Faith Postings, puisque Cleve avait envoyé Jay Fielding à Guam couvrir le théâtre du Pacifique.

Jusqu'à aujourd'hui, je n'ai jamais publié ma photo du soldat de première classe Anthony G. Sasso, prise à l'instant même de sa mort. Je n'ai appris son nom que plus tard (il fut la seule victime de l'absurde contre-attaque bien vite avortée sur Villeforte). Par chance ou malchance, ma présence sur place a permis de préserver l'instant de son trépas pour la postérité.

« Soldat tombant ».
Le soldat de première classe Anthony G. Sasso
au moment de sa mort. Villeforte, 15 novembre 1944.

319

Quand j'ai développé et tiré cette image, je l'ai tout de suite inti-
tulée « Soldat tombant », en hommage à la célèbre photographie
d'un soldat républicain prise par Robert Capa pendant la guerre
d'Espagne. L'homme tombe à la renverse en lâchant son fusil, les
bras en croix, sur un arrière-plan de collines désertiques. C'est l'une
des photographies de guerre les plus célèbres de l'histoire, et elle
a fait la réputation de Capa. Bien évidemment, l'image a suscité
de nombreuses controverses. A-t-elle été truquée ? A-t-elle été
soigneusement posée ? Et d'autres questions surgissent : les gens
meurent-ils réellement de façon aussi théâtrale quand ils reçoivent
une balle mortelle ? Une balle tirée d'un fusil ou d'une mitraillette
peut-elle vraiment vous projeter en arrière comme ça ? Je crois
que c'est là le problème. Le soldat de Capa qui tombe en arrière
les bras en croix n'aurait pas eu l'air déplacé dans un western
hollywoodien de série B. Il semble être en train de mourir « sur
scène », pour ainsi dire.

Par contraste, ma photo de la mort d'Anthony Sasso est des
plus banales. Il vient juste d'être touché par une balle, et son
visage, l'espace d'un instant, trahit le choc de la compréhension.
La secousse due à l'impact l'a fait se redresser un peu, la men-
tonnière de son casque est projetée en avant par l'interruption
momentanée de sa course. J'ai découvert par la suite que le pro-
jectile avait pénétré sous son aisselle droite et traversé son torse.
Il était mort avant de toucher le sol, une demi-seconde plus tard.
Et j'étais là. Ma photo suivante de ses camarades regroupés autour
de son corps est surexposée et floue (j'étais en état de choc), mais
elle est authentique. La photo suivante de Capa ne fait qu'ajouter
plus d'interrogations. Le corps a été déplacé. L'arrière-plan est
légèrement différent. Trop d'anomalies.

Le détail le plus marquant concernant la mort de Sasso est qu'il
est juste tombé en avant, il s'est avachi vers l'avant. Il n'a pas crié,
il n'a pas ouvert grand les bras, il est juste tombé à terre. Je me rappelle avoir demandé à un vétéran de la Première Guerre mondiale
(un ancien camarade de mon père), qui avait vu périr des dizaines

Soldats américains autour du corps d'Anthony Sasso.
Villeforte, 15 novembre 1944.

d'hommes à ses côtés pendant des attaques contre les lignes allemandes, ce qui se passe au moment de l'impact et de la mort. « Ils
tombent vers l'avant, c'est tout, m'a-t-il répondu. Ils ne font pas un
bruit. Pof. Ils s'effondrent comme un sac de patates. » C'est ce qui
s'est passé avec Anthony Sasso. Pof. Mort.

*
* *

Je passai Noël et le Nouvel An 1944-1945 avec Charbonneau au
Mas d'Épines, où nous avions fait des aménagements rudimentaires :
nous avions repeint certaines pièces, remis en état de marche les
toilettes extérieures, installé dans la cuisine un fourneau à bois qui
chauffait également l'eau, si bien qu'il était possible de prendre un
bain (au prix de certains efforts). Il n'y avait toujours pas d'électricité, or, cette année-là, même en Provence, l'hiver fut rigoureux

321

et marqué par des gelées blanches. Nous allumions de grands feux de cheminée dans la pièce principale que nous entretenions toute la journée, faisant brûler d'énormes quantités de bois, jusqu'à ce que nous allions nous coucher, généralement bien imbibés.

Cela s'avéra être notre plus longue période de vie commune, en tant que couple vivant sous le même toit, et le temps passa très agréablement. La maison et ses environs y aidaient, car même en hiver le lieu restait magnifique, mais l'élément principal de notre plaisir mutuel était que chacun appréciait la compagnie de l'autre, ce qui, si banal cela puisse-t-il paraître, est l'explication fondamentale de toute union durable réussie. Charbonneau était un homme passionnant, drôle, provocateur, et j'aime à penser qu'il faisait aussi ressortir ce que j'avais de meilleur en moi. Même deux minutes passées avec lui fournissaient toujours un commentaire ou une observation qui m'amusaient ou me scandalisaient, et, en conséquence, ces deux minutes de ma journée n'avaient pas été vaines.

Je me rappelle par exemple qu'il m'a dit vouloir écrire les souvenirs de son passage dans les brillants cercles littéraires parisiens avant la guerre et les intituler *Lettres et le Néon*. Il trouvait cela extrêmement drôle et en riait tout seul. Je n'ai pas compris, jusqu'à ce qu'il finisse par dire que cela ferait enrager Jean-Paul Sartre, et là j'ai saisi la blague. Je lui ai demandé s'il avait lu *L'Être et le Néant*, et il m'a répondu qu'il avait essayé. Qu'en avait-il pensé ? « *Ça ne vaut pas tripette**. » Quand je lui ai demandé ce que voulait dire « *tripette** », il m'a répondu : « C'est comme de la tripe. Donc ça ne vaut pas des petits bouts de tripe. » Ah, d'accord, ai-je rétorqué : en anglais, quand quelque chose est vraiment très mauvais, on emploie le mot tripe, aussi. « Eh bien, a-t-il dit, *L'Être et le Néant*, c'est de la tripe, de la tripe *à la mode de con**, même. » Et cette saillie l'a fait rire de plus belle. Il a gloussé pendant des jours. Je n'y comprenais goutte.

Je commis un jour l'erreur de lui dire à quel point je le trouvais intelligent et drôle (nous étions au lit et j'étais d'humeur indulgente). Il répondit avec une autosatisfaction agaçante : « Maintenant tu comprends pourquoi les belles femmes apprécient la compagnie d'hommes moches mais intelligents. *On s'amuse**. » Puis il se reprit : « D'hommes moches mais intelligents et pauvres, parce qu'on sait tous pourquoi les belles femmes aiment les hommes moches mais riches. Et si on ne s'amuse pas dans la vie, autant avaler tout de suite notre pilule de cyanure, non ? » conclut-il avec un sourire à mon intention.

Ma nouvelle affectation arriva en février 1945. Je devais rejoindre la 9ᵉ armée américaine du général Bill Simpson, stationnée en Rhénanie en attendant de traverser la grande barrière fluviale symbolique qui mènerait les Alliés en plein cœur de l'Allemagne pour y provoquer l'arrêt cardiaque définitif. Je fus donc transportée en avion jusqu'à Geldern, à moins de dix kilomètres à l'ouest du Rhin, pour rallier la 9ᵉ armée.

Nous autres journalistes et photographes, radioreporters et caméramans d'actualités rattachés à la 9ᵉ armée (une douzaine en tout) étions cantonnés dans la mairie à moitié en ruine d'un village au nord de Rheinberg. Il y avait trois officiers de relations publiques pour s'occuper de nous, ce qui donne la mesure du degré de coexistence et de collaboration qu'avaient atteint l'armée et les médias. Tout le monde apprenait vite.

Le corps d'armée de Bill Simpson se trouvait à la pointe sud de l'opération *Plunder*, la manœuvre d'envergure des Britanniques et des Canadiens pour traverser le Rhin. Le barrage d'artillerie commença le 23 mars, et nous attendions le moment où nous pourrions être véhiculés jusqu'au front pour voir ce qui s'était passé. En toute honnêteté, je commençais à me lasser d'être cornaquée et contrôlée par les officiers de relations publiques. À un briefing, je tombai sur Mary Poundstone et lui demandai à quelle unité elle avait été affectée. « Je ne suis pas attachée à une unité, ma chère, mais à un général, et ça fait toute la différence. » Elle entretenait une liaison avec le général de corps d'armée Edson Carnegie. Quand elle avait besoin d'un avion pour retourner à Paris, on lui en fournissait un ;

quand elle voulait vadrouiller le long du front allié sans surveillance, elle pouvait ; quand elle se retrouvait en position dangereuse, elle n'avait qu'à appeler Carnegie, et elle était exfiltrée sans problème ou demandait un transport pour la ramener à son quartier général. Cette option ne m'était pas ouverte.

Trente-six heures après le début de *Plunder*, on nous conduisit jusqu'au Rhin, large d'au moins cinq cents mètres à l'endroit où nous traversâmes sur un pont Bailey déjà construit, ce qui ne laissa pas de nous impressionner.

Ma traversée du Rhin au lendemain de l'opération Plunder, *mars 1945.*

Une fois sur l'autre rive, nous rencontrâmes des troupes dont l'humeur était à la jubilation. La guerre semblait toucher à son terme.

Des milliers de prisonniers allemands se faisaient escorter jusqu'à des camps provisoires, et il était à la fois frappant et dérangeant de voir à quel point ils étaient jeunes, des adolescents pour l'essentiel, avec des débuts de barbe légère sur les joues et le menton, tous vêtus d'uniformes bien trop grands pour eux car ils les avaient empruntés à des hommes.

Prisonniers de guerre allemands, mars 1945.

On nous amena à notre cantonnement, une ferme intacte à environ deux kilomètres de la ville de Wesel, qui avait été rasée par les bombardements la nuit du 23 mars avant d'être prise et sécurisée par la 1re brigade commando britannique. Notre officier de relations publiques nous interdit formellement de nous approcher de la ville, dans laquelle on recherchait encore des francs-tireurs et des jusqu'au-boutistes prêts au baroud d'honneur. Exactement le genre d'endroit pour moi.

Je donnai un pot-de-vin de soixante cigarettes à une estafette à moto pour qu'il m'emmène à Wesel. Il me lâcha devant un dépôt de camions, où je pus monter à bord d'un quatre-tonnes à six roues qui devait livrer des munitions aux forces postées en ville. J'en descendis quand il eut atteint le centre et enfilai mon brassard « PRESSE ». L'air était saturé d'une âcre odeur de poussière de plâtre, et seule la cathédrale de Wesel semblait avoir en partie survécu au tapis de bombes – dans la mesure où on arrivait encore à l'identifier comme un genre d'église. Tous les autres bâtiments n'étaient plus que des coquilles vides sans toit, dont quelques murs tenaient plus ou moins, entourés de monceaux de briques cassées et de maçonnerie pulvérisée.

Il y avait des soldats partout. Des renforts fraîchement arrivés, tout propres, qui inspectaient les ruines avec curiosité, visiblement là pour occuper le terrain plus que pour combattre. Je pris quelques clichés autour de la cathédrale, puis suivis une route criblée de cratères d'obus jusqu'à ce qui avait dû être jadis un parc avec un étang destiné à la plaisance, où les arbres se réduisaient à des souches éventrées et où toutes sortes de choses flottaient dans les eaux peu profondes, dont sans doute des restes humains. Je me demandai si cet endroit ne me fournirait pas de meilleures images : le monde ayant déjà vu trop de villes fantômes, de ruines grises et lunaires, la nature torturée enverrait peut-être un message plus frappant. Alors que je faisais le tour de l'étang à distance suffisante pour ne pas voir de trop près ce qui flottait à sa surface, je tombai sur un groupe d'une centaine d'hommes assis autour des décombres d'un kiosque à musique.

C'étaient des soldats, des soldats britanniques, si j'en jugeais par la forme de leur casque, mais ils auraient aussi bien pu être des troglodytes ou quelque race de mineurs autorisée à quitter le sous-sol après des semaines de labeur tant ils étaient crasseux, presque noirs de poussière, de boue et de sueur. Assis tranquillement là, ils fumaient, mangeaient des rations, buvaient à la gourde, mais leurs rares échanges se réduisaient à des chuchotements presque inaudibles. Je me rapprochai précautionneusement. On eût dit qu'ils venaient de subir un traumatisme collectif, de réchapper à un tremblement de terre ou autre catastrophe naturelle. Leurs visages noircis étaient tirés, hagards suite à une expérience atroce partagée, me sembla-t-il.

Un grand homme se leva pour venir m'intercepter. Il portait un vieux pull vert mousse à col en V rapiécé, un pull de civil, sur sa chemise militaire. Le bas des jambes de son pantalon était rentré dans de gros godillots couleur caramel comme ceux que l'on met pour aller chasser le cerf, et un revolver rangé dans un holster en toile pendait à sa hanche droite. Il était tête nue, et une mèche de ses cheveux noirs graisseux lui retombait sur l'œil. Il avait les joues hâves. Il tenait une cigarette à la main.

« Que voulez-vous ? demanda-t-il d'une voix d'aristocrate éraillée, comme à une femme de chambre qui aurait fait irruption pendant une partie de bridge.

– Je voudrais prendre quelques photos, répondis-je en désignant du doigt mon brassard. Si c'est possible.

– Veuillez partir, jeune fille. Vous n'êtes pas la bienvenue ici. »

Maintenant que je le voyais de près, je remarquai les contours lisses de son visage et la couleur de ses yeux, d'un bleu-gris pâle qui ressortait contre la saleté de sa peau. Un muscle de sa joue tressaillait, et il avait du sang coagulé le long de la naissance de ses cheveux.

« À quelle unité appartenez-vous ? Je travaille pour un magazine américain, ajoutai-je en levant mon appareil, espérant vaguement que la bonne vieille formule magique allait opérer. Les gens au pays voudraient vraiment…

– Si vous essayez de prendre ne serait-ce qu'une seule photo de ces hommes, je vous tue sur-le-champ, dit-il d'un ton parfaitement contrôlé, mais sans sourire.

– Bon, bon, je m'en vais. »

J'avais soudain peur de ce grand homme mince aux yeux pâles. Je fis volte-face et sortis du parc à grands pas sans me retourner, sentant son regard dans mon dos, troublée par le sérieux absolu de la menace qu'il avait proférée si posément.

Je réussis à rentrer à la ferme sans que mon absence ait été remarquée par personne, et je demandai à un de nos officiers de relations publiques de me fournir un ordre de mouvement pour rentrer à Paris. J'en avais soudain assez du reportage de guerre, je voulais qu'on me rende mon ancienne vie. Voir ces soldats britanniques crasseux et épuisés se reposer près du kiosque à musique dans le parc ravagé m'avait profondément perturbée. Ou bien était-ce le grand homme mince ? Leur commandant, peut-être, qui avait si nonchalamment et posément menacé de me tuer. Qu'avaient fait ou subi ces hommes à Wesel ? me demandais-je. Quels actes de mort et de destruction avaient-ils vus ou effectués dans la ville en ruine au point d'en rester muets et traumatisés ? Quels terrifiants récits d'horreur auraient-ils à raconter à leurs enfants, s'ils osaient ? Je voulais rentrer à Paris. Je voulais rentrer à Paris et retrouver Charbonneau.

Mon ordre de mouvement mit deux jours à arriver. La fuite en avant consécutive à la traversée du Rhin battait son plein et les requêtes comme la mienne n'avaient rien de prioritaire. Les autres journalistes furent convoyés jusqu'à Francfort tandis que je partais dans la direction opposée. Une jeep me déposa à une gare étonnamment intacte en Hollande, dans une petite ville du nom de Nettwaard. Je disposais d'un document m'autorisant à prendre place à bord d'un train transportant des troupes vers Bruxelles. Une fois là-bas, je devrais me débrouiller pour rentrer à Paris.

Il y avait un train à l'arrêt le long du quai, avec un numéro peint dessus qui correspondait à celui indiqué sur ma fiche, mais il était verrouillé, si bien que des centaines de soldats américains et anglais attendaient patiemment avec musettes et havresacs que quelqu'un vienne ouvrir et nous donner à tous l'autorisation d'embarquer. Je marchai jusqu'au bout du quai pour m'éloigner des soldats et trouvai un banc baigné de la lumière laiteuse du soleil, où je m'assis pour fumer une cigarette. En cette glaciale journée de mars, le soleil ne perçait que rarement la couverture nuageuse dans le ciel brumeux. J'étais contente d'avoir mis mon pardessus imperméabilisé, dont je relevai le col.

« Comme on se retrouve. »

Je me retournai. C'était le grand homme mince que j'avais rencontré dans le parc à Wesel. Il avait l'air bien plus présentable : propre, rasé, uniforme lavé et repassé. Il affichait même un sourire.

« Bonjour. J'imagine que vous ne m'avez pas suivie jusqu'ici pour m'exécuter. »

Il grimaça, comme si ma remarque lui avait fait mal.

« Non, non. J'attends juste le train, comme vous. Je peux ? »

Il s'assit sur le banc près de moi avec force précautions, comme si son corps risquait de se briser en mille morceaux.

« J'ai dû me casser une demi-douzaine de côtes, expliqua-t-il. Je suis bandé de partout, mais dès que je tousse ou que je ris… Par pitié, ne me faites pas rire », me supplia-t-il en me regardant.

Il portait un large béret vert et une chemise de camouflage sous un blouson en cuir. Son écusson sur l'épaule indiquait « 15 Commando ». Il était assurément officier, mais je n'arrivais pas à déterminer son grade parce que son blouson recouvrait ses épaulettes. En y regardant de plus près, je constatai que son blouson était doublé de peau de mouton et que sa chemise fermait avec des brandebourgs en corne. C'était un uniforme, certes, mais un uniforme passé entre les mains expertes d'un tailleur.

« Je tiens à m'excuser pour l'autre jour, mademoiselle. Cela me travaille, depuis. Ma grossièreté, ma menace. Je n'en revenais pas quand je vous ai vue assise là au bout du quai, dit-il en ôtant son béret pour se passer la main dans ses cheveux très noirs. Nous n'étions pas au mieux de notre forme quand vous nous avez trouvés dans ce parc.

– Ne prenez pas la peine de vous excuser. J'imagine que ce qui s'est passé à Wesel a été particulièrement éprouvant. »

Il pencha la tête de côté et plissa les yeux, comme s'il essayait de se rappeler.

« C'était très… Oui… Très rude, confirma-t-il avec un vague sourire. Vous ne faisiez que votre travail. Je n'avais aucun droit d'être si agressif. Alors, toutes mes excuses, répéta-t-il en me tendant la main. Sholto Farr.

– Amory Clay. »

Le temps de notre poignée de main suffit à ce que je ressente une violente attirance pour cet homme, au point de m'en inquiéter. J'avais déjà remarqué ce phénomène. Avec Cleve, avec Charbonneau, avec toute une série d'hommes que j'avais brièvement rencontrés. Elle se produit tout soudain, cette prise de conscience – quoique l'expression donne trop de poids rationnel au phénomène. C'est le corps qui la remarque d'abord, par pur instinct, puis qui transmet l'information au cerveau, où elle est traitée avec plus de recul, si on a de la chance. J'étais assise dans une gare à attendre un train, j'avais un peu froid, je m'ennuyais un peu, et puis cet homme était apparu, s'était assis près de moi et tout avait changé.

« Vous êtes anglaise, mais vous m'avez dit que vous travaillez pour un magazine américain, si je me souviens bien.

– C'est une longue histoire, avouai-je avant de résumer rapidement les grandes lignes de mon parcours professionnel atypique, de Londres à Berlin et New York puis Paris. Et maintenant, je dirige les bureaux parisiens de *Global-Photo-Watch*. C'est un grand magazine, il y a beaucoup de travail, mais j'avais décidé que je voulais quitter mon bureau, expliquai-je avant de marquer une pause. Alors c'est ce que j'ai fait, et à présent j'ai hâte d'y retourner. »

Il me regardait intensément pendant que je lui parlais, comme si je disais quelque chose d'une grande profondeur et non des banalités. Je me trouvai soudain incapable de produire une phrase cohérente, alors j'écartai les mains et me tus. C'était à lui de parler, maintenant, pensais-je, mais il garda le silence lui aussi, un silence entre nous qui grandit et grossit jusqu'à ne plus pouvoir être ignoré. Il finit par le rompre.

« Paris, dit-il. Oui. »

Il plongea la main sous sa chemise et en sortit une flasque en argent bruni qu'il me tendit.

« Vous en voulez ? C'est du pur malt. Le fin du fin.

– Je veux bien, merci. »

Je dévissai le bouchon et bus une gorgée, savourant la brûlure tourbée du malt qui descendait dans ma gorge, l'arrière-goût qui réchauffait mes narines et mes sinus. Il avala lui aussi une longue goulée quand je lui rendis la flasque.

« Prescrit par la faculté, commenta-t-il.

– Bien sûr. »

Nous fûmes distraits par le tchouf-tchouf d'un autre train qui arrivait le long du quai opposé et s'arrêta avec le hurlement d'agonie habituel du métal frottant contre le métal. Un soldat apparut qui salua Sholto Farr.

« C'est notre train, mon lieutenant, annonça-t-il en désignant l'autre quai.

– Vous venez avec nous ? me demanda Farr.

– Non, je prends celui-ci.

– Dommage.

– Eh oui, chacun retourne à son train-train, maintenant », plaisantai-je avec un sourire.

Il rit, et porta aussitôt la main à sa poitrine.

« Je vous avais pourtant spécifiquement demandé de ne pas me faire rire, dit-il en se levant prudemment, une main sur son flanc blessé, l'autre replaçant son béret sur sa tête. J'espère vous revoir un jour.

– Moi de même. »

Je le disais en toute sincérité, mais bien conscient que cela n'arriverait jamais, que c'était là l'une de ces rencontres que quelqu'un d'autre immortalise un jour dans une chanson ou une histoire : ce qui aurait pu arriver… Il me salua de la main, se retourna et suivit son soldat pour rejoindre les files d'hommes traversant lentement les voies avant d'embarquer à bord du train transport de troupes. J'avais un appareil dans mon havresac, me rappelai-je. Pourquoi n'avais-je pas pensé à prendre une photo de Sholto Farr ?

Le « 15 Commando », désert occidental, Tunisie, 1943.
De gauche à droite : Aldous King-Marley,
David Farquhar, Sholto Farr.

*

* *

JOURNAL DE BARRANDALE, 1977

J'ai reçu les McLennan à déjeuner hier. Je ne suis pas bonne cuisinière, je le sais très bien. Je peux cuisiner, je peux mettre sur la table des plats chauds, mais je ne suis pas très douée. J'ai commencé par des macaronis sauce tomate, auxquels j'ai ajouté une pincée de poudre de curry, comme indiqué dans la recette. Puis j'ai enchaîné avec un *poulet au paprika**, mais je crois que j'avais incorporé trop de farine à la sauce, et mon riz pilaf était aussi un peu sec. Le truc, quand on n'est pas un cordon-bleu, c'est de compenser en arrosant de beaucoup de vin. J'ai servi et resservi du valpolicella, deux bouteilles en tout, et je crois que, à la fin du repas, j'aurais pu apporter des sandwiches à la banane sans que Greer et Calder y trouvent rien à redire. J'étais moi-même assez gaie en présentant mon pudding à l'orange avec sauce à l'orange (inratable), qui mettait un terme à mon rôle de chef. Café, whisky et cigarettes nous ont emmenés jusqu'à la fin de l'après-midi.

Les McLennan préparaient un séjour à Paris et, dans mon état d'euphorie passagère, je me suis surprise à leur fournir toutes sortes de conseils détaillés sur les endroits où aller et les activités à faire.

« Mais tu es la parfaite Parisienne, a remarqué Greer avec un regard interrogateur.

– Eh bien, j'y ai vécu assez longtemps, ai-je dit, en regrettant aussitôt mes paroles.

– C'est vrai ? Quand ça ? est intervenu Calder, très imbibé. Tu as vécu à Paris ? Je l'ignorais.

– Il y a très longtemps. À la fin de la guerre. Et en 1946.

– Et tu as d'autres secrets comme ça, Amory ? » m'a demandé Greer en se carrant dans son siège avec un regard perçant.

*
* *

Corisande et moi continuâmes à gérer les bureaux de *GPW* pendant quelques mois après l'armistice du 8 mai 1945 même si, fatalement, nous avions de moins en moins d'informations à transmettre. Notre intérêt journalistique, du point de vue de *GPW*, diminua à vitesse grand V. Des mois passèrent sans article « De notre envoyé spécial à Paris ». J'essayai de limiter les frais en transférant nos locaux de la rue Louis-le-Grand à un studio (avec

WC) dans la rue Monsieur. Malgré ces économies, inévitablement, la sanction tomba. Nous étions à présent équipées d'un téléphone, et Cleve appela un après-midi de février 1946 pour suggérer en douceur que je retourne à Londres reprendre mes responsabilités à High Holborn une fois de plus. Je lui proposai ma démission. Cleve la refusa et rétropédala : Paris pourrait rester ouvert du moment qu'on réduisait encore nos dépenses. Je pris alors conscience du fait qu'il accepterait presque tout ce que je lui demanderais, situation à la fois plaisante et troublante. Je suggérai une diminution de cinquante pour cent de mon salaire, dont Cleve estima que cela pourrait aider les choses, si bien que les bureaux parisiens fonctionnèrent encore un certain temps. Je n'avais pas vu Cleve depuis plus d'un an, et, de cette façon qu'ont certaines histoires d'amour de s'éteindre, de connaître une mort paisible, tranquille, presque inaperçue, ma relation avec Cleve trépassa. Charbonneau était l'homme de ma vie, maintenant.

Ou l'homme occasionnellement dans ma vie, dirons-nous. La scène politique française d'après-guerre impliquait pour lui de nombreux déplacements, notamment en Algérie, en Tunisie et autres bastions de l'empire colonial français, où il faisait son possible pour soutenir la *Quatrième République**. Je m'étais installée dans son appartement du boulevard Saint-Germain et l'avais aménagé du mieux possible. Les stalagmites de livres avaient été rangées dans des bibliothèques, les pièces repeintes dans les couleurs franches que j'affectionnais (notre chambre en vert forêt, la cuisine en rouge brique), le parquet poncé, reverni et agrémenté de tapis en coton bariolés. Quand il rentra à la maison, Charbonneau se dit ravi une fois que je lui eus indiqué les changements. Notre voisin du dessus était un insomniaque qui arpentait son appartement toute la nuit et celui du dessous un violoncelliste qui répétait quatre heures par jour, mais, comme pour la plupart des Parisiens, notre appartement n'était qu'un endroit où faire sa toilette, se changer et dormir (parfois). La vraie vie, le reste de la vie, se vivait dehors dans la rue. Je ne m'en suis jamais plainte.

Au début de février 1946, je glissai sur une plaque de verglas rue Monsieur et tombai lourdement sur le sol en m'assommant. Résultat : une fracture du coude droit (je dus porter une écharpe pendant deux semaines) mais aussi, de manière plus inquiétante, de nouvelles hémorragies vaginales après des années de tranquillité, ce qui m'obligea à remettre mes culottes en caoutchouc rembourrées. J'étais sur le point d'aller consulter un médecin quand les saignements s'arrêtèrent.

Je n'en dis rien à Charbonneau, alors même qu'il me reprochait ma morosité (quand il était à la maison). Je reconnais que je n'étais plus la même femme animée et agaçante. Mais quand les hémorragies cessèrent et que je pus me débarrasser de mes couches, je sentis ma *joie de vivre** me revenir. Sauf que Charbonneau était encore en déplacement et ne put se réjouir de ce retour à la normale.

6

Transformations

C'était le 8 mars, le lendemain de mon trente-huitième anniversaire. La sonnette retentit à l'entrée sur rue du 12 bis, rue Monsieur, et Corisande descendit voir qui c'était. Elle revint perplexe.

« C'est un homme, miss Amory. »

Elle persistait à m'appeler « miss Amory » alors que je l'avais suppliée à maintes reprises de laisser tomber le « miss ».

« Eh bien, faites-le entrer.

– Il a des fleurs.

– Il livre des fleurs pour un fleuriste ?

– Je n'ai pas l'impression, non. »

Je me souris à moi-même. Charbonneau était rentré, il me jouait un de ses tours, il me faisait une surprise.

« J'y vais », lui dis-je et quittai notre petit appartement pour descendre dans le hall d'entrée de l'immeuble.

Sholto Farr était planté là, un bouquet de primevères à la main.

Comment décrire ces sensations physiques, ces manifestations psychosomatiques dans tout le corps, sans paraître trop fleur bleue ? À la seconde où je le vis, vêtu d'un costume sombre à fines rayures et d'un pardessus en poil de chameau, tout l'air s'échappa de mes poumons, comme asséchés par une pompe à vide. J'étais en état de choc, je m'en rendais compte. À la seconde suivante, je ressentis la chaleur, mon ventre devint tout chaud, mes oreilles rougirent. Vint ensuite la perte de contrôle de mes membres : mes genoux se dérobèrent sous le poids de mon corps, une contraction me parcourut les épaules avant de descendre le long de mes bras. Et puis tous ces symptômes disparurent à la troisième seconde, et je recouvrai un calme parfait. Madame zen. Calme, avec une certitude absolue.

« Tiens donc ! lançai-je. Quelle excellente surprise ! Comment avez-vous retrouvé ma trace ? »

Je me rappelle les quatre jours que nous avons passés ensemble aussi nettement que si c'était la semaine dernière. Sholto m'a tendu son bouquet, nous nous sommes serré la main et il m'a invitée à dîner. J'ai accepté avec grand plaisir. Il était descendu dans un petit hôtel de la rue de l'Université, le bien nommé hôtel Printemps. J'ai dit que je l'y retrouverais à 19 heures.

Je suis rentrée chez Charbonneau, j'ai pris un bain et j'ai choisi ma tenue avec un soin tout particulier : une robe noire de soie mate à motifs estampés de glands et de cerises et col à paillettes. Élégant, mais sans ostentation. Maquillage discret. Je me sentais comme une adolescente de seize ans qui va à son premier bal. Malgré toutes les traces visibles de Charbonneau autour de moi dans l'appartement, j'ai réussi à le chasser de mon esprit. Ce soir, j'étais célibataire, me répétais-je.

Sholto m'a emmenée chez Voisin, rue Saint-Honoré. C'était cher, même pour le Paris d'après-guerre, et il a tenu à ce que nous mangions tout ce qui nous faisait envie. Il a commandé du *foie gras**, du *bœuf en daube**, du fromage et un *soufflé Monte-Cristo**. Il a fumé trois cigarettes le temps que j'en termine une. Il était de ces gens pour lesquels fumer est un acte aussi naturel que respirer, il allumait et consommait ses cigarettes avec la même indifférence que s'il s'était gratté le menton ou passé la main dans les cheveux.

Nous nous sommes raconté des choses sur nous-mêmes. Grande nouvelle pour lui, il venait de divorcer. Il m'a dit qu'il s'était

337

LES VIES MULTIPLES D'AMORY CLAY

marié trop tôt (il avait deux ans de plus que moi) et qu'il avait un fils, Andrew, âgé de seize ans, qui était interne en Écosse. Je lui ai demandé ce qu'il faisait dans la vie, maintenant qu'il était démobilisé, et il m'a répondu : fermier. Il possédait une grande exploitation sur la côte ouest de l'Écosse, entre Oban et Mallaig, si je connaissais ces villes et la géographie de cette région d'Écosse. Je lui ai avoué que non. J'ai évoqué ma famille (il avait entendu parler de Dido), la mort de Xan en Normandie. Je ne lui ai pas posé beaucoup de questions sur sa guerre, sur ce que lui et ses commandos avaient bien pu faire avant que je les croise dans le parc de Wesel. Je pense qu'il n'aurait pas voulu m'en parler, de toute façon, car il a soigneusement évité toutes les questions militaires.

Voilà le résumé de notre conversation lors de ce dîner. Sous la surface (et je sais qu'il ressentait la même chose) bouillonnait un raz-de-marée d'attraction réciproque. Appelons cela de la lubricité. Mais nous discutions avec de grands sourires et fumions d'innombrables cigarettes alors que nous nous désirions follement.

Sholto avait des cheveux magnifiques, d'un noir presque bleu avec une raie sur le côté, qu'il essayait de discipliner grâce à une puissante brillantine mais qui, sous les lumières du restaurant, ont perdu leur tenue à la moitié du repas et ont glissé sur son front. Il rejetait sa mèche en arrière d'un geste caractéristique qui lui resterait associé dans mon esprit, et, quelques secondes plus tard, elle retombait.

Comme Cleve (mais pas comme Charbonneau), il avait un côté dandy. Sa chemise avait été faite sur mesure (ça se repère toujours à la tenue du col) et son costume également. Sa cravate en soie bordeaux s'ornait d'un nœud parfait de la taille d'une noisette, comme s'il avait été serré à l'aide de tenailles. Près de son oreille gauche, sa mâchoire présentait une minuscule tache rubis laissée par le rasage. Il avait les yeux d'un bleu-gris très pâle (je crois vous l'avoir déjà dit). Pour un Écossais, il n'avait pas la moindre trace d'accent.

Sholto Farr. Alexandrie, 1943.

Je me rappelle, quand il m'a raccompagnée chez Charbonneau, que j'ai failli craquer et lui proposer de monter boire un verre. Mais j'ai réussi à résister. J'avais envie de lui, mais je n'avais pas envie de lui dans le lit de Charbonneau. Il m'a dit bonne nuit, a déposé un très léger baiser sur ma joue, m'a remerciée pour cette excellente soirée et m'a demandé si j'étais libre le lendemain midi. Je lui ai dit que, par chance, mon rendez-vous pour déjeuner avait justement été annulé et qu'on pourrait se voir, ce serait très agréable. Chez Weber à 13 heures ? Parfait.

Je me rappelle que nous avons mangé une de ces glaces qui faisaient la réputation de Weber. Nous étions à court de conversation, et le sous-texte de notre deuxième rencontre parisienne était d'une

339

évidence presque ridicule. Nous n'étions pas tout à fait en train d'ahaner langue pendante, mais presque.

Nous avons commandé un café et un cognac. Puis un autre café et un autre cognac. Je ne trouvais absolument rien à lui dire et, à l'évidence, lui non plus. Alors nous sommes restés assis là à fumer nos cigarettes, à boire du café et du cognac et à échanger des sourires stupides.

« Qu'est-ce qui vous a amené à Paris ? ai-je enfin demandé, alors que ça ne m'était pas venu à l'idée avant. La réponse "pour affaires" est exclue.

– Je suis venu à Paris pour vous retrouver, a-t-il dit tout simplement, comme si c'était l'évidence même.

– Ah bon… Ça a été difficile ?

– Non, étonnamment facile, au contraire. Je me rappelais tout ce que vous m'aviez dit dans la gare, en Hollande. Votre nom, que vous étiez photographe, que vous travailliez pour *Global-Photo-Watch*, que vous aviez des bureaux à Paris. La réceptionniste de mon hôtel vous a cherchée dans le bottin, et vous y étiez : Agence *GPW*, 12 bis, rue Monsieur dans le septième.

– Eh bien, heureusement que je vous ai dit où je travaillais.

– C'était une très bonne chose, oui.

– Évidemment, j'aurais pu changer de travail entre-temps.

– Je vous aurais retrouvée d'une manière ou d'une autre. »

En entendant ces mots, les larmes me sont montées aux yeux. C'était sans doute la phrase la plus romantique que l'on m'ait jamais dite.

« Bon. »

Il m'a pris la main et a regardé mes doigts un moment.

« Mon hôtel est très petit, mais j'ai pris la peine de réserver une chambre au Crillon, a-t-il dit avant de lever enfin les yeux. J'ai pensé qu'un grand hôtel serait préférable, avec toutes ces allées et venues, ce serait plus discret. Vous ne croyez pas ?

– Quelle excellente idée. On y va ? »

Je me rappelle avoir pris l'ascenseur jusqu'au troisième étage, où se trouvait notre chambre. Nous n'avions pas de bagages, évidemment (quand nous sommes arrivés à la réception, Sholto a improvisé et prétexté qu'ils allaient être expédiés depuis l'aéroport du Bourget). Le liftier était un vieil homme tout petit, tout maigre, tout fragile, qui gardait la tête baissée et regardait ses souliers vernis. Il avait probablement escorté nombre de couples sans bagages jusqu'à leur chambre au Crillon en plein après-midi.

« Il y a quelque chose que vous devez savoir, ai-je murmuré à l'oreille de Sholto. Avant…

– Quoi ?

– Je ne peux pas avoir d'enfant.

– Quelle chance ! »

*

* *

JOURNAL DE BARRANDALE, 1977

Ce matin, j'ai reçu une carte postale envoyée de Paris par Greer McLennan, une vue du jardin des Tuileries. « J'exige de connaître toute ton histoire parisienne à mon retour ! » était-il écrit.

Sholto et moi avons passé quatre jours ensemble à Paris, en ce mois de mars, la plupart du temps dans notre grande chambre du Crillon qui donnait sur la place de la Concorde, n'en sortant qu'à l'occasion pour manger avant de revenir en courant à l'hôtel tant nos pulsions sexuelles étaient insatiables. Mais ensuite Sholto devait rentrer à Londres et, de toute façon, Charbonneau allait revenir d'Alger.

« Que vas-tu faire ? m'a demandé Sholto. Je sais que c'est plus compliqué, pour toi.

– En effet, mais ne t'inquiète pas. Ça prendra peut-être un peu de temps, mais je vais m'arranger.

341

– N'hésite pas à me dire si tu as besoin de moi, et je viendrai. »

C'est drôle comme on peut parfois avoir une conviction absolue, une certitude totale sur une chose aussi volatile par essence qu'une émotion puissante. Il existait entre nous une confiance réciproque, muette, instantanée, comme si nous nous connaissions depuis quarante ans et non quatre jours.

J'étais peut-être certaine de moi vis-à-vis de Sholto, mais je me trouvais dans un bel état de nerfs, me demandant comment j'allais me sentir et me comporter au retour de Charbonneau. Le lendemain du départ de Sholto, mon corps a eu l'obligeance de prendre froid, si bien que quand Charbonneau est rentré, j'étais au fond de mon lit, je toussais, je reniflais, j'avais mal partout, le nez tout irrité, rouge et qui coulait, bref, je n'étais pas belle à voir.

« Tu as besoin de vacances, m'a-t-il dit avec une douceur inhabituelle. Tu travailles trop. Laisse-moi m'en occuper. »

Il m'a emmenée dans le Sud, en train jusqu'à Bordeaux, puis Biarritz sur la côte atlantique, à l'hôtel du Palais, perché sur son promontoire rocheux au bout du long croissant de la *grande plage**. J'avais une certaine appréhension, et pas seulement en raison de mon état émotionnel perturbé. Charbonneau ne me semblait pas lui-même, trop attentionné, tout sauf égoïste. Que mijotait-il ? Avait-il appris quelque chose sur Sholto et les journées que nous avions passées ensemble ?

Quoi qu'il en soit, la magie de Biarritz a opéré. Charbonneau avait décrété qu'il nous fallait de vraies belles vagues et non un pauvre clapot méditerranéen, et en ce début de printemps l'Atlantique nous a offert une succession infinie de rouleaux écumeux spectaculaires. Et la spécificité de l'hôtel du Palais, par rapport à d'autres grands hôtels du front de mer, est son accès direct à la plage en l'absence de route côtière.

On nous a accompagnés à notre suite au troisième étage et nous avons ouvert les fenêtres en grand pour jouir du vaste panorama de l'océan dans toute sa gloire houleuse, sans être gênés par des voitures en contrebas. Les vagues blanches crémeuses déferlaient pour se briser sur les rochers à nos pieds. C'était bruyant, comme l'océan peut l'être, mais revigorant.

Pendant que nous nous installions, j'ai perçu une certaine nervosité chez Charbonneau, qui n'était pas le Charbonneau assuré et hédoniste que je connaissais. J'ai commencé à me méfier de ce personnage prévenant qui ne cessait de me demander comment je me sentais. Voulais-je me reposer ? Devait-il me commander un café ? Non, non, je me sentais nettement mieux maintenant que je me trouvais au bord de la mer.

Il a suggéré que nous mangions en ville ce soir-là plutôt que dans le restaurant un peu guindé de l'hôtel du Palais, et nous sommes entrés dans une grande brasserie sur la place principale. Biarritz avait été bombardée en 1944 et, quelque deux ans après, la reconstruction des immeubles endommagés se poursuivait encore, on voyait des routes en travaux, des pignons et des auvents de magasins soutenus par de gros étais en bois. Des batteries d'artillerie en béton sur les falaises rappelaient que c'était là l'extrémité sud du mur de l'Atlantique érigé par Hitler. L'insouciante station balnéaire ne s'était pas encore complètement débarrassée de ses oripeaux de guerre.

Comme à son habitude, Charbonneau a passé un temps fou sur la carte des vins et fini par opter pour un obscur breuvage basque issu d'un cépage très rare. Quant à moi, j'affichais un air de tranquillité et dc bienveillance absolues : tout me ravissait, la brasserie était charmante, le vin délicieux, la pureté de l'air marin parfaite. Je savais que ma sérénité mettait Charbonneau encore plus mal à l'aise.

Il a attendu jusqu'à la fin du repas.

« Tu sais que je t'aime, Amory…

– Oh là, qu'est-ce qui va me tomber dessus ?

– Épargne-moi tes plaisanteries, s'il te plaît. C'est une sale manie chez vous, les Anglais.

– Au contraire, c'est notre meilleur trait de caractère, notre grâce rédemptrice.

– S'il te plaît…

– Continue, je t'en prie. »

J'ai allumé une cigarette d'un geste de grande *mondaine** et soufflé la fumée en direction du plafond.

« Je vais me marier, a-t-il annoncé avec solennité. Le faire-part va paraître dans *Le Figaro* la semaine prochaine. »

Voilà qui m'a surprise. J'ai failli en lâcher ma cigarette.

« À l'évidence, ce n'est pas moi que tu comptes épouser. Je connais l'heureuse élue ?

– Tu l'as croisée une ou deux fois.

– Et elle s'appelle ?

– Louise-Élisabeth.

– Louise-Élisabeth Dupont ?

– Non, Louise-Élisabeth Croÿ d'Havré de Tourzel de la Billardie, si tu veux vraiment savoir.

– Fichtre ! La brave Amory Clay tout court ne joue pas dans la même catégorie. Elle est de Paris ?

– De Bourgogne.

– Ils doivent avoir des coteaux entiers de vignobles précieux.

– C'est exactement ça, oui, a-t-il confirmé en me regardant avec un sourire. *Le cœur a ses raisins que les raisins ne connaissent point**. »

Il a ri de sa propre blague, comme toujours, puis son sourire s'est effacé et il a eu l'air réellement malheureux pendant un instant, tout en jouant avec la croûte de fromage restée dans son assiette. Il a eu ensuite un ricanement désolé.

« Tu sais, j'étais plein de sagesse dans le temps.

– Ah oui ? Quand ça ?

– Quand je suis né.

– Je comprends ce que tu veux dire. À partir de ce moment-là, tout se complique.

– Amory, je tiens à ce que tu saches que ma relation avec toi ne sera nullement affectée par ce mariage.

– Eh bien moi, je peux t'assurer qu'elle en sera très affectée.

344

– Ne complique pas les choses. Comportons-nous en personnes distinguées.

– Non. Comportons-nous en personnes raisonnables, en personnes honnêtes. Pourquoi épouses-tu cette femme ?

– Parce que… parce que je souhaite avoir un fils. J'ai quarante-cinq ans. J'arrive à un âge où un homme…

– Excuse-moi, veux-tu ? J'ai besoin de prendre l'air. »

J'ai quitté la brasserie et pris le chemin du retour vers l'hôtel, un sourire irrépressible s'élargissant sur mon visage. J'ai poussé jusqu'à l'esplanade, je suis passée devant le Casino municipal en front de mer, tout illuminé et bruyant, j'ai descendu quelques marches pour atteindre la plage, j'ai ôté mes escarpins et j'ai marché sur le sable jusqu'aux vagues écumantes. Le rugissement constant des déferlantes était l'interférence sonore dont j'avais besoin. Je voulais emplir ma tête de bruit. Au loin sur ma droite, le faisceau lumineux du phare au sommet de la falaise frappait mes yeux par intermittence. Mes yeux secs. J'étais heureuse pour Charbonneau, avec sa jeune aristocrate fertile issue du *gratin**. Nul doute qu'avec les vignobles allait un petit manoir idyllique pour ajouter à ses attraits. Mais surtout, j'étais heureuse pour moi. J'allais en faire baver un peu à Charbonneau, cela allait de soi, aiguillonner sa culpabilité après un tel acte de trahison, mais, debout là sur la plage de Biarritz, j'avais envie de danser et de chanter, de jeter mes chaussures en l'air et de courir dans l'océan tant j'étais heureuse. Je savais à présent la direction que prenait ma vie après tant d'années d'erreurs, d'incertitude, de mauvais tournants. J'allais épouser Sholto Farr.

LIVRE SIXIÈME

1947-1966

1

Le Manoir de Farr

Je me rappelle le jour précis où j'ai compris que Sholto était gravement malade, gravement atteint par sa pathologie. C'était le 12 août 1959, jour de l'ouverture de la saison de la grouse. Comme chaque année, nous organisions une partie de chasse pour cette première journée de battues.

J'étais assise dans le cabriolet avec Rory McHarg, le garde-chasse en second, et notre poney nous tractait sur le sentier menant à la lande du versant ouest de Beinn Lurig, la montagne qui s'élevait au bout de notre vallon. Nous apportions le déjeuner aux chasseurs et aux rabatteurs, sandwiches, friands à la saucisse, caisse de bière, thermos de soupe et de café. Sans être une occasion grandiose (pas de tables dressées, pas de personnel de service), c'était une tradition que Sholto tenait à perpétuer. Il y avait une dizaine d'invités, des voisins dont le domaine était limitrophe du nôtre, et, comme d'habitude, des compagnons d'armes de Sholto : David Farquhar, Aldous King-Marley, Frank Dunn (tous des vétérans du 15 Commando) ainsi que notre médecin de famille, Jock Edie.

Par cette journée fraîche et venteuse pour un mois d'août, mouillée par un crachin intermittent, les nuages se déchiraient parfois pour laisser briller le soleil sur les montagnes et la large vallée en contrebas, où sillonnait la Crossan Burn, vision à couper le souffle qui réchauffait le cœur. Depuis les hauteurs de la lande, par beau temps, on pouvait voir le doigt argenté du détroit de Sleat et, en cas de météo exceptionnelle, jusqu'aux bosses violettes des Cuillin sur l'île de Skye.

J'entendais un tintement de verre provenant d'un sac de jute posé aux pieds de Rory.

« Qu'est-ce que vous nous cachez là-dedans, Rory ? Du carburant pour la route ?

– Rien, lady Farr », a-t-il répondu en rougissant sous sa barbe.

Je me suis baissée pour ouvrir le sac, où se trouvaient deux bouteilles de whisky Bell's.

« Pour qui sont-elles ?

– Sa Seigneurie m'a demandé d'en apporter.

– Mais pourquoi cela ?

– Je ne sais pas, madame. J'ai juste reçu l'ordre. »

Guère surprise, j'ai replacé le sac à ses pieds et me suis abstenue de tout commentaire. Je voyais les rabatteurs progresser à travers la bruyère roussie jusqu'au refuge en pierre – la chasse était terminée pour ce matin. Rory a secoué les rênes, et le poney a levé les sabots.

À peine avions-nous installé le pique-nique sur des tréteaux que j'ai levé les yeux et vu la chasse arriver depuis la ligne d'affûts. J'ai intercepté Sholto pour le prendre à part.

« Comment ça va ?

– Vingt-deux paires. Pas mal. Les grouses arrivent nombreuses, elles volent bas et vite. C'est mieux que l'année dernière.

– Non, je voulais dire, comment ça va, toi ? »

Il m'a regardée d'un air perplexe, les yeux vitreux, le regard flou. Fin saoul. J'étais toujours stupéfaite qu'il puisse continuer à fonctionner : il arrivait à soutenir une conversation cohérente, à tirer au fusil, et à boire encore plus. Je lui ai tendu le sac de Rory, que je tenais à la main.

« Voilà ton whisky. À l'avenir, je te prierai de me le demander à moi, quand tu en as besoin, pas au personnel.

– Mes excuses. Tu as apporté le vin ? »

Là, j'ai perdu mon sang-froid.

« Tu n'aurais pas pu te retenir, juste aujourd'hui ? Juste pour une journée ? Les filles reviennent à la maison.

– Quelles filles ?

– Nos filles à nous, putain de merde ! Nos petites filles !

– Ah oui, nos filles. Ne t'inquiète pas, ma chérie. Elles ne se douteront de rien, a-t-il affirmé avant de se tourner pour crier à Frank Dunn : Garde-moi un sandwich, gros glouton ! »

Il s'est éloigné pour rejoindre les autres en me laissant plantée là, les yeux pleins de larmes.

En 1946, à Paris, quand Sholto s'était décrit comme un « fermier », c'était une manière de dire la vérité : il possédait en effet une demi-douzaine de métairies et dix mille hectares de collines, de landes et de montagnes sur la côte ouest de l'Écosse. Il avait aussi négligé de me dire pendant ces quatre jours qu'il avait fini la guerre comme lieutenant-colonel avec de multiples décorations et qu'il était en fait Sholto, lord Farr, douzième baron Farr de Glencrossan.

Il m'avoua tout cela quand nous nous retrouvâmes à Londres après m'avoir officiellement demandée en mariage.

« Pourquoi me l'as-tu caché ? demandai-je, un peu interdite.

– Je ne voulais pas t'effaroucher. Tout le monde n'a pas envie d'épouser un lord et de devenir "lady" du jour au lendemain. Je peux le comprendre. »

Je le soupçonne d'avoir eu des motivations plus fourbes. Récemment divorcé, lord Farr était sans doute l'un des plus beaux partis d'Écosse. Mieux valait commencer une histoire d'amour sans ce bagage encombrant. C'était pour tester ma sincérité, j'imagine, mais d'une certaine manière je vois bien maintenant qu'il avait raison : je n'avais pas particulièrement envie de devenir une « lady » et, à mesure que je découvrais ce qu'impliquait le fait d'être l'épouse de lord Farr, douzième baron Farr de Glencrossan, je me dis que j'y aurais peut-être réfléchi à deux fois.

Commençons par la maison, le Manoir de Farr. Il se dressait au bout d'une large vallée de près de dix kilomètres, à une quinzaine de kilomètres du village le plus proche, Crossan Bridge, et à environ trente kilomètres de Mallaig, la ville la plus proche. L'existence d'une maison à Glen Crossan était attestée dès le début du XVIIIe siècle, mais elle avait été presque entièrement rasée dans les années 1850 pour être remplacée par un relais de chasse victorien classique, avec crénelage et tourelles, érigé par le grand-père de Sholto, le dixième baron. Seul demeurait de l'ancienne maison le hall d'entrée, avec ses ornements de plâtre extravagants signés Dunsterfield et l'escalier dessiné par Robert Adam.

Le Manoir de Farr, Glencrossan, Lochaber, 1958.

Quand j'y emménageai, le Manoir de Farr se caractérisait par un froid humide et nécessitait un entretien lourd et permanent pour atteindre un minimum de confort et de modernité. Autre surprise, la présence de la mère de Sholto, Dilys, la lady Farr douairière, qui occupait des appartements au rez-de-chaussée près de la salle de billard et disposait d'une camériste attitrée. Dilys Farr était un tout petit bout de bonne femme qui se teignait encore les cheveux d'un étrange noir-bleu à soixante-dix ans passés. Elle accueillit mon arrivée avec une défiance non dissimulée. Maniant avec brio la remarque caustique, elle semblait mettre un point d'honneur à ne trouver aucun plaisir dans tout ce que le monde pouvait offrir. « Ne lui prête pas attention, me dit Sholto un jour où je me plaignais d'un commentaire cruel et gratuit qu'elle avait fait. Elle est née malheureuse et de toute façon elle ne fera pas de vieux os. »

Autre légère source d'agacement, la proximité de l'ex-femme de Sholto, Benedicta, lady Farr, qui habitait une grande maison à Crossan Bridge, un ancien presbytère. Leur fils, Andrew, le « Maître de Farr », c'est-à-dire l'héritier, âgé de seize ans, terminait ses études secondaires à Strathblane College, près de Perth.

Comme si une belle-mère et une ex-femme ne suffisaient pas, le Manoir de Farr comptait un personnel nombreux. Il y avait une gouvernante, Mrs Dalmire, et son mari Peter qui faisait office de chauffeur, majordome et homme à tout faire, ainsi que deux femmes de chambre à demeure (d'autres pouvaient être réquisitionnées quand arrivaient des invités). Sur le domaine œuvraient deux gardes-chasses et un forestier-jardinier logés dans des pavillons répartis dans la vallée. Un intendant, Mr Kinloss, travaillait sur place du lundi au vendredi à la gestion du domaine et au suivi des métairies. J'appris l'existence de biens immobiliers, appartements et maisons à Édimbourg et Glasgow, cottages isolés dans les environs d'Oban, petite maison indépendante dans le quartier de South Kensington à Londres, sans parler de divers fidéicommis et portefeuilles boursiers gérés par les banquiers de la famille, Carntyne Petre & Co, à Édimbourg.

Voilà, en résumé, le monde nouveau dans lequel je pénétrai. Sholto me disait régulièrement, à mesure que ce paysage m'était révélé : « Je ne suis pas riche, Amory. J'ai hérité d'un domaine, et c'est un cauchemar à gérer, à organiser, à exploiter pour en tirer un revenu décent. Je ne suis qu'un rentier avec une grande maison qui tombe doucement en ruine. Ça a l'air grandiose, d'être baron et tout ça, mais ça n'a rien de grandiose. »

Je me rappelle notre mariage, bien sûr, dans la petite église de Crossan Bridge, St Modan's, pleine de caveaux et de plaques funéraires commémorant des Farr décédés. Son caractère historique était plutôt gâché par une éruption de HLM neuves construites trop près juste après la guerre. Je m'en fichais. J'épousais Sholto Farr, l'homme que j'aimais, et le plus minable bureau de l'état civil m'aurait parfaitement suffi. Nous nous sommes mariés en juin 1946, deux mois après notre rencontre à Paris. J'ai détesté toutes les photos officielles du mariage (avec Dilys Farr qui me fusillait du regard), sauf une, prise par l'une des deux femmes de chambre, Donalda McCrae, alors que je descendais de voiture pour rejoindre Aldous King-Marley, qui allait me conduire à l'autel. Un peu floue, mal cadrée, comme on dirait dans le métier, c'est la photo de moi que je préfère. Je n'avais pas conscience d'être photographiée, c'est une photo volée dans le bon sens du terme, or c'était une journée pendant laquelle j'éprouvais un bonheur parfait, total, perpétuel. Donalda a figé le temps. Et chaque fois que je regarde cette photo, je me remémore toutes les émotions que je ressentais au moment où elle a déclenché l'appareil par inadvertance. La vie semblait presque insupportablement bonne.

Je me rappelle avoir écrit une longue lettre à Charbonneau pour lui annoncer mon mariage et lui expliquer pourquoi j'avais quitté Paris si précipitamment. J'ai aussi écrit à Cleve. La réponse de Charbonneau était tendre et désolée. « Tu te maries ? Si vite ? » Je pense qu'il me soupçonnait de lui avoir été infidèle – mais, d'un autre côté, lui aussi l'avait été. Cleve a eu l'élégance de me remercier formellement pour tout ce que j'avais fait à *GPW* et s'est appliqué à dire à quel point il m'était personnellement (souligné) reconnaissant et il avait apprécié notre étroite (souligné) collaboration au fil des ans. Si j'avais jamais besoin de son aide, je n'avais qu'à téléphoner, etc. Sa lettre n'avait rien d'intime (je pense qu'il craignait que quelqu'un d'autre puisse la lire), mais toute la tendresse était implicite, entre les lignes et dans les soulignages.

J'avais parfois le cœur serré à l'idée de quitter mon travail, de dire au revoir à Corisande. Les bureaux ont fermé une semaine après mon départ. Je me rendais bien compte qu'un chapitre important de ma vie, ma carrière de photographe professionnelle, se refermait. Nul doute que Miss Ashe aurait approuvé mon changement de statut.

Je me rappelle que Dido et ma mère sont venues au mariage. Ma mère n'arrivait pas à dissimuler sa stupéfaction et son soulagement de voir sa fille de trente-huit ans se marier enfin, et à rien moins qu'un bel aristocrate écossais. Elle a dû se dire qu'il s'agissait d'une sorte de mascarade, de farce (les cornemuses devant l'église, le Manoir de Farr illuminé par des centaines de bougies, les kilts et les sporrans, les danses traditionnelles et de salon dans la salle de billard vidée pour l'occasion), et qu'elle allait se réveiller dans l'East Sussex à l'issue de ce rêve avec toujours ses deux vieilles filles sur les bras.

Greville habitait en Italie avec un jeune homme prénommé Gianluca et trouvait le voyage trop long à son âge. Il m'a envoyé un magnum de brunello di Montalcino.

Dido, ma seule demoiselle d'honneur, n'avait pas encore épousé Reggie Southover et ne l'a donc pas amené au mariage. Pour la première fois de ma vie, je pense qu'elle était jalouse de moi.

« Eh ben dis donc, lady Farr ! a-t-elle commenté en inspectant le tombé de ma robe de mariée. Il va falloir que je te fasse la révérence ?

– Seulement pour mon anniversaire. Et tu peux toujours m'appeler Amory tout court quand nous serons seules.

– Oh, la teigne ! »

Je me rappelle être tombée étrangement malade en août, à la fin de mon premier été passé à Glencrossan. J'avais des douleurs inexpliquées dans le ventre et je souffrais de ce qu'on qualifie de « tympanisme » ou de « météorisme », c'est-à-dire un gonflement douloureux de l'abdomen. J'ai cru qu'il s'agissait d'une occlusion intestinale ou d'une hernie abdominale. Quand je n'avais pas mal, j'étais épuisée.

Sholto m'a emmenée à Glasgow consulter Jock Edie. J'aimais bien Jock, un ancien camarade d'école de Sholto et, de son propre aveu, l'un de ces médecins pour lesquels cette profession est simplement le moyen de vivre une vie pleine de satisfactions et de raffinement. J'avais commis l'erreur de vérifier mes symptômes dans un vieux dictionnaire médical déniché dans la bibliothèque, et je m'étais convaincue que je faisais une « ascite ». Je tapotais mon abdomen distendu avec une cuiller en bois et m'imaginais repérer une « matité déclive » ou un « signe du flot », des symptômes effrayants que listait l'article « ascite » de mon dictionnaire. Je m'inquiétais d'avoir un dysfonctionnement chronique du foie, aussi, car j'avais tout le temps envie d'uriner, ou quelque atroce cancer abdominal.

J'étais donc dans un état d'appréhension non dissimulé quand Jock Edie m'a examinée. Il m'a palpé le ventre, il a utilisé son stéthoscope. Il a reculé d'un pas de sa table d'examen tandis que je réarrangeais mes vêtements, d'abord avec un sourire, puis un froncement de sourcils, avant de se tapoter le menton du bout des doigts.

« Vous savez, il va falloir que nous en obtenions confirmation, mais je parierais que vous êtes enceinte, Amory.

– C'est impossible, je ne peux pas avoir d'enfants. J'ai été violemment tabassée il y a des années. Un spécialiste m'a dit que je resterais stérile. Sir Victor Purslane.

– Eh bien, je suis au regret de vous dire que sir Victor a fait une grossière erreur. »

La grossesse fut confirmée. Plus que confirmée, même, puisque j'attendais des jumeaux. Ce fut une période étrange pour moi, car je dus reconsidérer presque toutes les certitudes que j'avais concernant ma vie et ma personne. J'étais heureuse et inquiète à la fois ; troublée, aussi, car je m'étais résignée à ne jamais avoir d'enfant au point de m'en satisfaire, et là, alors que j'approchais les trente-neuf ans, je m'apprêtais à en avoir deux d'un coup. Sholto se dit ravi de cette énorme surprise, mais il n'était pas difficile d'imaginer sa consternation. Il s'était figuré que nous allions vivre en couple, lui-même ayant déjà derrière lui un mariage raté et un fils, mais tout soudain il allait devenir sur le tard père de deux bébés.

Quand j'y repense aujourd'hui, je me rends compte qu'il s'agissait là d'une bombe qui fit exploser nos vies. Tous nos agréables projets, nos heureuses certitudes disparus pour être remplacés par de nouveaux, peut-être tout aussi agréables et heureux, pouvait-on supposer, mais totalement différents et imprévus. Et je ne m'expliquais toujours pas comment cela avait pu se produire. Jock Edie me dit de ne pas en vouloir à sir Victor Purslane : à l'époque, tout médecin aurait fait le même pronostic.

« Mais je n'avais plus de règles, soulignai-je.

– Peut-être en aviez-vous de très légères ou très espacées, répondit Jock. Dans la mesure où vous pensiez ne jamais en avoir, vous ne les avez pas remarquées quand vous les avez eues.

– Non, c'est impossible. »

Je repensai alors à ma chute sur une plaque de verglas dans la rue Monsieur, suivie pour un temps de nouvelles hémorragies.

Quelque chose s'était-il débloqué ou rouvert en moi à ce moment-là ? C'était peu avant l'arrivée de Sholto à Paris pour m'y retrouver… Comment l'expliquer ? Je repensai aux paroles de sir Victor : « Nous pensons tout comprendre du corps humain, mais en fait nous en savons si peu. »

« Et d'ailleurs, cette agression, c'était quand ? demanda Jock.

– En 1936, quand les fascistes de Mosley ont défilé dans l'East End de Londres.

– Mon Dieu ! Cela paraît si loin… Enfin, donc, ça remonte à dix ans.

– Mais pourquoi ne suis-je jamais tombée enceinte ?

– Qui sait ? Pardonnez ma question, mais aviez-vous une vie sexuelle active ?

– Eh bien, oui, avouai-je en repensant à Cleve et à Charbonneau. Assez active…

– Peut-être avez-vous eu de la chance. Le timing était toujours bon, si vous voyez ce que je veux dire.

– Et maintenant, je vais me retrouver avec des jumeaux !

– Voyez-y une bénédiction.

– Oui, Jock, voyons ça ainsi. Nous avons de la chance. C'est une bénédiction. »

Les jumelles arrivèrent à terme, tout début janvier 1947. Elles avaient dû être conçues pendant ces quatre jours de mars passés à Paris avec Sholto. Pour éviter tout risque lié à mon âge, je fus admise au Western Infirmary de Glasgow au lieu de la clinique locale d'Oban – tant mieux, parce que mon accouchement fut compliqué. Une des jumelles naquit après douze heures atroces de travail. (Je compris à cette occasion pourquoi ce mot avait été choisi pour décrire le processus de l'accouchement.) Nous baptisâmes la première-née Andra, un prénom historique chez les Farr. La seconde arriva par césarienne, car je fus jugée trop faible pour la suite du travail. Selon la pratique en vigueur à l'époque, il me fallut attendre quarante-huit heures pour voir mes filles et les tenir. Quand je les ai enfin eues dans les bras, l'impression fut très étrange. Sholto était là, qui m'avait apporté un bouquet d'œillets, et je me mis à pleurer. De joie, j'imagine, mais aussi de désarroi et de peur, confrontée soudain à cette double responsabilité et au sentiment que ma vie avait été irrévocablement chamboulée. En regardant mes deux filles, Andra et Blythe, je vis d'emblée, si petites fussent-elles, qu'elles n'étaient pas identiques. Pour une raison mystérieuse, cela me réjouit.

Après une semaine à l'hôpital, ce fut le retour d'une nouvelle famille étonnante de quatre personnes au Manoir de Farr, où nous attendait une nurse, Sonia Haldane, une villageoise efficace qui prit aussitôt les choses en main et soudain tout allait bien : il me semblait que Sonia pouvait faire face à tout, deux nourrissons ne lui faisaient pas peur. La vie retrouva une forme de stabilité, une normalité s'imposa.

Et nous étions heureux. Je ne dois pas l'oublier en y repensant. J'étais heureuse avec Sholto et nous étions heureux avec nos petites filles qui grandissaient, Annie, comme nous surnommions Andra, et Blythe. Quatre années – non, cinq – de bonheur absolu. Et puis la mère de Sholto mourut. Cela n'a rien à voir avec son décès, mais je fais remonter le début du changement au moment de sa mort. La vie était encore agréable, mais, sous la surface, les démons s'animaient.

La cave

Dilys, lady Farr, fut enterrée dans le petit cimetière de l'église St Modan's à Crossan Bridge, où Sholto et moi nous étions mariés. La foule était nombreuse, métayers, voisins, mais aussi Andrew, le Maître de Farr, et sa mère, Benedicta, admirablement émue et larmoyante. Je connaissais maintenant un peu mieux Andrew, qui étudiait la gestion foncière à l'université Heriot-Watt d'Édimbourg. C'était un grand jeune homme dégingandé, morose, avec le même visage anguleux que sa mère. Le seul trait qu'il tenait visiblement de son père était sa belle chevelure raide, sauf qu'elle n'était pas noire mais d'un châtain terne. Il avait un léger strabisme dans un œil qui lui donnait un air sournois, méfiant. Quand je lui parlais, je devais me retenir de me retourner pour regarder derrière mon épaule.

Blonde, bavarde et cultivée, Benedicta était une petite boule d'énergie débordante. Elle ne m'aimait pas du tout, même si je n'avais rien à voir dans son divorce. Comme j'étais la nouvelle épouse un peu plus jeune, elle me tenait pour responsable de l'échec de son couple, ce qui était à la fois illogique et pervers. Qu'y pouvais-je donc ? Cela ne me faisait ni chaud ni froid et, n'ayant aucune affinité avec elle, j'essayais de garder mes distances le plus possible.

Après les obsèques, tout le monde revint au manoir pour un apéritif avec cocktails et canapés, et ce fut là qu'elle me coinça, toute en commisération et en affabilité.

« Ça va être très dur pour Sholto, se désola-t-elle.
– Je ne crois pas, non. Dilys et lui n'étaient pas si proches que ça.
– Faites juste en sorte que la porte de la cave reste verrouillée.
– Je ne vois pas de quoi vous parlez.
– Comment vous en sortez-vous, globalement ?
– Avec les jumelles ?
– Non, avec Sholto.
– Nous sommes très heureux. Très, très, très heureux. Merci de poser la question, Benedicta. Nous sommes très heureux. »

Mais Sholto, comme pour confirmer le sous-entendu perfide de Benedicta, se saoula copieusement ce soir-là. Je ne l'avais jamais vu aussi ivre. Une fois tout le monde reparti, je le retrouvai assis dans le salon à contempler le feu, un plein verre de whisky à la main, au moins une demi-pinte. Je le lui retirai des mains, mais il était déjà incohérent et parlait d'une voix pâteuse. Il se releva à grand-peine et essaya de m'embrasser. Je le repoussai, furieuse.

« Regarde-toi donc ! sifflai-je. C'est répugnant ! »

Et je partis d'un pas rageur. Je m'en voulus presque aussitôt parce que je savais que j'avais eu des propos et un comportement que n'aurait pas reniés l'ignoble Benedicta.

Je me rappelle comment on buvait, à l'époque. On n'y prêtait pas attention un seul instant. Du gin au déjeuner (deux ou trois verres avec de l'eau de Seltz et de l'angostura), quelques whiskies avant le dîner, et puis du vin à table. Sholto avait du mal à trouver le sommeil, alors il prenait une lampée d'hydrate de chloral avant d'aller se coucher qui l'estourbissait jusqu'au matin. Et on fumait toute la journée, dès le petit-déjeuner. On ne s'en souciait pas, on était heureux, les petites couraient partout et Sholto, me semblait-il, se réjouissait de son étonnante nouvelle famille. Nous allions pêcher dans les petits lochs sur Beinn Lurig, nous partions en bateau pour l'île de Skye ou les Hébrides, nous passions plusieurs week-ends par an dans la maison londonienne, nous sommes tous allés en vacances à Rome en 1955 avant le départ des filles pour la pension.

Évidemment, nous avions nos problèmes, notamment financiers, qui nous ont contraints à vendre une des fermes et les deux appartements d'Édimbourg, mais le Manoir de Farr, décrépit, humide, froid en hiver, était un vrai foyer, un endroit plein de bonne humeur, surtout maintenant que la sinistre douairière Dilys était partie pour de bon. J'avais entrepris de repeindre ses appartements, d'acheter de nouveaux tapis et des rideaux. Oui, nous étions heureux, à l'époque.

Je me rappelle que le seul élément de ma nouvelle vie qui me contrariait quelque peu était d'avoir mis un terme à ma carrière. Je continuais à prendre des photos, bien sûr, des photos de famille, mais ce n'était pas pareil. Comme si j'avais perdu une partie de mon être en devenant épouse et mère, avec une grande maison à gérer. L'ancienne Amory Clay avait disparu, elle s'était évaporée.

Je conservais mes appareils dans un placard fermé à clé, enveloppés dans de la peau de chamois et scellés dans des sacs en plastique. Je les en sortais de temps à autre, comme un vieux pro de la gâchette qui éprouve de la nostalgie pour le contact de ses armes et aime savourer le poids et la forme de ses pistolets, s'assurer qu'ils sont toujours en état de marche.

Parmi les rares photos que j'ai prises, certaines étaient en couleur, des diapos Kodachrome, qui revenaient cher mais commençaient à s'imposer. Toutefois, même si je voyais bien que ces clichés reflétaient le monde tel qu'il était, je préférais le monde tel qu'il n'était pas : en monochrome. C'était là mon moyen d'expression, je le savais, et cela me travaillait tant que je me suis demandé si quelque chose de vital n'était pas en train de se perdre avec le passage à la couleur. L'image noir et blanc était le trait distinctif consubstantiel à l'art photographique. Là résidait sa puissance, et la couleur lui enlevait de son aspect artistique. Paradoxalement, le monochrome, parce qu'il était de façon si flagrante antinaturel, produisait les meilleures photos.

Je remballais soigneusement mes appareils, mon Leica, mon Rollei, mon Voigtländer, les replaçais sur leur étagère dans le placard et, en refermant la porte, je me demandais si je redeviendrais jamais une photographe digne de ce nom.

Je me rappelle qu'Hanna est venue séjourner chez nous. Élégante, de nouveau masculine, ses cheveux courts teints en blond platine. Ah ça, elle a fait se retourner des têtes, à Mallaig ! Mais l'aspect étrange et troublant de sa visite a été l'antipathie instinctive qui s'est créée entre elle et Blythe. Les jumelles avaient alors six ans, et je me rappelle que Blythe est venue me voir un jour pour me dire :

« Maman, je veux qu'Hanna s'en aille.

– Pourquoi, ma chérie ? Hanna est mon amie.

– Je ne l'aime pas. Je veux qu'elle s'en aille.

– Ce n'est pas en disant "je veux" que tu obtiendras quoi que ce soit. Ne sois pas ridicule. Allez, file ! »

Le lendemain, Hanna s'est confiée à moi.

« Tout va bien avec Blythe ?

– Oui, pourquoi ?

– Hier, je marchais au bord de la rivière et quelqu'un m'a jeté des pierres. C'était Blythe. Quand je me suis dirigée vers elle, elle m'a crié de m'en aller.

– C'est juste une petite fille, elle a des lubies, des fois. Je vais lui parler.

– Tu as vu comment elle me regarde ? a dit Hanna en haussant les épaules. Prêtes-y attention tout à l'heure au déjeuner. Elle me déteste. »

Pendant le repas, j'ai en effet vu Blythe la dévisager à l'autre bout de la table avec une férocité que j'ai trouvée inquiétante. Je l'ai prise à part après le dessert, et je lui ai demandé si elle avait jeté des cailloux sur Hanna. Elle a nié avec véhémence, alors je l'ai envoyée dans sa chambre en la privant de dîner.

Mais j'étais troublée. Quand vos enfants grandissent et deviennent de petits êtres pensants, il serait absurde de nier que, comme le reste de l'espèce humaine, ils se forgent leur propre personnalité et qu'on n'y peut pas grand-chose. Le petit Johnny peut être timide ou idiot, drôle ou bizarre, insouciant ou cruel, fourbe ou candide.

Depuis leur plus jeune âge, Annie et Blythe se construisaient des personnalités très différentes : Annie était adorable, serviable, elle voyait la vie comme une grande fête dont il fallait profiter pleinement ; Blythe était plus intelligente, plus vive, mais avec une tendance sombre, torturée, et un entêtement presque pathologique. Quand Hanna est enfin partie au bout de dix jours, c'était comme si Blythe avait triomphé, en quelque sorte. Cela paraît étrange à dire au sujet d'une enfant de six ans, mais pendant deux jours elle a été d'une humeur euphorique, arrogante, elle se pavanait dans toute la maison d'une manière insupportable.

J'en ai fait part à Sholto, qui m'a dit ne rien avoir remarqué d'extraordinaire.

Les jumelles, Blythe et Annie, 1953.

Les paroles de Benedicta restaient présentes à mon esprit : « Verrouillez bien la porte de la cave. » Nous avions une grande cave à Farr, où nous entreposions le vin, l'alcool et tout un capharnaüm lié au passé de la maison. C'était le domaine de Sholto : il gérait les stocks de boissons et passait commande chez Naismith & McFee Ltd, le grand épicier d'Oban. Leurs véhicules vert olive fréquentaient assidûment l'allée carrossable du Manoir de Farr, car nous achetions presque toutes nos provisions chez eux. Mrs Dalmire faisait sa commande par téléphone, et le lendemain une camionnette arrivait.

Je descendis à la cave et trouvai la porte verrouillée. Quand je demandai la clé à Peter Dalmire, il me répondit qu'elle était accrochée à un clou dans l'armurerie de Sa Seigneurie. Il me montra où, et j'entrepris d'explorer la cave. Un rapide inventaire me fit constater que nous avions d'énormes réserves de boissons : six caisses de gin, dix de whisky, blend ou pur malt, plusieurs centaines de bouteilles de vin, sans compter la bière, le vermouth, le sherry et j'en passe. Je comptai les bouteilles de gin et de whisky et les recomptai une semaine plus tard, calculant que, en sept jours, la maisonnée Farr avait descendu deux bouteilles de gin et quatre de whisky. Nous avions reçu deux visites d'amis de passage, mais cela n'expliquait pas une telle différence. Je savais combien moi j'avais bu (les deux ou trois verres habituels au déjeuner et à l'apéritif du soir), et je me rendis compte avec un choc que tout le reste avait dû être consommé par Sholto.

Je commençai à le surveiller, et remarquai qu'il remplissait souvent son verre. Je fouillai son bureau et son armurerie en son absence et découvris d'autres bouteilles cachées dans les placards. Pourtant, en apparence, tout était comme avant : il était drôle, affectueux, heureux de vivre et de gérer son grand domaine avec toutes les responsabilités qui lui incombaient. Mais à l'évidence, il buvait comme un homme désespéré, et je ne savais pas comment y remédier.

*
* *

JOURNAL DE BARRANDALE, 1977

Aujourd'hui, j'ai cherché en vain une bible sur mes étagères. J'étais sûre d'en avoir une vieille, avec une reliure en cuir noir craquelé et des lettres d'or incrustées, mais impossible de remettre la main dessus. Et puis j'ai eu une idée. Je savais où je pourrais en emprunter une.

J'ai pris la voiture jusqu'à Achnalorn et je me suis garée au bout de la rue principale, devant l'église St Machar's, plus connue sous le nom d'Auld Kirk of Barrandale, un bâtiment sans prétention au sein de son petit cimetière vallonné ceint d'un mur d'ardoise, où des sorbiers poussent entre les pierres tombales penchées. Elle ressemble à une banale maison rectangulaire, avec un toit très pentu, des pignons à échelons et une petite coupole ornementale, où pend une cloche qui ne sonne jamais, surmontée d'un fleuron en forme d'ananas, don de quelque riche paroissien dévot au début du XIXe siècle. Sur le côté a été grossièrement ajouté un porche en pierre dépouillé qui pourrait être l'entrée d'un abri de jardin ou d'une cave à charbon. Dans la nef, quatre grands vitraux représentent des scènes de la vie de saint Machar. Deux rangées de bancs en bois bordent l'allée centrale qui mène à l'estrade, où se trouvent l'autel et un gros crucifix de cuivre.

Malgré mon entrée discrète, j'ai fait se retourner le révérend Patrick Tolland, occupé à disposer des bouquets de géraniums jaunes et de fougère dans les vases de part et d'autre du crucifix. C'est un jeune pasteur d'une trentaine d'années, dont les longs cheveux retombent sur ses oreilles et son col et qui porte une croix en étain toute simple accrochée à un collier de perles africain. Je l'ai déjà rencontré plusieurs fois mais, comme il ne se rappelait visiblement pas mon nom, je me suis présentée et lui ai expliqué que j'espérais pouvoir lui emprunter une bible. Une bible dans la version autorisée, dite du roi Jacques, si possible.

Il est allé en chercher une pour me la donner.

« J'espère que nous vous verrons au service, dimanche, lady Farr. »

Je ne m'étais pas présentée sous le nom de lady Farr (je dis toujours Amory Farr), donc il avait dû faire le lien.

« Non, désolée.

– Mais, la bible…

– Je veux juste vérifier une citation. Je vous la rapporterai demain.

– Ah bon, très bien, a-t-il dit, l'air démoralisé, avant de me raccompagner aimablement à la porte. Quelle belle journée ! s'est-il réjoui avec un geste vers le ciel lumineux et ses nuages à la dérive. "Et Dieu vit tout ce qu'il avait fait et voici, cela était très bon." »

Après l'avoir remercié, j'ai repris le sentier jusqu'à la rue principale, traversant au passage une nuée grouillante de moustiques. J'ai agité les bras, mais j'ai quand même senti des piqûres. Je me suis retournée vers le révérend et lui ai crié : « Vous ne pourriez pas Lui demander de faire quelque chose, pour ces satanés moustiques ? »

*

* *

Les filles partirent en pension à l'âge de dix ans, en 1957. Sans vraiment remettre en question cette décision (car j'étais passée par là, bien sûr, même si j'avais détesté), j'avais protesté pour la forme, mais Sholto avait insisté : il n'y avait pas d'école appropriée à Mallaig et nous ne pouvions pas nous permettre un précepteur. Il y avait bien une école, mais pas pour les enfants de lord Farr. Égoïstement, secrètement, je songeai que ce serait bien pour nous deux de pouvoir nous retrouver en couple – nous avions eu si peu de temps ensemble avant l'arrivée des filles. L'égoïsme est presque toujours la vraie raison cachée pour laquelle les parents envoient leurs enfants en pension. Je me dis que c'était comme ça que l'on faisait, à cet échelon de la société, et je les emmenai donc à Édimbourg, rongée de culpabilité, pour les installer dans l'école Maxwell-Milnes, un établissement pour jeunes filles dont Benedicta était une ancienne élève. Elles s'en accommodèrent.

Les jumelles me manquaient, mais il y eut bientôt plus alarmant dans ce changement de situation familiale : aucun des avantages que j'avais pu y voir ne se matérialisa jamais. Peut-être parce que j'avais soudain plus de temps disponible, je remarquai le déclin de Sholto avec plus de netteté. Il avait pour habitude de se rendre à Londres assez régulièrement pour voter à la Chambre des Lords lors des débats concernant l'Écosse et les propriétaires terriens écossais. Plusieurs pairs écossais s'étaient regroupés en une sorte de lobby, et Sholto prenait ses responsabilités au sérieux. Il m'arrivait de l'accompagner, mais le plus souvent il voyageait seul. Il attrapait le train de nuit à Glasgow et logeait à la maison de South Kensington avant de revenir trois ou quatre jours plus tard, une fois son devoir parlementaire accompli.

Un vendredi après-midi, alors que Sholto était à Londres, je reçus un coup de téléphone d'un reporter qui travaillait pour la rubrique de William Hickey dans le *Daily Express*.

« Que puis-je pour vous ? lui demandai-je.

– Avez-vous un commentaire sur les agissements de votre époux, lady Farr ?

– Désolée, je ne comprends pas.

– Il a été arrêté.

– Pourquoi donc ?

– Troubles à l'ordre public en état d'ébriété. Il a essayé de molester un photographe. »

Je raccrochai et ne répondis pas quand le téléphone sonna de nouveau. J'appelai la maison de Kensington, sans succès. Le lendemain, j'allai à Mallaig acheter le journal. Il y avait une photo de Sholto en tenue de soirée, le nœud papillon défait, les cheveux collés de sueur, un rictus bestial aux lèvres, alors qu'il essayait d'arracher son appareil à un photographe. Derrière lui, une jeune femme criait en essayant de le retenir par ses basques. Elle portait un manteau de fourrure blanche trois-quarts et une robe qui dénudait beaucoup sa poitrine. Sur l'enseigne au néon à l'arrière-plan, je lus : « The Golden Wheel Club ». La légende déclarait : « ARRESTATION D'UN LORD ÉCOSSAIS HÉROS DE LA GUERRE ».

Sholto fut relâché sous caution après vingt-quatre heures passées dans les cellules du commissariat de Rochester Row et rentra aussitôt à la maison. J'allai le chercher au petit matin à la gare centrale de Glasgow et le ramenai dans une atmosphère tendue. Tout penaud, désolé, il m'expliqua qu'il avait trop bu et qu'il était allé avec des amis dans ce club pour jouer aux cartes. Une star de cinéma s'y trouvait aussi, d'où les photojournalistes à l'affût. Il était saoul, m'avoua-t-il, et il avait perdu son sang-froid.

« C'était idiot de ma part, ma chérie, je le sais bien. Cela n'arrivera plus.

– Qui était cette fille avec toi ?

– Comment ? Ah, une petite traînée de Mayfair qui avait voulu me lever. »

Je faillis demander pourquoi elle criait et essayait de le retenir. Les traînées sont plutôt du genre à prendre la poudre d'escampette.

« Eh bien, tu fais jaser dans toute la région, en tout cas, remarquai-je. Tu t'en doutes. Plus un seul *Daily Express* à des kilomètres à la ronde.

– Ça leur passera. Ils savent que les Farr sont excentriques. Ils ont déjà connu ça.

– Oui, au XVIe siècle. »

Il préféra changer de sujet, et je perçus sa honte cuisante malgré la légèreté avec laquelle il s'appliqua à clore le débat.

Ce soir-là, nous prenions l'apéritif dans le petit salon du premier étage.

« Qu'est-ce qui t'arrive, Sholto ? demandai-je posément, sans aucune agressivité. Qu'est-ce qui s'est passé à Londres ? Qu'est-ce qui se passe à Londres ?

– Rien. J'avais trop bu, je te l'ai dit.

– Tu bois trop tous les soirs de la semaine. Ce que je veux savoir c'est... qu'est-ce qui se passe pour nous ?

– De quoi parles-tu ?

– Toi, moi, les filles, la famille, le domaine, les frais de scolarité, le Manoir de Farr, le personnel, tout... »

Il se leva et cambra le dos en posant les mains sur ses reins comme s'il souffrait d'un lumbago aigu. Il avança d'un pas chancelant vers la table des boissons, évidemment, et se servit un quadruple whisky.

« Je bois comme mon père buvait, dit-il d'un ton boudeur.

– Mais qu'est-ce que c'est que cette justification ? Il est mort quand tu avais vingt-trois ans ! Et tu n'as pas répondu à ma question.

– Nous avons quelques soucis. Des petits soucis. Nous allons peut-être devoir vendre une ou deux autres fermes. »

Je continuai mon interrogatoire en douceur et découvris que Sholto avait perdu près de dix mille livres au baccarat ce soir-là, au casino de Mayfair. Il n'y avait pas eu de vedette du cinéma. Le casino avait pour habitude d'alerter la presse quand un gros perdant quittait les lieux. La publicité malvenue, le regard hagard à cause des flashes, tout cela avait pour effet de rappeler à chacun, et particulièrement au perdant, les responsabilités financières dudit.

Le pire était à venir. Mon questionnement mit au jour l'addiction au jeu de Sholto. Il essayait de limiter ses crises à ses séjours londoniens, mais une enquête plus approfondie révéla l'existence d'un comptable à Glasgow qui détenait des reconnaissances de dettes sur des paris hippiques. Sholto lui devait près de huit mille livres. Il s'agissait là de sommes énormes, pour quiconque.

Mes pires soupçons furent confirmés quand j'allai à Oban chez Naismith & McFee. J'avais emporté mon chéquier, mais jamais je ne me serais attendue à une ardoise qui venait de dépasser le seuil des mille livres. « Nous apprécierions un règlement rapide, lady Farr », me dit Mr Naismith en personne dans son bureau, sans pouvoir masquer son inquiétude derrière son sourire poli et sa tête inclinée. Je lui fis un chèque et allai dès le lendemain voir notre banquier à Édimbourg, Mr Fairbairn Dodd, directeur général de Carntyne Petre & Co.

Fairbairn Dodd était un homme rondouillard, intelligent, souriant, aux cheveux totalement blancs, détail qui ajoutait à son aura factice de bienveillance désintéressée. Il se montra poli à l'extrême, me fit servir une tasse de thé et m'expliqua les grandes lignes de la gestion du domaine de Farr par Sholto depuis qu'il en avait hérité à la mort de son père en 1929. En l'espèce, il ne restait plus que deux fermes, d'un rapport de huit cents livres par an, plus quelques milliers d'hectares qui n'étaient pas des terres agricoles de valeur mais des marécages, de la lande et des montagnes, et enfin quelques cottages dans la région d'Oban et Mallaig au rendement insignifiant. Les propriétés de Glasgow et d'Édimbourg avaient presque toutes été vendues, et une deuxième hypothèque pesait sur la maison de South Kensington. Notre découvert chez Carntyne Petre atteignait vingt-trois mille livres.

« Nous sommes ruinés, quoi.

– Non. Vous avez encore le Manoir de Farr, son contenu et plusieurs milliers d'hectares de campagne écossaise. C'est là un patrimoine considérable.

– Que nous conseillez-vous, monsieur Dodd ?

– En premier lieu, lord Farr doit arrêter de jeter l'argent par les fenêtres avec une telle désinvolture. Ensuite, vous pourriez vendre les portraits signés Raeburn et la collection de porcelaines du dixième baron. Et la maison de Londres, aussi. Nous pouvons nous charger de tout cela en toute discrétion, ajouta-t-il avec un sourire. Louez la lande à grouse à un riche Anglais amateur de chasse sur août et septembre. Trois mille bêtes, c'est un véritable actif, dit-il avant de s'interrompre pour réfléchir plus avant. Et lord Farr pourrait

371

assurément apporter son expertise au conseil d'administration de certaines entreprises dans le secteur de la défense, du whisky, du tourisme... Laissez-moi tâter le terrain. Le monde change, lady Farr. Votre époux a un nom et une réputation qu'il peut exploiter.

– En d'autres termes, il faut qu'il se trouve un travail.

– C'est une option qui mérite d'être étudiée. »

De retour à Farr, j'exposai les faits à Sholto comme Fairbairn Dodd me les avait exposés. Il sembla atterré par les détails terribles de son endettement massif.

« Il faut que tu arrêtes de boire, mon chéri.

– Je vais réduire, je te le promets. »

Un mois plus tard, il fit une crise cardiaque. Cela se passait de nouveau à Londres, dans le hall d'entrée de son club, Brydges. Rien de très grave, donc il sortit de l'hôpital au bout d'une semaine, muni de nombreux flacons de médicaments à prendre. J'allai avec lui consulter Jock Edie et refusai de quitter la pièce quand Sholto me le demanda.

Jock tenait entre les mains les radios de Sholto.

« Bon, la mauvaise nouvelle, c'est que tu dois arrêter définitivement de boire et de fumer dès maintenant, annonça aimablement Jock. La bonne nouvelle, c'est que, si tu fais ce qu'on te dit, tu devrais pouvoir assister au mariage de tes deux filles, et peut-être même faire sauter tes petits-enfants sur tes genoux.

– C'est la bonne nouvelle, ça ? dit Sholto d'une voix faible et monocorde. Et je suppose que tu veux aussi que j'aille consulter un psy.

– Seulement si tu en ressens le besoin. Pour que cela soit utile, il faut que la démarche vienne de toi.

– Eh bien, nous allons y penser, en tout cas », dis-je pour essayer de me montrer positive.

*

* *

JOURNAL DE BARRANDALE, 1977

À Barrandale, fin de septembre égale fin des moustiques. Ces petits nuages vaporeux d'insectes piqueurs sont la plaie des étés écossais. Pour fêter leur disparition, j'ai emmené Flam se promener et j'en suis revenue indemne. Nous avons fait le tour du promontoire sur la pointe ouest de la baie, et j'ai été surprise de voir une Land Rover garée près du cottage en ruine. Il y avait là un jeune homme qui prenait des photos et mesurait les pièces avec un mètre d'arpenteur. Il s'est présenté comme étant géomètre.

« Quelqu'un envisage de l'acheter, m'a-t-il confié. Il veut changer la toiture, refaire toute la maison. »

Je lui ai demandé de qui il s'agissait, mais il a refusé de me répondre.

Je suis rentrée chez moi la tête pleine de pensées, de suppositions. Ce nouvel arrivant serait mon plus proche voisin, quoique à presque un kilomètre et totalement hors de ma vue. J'aurais mauvaise grâce de me plaindre. Mais je me suis dit que j'arriverais certainement à découvrir son identité en posant des questions judicieuses à droite et à gauche. Il est difficile de garder un secret à Barrandale.

*
* *

Sholto subit une transformation physique après sa sortie de l'hôpital. Amaigri, diminué, il avait l'air malade, le visage anormalement rougeaud, ses beaux cheveux raides devenus ternes, secs et cassants. Comme si le *memento mori* qu'avait constitué son attaque cardiaque l'avait profondément choqué. Sholto Farr, l'invincible, le baron, le héros de la guerre, le commando, avait été mis au tapis.

Sholto respecta les ordres du médecin, mais à sa façon. Il descendit à deux paquets de cigarettes par jour au lieu de trois. Il ne buvait plus de whisky que le soir et se contentait d'un verre de bière au déjeuner… du moins à l'en croire. Je continuais à retrouver des bouteilles cachées ici et là dans la maison, ou sa flasque à moitié remplie de gin dans la poche de sa veste de pêche ; je l'observais depuis le salon quand il allait déterrer des bouteilles dans le jardin pour en descendre quelques gorgées en douce avant de faire semblant d'inspecter les rosiers.

Notre situation financière se rapprocha de la solvabilité. Les deux portraits du septième baron Farr et de son épouse, lady Zepherina, signés Raeburn, furent discrètement vendus à la Scottish National Gallery. La collection de porcelaines du grand-père de Sholto et la maison de South Kensington partirent aussi, et un syndicat de chasseurs loua la lande à grouse de Beinn Lurig pendant trois ans. Notre découvert chez Carntyne Petre & Co fut ainsi réduit à deux mille livres. Sholto entra au conseil d'administration des distilleries Glen Fleshan contre de généreux jetons de présence. Comme les frais de scolarité des jumelles provenaient d'un fidéicommis, étonnamment, nous pouvions vivre à peu près dans le style auquel nous étions accoutumés grâce aux loyers qui nous restaient et aux dividendes occasionnels de nos titres boursiers.

Hélas, lentement mais sûrement, le Manoir commença à partir à vau-l'eau. Le personnel s'étant réduit au couple Dalmire, je dus prendre en charge certaines tâches ménagères. Un des gardes-chasses et le forestier furent renvoyés, et leurs cottages respectifs loués à des touristes pendant la saison estivale.

À mesure que la maison, de plus en plus humide, se délabrait et que d'autres meubles étaient vendus aux enchères pour payer les factures (un cabinet laqué chinois nous rapporta la somme incroyable de mille livres), Sholto déclinait de conserve. Nous avions des disputes homériques, ou plutôt je lui criais dessus alors qu'il était assis dans son fauteuil, cigarette dans une main et verre de whisky dans l'autre, tête penchée, un homme prématurément vieux qui se faisait houspiller par sa mégère de femme.

Je me rappelle que j'étais en train de passer l'aspirateur dans notre chambre quand j'ai entendu un coup de feu à l'intérieur de la maison, en bas au rez-de-chaussée. Je me suis précipitée dans l'escalier et j'ai entendu de nouvelles détonations, venant d'un fusil, en provenance de l'armurerie de Sholto. Ma panique absolue à l'idée d'un suicide s'est muée en irritation : Sholto devait tirer des lapins sur la pelouse depuis sa fenêtre. J'ai ouvert la porte à la volée pour le découvrir assis à son bureau, en train de viser quelque chose tout en haut sur la corniche. Il a tiré, et je me suis reculée d'instinct quand un nuage de poussière de plâtre a éclaté au plafond.

« Je l'ai eue !

— Mais qu'est-ce que tu fais, espèce de fou ! ai-je hurlé, alors que Mrs Dalmire faisait son apparition à la porte.

— Saloperie de mouche ! a grommelé Sholto. Elle volait partout, elle bourdonnait, elle me rendait dingue. »

Il a cassé son fusil, en a sorti les douilles usagées et s'est levé, une main posée sur son bureau pour se soutenir. Il était fin saoul.

« Pas de quoi en faire tout un plat, mesdames », a-t-il déclaré avant de tomber à genoux et de vomir partout sur le parquet.

Je me rappelle qu'Annie et Blythe sont venues me voir un soir alors que je regardais la télévision dans le salon à l'arrière.

« Qu'est-ce qui ne va pas, chez Papa ? m'a demandé Annie d'un air inquiet.

— Mais tout va très bien.

— Si tout va très bien, pourquoi il est allongé sur la pelouse en caleçon ? » a rétorqué Blythe sans aucune émotion.

Je me rappelle être allée à Glasgow demander conseil à Jock Edie.

« C'est très simple, et je le lui ai dit bien en face. S'il n'arrête pas de boire et de fumer, il va mourir. Et très bientôt, je suis désolé de devoir vous le dire.

— Mais pourquoi se fait-il ça… à lui… à nous ? »

Jock a tapoté le bout de ses doigts les uns contre les autres plusieurs fois le temps de réfléchir.

« Je crois que ça remonte à un événement pendant la guerre. Vers la fin, en 45.

– Il n'en parle jamais. Il refuse.

– Frank Dunn m'a dit quelque chose en passant, un jour. Ça m'est resté. "Le massacre de Sholto", c'est comme ça qu'il a dit. Une remarque en l'air. Vous devriez en parler à Frank. »

Je me rappelle en avoir parlé à Sholto, en fait. Il était assez tard, nous étions dans le salon télé. Il avait bu deux grands whiskies, et il commentait avec son ancienne acuité mordante un reportage que nous venions de voir sur l'invasion de la Baie des Cochons. La guerre menaçait, donc j'ai profité de ce qui m'est apparu comme un parfait prétexte. Grâce au feu de cheminée et aux rideaux tirés, il faisait bien chaud dans la pièce. J'ai allumé une cigarette pour me donner une contenance.

« Qu'est-ce qui s'est passé pendant la guerre, mon chéri ? Je veux dire, qu'est-ce qui t'est arrivé ? »

La question l'a pris par surprise. Il a cligné des yeux en cherchant comment répondre. Il a opté pour la désinvolture.

« Beaucoup de choses. J'ai été assez occupé, à partir de 1942.

– C'est quelque chose qui est arrivé à Wesel ? Quand on s'est rencontrés ? »

Le nom de Wesel a paru le secouer physiquement.

« Oh, Wesel... Nom de Dieu ! Oui, c'était... c'était un putain de cauchemar. »

Je me suis rappelé être tombée sur ses hommes et lui assis en silence autour du kiosque à musique en ruine, je me suis rappelé leurs visages crasseux, tirés, hâves.

« Il s'est passé quoi ? ai-je insisté avec douceur. À Wesel. En mars 45.

– Oh mon Dieu, qu'est-ce qui s'est passé ? Ah oui... C'est ça. J'ai tué des dizaines de personnes. Plein de gens.

– Des gens ?
– Des soldats. Enfin, à peine des soldats, a-t-il rectifié, et soudain
son visage s'est décomposé, ses lèvres se sont mises à trembler.
Des gamins. »
Et il a refusé d'en dire plus.

Je me rappelle, lors des vacances suivantes, qu'Annie est venue
me chercher au rez-de-chaussée en me disant « Maman viens vite,
quelque chose ne va pas chez Papa ». Je l'ai éloignée, je suis montée
à l'étage et je suis entrée doucement dans notre chambre. Assis sur
son lit, en pyjama, Sholto regardait par la grande baie vitrée la vue
sur Glen Crossan et il pleurait.
« Qu'est-ce qui ne va pas, mon amour ? ai-je demandé tendrement
en m'asseyant près de lui pour lui passer un bras autour des épaules.
– Je veux mourir, a-t-il murmuré. Pourquoi est-ce que ça prend
si longtemps ? »

Son vœu fut exaucé par sa deuxième crise cardiaque en septembre 1961. Mrs Dalmire le retrouva inconscient sur le sol de
l'armurerie. On appela une ambulance qui l'emmena aussitôt à
l'hôpital d'Oban, puis, comme on n'arrivait pas à le réanimer, au
Royal Infirmary de Glasgow où, juste avant minuit, son décès fut
prononcé. Il avait cinquante-cinq ans.

3

Les conséquences

Le Maître de Farr, Andrew Farr (célibataire), devint le treizième baron Farr de Glencrossan, et Benedicta, lady Farr, son cardinal de Richelieu, sa Jézabel et sa duchesse d'Amalfi combinés. Nouvelle erreur : Sholto était mort sans avoir modifié ses dernières volontés. Le testament existant était celui qu'il avait fait à la naissance d'Andrew. Il n'avait jamais ajouté de codicille faisant mention de ma personne, ni d'Annie ou de Blythe. Et donc mes ennuis recommencèrent.

La consternation face à l'état désastreux des finances du défunt fut immédiate. Deux semaines après les obsèques de Sholto, je fus convoquée à une réunion dans la maison de Benedicta à Crossan Bridge. Andrew était présent, ainsi que Mr Archibald Strathray, le notaire de la famille, et Mr Fairbairn Dodd, de chez Carntyne Petre & Co. On me proposa du thé ; je demandai un whisky-soda.

Benedicta fut prompte à désigner des responsables. Qu'avait-il donc bien pu se passer au cours de nos quinze années de mariage ? Comment un domaine jadis florissant pouvait-il connaître aujourd'hui une telle impécuniosité ? Je suggérai à Fairbairn Dodd de confirmer à Benedicta ce qu'il m'avait dit un jour, à savoir que Sholto avait perdu au jeu des dizaines de milliers de livres à mon insu et vendu actif après actif afin d'essayer de dissimuler son addiction.

« Son addiction ? s'insurgea Benedicta. C'est absurde.

– Monsieur Dodd, je vous prie.

– En effet, lady Farr, j'avais conscience du problème », confirma-t-il à Benedicta, visiblement mal à l'aise mais n'ayant pas le choix.

Ensuite, Benedicta et Andrew (qui hochait la tête d'un air soumis et marmonnait son assentiment à toutes les paroles de sa mère) exposèrent leurs projets. Je devais quitter le Manoir de Farr, puisque le testament était limpide et qu'Andrew héritait de tout. Assise là, j'écoutais vaillamment alors que mon nouvel avenir m'était arraché, partagée entre ma douleur d'avoir perdu Sholto et ma rage croissante face à sa négligence. Tout aurait pu être tellement plus simple… Encore une erreur débile, songeai-je, alors que nous commencions à nous disputer les maigres reliefs. Benedicta était particulièrement excédée par la vente des Raeburn, « notre héritage, disparu à jamais ! », et de la maison de South Kensington (ses vacances dans la capitale, fichues). À chaque rebuffade, je me tournais vers Mr Dodd, qui me soutenait du bout des lèvres.

« Lady Farr n'avait aucune autre option, dit-il à lady Farr.

– Et d'ailleurs, monsieur Dodd, c'est même sur votre conseil que j'ai vendu les Raeburn, lui rappelai-je.

– Je crois bien, oui. »

Nous nous quittâmes sans que rien ne soit résolu. Alors que nous récupérions nos manteaux dans l'entrée, Archibald Strathray se tourna vers moi et me recommanda dans un murmure de me trouver un avocat vite fait. J'avais des alliés parmi les officiels.

Je demandai donc à Jock Edie s'il connaissait quelqu'un de féroce, d'intransigeant et d'abordable, et il me recommanda un de ses patients, un jeune avocat de Glasgow du nom de Joe Dunraven. Rendez-vous fut pris. Joe Dunraven était un petit homme beau et blond avec un accent glaswégien prononcé et une conscience sociale prompte à s'abattre sur quiconque lui semblait oisif et trop privilégié. J'échappai moi-même à son anathème pour la seule raison qu'il voyait bien que j'étais ruinée et persécutée par la famille. Au bout de cinq minutes de conversation, je lui demandai de me représenter et, à ma surprise, il accepta sur l'instant. Il n'était finalement pas si abordable que cela, mais Dido s'était proposée pour régler ses honoraires. Je me réjouissais à l'avance de sa prochaine rencontre avec Benedicta, lady Farr. Je lui exposai mes exigences en matière de simple survie, et tout d'abord un endroit où vivre, maintenant que je me faisais chasser du Manoir de Farr, mon foyer depuis quinze ans. À l'évidence, je n'étais nulle part la bienvenue sur le domaine de Glencrossan. Ensuite, la prise en charge des frais de scolarité de mes filles et une pension minimale jusqu'à la fin de leurs études.

« Je crois que nous pouvons obtenir mieux que ça, Amory », affirma-t-il avec un large sourire confiant.

Je l'avais invité à m'appeler Amory quand il avait insisté pour que je l'appelle Joe. Voilà qui avait scellé nos convictions égalitaristes.

Je n'assistai pas à la réunion suivante à Crossan Bridge, laissant mon fondé de pouvoir gonflé à bloc présenter mes revendications. Il vint m'en rendre compte au manoir sans tout à fait parvenir à refréner son sourire. Chacun de nous s'accorda un grand whisky et une cigarette en guise de célébration quand il me raconta ce qu'il avait obtenu des Farr.

J'allais pouvoir choisir entre trois « logements » appartenant au domaine, et celui que je choisirais serait mien « à perpétuité ». Le fidéicommis qui payait les frais de scolarité des jumelles serait maintenu, et elles recevraient chacune une donation de mille livres le jour de leur vingt et unième anniversaire. Quant à moi, on me garantissait une pension de cinq cents livres par an pendant les dix prochaines années. En échange, ma famille et moi nous interdisions toute réclamation ultérieure sur l'héritage.

Je me déclarai fort satisfaite et serrai chaleureusement la main de Joe Dunraven, puis l'embrassai spontanément sur la joue tant j'étais soulagée. Ainsi encouragé, il m'invita à dîner, mais je déclinai poliment au prétexte que j'étais encore en deuil et de médiocre compagnie. J'avoue que j'avais été un peu prise de court. Joe Dunraven semblait avoir acquis un intérêt soudain pour l'aristocratie écossaise, pour autant qu'on puisse me ranger dans ce clan.

J'examinai les trois propriétés que l'on me proposait et choisis la moins chère, un cottage sur l'île de Barrandale, plutôt qu'une maison mitoyenne à Mallaig ou un grand pavillon à Newton Mearns, près de Glasgow. Ceci me révéla que Sholto n'avait pas totalement dilapidé sa fortune, et je me demandai quels autres actifs étaient ainsi dissimulés. Mais peu m'importait. Dès que je visitai le cottage, la décision s'imposa. Même si Barrandale était à peine une île, elle restait symboliquement détachée du continent et j'aimais l'idée d'habiter une maison isolée, quoique un peu délabrée, qui disposait de sa propre petite baie et d'une vue sur l'océan Atlantique. Les jumelles donnèrent aussitôt leur accord. Nous étions très enthousiastes toutes les trois. C'était le contraste parfait, l'antidote au Manoir de Farr, où je ne remis plus jamais les pieds.

*
* *

JOURNAL DE BARRANDALE, 1977

Je rêve encore de Sholto après toutes ces années. Même si je savais sa mort prochaine, le choc tant redouté a été dévastateur ; en même temps, je ne pouvais pas occulter son ardeur à la souhaiter. De quel droit aurais-je pu exiger qu'il prolonge le tourment perpétuel que lui infligeait à l'évidence chaque heure de sa vie ? Il voulait partir, plus que tout, et j'étais donc heureuse pour lui. Je n'ai pas pleuré à ses obsèques, car je me concentrais sur cette idée : « Tu es libre, Sholto, tous tes malheurs sont terminés. Nous allons tout faire pour continuer sans toi, mais tu appartiens maintenant à l'histoire transcendantale de l'univers. Poussière tu redeviendras, atomes tu redeviendras. » En écoutant les éloges funèbres, en chantant les cantiques, j'ai compris que rien ou presque n'avait éclairé les dernières années de sa vie. Ni moi, ni ses filles, ni son manoir, ses terres ou son héritage n'avaient fait aucune différence. Et quand la vie vous inspire ce genre de sentiment, quand la vie ne vous fournit pas la moindre consolation, quand on ne savoure rien, pas même le plus petit bonheur que la planète et vos pairs humains peuvent offrir, alors, à mon humble opinion, rien ne sert de faire durer. Comme Charbonneau me l'a dit un jour : autant avaler tout de suite notre pilule de cyanure.

Cela dit, j'avais aussi conscience que le mystérieux événement atroce survenu à Wesel en 1945 en était arrivé lentement mais sûrement à dominer la conscience de Sholto, à définir le type d'homme qu'il pensait être, et que c'était ce qui l'avait amené à boire autant, à agir en totale insouciance, à perdre son amour pour tout. Soldat trop courageux pour se faire sauter la cervelle ou avaler des cachets, il s'était tué avec d'autres moyens disponibles, alcool, tabac, médicaments, négligence. Sa mort m'accablait d'une lourde tristesse, mais (est-ce choquant de le reconnaître ?) m'apportait aussi un immense soulagement et une certaine satisfaction pour lui maintenant qu'il était libéré de lui-même, du monde et de ses fardeaux.

Je n'ai rien dit de tout cela à Annie et Blythe qui, au début, ont été brisées par son décès, ravagées, incapables de comprendre, puis s'en sont remises rapidement, comme toujours les jeunes, poussés vers l'avant par leur propre vie à mener. Pauvre Papa, disaient-elles. Pourquoi n'a-t-il pas fait plus attention ? Il ne voyait donc pas ce qu'il était en train de s'infliger à lui-même ? Nous en avons beaucoup parlé, toutes les trois, et j'ai mentionné un sombre malheur, quelque chose qui lui était arrivé pendant la guerre et qui l'avait rendu un peu fou. Elles m'ont dit qu'elles comprenaient, puis elles m'ont raconté certaines anecdotes sur le comportement bizarre de Sholto lors d'épisodes auxquels elles avaient assisté sans me le dire.

Nous avons quitté le Manoir de Farr sans grands regrets dès que le cottage a été prêt à nous recevoir. Je nous ai acheté un labrador, Flim, dans un chenil d'Oban, et notre nouvelle vie a commencé.

Flim, Barrandale, 1962.

*

* * *

Je fis le voyage jusqu'à Hereford en Angleterre pour rencontrer Frank Dunn. Il n'avait pas pu venir aux funérailles, mais Aldous King-Marley (qui avait prononcé l'éloge funèbre) m'avait dit comment le contacter.

Au moment de l'attaque de Wesel par la brigade commando en 1945, Frank Dunn était un sous-lieutenant de vingt ans. Aujourd'hui âgé de trente-sept ans, il était toujours dans l'armée, commandant affecté au 22ᵉ régiment des SAS. Marié, père de deux jeunes enfants, il avait gardé ce corps athlétique et mince que j'associais à Sholto juste après la guerre. Ce n'était pas l'habitué ventripotent et bouffi du mess des officiers – de toute évidence, Frank Dunn assurait toujours des missions sur le terrain.

Il m'emmena dans un pub au bout de la rue pour que nous puissions discuter sans être interrompus par ses enfants. Il me parla de Sholto en toute franchise et reconnut que l'homme qu'il était devenu à la fin de sa vie n'était plus que l'ombre de son ancien officier supérieur.

« Que s'est-il passé à Wesel ? demandai-je. Sholto n'a jamais voulu me le dire.

– Eh bien, je ne suis pas resté sur place toute la nuit, commença Frank. J'ai pris un éclat d'obus dans la cheville, on m'a donc emmené au poste de secours pour me soigner, si bien que j'ai raté beaucoup des événements, mais j'ai entendu l'histoire par la suite, évidemment. En fait, tout le monde était au courant, mais personne n'a jamais vraiment voulu en parler. »

Frank me raconta ce qui s'était passé cette nuit-là en utilisant nos verres, le cendrier et les paquets de cigarettes pour reconstituer la topographie des lieux. Peu après minuit le 23 mars, la progression du 15 Commando, censé nettoyer les poches de résistance ayant survécu au bombardement massif, avait été stoppée par des tirs nourris venant d'un ancien bureau de poste situé sur un carrefour. Ce bâtiment à sous-sol semi-enterré présentait au niveau du trottoir des fenêtres à meneaux et barreaux, en renfoncement par rapport à l'épais bossage du rez-de-chaussée, qui fournissaient une excellente couverture et donc des positions de tir parfaites sur les rues qui convergeaient vers le carrefour.

« Nous perdions des hommes. C'était comme un bunker, cet endroit. Le toit était tombé, mais le rez-de-chaussée tenait debout grâce aux murs épais, et ces embrasures leur permettaient de nous tirer dessus depuis tous les angles possibles. Mitraillettes, *Panzerfausts*, *Panzerschrecks*, comme des bazookas, vous savez. Et puis quelqu'un a repéré une petite entrée de service à l'arrière, dans la rue voisine. »

Il me raconta que Sholto avait pris la décision d'y aller avec quelques hommes. S'ils pouvaient faire sauter la porte, ils arriveraient peut-être à pénétrer dans la cave.

« Et en effet, ils ont fait exploser la porte. Sholto avait une musette remplie de grenades, et il les a balancées l'une après l'autre.

Boum, boum, boum… Les soldats qui essayaient de sortir se faisaient mitrailler. Et puis, une des grenades a dû toucher un stock
de munitions, et tout l'immeuble a explosé. Silence total, dit-il
d'un air soudain sinistre. Sholto entre le premier, suivi par David
Farquhar. Presque tous les occupants sont morts, réduits en morceaux ou asphyxiés. Il y a une épaisse fumée partout. Quelques
blessés, qui hurlent et qui pleurent, raconta-t-il avant de froncer
des sourcils. Le problème, c'est que, une fois la fumée dissipée,
on a vu que tous les morts étaient des membres des Jeunesses hitlériennes, des adolescents de quatorze ou quinze ans, voire moins.
Il y avait un ou deux officiers plus âgés, mais en gros on s'était
battus contre des petits jeunes, des gamins. Et Sholto à lui seul les
avait tous tués d'un coup. C'est ça qui l'a rongé. »

Frank me raconta que, lorsqu'il était revenu clopin-clopant environ
une demi-heure après la fin de la bataille autour de l'ancienne poste,
les corps avaient été sortis dans la rue et alignés en rangées.

« Une trentaine de mômes en tout. C'était bouleversant. On ne
pouvait pas y échapper, à la vision de tous ces gamins morts. Ce
n'était pas juste, vous comprenez, qu'on ait demandé à des enfants
de se battre contre nous autres. Ils n'avaient pas la moindre chance. »

Je repensai à ce matin-là, au silence pesant des commandos autour
du kiosque à musique dans le parc dévasté, alors qu'ils prenaient
conscience de ce qu'ils venaient de voir et de faire.

« Il y a une différence entre un jeune soldat et un garçon, poursuivit Frank. La plupart des soldats sont très jeunes, mais ces Jeunesses hitlériennes, là… Je veux dire, je n'avais que vingt ans, nom
de Dieu, mais j'étais un homme et j'avais été particulièrement bien
formé pour mon métier. Ces gamins auraient dû être à l'école, ou
à la maison avec papa maman. Et dès ce jour-là, j'ai bien vu que
Sholto était très gravement affecté. Je crois que c'est parce qu'il avait
pris sur lui de jeter toutes ces grenades à l'intérieur. Nous, on lui a
tous dit : comment on aurait pu imaginer ? Ils nous tiraient dessus,
ils nous tuaient, ils nous blessaient. Pour autant qu'on pouvait le
savoir, ça aurait aussi bien pu être des troupes d'assaut SS. Mais il

a été secoué. Même moi, j'étais secoué. Je crois maintenant qu'on n'aurait pas dû sortir les corps de la cave et les étendre dans la rue comme ça. On aurait juste dû les laisser dans la baraque et partir. Beaucoup des gars ont été bouleversés quand ils ont vu à quel point ils étaient jeunes… »

Il s'interrompit et termina son gin-tonic. Il avait l'air un peu abattu et, lui aussi, bouleversé à force de repenser à tout cela.

« Moi, j'ai besoin d'un deuxième verre aussi grand que le premier », annonça-t-il, et je lui dis que moi aussi.

4

Scotia !

« Allez, tout le monde, un grand sourire ! Dites "ouistiti" ! »
Les membres du groupe se figèrent, vérifièrent leur pose, affichèrent un sourire de commande et je pris la photo. Une vingtaine de personnes étaient alignées sur deux rangées, les mariés au centre, devant l'entrée de la vieille église paroissiale de Peebles, dans la vallée de la Tweed. Je pris deux autres photos par précaution et laissai la noce se disperser pour se rendre à la réception au Tontine Hotel, à une centaine de mètres.

Je rangeai mon appareil et mon trépied et les portai jusqu'à l'endroit où j'avais garé la Hillman Imp. Je sentis ma déprime habituelle peser sur mes épaules et je résolus de l'ignorer. Non, Amory, arrête. Je n'en étais pas réduite à photographier des animaux de compagnie, mais presque. Malgré tout, j'avais un emploi, je gagnais de l'argent, je n'avais pas le droit de me plaindre ou de me morfondre.

Je travaillais pour un mensuel illustré qui portait le titre *Scotia !* et avait pour concurrents des magazines similaires comme *Scottish Field, Caledonia, Scotland Today, Bonny Scotland* et consorts, dont l'ordinaire journalistique se composait des traditions saisonnières de notre petite terre : tir, pêche (rubrique « À l'hameçon »), chasse, kermesses, comices (rubrique « Dans nos campagnes »), mode adaptée à la vie au grand air, automobile

387

et – c'est là que j'intervenais – chronique mondaine. Mariages, bals (« Comment porter le fourreau »), baptêmes, jeux des Highlands, tournois, défilés militaires, funérailles, etc., étaient couverts par *Scotia !* avec le même raffinement artistique que les photographies de groupe des équipes de rugby, de football, de golf ou de cricket. Les sujets formaient une ligne et se faisaient tirer le portrait. Les couples côte à côte, *idem.* En général, les sujets et les couples commandaient ensuite des tirages, source de revenus non négligeable pour le magazine. Il ne fallait pas prendre cela à la légère, me disait régulièrement le rédacteur en chef.

L'éditeur de *Scotia !* était un client de Joe Dunraven. Joe m'avait fait la faveur de m'obtenir ce poste quand il avait appris mon passé de photographe professionnelle. Son client, Hughie Anstruther, était plus qu'heureux de me recruter, étant donné mon expérience (et mon titre), mais il m'avertit bien vite : « Ne vous mettez pas des idées exubérantes en tête, lady Farr, nous ne sommes pas chez *American Mode.* » Dont acte.

Hughie Anstruther était un roquet soigné de sa personne et très vaniteux, qui rabattait une longue mèche des cheveux de sa tempe sur sa calvitie crânienne en une spirale élaborée, façon set de table tressé ou corde en chanvre enroulée, et ne se rendait pas compte de l'effet moumoute ainsi produit sur son apparence par ailleurs respectable. Mais j'en vins bientôt à l'apprécier, et l'emploi qu'il m'avait offert me permettait de compléter la pension obtenue du domaine Farr. Sans être pauvre, je devais compter mes sous. J'avais une maison où vivre, mais certainement pas un palace. De manière totalement inconsciente, j'avais bouclé la boucle, m'apparut-il : j'avais commencé, moi la jeune fille nécessiteuse, en prenant des photographies mondaines avec Greville dans les années 20 pour joindre les deux bouts ; des décennies plus tard, je me retrouvais, moi la femme d'âge mûr nécessiteuse, à faire exactement la même chose.

Le monde de Scotia !.
© *Scotia Media Enterprises Ltd, 1964.*

Après mes tumultueuses dernières années avec Sholto, j'avais aussi conscience de connaître une forme de quiétude. Le cottage était tout à fait confortable, quoique rudimentaire ; les filles allaient achever leurs études ; j'étais relativement solvable, relativement bien logée, avec une sécurité suffisante et un emploi, quoi que je puisse en dire. Je ne pouvais pas me plaindre. Mais étais-je heureuse ?

Je m'étais intégrée autant qu'un nouvel arrivant le peut dans la petite (mais diverse) communauté insulaire de Barrandale. Je m'étais fait quelques amis et, autre avantage, comme ils étaient de nouveaux amis, je pouvais leur raconter autant ou aussi peu de mon passé que je le souhaitais. Je ne me vantais jamais d'être la veuve de Sholto, lord Farr. Pour les gens que je côtoyais ou qui comptaient parmi mes nouvelles relations, j'étais Mrs Farr ou Amory.

Je n'avais pas moi-même couru après le poste chez *Scotia !*. Joe Dunraven, qui avait fini par en apprendre bien trop sur mon compte, m'avait recommandée à Hughie, et Hughie, qui pensait que mon passé ouvrirait plus de portes, m'avait recrutée avec enthousiasme. Mon travail n'était guère exigeant : quand je revenais du mariage, du bal celtique ou des funérailles, je développais la pellicule, je tirais des planches contact, je les annotais en précisant les noms pour étoffer les légendes et je les postais avec les pellicules à nos bureaux de Glasgow. Le mois suivant, mes œuvres figuraient dans les « pages mondaines ». Seule me consolait l'idée que j'avais exigé de ne pas être créditée et que, d'une certaine manière, j'étais toujours photographe professionnelle.

Je me rappelle que Blythe m'a demandé une guitare pour son quatorzième anniversaire. Je lui en ai acheté une. Elle s'est avérée très douée pour la musique (à la grande joie de Dido) et elle a aussi pris des cours de piano à l'école. Un soir, alors qu'Annie et elle passaient leurs vacances au cottage, je lui ai demandé de nous jouer quelque chose. Elle nous a interprété d'une voix rauque mais sincère une version mélancolique, en mineur, de la chanson traditionnelle « Bobby Shafto », sur laquelle elle avait écrit de nouvelles paroles. Annie était assise par terre à mes pieds, face à Blythe perchée sur un tabouret devant la cheminée, sa grosse guitare posée en équilibre sur son genou.

Daddy Sholto, il est parti,
Pour ne plus jamais revenir.
Où il se trouve, il va rester,
Mon papa, Daddy Sholto.

La chanson se poursuivait dans la même veine (« Daddy Sholto est parti à la guerre… »), mais à la moitié du second couplet nous étions toutes les trois en larmes. Blythe s'est interrompue et nous nous sommes tombées dans les bras. C'était un véritable moment de catharsis pour nous trois, et j'ai pleinement ressenti la perte qu'avaient subie les jumelles, elles aussi. Il n'y avait pas que mon chagrin. La vie difficile et compliquée de Sholto Farr n'était pas juste mon problème à moi. Les dégâts ne se limitaient pas à ma personne.

Je me rappelle que nous sommes parties en vacances en Italie pour voir Greville dans sa nouvelle vie. Je l'y avais envoyé en mission pour *GPW* en 1944, et je ne crois pas que nous ayons jamais reçu une photo de lui. Mais on ne sait trop comment, au cours de ses pérégrinations à prudente distance de la 110e division d'infanterie qui progressait vers le nord à travers l'Italie, il avait réussi à engager un jeune artiste comme interprète, Gianluca Furlan. Ledit Gianluca avait hérité d'une adorable petite maison sur les collines au-dessus de Viareggio, dans le nord de la Toscane, et Greville avait emménagé avec lui après la guerre. Il faisait des photos et Gianluca peignait les paysages toscans. Ils semblaient filer le parfait bonheur, et Greville jurait que c'est à moi qu'il le devait.
Nous y avons passé deux semaines en juillet 1965. Les filles venaient de réussir la première partie de leur bachot. Tous les deux jours environ, nous prenions la voiture pour aller sur la grande plage de Viareggio passer la journée au bord de la mer. Greville a pris cette photo de nous. Il nous appelait « les trois femmes Farr ».

Les jumelles et moi, Viareggio, 1965.

Je me rappelle avoir acheté un livre à succès sur les derniers mois de la Seconde Guerre mondiale qui s'intitulait *Fin de partie désespérée : les armées britanniques lors de l'ultime année, 1944-1945.* Une ou deux pages étaient consacrées à la bataille de Wesel durant l'opération *Plunder.* Tout ce qui y figurait concernant Sholto était ce qui suit :

> Le 15 Commando, placé sous le commandement du lieutenant-colonel lord Farr, rencontra une forte résistance à un carrefour situé à l'est du centre-ville. Il lui fallut plusieurs heures pour se rendre maître du point fortifié. À l'aube, le 15 Commando se regroupa dans un petit parc où fut dressé un bilan de six morts et quatorze blessés. L'assaut sur Wesel constitue un modèle d'opération commando, un acte de bravoure lors de combats de rue féroces.

Sans commentaire.

Je me rappelle un jour être allée pique-niquer avec les filles au pied de Beinn Morr par une journée venteuse et ensoleillée. L'herbe décolorée ployait sous la force de la brise. Blythe, assise à côté de moi, m'a demandé si nous pouvions jouer au « jeu de Greville ». À cet âge-là, elle ne cessait de me réclamer d'y jouer – sans Annie, qui estimait le jeu « stupide » et ne s'y intéressait pas.

« D'accord. Que dis-tu de cette petite rivière ?

– Liquide, marron, rapide, soyeuse. Trop facile, Maman. Jouons plutôt avec des gens.

– Mr Kinloss, tu te souviens de lui ?

– Gros, gris, poli, mystérieux.

– Bien vu ! C'est vrai, je n'y aurais jamais pensé. »

Blythe était très vive, il ne lui fallait jamais plus de quelques secondes pour trouver ses adjectifs.

« Allez, à ton tour ! a-t-elle lancé gaiement. Que dirais-tu de moi ? Et tu dois être honnête.

– Ce n'est pas du jeu !

– Si, si. Tu me fais moi, et après je te ferai toi. »

J'ai ressenti une vague appréhension. Ceci pouvait avoir des conséquences un peu délicates, mais impossible d'y échapper. Annie s'était éloignée en emportant sa bouteille de limonade, et elle envoyait des galets dans le petit ruisseau qui gargouillait près de notre emplacement de pique-nique. Elle ne pourrait pas entendre notre conversation, j'en étais convaincue.

J'ai regardé Blythe.

« Jolie, têtue, intelligente, compliquée. »

Elle y a réfléchi avec une petite moue, sourcils froncés, le temps de soupeser ces épithètes pour voir s'ils lui convenaient.

« À toi de me décrire, ai-je dit.

– Jolie, têtue, intelligente, compliquée », a-t-elle répliqué du tac au tac.

J'ai éclaté de rire et elle aussi, mais j'avais reçu le message… surtout qu'elle a lancé un coup d'œil par-dessus son épaule pour s'assurer qu'Annie n'avait rien entendu. J'ai commencé à croire qu'elle m'avait tendu un piège. Il y avait à présent un lien secret entre nous. Elle me disait : telle mère, telle fille. Elle avait sans doute raison.

« Maintenant, fais-nous Andrew Farr ! ai-je lancé pour changer de sujet.

– Falot, sournois, barbant, dominé.

– Mais pourquoi vous riez ? » s'est agacée Annie quand elle est revenue près de nous.

Je me rappelle avoir reçu par la poste le résultat du baccalauréat des jumelles et avoir sacrifié au rituel de l'ouverture des enveloppes à la table du petit-déjeuner. Annie avait eu de bons résultats, Blythe un peu moins, mais elle a dit ne pas s'en soucier puisqu'elle voulait devenir musicienne et qu'un diplôme n'était pas nécessaire. J'en ai convenu.

Annie a décroché une place dans l'une des nouvelles universités, Sussex, pour suivre un cursus de « relations internationales », quoique cela puisse bien vouloir dire.

Je l'ai emmenée dîner à Oban pour fêter ça (Blythe était partie je ne sais où). Je l'ai regardée assise en face de moi et j'ai permis à mon amour pour Annie la sérieuse de s'exprimer. Elle avait un long visage mince, alors que celui de Blythe était plus rond, plus joli, et elle était plus grande qu'elle, aussi.

« Maman, ça te dérange si je te demande un service ?

– Tout ce que tu veux.

– Tu sais qu'à cause du titre que portait Papa, je m'appelle "l'honorable Andra Farr".

– Oui.

– Eh bien, je ne veux pas qu'on m'appelle comme ça. J'ai reçu une lettre de l'université adressée à "l'honorable". J'étais atrocement gênée.

– C'est normal, ma chérie, je comprends.

– Je veux juste que personne n'utilise jamais ce titre. Plus jamais. Ce n'est pas par manque de respect envers Papa, ni rien…

– Bien sûr. Je n'aime pas trop qu'on m'appelle "lady Farr", moi non plus. Allez, oublions tout ça ! »

Sa résidence universitaire se trouvait à moins d'une heure de Beckburrow, et, à ma grande surprise, elle s'y rendait un week-end sur deux pour passer du temps avec sa grand-mère, qui était vieille et malade, mais toujours vive et énergique. Lors d'un de ses séjours, Annie a découvert une réserve secrète de mes premières photographies et d'autres de la même époque. Elle m'en a envoyé une petite sélection : une un peu abîmée de moi à vingt ans, prenant la pose, les pieds dans l'étang de Beckburrow, et une de moi petite avec mon père, prise par Greville, sans doute en 1913 ou 1914, juste avant que Papa ne parte pour la guerre.

Je me rappelle un moment étrange. Blythe et moi étions sorties nous promener sur la plage avec Flim. Annie était dans le sud pour visiter sa nouvelle résidence universitaire.

« Quelle sale garce, cette Benedicta ! a dit Blythe sans autre forme de préambule. Je la déteste.

– Moi aussi. Elle est vraiment méchante. Avide, suffisante, perverse, hypocrite.

– Tu crois que si elle se faisait tuer il y aurait quelqu'un pour la regretter une seule minute ? Une seule seconde ?

– Il ne faut pas dire ce genre de chose, Blythe, même pour plaisanter.

– Mais je ne plaisante pas. Elle nous a jetées dehors. »

Je lui ai pris la main. Blythe était toute rouge, sous l'emprise d'une rage croissante.

« Cela n'a pas d'importance, ma chérie. Nous n'aurions pas été heureuses là-bas. Le Manoir de Farr n'a jamais vraiment été notre chez-nous. »

Mes paroles ont semblé la calmer. Elle aussi allait partir, le lendemain, pour Londres, où elle séjournerait chez Dido et Reggie Southover, dans leur grandiose demeure de Camden Hill. Blythe voulait auditionner pour des groupes folk ou rock – peu lui importait, clavier ou guitare, elle voulait juste faire de la musique. Dido était son inspiration et elles étaient devenues très proches. Elles partageaient le gène musical de la famille Clay, ce qui les distinguait de nous autres les *littérateurs** et les photographes.

Je me rappelle avoir reçu une des rares lettres de Charbonneau, qui m'annonçait la naissance de son second enfant, Luc. Il joignait une photo de lui-même « pour que tu n'oublies pas à quoi je ressemble ». Je constatai qu'il avait pris du poids et qu'il portait de nouveau la moustache. Il était adossé à un parapet quelque part sur la Riviera italienne, et je me suis dit qu'il voulait vaguement me rendre jalouse de la grande vie qu'il menait. Je n'ai pas pu m'empêcher de penser qu'il n'avait pas l'air particulièrement heureux.

Jean-Baptiste Charbonneau, 1962.

*

*   *

JOURNAL DE BARRANDALE, 1977

J'aime questionner Greer sur son ancienne spécialité, la cosmo-logie, car cette science comporte certains aspects qui m'intriguent, mais cela l'exaspère, parfois.

« Alors, le Big Bang s'est produit il y a treize milliards d'années ? lui ai-je demandé un jour où nous étions parties en promenade.

– Treize virgule huit milliards, à un ou deux jours près. Oh, non, tu vas encore me poser des questions, hein ?

– Parce que ça m'intéresse ! Tu as su piquer ma curiosité, Greer. Tu devrais être contente. »

Nous descendions des hauteurs de Cnoc Torran, dont nous avions fait l'ascension le matin, afin de retourner déjeuner au

397

cottage. Nous avions une vue sublime sur les îles autour de Barrandale. Je voyais Mull plus clairement que jamais, au point de distinguer une voiture rouge qui roulait sur la route à la pointe nord du Loch Don.

« Le Big Bang explique l'existence de tout ça, ai-je dit avec un large geste de la main embrassant Mull et l'océan. Tout a commencé à ce moment-là.

– Tout. Ça explique tout. Toi et moi, cette herbe, les nuages dans le ciel, cet insecte… et l'univers. Tout part de là.

– Comment peux-tu en être si sûre ? ai-je demandé en me baissant pour refaire le lacet d'une de mes chaussures de randonnée.

– Eh bien, nous avons quelque chose qui s'appelle le "modèle standard" et qui explique presque tout.

– Presque ?

– Oui.

– Et ce que vous n'arrivez pas à expliquer ?

– Je sais que je vais m'en mordre les doigts, a-t-elle commenté en me lançant un regard perçant.

– C'est là qu'intervient votre "matière noire", non ? La matière noire permet d'expliquer ce qui ne cadre pas, en théorie.

– D'une certaine manière, oui.

– Et la gravité noire. Et l'énergie noire.

– Je sais que ça a l'air mystérieux et excitant, mais c'est très compliqué. Il faut que la matière noire existe pour expliquer les anomalies.

– En fait, vous avez besoin de tous ces trucs "noirs" pour expliquer pourquoi le "modèle standard" n'explique pas tout ! me suis-je exclamée en claquant des doigts.

– D'une certaine manière, oui.

– Tu vois, c'est ça que j'adore dans la cosmologie. Ça fonctionne exactement de la même façon que nous.

– Ne fais pas ça, Amory. Nous avons horreur de ça, nous les scientifiques… Cette récupération… Tu ne comprends pas.

– Non, je ne comprends pas. Ou plutôt si : exactement comme vous, les cosmologistes, nous ne pouvons pas tout expliquer. Il y a des éléments qui ne cadrent pas. Et l'amour "noir", alors ? Pourquoi je suis tombée amoureuse de cet homme impossible ? L'amour "noir" l'explique. Pourquoi ai-je dû souffrir de cette pénible affection ? La maladie "noire". Certaines choses invisibles m'affectent, moi et ma façon d'agir.

– Non, non, non ! Tu transformes la science dure en une métaphore.

– Mais c'est mon droit le plus strict. Maladie "noire", météo "noire", incompétence "noire", politique "noire"… »

Elle n'a pu s'empêcher de rire. Nous avons poursuivi notre chemin en bondissant presque sur l'herbe tendre du sentier pentu.

« Le concept "noir" explique pourquoi on ne peut pas expliquer certains événements, ai-je répété. C'est merveilleusement libérateur. Pourquoi ma voiture ne démarre-t-elle pas, ce matin ? Hier, elle marchait très bien. La mécanique "noire".

– Ne dis à personne que tu tiens cette idée de moi.

– Tu vois, le "modèle standard" de la condition humaine ne fonctionne pas non plus. Il est inadapté. Exactement comme le "modèle standard" de l'univers ne marche pas pour vous, les scientifiques.

– On mange quoi, pour déjeuner ?

– De la tourte noire. »

Je me rappelle que nous avons beaucoup bu lors de ce déjeuner. Nous buvions toujours beaucoup, mais je crois que Greer recherchait cette désinhibition que peut entraîner un déjeuner bien arrosé. Elle m'a raconté avoir eu une liaison avec un collègue de Calder, qui avait pris fin quand il était parti rejoindre un think-tank à Londres, la distance tenant lieu de prophylaxie. Or, il lui avait récemment écrit pour lui demander de venir lui rendre visite.

« Tu as déjà eu une liaison, Amory ?

– Eh bien, pas quand j'étais mariée, mais j'ai eu une liaison quand j'avais une liaison, ai-je répondu avant de marquer une pause pour me souvenir. Deux fois, même.

– Il n'y a que toi pour rendre les choses si compliquées.

– Je ne sais pas trop comment ça s'est produit. L'amour noir, peut-être ?

– Je commence à comprendre ta logique, a-t-elle commenté en sirotant son vin. À ton avis, je dois aller à Londres ou pas ?

– Tu dois faire ce que tu veux faire. Comme l'a dit le poète : "Les désirs du cœur sont aussi tordus qu'un tire-bouchon."

– Tu ne m'aides pas du tout ! a-t-elle dit en riant.

– Précisément. »

*
* *

Pour des raisons qui m'échappent, Dido tomba amoureuse de Barrandale. Elle venait y passer une semaine deux ou trois fois par an, pour se « reposer » après ses tournées et ses récitals. « J'ai besoin de recharger toutes mes batteries, ma chérie, disait-elle. La paix, le silence, le vide et un grand gin-tonic, c'est tout ce que je demande. » En 1966, elle était au sommet de sa gloire : Béla Bartók lui avait dédié un trio pour cors, elle passait régulièrement aux Proms de la BBC, Harold Wilson l'avait invitée à déjeuner au 10, Downing Street, et elle avait été promue Commandeur de l'ordre de l'Empire britannique (CBE). Mais son mariage avec Reggie Southover tirait à sa fin. Elle avait une liaison avec un clarinettiste de l'Orquesta Nacional de España, « pauvre comme Job, mais tellement adorable. C'est l'esprit latin qu'il me faut, je ne devrais jamais avoir affaire avec les Anglo-Saxons ».

Pour la taquiner, je lui demandai un jour si elle avait des liaisons avec un musicien de chaque orchestre avec lequel elle jouait.

« Pas dans chaque orchestre, non, répondit-elle d'un ton parfaitement sérieux. Non, je suis très exigeante. »

400

Dido Clay CBE, 1966.

Elle me dit un jour : « Tu as remarqué qu'Herbert von Karajan et Lenny Bernstein ont exactement la même chevelure, avec la mèche qui retombe, la teinte grise si distinguée, la même coupe ? Tu crois que c'est un truc de chef d'orchestre ?

– Tu as couché avec l'un d'eux ? Ou les deux ?

– Eh bien, j'ai eu une petite aventure avec l'un des deux, je l'avoue, mais je ne te dirai pas lequel. »

Même si elle adorait visiblement venir à Barrandale, elle se plaignait constamment du cottage et de ses petits inconvénients. Et elle commença aussi son travail de sape sur ma vie.

« Que vas-tu faire, maintenant que les filles sont parties ? Tu ne peux pas prendre des photographies de mariages écossais pour le restant de tes jours. »

*
* *

JOURNAL DE BARRANDALE, 1977

Ça a recommencé. Ce matin, j'ai voulu prendre un pot de confiture de la main gauche pour le ranger au frigo, impossible. Aucune poigne. Je me suis assise, j'ai soufflé une minute et j'ai réessayé. Ça a marché, mais juste au moment où j'allais poser le pot sur la clayette, ma prise s'est relâchée et il est allé se fracasser par terre.

Ce tracas récurrent n'avait jamais pris une telle ampleur. Mon cerveau a transmis à ma main l'ordre de serrer, mais elle s'y est refusée. Jock Edie, à qui j'en ai déjà parlé et qui m'a expliqué ce qu'il pensait être le problème, m'a dit qu'un jour je devrais aller consulter un neurologue. Peut-être le moment est-il venu.

J'ai déjeuné à l'hôtel avec Hugo Torrance, et je n'ai pas eu de difficulté à tenir mes couverts. Nous étions assis à notre table habituelle dans le coin près de la cheminée, où ronronnait un feu qui se trouvait être le premier de l'automne, m'a appris Hugo. Comme pour légitimer la flambée, il pleuvait assez dru dehors. Nous avons mangé du rôti saignant et bu du vin rouge. Je me sentais parfaitement détendue physiquement, mais sur mes gardes.

« Tout ceci nous mène quelque part, ai-je dit. Je le vois à ton regard.

– Ça peut mener où tu veux.

– Allez, accouche !

– J'ai vendu l'hôtel. »

Voilà qui était une vraie surprise.

402

« Félicitations ! Tu es content ?

– Oui. Et deuxième nouvelle : j'ai acheté le cottage en ruine de l'autre côté du promontoire. Nous allons être voisins. »

*

* *

Une fois Dido rentrée à Londres, Hughie Anstruther me téléphona pour me rappeler que j'étais censée couvrir le Northern Meeting à Inverness, où je devrais passer la nuit. Il me demanda si j'avais besoin d'un assistant.

« Le monde entier semble s'y être donné rendez-vous, cette année, me dit-il. Sors ta plus jolie robe, ma belle. »

Je n'étais pas enthousiaste. Ce serait là mon troisième Northern Meeting. Je pourrais tout juste supporter le bal, mais la perspective de photographier les gagnants du concours de cornemuse m'épuisait à l'avance. Dido avait raison. Il fallait que je bouge, que je fasse quelque chose de totalement différent. Mais quoi ? Je ne connaissais rien d'autre que la photographie.

Je sortis me promener, *a priori* pour réfléchir, en fait pour me diriger tout droit vers le bar du Glenlarig Hotel. Je commandai un whisky avec de l'eau et demandai si Mr Torrance était là. On me répondit qu'il se trouvait dans son appartement à l'étage, où je décidai de le rejoindre, car je voyais en lui la personne idéale pour méditer sur mon dilemme. En me dirigeant vers son escalier privé à l'arrière, je passai devant le salon réservé aux clients, dont la porte était grande ouverte et où un téléviseur diffusait en silence le journal du soir à l'attention d'un demi-cercle de fauteuils vides : un champignon de flammes et un nuage de poussière provoqués par une explosion emplissaient l'écran, terrible expansion d'énergie d'une beauté irréelle, comme un chrysanthème gris ou un dahlia monochrome géant. Intriguée, j'entrai un instant.

403

Une caméra tremblante filmait une femme à lunettes qui parlait dans un micro, tapie au fond d'un fossé, vêtue d'un uniforme sale tout maculé de sueur et d'un casque à l'avant duquel le mot « PRESSE » s'étalait en lettres blanches. À l'arrière-plan, deux colonnes de fumée s'élevaient au-dessus de collines recouvertes de jungle. Je reconnus la journaliste malgré son visage crasseux et ses lunettes, et je me penchai vers le poste pour monter le son juste au moment où elle rendait l'antenne.

« C'était Lily Perette, en direct de la province de Dang Tra auprès du corps des marines de l'armée américaine. »

Qu'est-ce qui me décida à aller au Vietnam ? Au départ, ce fut de voir Lily Perette à la télévision et de me rappeler la dernière guerre que nous avions couverte ensemble. J'avais soudain une envie urgente de la rejoindre et de lui poser des questions : comment c'était, y avait-il beaucoup de danger, pourquoi avait-elle atterri au Vietnam ? Et puis, en y réfléchissant, je compris que l'émotion qui s'emparait de moi était en fait de la jalousie. J'enviais Lily Perette à cet instant, et je me sentais malgré moi parcourue par cette montée d'adrénaline. Peut-être pouvais-je moi aussi aller sur le terrain, comme elle. J'avais la même expérience, les mêmes qualifications, le même talent. Plutôt que de monter voir Hugo, je retournai au bar boire un autre verre et réfléchir.

Une fois assise, je fis le point. Pouvais-je retourner chez *GPW* ? Non. Cette porte-là m'était fermée. Y avait-il un autre moyen ? Je ne pouvais pas juste acheter un billet d'avion et me rendre là-bas en touriste. Ou bien si ? La part rationnelle de mon esprit se souvint alors que j'avais un emploi stable et tranquille, quoique moyennement payé, qui exigeait juste que je fasse route au nord vers Inverness et ses concours de cornemuse en oubliant toute cette impulsivité, cette folie.

Pourtant, plus les décisions réalistes et réfléchies se présentaient en ordre serré, plus l'idée de me débrouiller pour partir au Vietnam me consumait. Je voulais retrouver mon ancien job, je voulais redevenir une vraie photographe. Le Vietnam et sa guerre lointaine me semblaient le parfait antidote à tous ces mariages écossais et leurs danses folkloriques.

Je crois maintenant, avec le recul, que ce que je voulais vraiment, fondamentalement, c'était me confronter de nouveau à la guerre. Pas tant pour me mettre à l'épreuve, ça j'y avais déjà eu droit, mais pour voir comment le moi de cette époque fonctionnerait en zone de guerre, vivrait différemment cette expérience. La guerre avait façonné, régi et perturbé ma vie de tant de façons, à travers mon père, Xan et Sholto, que ce zèle que je ressentais devait être une réponse inconsciente à ce besoin plus profond. Après Sholto et notre vie commune, je voulais faire un peu l'expérience de ce qu'il avait traversé, mais informée cette fois par la nouvelle compréhension que j'avais de lui, de moi. Je ne pouvais pas remonter le temps armée de tous mes acquis, mais je pouvais aller de l'avant et chercher les réponses à certaines de mes questions. La nouvelle Amory Clay, plus mûre, plus sage, pouvait vivre ce que l'ancienne Amory, plus jeune, plus innocente, n'avait pas été capable d'appréhender à plein. Mon éducation en tant qu'individu ne serait jamais complète si je ne faisais pas ça, si je n'allais pas voir par moi-même, si je ne me regardais pas en face. J'avais besoin de découvrir comment j'allais réagir, ce que cela m'apprendrait sur ma vie et ma personne.

Du moins raisonnai-je ainsi ce soir-là dans le bar de l'hôtel. Mais j'étais aussi une mère, me rappelai-je, avec deux filles adorables et adorées. Mes arguments étaient-ils spécieux ou sincères ? Me montrais-je honnête ou égoïste ? Eh bien, je ne le saurais jamais tant que je ne serais pas allée là-bas me confronter à mes démons.

C'est en rentrant chez moi dans l'obscurité que la réponse m'apparut : je savais exactement qui appeler. Non pas Cleveland Finzi, mais un autre ancien amant qui serait peut-être bien en position de m'aider. Qui plus est, il me devait depuis très longtemps un énorme service, Lockwood Mower.

J'allai à Londres rencontrer Lockwood (ravi de cette surprise) dans son bureau du *Daily Sketch*, où il était devenu responsable du service photo. Il avait pris du poids, il avait les cheveux plus gris et une moustache plus épaisse quoique étonnamment noire, de même que ses sourcils, ce qui produisait un effet étrange, comme un très mauvais déguisement. Après un échange d'amabilités, je lui racontai pourquoi j'avais besoin de son aide dans mes projets. Il était effondré.

« Au Vietnam ? Mais tu es devenue folle ! Tu ne peux pas y aller, Amory, tu es trop… »

Il ne finit pas sa phrase car il vit l'expression changer sur mon visage.

« Lockwood, tu me dois une faveur. Regarde-toi un peu : chef du service photo, un grand bureau, un journal national. Je te demande juste de m'inclure discrètement dans ton équipe, dis-je en me penchant en avant.

– Nous n'avons pas d'équipe. Tu ne peux pas aller là-bas par notre entremise. Mr French ferait une attaque.

– Qui est Mr French ?

– Notre rédacteur en chef.

– Mais alors, toutes vos photos du Vietnam, vous les récupérez où ? Tu sais qu'il y a une guerre, là-bas ?

– Très drôle, Amory. Nous les achetons à des agences.

– Quelles agences ? »

Il réfléchit un instant avant de répondre.

« On récupère la plupart de nos photos chez les Amerloques, ça va de soi. Notamment Sentinel Press Services. Ils sont très raisonnables.

– Des Américains. Encore mieux. J'ai travaillé pendant des années pour un magazine américain. Tu vas dire à Sentinel que j'ai bossé pour *Global-Photo-Watch*, que j'ai dirigé leurs bureaux à Londres et à Paris pendant la guerre.

– Ça ne coûte rien d'essayer, j'imagine, dit-il en se frottant le menton.

– Je veux vraiment que ça marche, Lockwood. Penses-y. Si je suis sur le terrain, je peux m'assurer que tu récupères toutes les meilleures photos. »

Il reconnut la logique du raisonnement. J'allumai une cigarette, sentant son regard intense sur moi comme avant, presque comme si nous travaillions encore ensemble dans le studio de Greville.

« C'est vraiment sérieux, cette histoire, Amory ? Ce n'est pas un genre de caprice, d'idée folle ?

– C'est extrêmement sérieux.

– Parfait. Je vais appeler les gens de Sentinel et voir ce qu'on peut faire. »

Je restai à Londres en attendant des nouvelles de Lockwood. J'emmenai Blythe et Annie dîner dans un restaurant vietnamien de Cromwell Road, le Nam Quoc Palace, cadre un peu trop évident pour leur dévoiler mes projets. Quand je leur appris que je voulais relancer ma carrière et partir au Vietnam comme photojournaliste, Annie parut aussi enthousiaste que moi à cette perspective, mais Blythe eut l'air presque outrée.

« Mais c'est super dangereux, Maman, dit-elle en me jetant un regard noir. Qu'est-ce qui te prend, enfin ?

– Je l'ai déjà fait. C'était mon job. Je sais où je mets les pieds, et je peux t'assurer que je ne prendrai aucun risque.

– Si tu l'as déjà fait, je ne vois pas pourquoi tu éprouves le besoin de le refaire, persista Blythe.

– Je dois me prouver quelque chose à moi-même.

– Te prouver quoi ? Que tu es stupide ? »

Je m'abstins de relever, ne voulant pas gâcher davantage l'ambiance de la soirée. Quand Annie partit attraper son train à destination de Brighton, Blythe resta avec moi. Nous commandâmes un deuxième café et un genre de beignet de riz sucré. Elle se radoucit et me prit la main pour jouer avec mon alliance.

« C'est à cause de Papa, c'est ça ? C'est pour ça que tu as l'impression qu'il faut que tu y ailles ?

– En partie, oui, répondis-je, tout en essayant de cacher ma surprise face à sa perspicacité. Et en partie, ça a à voir avec moi et ma vie. »

Elle fit tourner mon alliance sur mon doigt, puis poussa un soupir et me lâcha la main. Elle s'affaira à rouler méticuleusement une fine cigarette. J'en allumai une moi aussi pour lui tenir compagnie.

« C'est tellement loin, finit-elle par dire après un silence. Je crois que c'est ça qui me dérange. Tu vas te retrouver à l'autre bout de la planète.

– Pas éternellement.

– Pour combien de temps, alors ? demanda-t-elle d'un ton presque agressif.

– Je n'en suis pas trop sûre encore. Il faut déjà que j'aille sur place.

– Si ça se trouve, je ne te reverrai plus jamais, gémit-elle, les yeux soudain pleins de larmes.

– Ne dis pas n'importe quoi, ma chérie, rétorquai-je d'un ton peut-être un peu plus sec que je ne l'aurais voulu. Tu sais, j'ai une vie à vivre, en plus de vous avoir vous. Je ne peux pas juste moisir à Barrandale.

– Je sais bien, concéda-t-elle en s'avachissant sur sa chaise, les yeux clos, un petit sourire aux lèvres. C'est juste que j'aime bien te savoir toute proche. »

Après un câlin sur le trottoir, je promis de l'appeler le plus souvent possible. Elle me semblait mieux accepter l'idée de mon départ, maintenant que nous étions sorties du restaurant, et je me dis que peut-être le cadre vietnamien n'avait pas été une si bonne idée. Enfin, trop tard. Je la regardai s'éloigner en direction de son arrêt de bus, une grande jeune femme élancée et souple, avec son manteau à poils, ses cheveux longs jusqu'à la taille, et je sentis cette boule d'amour bien connue se nouer en moi. Ma fille jolie, têtue, intelligente, compliquée.

À mon retour à l'hôtel, un message m'attendait disant de rappeler Lockwood au *Sketch*.

« Bonsoir, Lockwood, c'est moi.

– Tout est OK. *Bon voyage**. »

LIVRE SEPTIÈME

1966-1968

1

Carnet de notes du Vietnam

Lockwood avait un peu exagéré : en fait, tout n'était pas « OK ».
Sentinel Press Services avait accepté à contrecœur de m'engager
comme correspondante free-lance, mais seulement pour un mois
d'essai, avec un salaire de deux cents dollars. Il me faudrait financer
mon voyage jusqu'au Vietnam et mon logement une fois à Saigon.
Et aucun frais payés. J'étais bien obligée d'accepter. Sentinel avait
un petit bureau permanent à Saigon, m'a expliqué Lockwood, avec
trois employés dont un photographe. « Ils se sont fait tirer l'oreille,
Amory », m'a-t-il précisé d'un ton lourd de sous-entendus, au point
que je me suis demandé si lui ou le Daily Sketch *ne finançaient*
pas en sous-main mon maigre salaire. J'ai argué qu'ils avaient
certainement besoin de plus d'un seul photographe. Je crois qu'il
essayait de me faire comprendre les dures réalités de la situation,
mais j'étais trop impatiente. Je m'en fichais, j'allais faire ma guerre.
J'ai négocié une seule condition supplémentaire en contrepartie
de toutes ces restrictions et du fait que j'étais à peine payée. Je ne
sais pas pourquoi j'ai insisté, mais ça s'est avéré être l'idée la plus
maligne de toute ma vie. Je leur ai dit que je donnerais à Sentinel
la licence de première utilisation mais que je garderais le copy-
right. Lockwood m'a répondu que cela ne poserait sans doute pas
de problème. « Fais juste en sorte que nous, on récupère tes meil-
leurs clichés. » À mon avis, Lockwood se figurait que j'allais partir

*sur le terrain, vivre ma petite aventure, puis souffrir et me sentir
misérable, évacuer l'idée de mon organisme et rentrer à la maison
en ayant fait mes preuves. Il avait dû calculer que je tiendrais
deux semaines au maximum et que deux cents dollars était un prix
minime à payer pour se débarrasser de moi. Comme il avait tort !*

*Dès mon arrivée à Saigon, j'ai commencé à tenir un journal
par intermittence, à le remplir de mes impressions et réflexions, à
y coller certaines des photos que je prenais. Je crois que j'avais
déjà dans l'idée de peut-être tirer un livre de cette expérience.*

Saigon, Vietnam, 1967.
Photo extraite de Vietnam, mon amour.

Hier, au centre de presse de Saigon, j'écoutais le nouvel officier
du renseignement nous donner les dernières statistiques KIA et
MIA[1], songeant qu'il ressemblait un peu à Xan et remarquant simultanément les dizaines et les dizaines de sièges vides. Quelqu'un

---

1. « Killed in Action », tué au combat, et « Missing in Action », disparu au combat.

m'avait dit que sept cents journalistes couvraient le Vietnam ; où donc était tout le monde ? Mary Poundstone s'est glissée sur la chaise en plastique à côté de moi. Elle avait le visage tiré, les lèvres pincées.

« Ils refusent de me renouveler mon visa, ces enfoirés ! m'a-t-elle annoncé. Viens, on va boire un verre. »

Nous sommes allées sur le toit-terrasse de l'hôtel Caravelle[1], nous avons commandé deux gin-tonic avec beaucoup de glace et nous nous sommes installées à une table à l'écart des autres. Mary et moi nous étions retrouvées peu de temps après mon arrivée, en février 1967, alors que nous ne nous étions jamais revues depuis les Vosges en 1944. Je n'ignorais pas ce qu'elle avait fait entre-temps, car son aura de légende s'était étoffée : elle avait publié des livres de reportages et deux recueils de nouvelles, elle avait reçu des monceaux de prix, elle était portée aux nues par toute une nouvelle génération d'écrivains. À Saigon, nous passons beaucoup de temps ensemble, nous nous cherchons lors des points presse, tant et si bien que les correspondants nous ont surnommées les « petites mamies ». J'ai cinquante-neuf ans, Mary en a soixante-quatre. Nous sommes de loin les journalistes les plus âgées au Vietnam.

Dès le début, elle m'a donné des conseils sur comment m'habiller : des vêtements masculins (pantalon et chemise) kaki, blancs ou beiges, avec une petite touche féminine. « Mets un treillis quand tu fais une sortie avec les troupes, mais n'aie l'air ni d'un soldat ni d'une femme élégante quand tu es en ville ou dans les bases. Ajoute une écharpe colorée, une broche, des bracelets. » J'ai opté pour des boucles d'oreilles, une paire de petites créoles en or de deux centimètres de diamètre environ, que je porte tout le temps, même sous mon casque, et qui sont devenues mon accessoire signature.

---

1. L'hôtel Caravelle était le préféré des correspondants de guerre au Vietnam. L'Associated Press (AP) et United Press International (UPI) y avaient des bureaux, et son bar sur le toit-terrasse était le principal repaire des journalistes.

Mon « look » se compose d'un chino kaki et d'un T-shirt blanc sous une chemise ouverte en coton sergé à épaulettes et poches multiples, généralement beige foncé, parfois en jean, parfois en lin. Truong[1], mon chauffeur, m'a déniché un tailleur dans la rue Cong Thanh qui m'a confectionné une demi-douzaine de ces chemises pseudo-militaires contre une cartouche de deux cents cigarettes Salem.

Truong, mon chauffeur, sans lequel...

1. J'ai engagé Truong Ngoc Thong lors de mon troisième jour à Saigon. J'avais loué un scooter qui, pensais-je, me permettrait de sillonner la ville à toute vitesse. Après avoir frôlé l'accident deux fois en une demi-heure, j'ai compris que j'avais commis une erreur potentiellement fatale. Truong parlait mal anglais, mieux français et couramment vietnamien, bien sûr. Il avait une vieille Renault Colorale bleue. Je n'aurais jamais survécu sans lui.

Les bureaux de SPS se situent dans une ruelle du nom d'An Qui Alley, à un pâté de maisons de ceux du magazine *Time*. L'équipe comprend notre chef, Lane Burrell, un homme autoritaire et ronchon, et deux journalistes maison, dits « titulaires », Ron Paxton et une jeune photographe qui porte le nom improbable de Renata Alabama. Lane Burrell m'a précisé que j'étais seulement « attachée » à SPS et que, si jamais on me le demandait, je devais dire que je travaillais pour le *Daily Sketch* de Londres. Mais il a promis de faire son possible pour accélérer mon accréditation. « Qu'est-ce que vous avez donc fait à Lockwood Mower ? m'a-t-il demandé. Ce type est fou de vous ! » Je suis presque certaine que c'est Lockwood qui finance mon voyage. Lane semble satisfait de l'arrangement, mais je ne crois pas que Ron et Renata soient particulièrement enchantés de mon arrivée, et je soupçonne que je ne les gagnerai jamais à ma cause[1].

Burrell, Paxton et Alabama occupent un grand appartement avec trois chambres au-dessus des bureaux. Selon les conditions de mon accord avec SPS, je dois me loger par mes propres moyens. Je suis allée visiter un appartement dans la rue Nguyen Van Thu, de l'autre côté de la rivière Saigon, au-dessus d'un restaurant français qui s'appelle Le Mistral de Provence. Voilà ce qui m'a poussée à louer ce deux-pièces, mes souvenirs de Charbonneau. Pas d'eau chaude, pas d'air conditionné, un lit, deux chaises en plastique, une table et une salle de bains avec une douche qui fuit plutôt qu'elle ne coule. Cinquante dollars par mois.

Quand je suis arrivée à l'aéroport de Tan Son Nhut et que j'ai désembarqué du vol Pan Am en provenance de Hong Kong, j'ai failli

---

1. Lane Burrell a été fidèle à sa parole et mon accréditation est dûment arrivée. J'ai mes papiers, à savoir un certificat d'identité de « non-combattant » fourni par le ministère de la Défense américain, qui indique « photojournaliste britannique » comme profession. J'ai le droit d'assister aux briefings quotidiens du Military Assistance Command Vietnam (MACV) – les « *five o'clock follies* », comme on les appelle –, de toucher un treillis et des rations C, de voyager à bord de transports militaires et d'aller sur le champ de bataille.

remonter dans l'avion à cause de la chaleur. Je n'avais rien connu de tel auparavant, une vraie fournaise, mais humide. Comme d'être tout sec dans une mer chaude, ou mouillé dans un désert aride. Je ne suis jamais arrivée à vraiment décrire cette impression. Et puis, je n'avais jamais vu autant d'avions en un même lieu, des centaines d'appareils, me semblait-il, civils et militaires, monoplaces, Boeing quadrimoteurs – de la Pan Am, de Cathay Pacific, de PAL, de la Flying Tiger Line –, Phantoms, DC-3, etc., qui atterrissaient, décollaient, se garaient au petit bonheur en rangées irrégulières, comme négligemment abandonnés par leurs pilotes respectifs qui se seraient éloignés en quête d'un bar.

Il existe un étrange système de classes officieux ici entre les journalistes : les « titulaires » contre les « free-lances ». Les titulaires sont des journalistes professionnels sérieux ; les free-lances sont des électrons libres, des excentriques, des fous, des accros à la guerre, des allumés, des drogués, des gens dangereux. Parmi eux, un certain John Oberkamp (un Australien), qui est là depuis 1965 et qui a été blessé au combat trois fois, est une célébrité. Avec des amis, il loue une grande maison rue My Loc, près de la rue Tu Do (la rue des bars), qui est surnommée le « Non-Com Hotel », l'hôtel des sous-offs, un genre de night-club ouvert vingt-quatre heures sur vingt-quatre où presque tout peut arriver. On y trouve beaucoup d'alcool, de musique, de drogue et, surtout, d'informations, de contacts, de rumeurs.

Malgré la présence de centaines de milliers d'Américains au Vietnam, Saigon témoigne encore d'un fort héritage de l'époque coloniale française. On peut manger très bien, comme dans le temps, si on en a les moyens et si on connaît les bons endroits. L'autre jour, je suis allée au café de l'hôtel de la Poste et j'ai commandé un whisky.

« *Bébé** ou *grand bébé** ? m'a demandé le serveur.

– C'est quoi, un *bébé** ?

– Un petit whisky. »

J'ai renoué le contact avec Lily Perette lors d'un briefing du MACV. Elle m'a dit se souvenir de moi depuis Paris en 1944. « Si, si, absolument, vous m'aviez fait affecter à Patton. Je l'ai interviewé grâce à vous. Ça a fait ma réputation. » La jeune enthousiaste de l'hôtel Scribe est devenue une journaliste respectée mais quelque peu aigrie, toute maigre, hommasse. Elle portait un ensemble en jean à veste courte et fumait à la chaîne de petits cigarillos. Elle complète notre contingent de « petites mamies ». Non qu'elle soit vieille (elle approche juste la cinquantaine), mais la douzaine de femmes journalistes et photographes ici au Vietnam ont presque toutes une vingtaine d'années. Lily, Mary et moi sommes des reliques du passé, d'autres guerres plus anciennes. Elle a suggéré que nous sortions en ville, pour dîner et aller au Non-Com Hotel s'amuser un peu.

« On n'est pas trop vieilles pour le Non-Com ? ai-je demandé dans le taxi qui nous y emmenait.

– Ils s'en foutent complètement. Et nous aussi. Le plus important, c'est qu'ils savent ce que nous avons besoin de savoir : quelles unités apprécient les journalistes. »

Elle écrit maintenant pour le magazine *Overseas Report*, considéré comme gauchiste, et a du mal à obtenir le renouvellement de son accréditation.

« Ils n'arrêtent pas de me dire non. Alors, je vais prendre les choses en main. »

Je dois dire que je ne me suis pas sentie très à ma place en déambulant dans les pièces du Non-Com Hotel, avec la musique à fond, l'atmosphère débridée, intense, nombriliste : l'endroit était bondé d'individus qui se forgeaient ou qui entretenaient leur propre mythe. Beaucoup de ces jeunes gens (les free-lances sont surtout des hommes) semblaient shootés à la guerre, excités de relater des atrocités, des rituels tordus de GIs et l'adrénaline pure d'une arrivée en hélico sur un lieu de combats près de la zone démilitarisée. L'air grouillait d'acronymes.

Debout dans un coin d'une pièce éclairée de néons bleus, je sirotais une canette de bière en humant l'odeur âcre de la marijuana. Les Rolling Stones disaient à tout le monde de descendre de leur nuage. Je me répétais : ça c'est différent, c'est pour ça que tu es venue, ma chère, c'est pour ça tu n'es pas au Northern Meeting à Inverness en train de photographier des joueurs de cornemuse.

« Bonjour ! »

Je me suis retournée et j'ai découvert un jeune homme portant une chemise en soie sans col, bleue, comme tout le reste dans cette pièce, y compris nos visages. Il était petit et beau, cet homme bleu, avec de grands yeux candides, un côté elfe.

« Je suis John Oberkamp.

– Amory Clay. »

Nous nous sommes serré la main. J'ai noté son accent australien prononcé quand il m'a demandé ce que je faisais et pour qui je bossais. Il s'est dit lui-même photographe, sans attache actuelle à un magazine ou un journal, mais quand la conversation s'est portée, comme toujours, sur les appareils et la technique, j'ai compris qu'il était plutôt amateur. Il savait charger une pellicule et appuyer sur le déclencheur, mais ça se limitait à peu près à cela. Il m'a apporté une autre canette de bière.

« Vous pourriez m'obtenir un boulot chez Sentinel ? J'ai juste besoin d'une attestation officielle. »

Je lui ai répondu que je n'y croyais guère, car j'étais moi-même considérée comme superfétatoire.

« Superfétatoire, a-t-il répété plusieurs fois. C'est moi tout craché, ça.

– Pourquoi n'arrivez-vous pas à obtenir d'accréditation ? ai-je demandé en allumant une cigarette.

– Parce qu'il y a trop de free-lances dans cette putain de ville. Les gamins s'achètent un appareil en Europe, ils sautent dans le premier avion qui les amène jusqu'ici et ils se prennent pour des photographes de guerre ! Ça fait plus de deux ans que je suis là, mes photos ont été publiées dans *Life*, dans *Stern*, dans l'*Observer* de Londres, mais je n'arrive pas à me faire accréditer. Ça vous dérange si je vous demande votre âge ? a-t-il lancé en me regardant de plus près.

– Pas du tout. »

Je le lui ai dit.

« Vous n'avez pas l'air si vieille que ça, a-t-il commenté en apprenant mon âge.

– C'est cette lumière bleue, ça vous enlève des années, ai-je rétorqué, ce qui l'a fait rire.

– C'est quand même hallucinant que vous soyez là. Enfin, c'est super cool, pour quelqu'un comme vous. »

Entre-temps, je m'étais rendu compte qu'il était sérieusement stone, ce qui s'est confirmé quand il m'a peloté les seins. J'ai doucement repoussé ses mains.

« Désolée, vous n'êtes pas mon type. »

Mais en mon for intérieur, je me disais : mystérieux, sauvage, irresponsable, sexy.

« Superfétatoire, a-t-il plaisanté avec un hochement de tête. Vous avez déjà été prise dans les combats ?

– Oui.

– À Doc Tri ? Au Rockpile ? Sur la Nationale 1 ?

– Pendant la Seconde Guerre mondiale.

– Sans déconner ?

– Sans déconner.

– C'est totalement délirant. Délirant. Je peux vous embrasser ? »

La soirée au Non-Com Hotel nous a permis, à Lily et à moi, de récolter des informations sur une unité qui avait la réputation d'être accueillante pour les journalistes, y compris les femmes. Lily m'a proposé une collaboration texte et images et a déposé une demande conjointe au MACV au nom de Sentinel et d'*Overseas Report*, ainsi elle pourrait peut-être obtenir ses entrées sans se faire remarquer. Notre requête a été acceptée et, voici quatre jours, nous avons pris un avion de transport Caribou jusqu'à An Boa (connue sous le surnom de « Sandbag City », la ville en sacs de sable), une immense base militaire et aérienne au nord, près de Da Nang.

Avant notre départ, Truong m'avait emmenée dans un bazar décrépit de la rue Hy Kiy pour que j'achète au marché noir un casque et un gilet pare-balles à ma taille. « *Où allez-vous, madame* ?* » m'a-t-il demandé. (Nous communiquions dans un sabir mélangeant l'anglais et le français.) J'ai répondu à sa question. « *Ce n'est pas** good place. *Beaucoup** dangerous », a-t-il réagi, avec une inquiétude non feinte. Je lui ai dit que cela faisait partie de mon travail, mais que je ne prendrais aucun risque.

La veille de notre départ, Lily et moi nous sommes payé le luxe d'un dîner à l'hôtel Majestic. Elle m'a raconté qu'elle avait couvert Cuba et l'Algérie, et elle se demandait si c'était à cause des articles qu'elle avait envoyés de là-bas que le MACV la prenait pour une espèce de communiste. Elle attendait notre départ avec impatience. Je voyais bien qu'elle avait encore cette ardeur et cette ambition chevillées au corps du vrai correspondant de guerre, motivé aussi par la peur d'être mis à l'écart, de rater quelque chose. Je n'avais pas le même zèle, ça j'en étais sûre, et j'ai repensé à l'angoisse de Truong en me demandant de nouveau quels étaient les motifs réels de ma venue. Maintenant que j'étais ici à Saigon, mes vagues réflexions sur le fait de me trouver, d'avoir besoin d'une guerre pour réévaluer celle que j'étais jadis me semblaient un peu fumeuses et prétentieuses. Peut-être étais-je aussi motivée et ambitieuse que Lily Perette mais je ne voulais pas me l'avouer. Avais-je envie de la montée d'adrénaline ? M'inquiétais-je encore de passer à côté de quelque chose, comme Lily ?

An Boa est une « base de tir », dans la mesure où elle abrite des batteries d'artillerie longue portée et de nombreux hélicoptères, mais cette appellation donne une fausse impression du lieu, immense, qui s'étend sur des kilomètres carrés, avec des quartiers et des rues comme une ville qui serait construite en sacs de sable, en parpaings, en panneaux d'aggloméré et en tôle ondulée. On fait la queue dans une gigantesque cafétéria pour manger des T-bone steaks et des crèmes glacées (six parfums différents), on se douche dans des salles de bains carrelées, on dort dans des bunkers (surnommés « guitounes ») équipés de ventilateurs au plafond, on achète des packs de bière au PX.

Le soir, toutefois, l'ambiance change et la guerre se rappelle à nous, mais de loin : on entend le martèlement de mortiers au loin, on voit des fusées multicolores retomber au-delà du périmètre invisible. Le vrombissement des hélicoptères qui nous survolent à basse altitude nous réveille dans nos lits de camp. Lily Perette a attrapé la dysenterie, et on doit la rapatrier à Saigon pour l'hospitaliser. Je me retrouve toute seule.

Je grimpe à bord de l'hélicoptère Huey et je me case comme je peux derrière le tireur. Je suis rejointe par une section de la compagnie D, 1er bataillon, 105e brigade d'infanterie. J'ai les cheveux relevés sous mon casque, et je suis assise sur mon barda. Mes deux appareils, un Nikon et un Leica, sont dans ma musette avec six rouleaux de pellicule Ektachrome 35 mm. Nous partons pour ce qu'ils surnomment une « partie de campagne » : la compagnie D arrive en hélico dans un village de la vallée de Que Son, l'encercle, traque les ViXtcongs potentiels parmi les habitants et les caches d'armes ou de munitions, puis repart. Comme leur nom l'indique, les « parties de campagne » sont des opérations de routine, généralement sans danger, ce qui explique mon choix de les accompagner. Le village s'appelle Phu Tho, qu'on a simplifié en « Pluton ». « Y a-t-il de la vie sur Pluton ? » plaisante un gars au moment du décollage. Il est 5 h 45.

Dans la lumière nacrée du matin, avec la brume qui s'évapore au-dessus des rivières méandreuses et des criques, et le ciel qui se colore de bleu, le Vietnam est magnifique. La végétation luxuriante n'est entachée que par les cicatrices que laissent les bases de tir ou les postes d'observation abandonnés au sommet des collines ou sur les crêtes des montagnes, balafres couleur brique creusées par des bulldozers. En regardant mieux, je distingue des zones d'arbres abattus ou couchés et, ici et là, des grappes de cratères d'obus ou de bombes, remplis d'eau stagnante, comme autant d'ulcères pustuleux. Le paysage verdoyant semble primitif, épargné, mais évidemment ce n'est pas le cas.

Nous descendons bientôt vers les rizières autour de Pluton dans un vacarme assourdissant. Les hommes sautent d'un bond des Huey qui redécollent pour s'éloigner aussitôt après avoir dégorgé leur cargaison humaine. Quand nous nous rapprochons du sol, je me penche à côté du tireur et clic ! je prends ma première photo. La partie de campagne de Pluton a commencé.

Arrivée au village de Phu Tho. Vallée de Que Son, 1967.

Les hommes se déploient en éventail, pataugent dans les rizières, avancent sur les diguettes, et le village est bientôt encerclé. Le capitaine Durado y pénètre avec son interprète et les quelque deux cents villageois sont escortés à l'extérieur. Les femmes, les vieillards et les enfants sont séparés des hommes jeunes. Ils s'accroupissent sur les talons, patiemment, attendant sans se plaindre que se termine cette grossière interruption de leur routine quotidienne. Les hommes de la compagnie D investissent le village, les maîtres-chiens lâchent leurs bergers allemands pour qu'ils cherchent au flair les tunnels et les bunkers enterrés, pour qu'ils débusquent la moindre trace de combattants du Vietcong ou de l'armée populaire vietnamienne.

En route pour la partie de campagne. Vallée de Que Son, 1967.

Midi. Il fait chaud et humide. Moite et chaud. Toutes les bottes de foin du village ont été incendiées, et la fumée qui s'en élève semble réticente à monter jusqu'au ciel.

Je demande au capitaine Durado pourquoi il a donné l'ordre de brûler le foin, au risque de signaler notre présence dans la vallée. Il me répond que l'ordre ne vient pas de lui : les hommes en ont pris l'initiative, ils ont l'air d'aimer ça, c'est presque devenu une habitude, un *rite de passage**, j'en conclus. Je m'éloigne

425

pour m'asseoir au bord d'un fossé de drainage, manger mes rations C (jambon, fèves et une boîte de fruits au sirop) et fumer une cigarette.

« Excusez-moi, m'dame, mais, si je peux me permettre, qu'est-ce que vous foutez là ? me demande un GI assis plus loin qui ne peut refréner sa curiosité.

– Je suis journaliste. C'est mon travail. Comme vous.

– Ouais, sauf que moi j'ai pas demandé à l'avoir, ce job. » Nous rions tous les deux.

« Non, ce que je voulais dire, c'est… vous n'êtes pas un peu… »

Il n'achève pas sa question prévisible, car toutes les têtes se tournent au son d'une pétarade de coups de feu venant des arbres qui bordent la rizière à l'autre bout. Les hommes jurent et attrapent leurs armes. Je saute dans le fossé et je cours en direction d'un ponceau en bois. Des cris et des ordres résonnent. Le capitaine Durado, debout sur le ponceau, ordonne à ses hommes de se mettre à couvert. Boum ! Boum ! Les premiers obus de mortiers explosent et le capitaine Durado se jette à mon côté dans le fossé. Les villageois se mettent à hurler et s'éparpillent en tous sens pour se cacher dans la végétation ; personne n'essaie de les en empêcher. Les tirs sont maintenant continus depuis la ligne des arbres. Nous répliquons avec plus d'intensité. Je crois que j'arrive à voir d'où viennent les tirs, mais pas à repérer l'ennemi. Je me retrouve transportée à Villeforte, dans les Vosges.

Le capitaine Durado est rejoint par son opérateur radio, qui tripote des boutons et des manettes sur son appareil. Crachouillis de parasites, voix.

« Peut-être qu'on n'aurait pas dû mettre le feu à ces bottes de foin », dis-je à personne en particulier.

Le capitaine Durado est jeune, je dirais vingt-cinq ou vingt-six ans, et arbore une petite moustache. Il jure profusément en dépliant une carte. En regardant par-dessus son épaule, je vois des coordonnées et des noms gribouillés dessus au bic bleu en lettres capitales : ANIMAL, ABRI, JUDY, BIÈRE, PARIS, VILLE.

« 25 Judy, énonce Durado dans le micro que lui a tendu son opérateur radio. Proximité de l'ennemi : trois cents mètres. 25 point 1. D3 point 2. Feu de zone. »

Il cligne des yeux et secoue la tête comme s'il venait de se rappeler quelque chose. Il se lève et hurle à son sergent : « Emmène des gars à l'arrière, près du pont ! »

Les obus de mortiers arrivent à une fréquence plus rapprochée, mais tombent trop court, dans les rizières inondées, ce qui les rend inefficaces. Ils font gicler des colonnes d'eau fangeuse qui nous éclaboussent de gouttelettes de boue.

Je m'éloigne du capitaine pour avancer plus loin dans le fossé, maintenant peuplé de biffins de la compagnie D qui répliquent en arrosant l'ennemi invisible derrière les arbres avec leurs CAR-15. Du côté de la position du capitaine Durado, près du ponceau, les tirs de mortiers semblent plus précis. Il y a des cris d'inquiétude à mesure que les explosions se rapprochent, puis frappent la diguette. Des pierres et de la terre commencent à fuser. Un caillou rebondit sur mon casque.

Et là, j'entends la riposte de notre artillerie, réclamée par le capitaine Durado à une distante base de tir – mi-crissement de freins, mi-sifflement vibrant dans l'air au-dessus de nous –, et, le long d'une énorme onde de choc, toute la ligne des arbres de l'autre côté des champs est oblitérée par les obus qui explosent. Les mortiers s'arrêtent aussitôt. On entend quelques tirs d'AK-47, puis une autre salve se déclenche. La fumée se dissipe. Il n'y a plus aucun arbre. Silence. La compagnie D se met à crier de joie ; les hommes se relèvent, allument une cigarette dans une ambiance soudain joviale et soulagée. Bordel, merde, putain, enfoiré, sales Viets, bravo, ça alors.

L'opération « partie de campagne » à Pluton n'a pas été la promenade de santé escomptée. En montant sur la diguette entre les rizières, je sens que j'ai les jambes en coton et la bouche sèche. J'ai follement envie des fruits au sirop si sucrés qu'il y avait dans ma ration C. Les derniers obus de mortiers bien ajustés ont fait des victimes : trois blessés et un mort. Je m'avance jusqu'au groupe qui regarde l'homme mort (enfin, le garçon mort) en attendant l'arrivée des brancardiers. Le souffle de l'explosion l'a propulsé hors de son refuge, et son corps gît dans une position peu naturelle au bord de la rizière, paquetage et vêtements arrachés, hormis son pantalon et ses godillots, exhibant son torse blanc maigrelet. Il a des cheveux roux flamboyants, et c'est ce qui donne un air si incongru à son cadavre. Un rouquin tout pâle à taches de rousseur, mort près d'une rizière en Asie du Sud-Est, avec dans le dos un petit cratère où se mêlent côtes, chair et organes en bouillie. Je pense un instant prendre une photo, mais l'idée me répugne. Quelqu'un le recouvre d'un poncho de pluie. Je prends alors une décision : plus jamais de missions de combat. Les hommes ont raison, je suis trop vieille. Cette sortie sur Pluton a suffi à me donner mon content de guerre.

Assise au bar de l'hôtel Caravelle sur le toit-terrasse devant un martini dry, je fumais une cigarette en regardant les planches contact que j'avais tirées dans ma petite chambre noire improvisée (des toilettes peu utilisées au dernier étage de l'immeuble SPS). Retour à l'école, aux ombres d'Amberfield et de Miss Milburn, « l'Ogresse ». Auparavant, nous envoyions nos pellicules à des labos de Hong Kong et Tokyo pour les faire développer, tirer et transmettre par satellite aux bureaux de New York. Mais à présent nous pouvons réaliser les tirages nous-mêmes (en noir et blanc seulement), et les envoyer par bélinographe, ce qui nous met au top niveau, avec Associated Press ou UPI, en termes de réactivité. Même Renata Alabama en est reconnaissante. Pour ce qui me concerne, cela veut dire aussi que je peux conserver des copies de mes photos préférées. Je construis ainsi ma petite archive personnelle. Mon livre prend forme.

Après l'expérience de la partie de campagne sur Pluton, j'ai un nouveau plan. Je vais ignorer le terrain, les zones de combat, les poudrières, les missions de « recherche et destruction », et rester sur base. Mon idée est de prendre des photos des soldats, des biffins, au repos. Quand on les voit sans leur carabine, leur gilet pare-balles, leur casque et leurs chargeurs, on est frappé par leur jeunesse. Ce sont des adolescents, des étudiants. Ils redeviennent des jeunes, et non des guerriers menaçants armés jusqu'aux dents, anonymes dans leur grosse armure.

Sud-Vietnam, 1967.
Photos extraites de Vietnam, mon amour.

Je me suis aussi mise à parcourir la campagne avec Truong, pour prendre en photo les habitants de ce petit pays magnifique que nous visitons comme en touristes et non en tant que membres de la caravane journalistique d'une énorme machine militaire. Je suis photographe de guerre, mais le livre que j'ai en tête ne montrera pas la guerre.

Au son du raclement de chaises en métal sur les dalles de granito, j'ai tourné la tête pour voir le grand groupe de convives installés derrière moi qui faisait une sortie bruyante et avinée du toit-terrasse. J'ai balayé du regard les détritus amoncelés sur la table, bouteilles, verres, cendriers, paquets de cigarettes vides, journaux abandonnés, même un livre.

« Hého ! Vous avez oublié... » me suis-je écriée, mais trop tard, ils avaient déjà disparu.

Je me suis dirigée vers leur table pour ramasser le livre. Un livre en français. Comme si je voyais un revenant, j'ai été parcourue d'un frisson de stupeur en lisant le titre et le nom de l'auteur.

Absence de marquage, de Jean-Baptiste Charbonneau.

Vietnam. Les coassements assourdissants des grenouilles dans le jardin à l'arrière du café Green Tree dans la rue Binh Phu. Truong qui me présente à sa famille, et tous de s'incliner devant moi comme si j'étais une reine en visite : Kim, son épouse, Hanh et Ngon, ses deux toutes petites filles. Une montagne de métal haute de dix mètres, climatiseurs hors d'usage mis au rebut dans un champ près de la base aérienne de Bien Hoa. Les policiers de Saigon en uniforme blanc amidonné, les « souris blanches ». L'officier de relations presse qui ressemble à Montgomery Clift. Les pluies interminables en août. La percussion massive des frappes de B-52 qu'on ressent à quinze kilomètres de distance, une crispation incontrôlable des muscles faciaux. Les tamariniers de la rue Tu Do. Les gosses de riches vietnamiens dans leur tenue de tennis blanche au Cercle Sportif. Les femmes aux dents noires vendant des surplus de l'armée américaine au marché central. « We Gotta Get Out of This Place », chantée par les Animals. Les motocyclettes. Les troupes australiennes qui jouent au cricket. Les belles villas sur la côte au pied des collines de Long Hai, construites par les Français, abandonnées, décrépites. Les femmes au chapeau conique qui fouillent les détritus dans les décharges de l'armée américaine. L'odeur des bâtonnets d'encens, des parfums et de la marijuana. Saigon.

Je passais devant un bar de la rue Tu Do en rentrant de chez mon tailleur quand j'ai vu une fille assise devant un boui-boui baptisé le A-Go-Go Club. C'était une barmaid assez jolie, aux cheveux crêpés et laqués, mais quelque chose dans son attitude pensive alors qu'elle était assise là à rêver d'une autre vie m'a poussée à m'arrêter pour sortir discrètement mon appareil. Elle portait un jean blanc et une chemise blanche, peut-être sa tenue de travail. Je l'ai prise en photo sans qu'elle le remarque.

« Vous ne devriez pas demander la permission, avant ? »

Je me suis retournée : John Oberkamp était là, debout, vêtu d'un jean et d'une chemise cintrée bleu outremer à col pelle à tarte.

« J'aurais sans doute dû, oui. Vous la connaissez ?

– C'est ma mama-san. Venez donc, que je vous présente. »

Elle s'appelait Quyen et travaillait à la fois dans ce bar et comme femme de ménage sur la base aérienne de Bien Hoa. Elle semblait bien aimer Oberkamp. Quand elle disait « John, c'est homme numéro un », elle avait l'air de le penser. Oberkamp l'appelait « Queenie ». Nous sommes entrés dans le bar et avons commandé une bière. En ce milieu d'après-midi, l'endroit était calme. Assises ici ou là en minijupe atrocement courte et haut de bikini, les hôtesses discutaient, fumaient ou se remaquillaient en attendant l'heure de pointe de l'apéritif. Oberkamp m'a annoncé qu'il avait enfin obtenu une accréditation. Il était maintenant un free-lance reconnu, pigiste pour un journal de Melbourne, le *Weekly News-Pictorial*, et passait le plus clair de son temps avec la 1re force opérationnelle australienne sur sa base de Nui Dat, au sud-est de Saigon. Il venait en ville le plus souvent possible pour voir Queenie. Il a posé un baiser sur le

Deux photos de Queenie.
Photos extraites de Vietnam, mon amour.

haut de son front, « ma petite bonne femme », et elle s'est blottie dans ses bras. Je suis retombée sur elle par hasard deux jours plus tard à Bien Hoa, où elle cirait les godillots de tireurs de la cavalerie aéroportée. Elle avait l'air différent, les cheveux décoiffés, non apprêtés, une servante humble et travailleuse, pas un objet de fantasme masculin. « Dites à John que j'aime lui, m'a-t-elle demandé. *Beaucoup, beaucoup** j'aime. »

Je ne sais pas pourquoi, mais je n'arrive pas à attaquer la lecture du livre de Charbonneau. Cela fait deux semaines qu'*Absence de marquage* est sur ma table de nuit. Je sais d'où vient cette appréhension : sans réfléchir, j'ai lu la quatrième de couverture. C'est un de ces livres grand format à la française, couverture souple couleur crème, avec juste des lettres, pas d'illustration. *Absence de marquage* raconte l'histoire d'un jeune diplomate de la France libre, Yves-Lucien Legrand, à New York pendant la Seconde Guerre mondiale, m'informe le résumé, et de ses amours contrariées avec une belle photographe anglaise, Mary Argyll.

En lisant cela, j'ai littéralement eu un haut-le-cœur. J'ai lâché le livre comme s'il était brûlant. Mary = Amory. Argyll = argile, la traduction française du mot anglais *clay*. Un *roman à Clay**, donc, me suis-je dit à moi-même sans trouver cela drôle.

Évidemment il me faut le lire, et je l'ai feuilleté en cherchant à repérer les passages concernant « Mary Argyll », mon alter ego, mon double… C'est dérangeant de lire une fiction quand on connaît tous les détails réels qui l'ont inspirée. Je le consomme à petites doses, un paragraphe ici, une demi-page là, pour constater que Charbonneau y relate des épisodes de notre histoire sans y apporter le moindre changement, hormis les prénoms Yves-Lucien et Mary. Voici comment Charbonneau décrit Mary Argyll après leur première nuit passée ensemble :

Mary Argyll était une de ces femmes presque belles, une femme pas tout à fait belle. Mais aux yeux d'Yves-Lucien, c'est précisément ce qui la rendait paradoxalement plus belle que toutes celles qu'il avait jamais rencontrées. Les femmes belles étaient ennuyeuses, trouvait-il ; il avait besoin d'autre chose pour l'intéresser que la simple perfection. Elle avait le nez un peu trop proéminent, et elle aurait dû faire plus attention à ses cheveux raides et marron qui avaient souvent une apparence terne et négligée.

En revanche, il adorait son corps nu. Elle était si mince qu'on lui voyait les côtes, mais elle avait une poitrine opulente avec de petits tétons parfaitement ronds. Des pieds un peu trop grands, autre imperfection qu'il chérissait car cela lui donnait parfois l'air empoté, un peu disgracieux, surtout quand elle portait ses plus hauts talons. Yves-Lucien trouvait cette gaucherie un peu loufoque et très excitante sexuellement[1].

1. Il est très déconcertant de lire un tel portrait sans fard dans un livre publié. C'est comme entendre des gens parler de vous sans savoir que vous êtes présente. Vous êtes confrontée à l'effet que vous produisez sur les autres, ce qui est bien la dernière chose que vous connaissez de vous-même.

Mon heure de gloire en tant que photographe au Vietnam est arrivée grâce à la publication de cette photo d'un pilote de Huey attendant son briefing avant une mission. Elle a fait la couverture de trois magazines et a été publiée par plus de quarante magazines et journaux dans le monde entier. Je dois reconnaître que j'en ai perçu le potentiel dès le moment où je l'ai tirée. L'homme suspendu, les lunettes noires, la flèche « danger », la canette de bière… juxtaposition parfaite. Une fois encore, la photographie capture le temps en monochrome. Le moment historique, avec tout le bagage qu'il véhicule, est idéalement figé.

J'ai touché plus de trois mille dollars de droits au total, mais surtout mon nom a beaucoup circulé, des commandes sont arrivées pour d'autres photos du même style, et j'ai soudain pris conscience des retombées commerciales que permet une affectation en zone de guerre, avec les yeux du monde entier braqués sur vous. Votre accréditation est hyper précieuse, pas juste parce qu'elle vous donne accès à des endroits où d'autres photographes ne peuvent pas aller, ce qui fait de vous un témoin parfois unique, mais aussi parce que tout cela peut être transformé en cash. C'est là (j'apprends vite) une autre composante de la soif d'action des free-lances : il y a de l'argent à se faire quand on se met en danger.

À ma surprise, Lockwood a été enthousiasmé par la réaction à mon « Pilote dans son hamac ». J'ai reçu un rare télex de sa part : encore d'autres comme ça, par pitié, vite, vite, vite. Les gens se lassent des clichés de GIs dominateurs et de paysans dominés, de briquets Zippo mettant le feu à de la paille, de blessés maculés de boue évacués par hélicoptère. Montre-nous la face cachée du Vietnam, la face humaine, insistait Lockwood. J'avais une longueur d'avance, sur ce coup.

Ainsi encouragée et voyant les portes s'ouvrir devant moi grâce à ma nouvelle réputation, j'ai repris ma tournée des bases, Long Binh, Bien Hoa, Da Nang, leurs coulisses, leurs à-côtés. Je suis même allée rendre visite à Oberkamp à Nui Dat. J'ai visité la petite guitoune en parpaings et sacs de sable qu'il appelait son chez-lui, sur le périmètre de l'aéroport, mais il n'a pas voulu que je prenne d'Australien en photo. « Les Australiens, ils sont à moi », m'a-t-il dit sans plaisanter.

J'étais à Hong Kong quand l'offensive du Têt a démarré en janvier 1968. J'ai suivi les assauts simultanés sur une trentaine de villes du Sud-Vietnam, assise dans ma chambre d'hôtel, le Royal Neptune, qui donnait sur la baie de Kowloon, reconnaissant à la télé le visage de certains reporters qui s'accroupissaient en grimaçant sous le rugissement des obus tombant sur Hué, Khe Sanh et même Saigon. Oui, si près que ça.

J'avais eu besoin de vacances, d'une petite pause, car cela faisait près d'un an que j'étais au Vietnam. Depuis les bureaux de GPW à Hong Kong, je pouvais téléphoner à ma famille et avoir une discussion correcte : Annie envisageait un post-doc, Blythe jouait dans des pubs londoniens avec un groupe folk du nom de Platinum Scrap.

J'ai eu une longue conversation avec Blythe, et quelque chose dans sa voix monocorde m'a inquiétée.

« Tout va bien, ma chérie ? Des soucis avec un petit ami, peut-être ?

– Comment tu sais que j'ai un petit ami ? Annie te l'a dit ?

– J'ai juste deviné. Il est gentil ?

– Grand, blond, talentueux, tordu.

– Ça m'a l'air parfait. Il est gentil, aussi ?

– Juste quatre adjectifs, Maman, tu connais la règle. »

Elle semblait un peu requinquée, maintenant qu'elle me l'avait dit, et on a continué à discuter de son groupe et des bars épouvantables dans lesquels ils se produisaient.

Pendant que j'étais à Hong Kong, j'ai aussi pu démêler un peu la mécanique financière du nouveau succès dont je jouissais grâce à la popularité de mes photographies de jeunes soldats. J'étais en contact téléphonique presque quotidien avec un entrepreneur californien adepte de la contre-culture qui voulait obtenir la licence d'une de mes photos pour la reproduire sur un T-shirt. Il s'appelait Moss Fallmaster.

« *J'ai trente ans, je suis grand, très maigre, barbu. Je suis à peu près certain que je suis gay.*

– Je ne suis pas sûre de comprendre.

– À tendance homosexuelle.

– Ah bon ? Grand bien vous fasse. Mon oncle aussi.

– Ça alors, mais c'est merveilleux ! Bref, je suis de votre côté, Amory, je ne vais pas vous arnaquer. Si je gagne de l'argent, vous en gagnez aussi. On va se faire une fortune. »

(Entre parenthèses, je ne me suis jamais fait la fortune que Moss Fallmaster m'a laissé miroiter. Mais cet accord me rapporte toujours des droits d'auteur bienvenus, même s'ils diminuent régulièrement.)

Il a acheté les droits de la photo qu'il voulait pour mille dollars, avec 10 % de royalties pour moi sur tous les T-shirts à deux dollars qu'il vendrait. Il les a produits avec une légende ambiguë qui capturait l'air du temps : « Jamais trop jeune pour... *»*

La photo « Jamais trop jeune pour... *».*

J'avais juré de ne jamais retourner au feu, or, à la consternation générale, sitôt le cataclysme de l'offensive du Têt à peu près maîtrisé, le Mini-Têt est survenu en mai 1968, juste à notre porte, qui plus est. On pouvait se tenir sur le toit-terrasse du Caravelle dans le centre de Saigon et regarder les hélicoptères de combat arroser les rues de Cholon à un kilomètre et demi de là.

Mary Poundstone, de retour au Vietnam avec une accréditation en règle pour l'*Observer*, a dit que cela lui rappelait Madrid en 1936, quand les forces phalangistes s'étaient retranchées dans le quartier de la cité universitaire : on quittait son hôtel, le Ritz, de préférence, et on prenait le bus jusqu'à la ligne de front. En attendant, nous, sur le toit du Caravelle en 1968, on sirotait nos martinis, on fumait nos cigarettes et on regardait les chatoyantes gemmes roses des balles traçantes s'incurver dans le ciel nocturne.

J'ai demandé plusieurs fois à Truong de nous conduire aussi près que possible du centre de Cholon, Mary et moi (elle avait insisté). Il nous faisait emprunter de petites rues secondaires, nous déposait, et nous avancions discrètement pour rejoindre la première unité que nous croisions, américaine ou ARVN. J'étais très nerveuse, mais je voyais resurgir toute la fièvre guerrière de Mary et sa passion s'enflammer de nouveau. Balles traçantes, mitrailleuses, mortiers, lanceroquettes – elle adorait ça, d'une façon perverse, ça la stimulait.

Il y a quelques jours, on s'est retrouvées à prendre abri dans une maison en ruine pendant une attaque aérienne. L'air fétide de la pièce semblait physiquement trembler au rythme des explosions des bombes. Nous nous sommes recroquevillées dans un coin, dos au mur.

« Mary, qu'est-ce qu'on fout là ? On est dingues ou quoi ? On est deux vieilles.

– On n'est pas vieilles, on est mûres. On a vécu, on a de l'expérience, c'est pour ça que notre place est ici. Pas comme ces fumeurs de hasch qui courent dans tous les sens pour essayer de se choper la blessure à un million de dollars. Ce n'est pas pour nous, ça. Nous, on voit les choses avec lucidité. »

Après cet épisode, je ne suis remontée au front qu'une seule fois. Je commence à me dire que ma chance est en train de s'épuiser.

J'étais dans un nouveau bar de la rue Tu Do, le Marlon and Mick's, peut-être ainsi nommé pour attirer à la fois les cinéphiles et les fans de rock. Il y fait toujours sombre et on n'y passe que de la soul music américaine, ce qui explique pourquoi je le fréquente. Je suis en train de devenir une admiratrice inconditionnelle d'Aretha Franklin.

John Oberkamp est entré avec un ami, un Anglais dégingandé qu'il m'a présenté comme étant Guy Wells-Healy, lui aussi photographe. Ils étaient tous les deux stone mais en état de marche, et ils cherchaient des « poontangs ». Wells-Healy s'est trouvé sa prostituée, mais Oberkamp avait visiblement plus envie de me parler, chassant d'un signe de main les serveuses qui se rapprochaient de nous. Je lui ai fait boire un litre de Coca-Cola, et nous sommes allés nous installer dans un box où, avec un enthousiasme d'étudiants, nous avons discuté de la forme d'art que nous pratiquions tous deux. J'ai attaqué avec ma pique favorite (il n'existe que treize types de photographies), mais j'ai vu qu'il ne voulait pas riposter.

Il a sorti un paquet de Peter Stuyvesant contenant vingt joints magnifiquement roulés qui se vendent trois dollars cinquante pièce dans les rues de Saigon et m'a suggéré d'essayer. J'ai levé mon verre de scotch à l'eau pour lui dire que c'était là mon poison préféré. Mais il est revenu à la charge, si bien que j'ai accepté de partager son joint.

Je ne l'ai pas fait parce que je voulais fumer de la marijuana mais parce que, pour la première fois depuis la mort de Sholto, j'avais conscience d'être attirée par un homme. Comment cela se produit-il ? Je ne l'avais pas cherché, mais ça vous tombe dessus et, si vous êtes honnête avec vous-même, vous ne pouvez pas passer outre. À l'instant de notre rencontre au Non-Com Hotel, j'avais ressenti ce petit frisson d'intérêt pour sa personne, perçu quelque chose de sensuel et d'imprévisible en lui qui me plaisait. Peut-être son sourire, ou le fait qu'il m'avait touché les seins ce soir-là (révélant ainsi son attirance). Bref, j'ai voulu planer parce que je comptais bien utiliser cette excuse pour faire l'amour avec lui et me dégager ainsi de toute responsabilité. Ce n'est pas ma faute, monsieur le juge, il m'a droguée. Je désirais John Oberkamp, ce soir-là, et je ne voulais pas me voiler la face, je ne voulais pas prendre la décision sensée, qui aurait été de me défiler.

Alors j'ai fumé le pétard et je me suis sentie bien (mais je me sentais déjà bien grâce au whisky, de toute façon), voire mieux que bien. Qui sait ? Ma théorie sur les états seconds est que tout dépend de l'humeur et de l'envie : si on est dans cette disposition, une gorgée de madère suffira ; si on ne l'est pas, une bouteille de gin frelaté à 70 degrés n'y suffira pas. Et bien sûr, s'ajoutait à ce mélange l'aphrodisiaque de la zone de guerre. Quand on sort du Marlon and Mick's et qu'on tend l'oreille, on peut entendre le bruit étouffé d'explosions alors que le Mini-Têt fait rage dans les lointaines banlieues de Saigon. Nous étions en sécurité dans notre bar de la rue Tu Do, mais pas si loin que ça, l'artillerie sévissait et des gens mouraient. Du coup, l'esprit se concentrait sur l'ici et le maintenant.

Nous étions assis côte à côte dans notre box à écouter « Walk on By » de Dionne Warwick. Quand deux êtres humains sexuellement attirés l'un par l'autre sont en position de très grande proximité, ils comprennent exactement ce qui se passe. Aucun de nous deux n'a eu besoin de rien dire. Les signaux avaient été envoyés et reçus.

« Je n'ai nulle part où aller, cette nuit, a dit John en me prenant la main.

– J'ai un lit d'appoint très peu confortable dans mon horrible appartement, si ça vous intéresse.

– Peut-être bien, oui. On peut y aller voir ? »

Et nous sommes donc partis après un dernier verre, et nous sommes rentrés chez moi, et une chose en a entraîné une autre, comme nous en avions bien l'intention tous les deux, et John Oberkamp et moi avons fait l'amour plusieurs fois au cours des douze heures suivantes.

John Oberkamp. Saigon, Vietnam, 1968.

Dans l'après-midi (nous nous sommes levés tard), j'ai demandé à Truong de me conduire au MACV pour les « *five o'clock follies* », le point presse. John est parti attraper un avion pour Nui Dat.

Nous nous sommes embrassés chastement, et John m'a dit qu'il serait de retour dans une semaine. J'ai dit parfait, tu sais où me trouver, et il est parti en me jetant un regard par-dessus son épaule assorti d'un signe de la main. J'ai ressenti une sensation de chaleur que je n'avais pas connue depuis longtemps. Je ne me faisais pas d'illusions, c'était là une rencontre classique de Saigon, mais j'en avais eu besoin. Oberkamp était le premier homme avec lequel j'avais couché depuis Sholto. Pour ce qui me concerne, un Rubicon sexuel avait été franchi et je me sentais contente et étrangement comblée. Le fantôme de Sholto pouvait reposer.

J'ai été d'autant plus désolée qu'il soit reparti pour Nui Dat que, ce soir-là, j'ai reçu un télex de nos bureaux new-yorkais m'informant que l'un de mes clichés, « La confrontation », avait remporté le prix Matthew B. Brady de la photographie de guerre, un honneur qui s'accompagnait d'un chèque de cinq mille dollars.

Je suis sortie fêter ça avec Mary Poundstone et deux autres photographes de notre connaissance. Nous avons remonté un trottoir de la rue Tu Do, puis nous sommes redescendus par l'autre et nous avons fini avec un groupe de titulaires de l'AP au bar du Majestic. La soirée avançant, nous avons atteint un agréable état de quasi-insensibilité alcoolique. Et tout ce temps-là, je pensais : si seulement John Oberkamp était là. Ça aurait été tellement mieux avec John.

« La confrontation », prix Matthew B. Brady 1968.

À la fin mai, l'offensive du Mini-Têt était plus ou moins terminée. Alors que les combats dans les banlieues se raréfiaient, j'en suis venue à comprendre que ce qui m'avait perturbée, tout autant que le festival nocturne de fusées éclairantes, les tirs d'artillerie et la pulsation vrombissante des hélicoptères en survol, avait été cette impression que la ville était encerclée par le Vietcong et l'APVN. Il y avait eu des combats au nord et au sud, au sud-est et au nord-ouest, et ainsi de suite tout le tour de la boussole. Cela semblait irréel (c'est la capitale, enfin, qu'est-ce qui se passe ?), mais plus on y réfléchissait, plus c'était déstabilisant : s'ils sont partout, s'ils sont si près, combien de temps pouvons-nous réellement tenir ? Et qu'est-ce qui se passera la prochaine fois ?

J'ai visité les zones de Cholon où les combats de rue avaient été les plus intenses et j'ai pris des photos, dont aucune n'a jamais été utilisée. Les restaurants étaient ouverts, les rues grouillaient de passants qui faisaient leurs courses et de voitures qui klaxonnaient dans les embouteillages, et tout d'un coup on passait devant un bâtiment en ruine, criblé d'impacts de balles, brûlé, pulvérisé, ou devant un cratère d'obus béant qui se remplissait à vue d'œil de détritus, ou devant les restes carbonisés d'un APC, véhicule blindé de transport de troupes. Et il flottait dans ces rues une étrange puanteur qui s'accrochait aux vêtements et aux cheveux quand on rentrait chez soi le soir, une odeur saumâtre et doucereuse de fumée, de cordite, de charbon de bois, de corps en décomposition et d'essence qu'on sentait toujours quand on se réveillait le lendemain matin.

Encore début juin, depuis le toit-terrasse du Caravelle, on voyait s'élever dans le ciel nocturne des fusées éclairantes ou les chapelets de balles traçantes que crachait une mitrailleuse en pétaradant. Les journalistes fraîchement débarqués étaient très impressionnés, en sirotant leur cocktail au bar. J'ai entendu un Anglais dire qu'il se sentait comme lord Raglan sur les hauteurs de Balaklava.

J'étais au bureau à vérifier mes stocks de révélateur, de bain d'arrêt et de fixateur dans ma chambre noire improvisée quand Renata Alabama a passé la tête par la porte pour me dire : « Il y a un Australien déjanté dehors qui insiste pour te parler. »

Je n'avais pas vu John depuis la nuit que nous avions passée ensemble une semaine auparavant, et j'ai ressenti cette bouffée d'anticipation en descendant au rez-de-chaussée et en prenant le couloir jusqu'à l'accueil. Je me suis recoiffée et j'ai regretté de ne pas avoir mis de rouge à lèvres ce matin-là. Imbécile, me suis-je dit, tu n'as plus seize ans !

Mais j'ai vu au premier coup d'œil qu'il était dans tous ses états, très mal à l'aise. Nous nous sommes serré la main, car Renata traînait dans les parages, curieuse, et il m'a demandé si nous pourrions aller dans un endroit tranquille pour discuter. J'ai attrapé mon sac et nous sommes sortis pour aller chez Bonnard, un café français où on diffuse American Forces Radio à un volume raisonnable, ce qui permet de se parler sans avoir à lever la voix.

Nous nous sommes assis, nous avons commandé un café et j'ai allumé une cigarette.

« Tu m'as manqué, ai-je dit. Idiote que je suis.

– Queenie s'est enfuie. Elle est rentrée chez elle.

– Ah, eh bien, tu sais comment sont…

– Elle est enceinte.

– Les entraîneuses tombent enceintes, John. Ça fait partie des risques du métier.

– Elle dit que l'enfant est de moi.

– Allons…

– Elle me dit qu'il ne peut être que de moi. »

J'ai senti une certaine lassitude s'emparer de moi. Imbécile, me suis-je morigénée pour la deuxième fois en dix minutes. Tu n'étais qu'un coup d'un soir, ma vieille. J'ai essayé de raisonner avec lui, mais il ne voulait pas raisonner.

« Tu ne peux pas être sûr que c'est le tien.

– Si. Elle ne me mentirait pas.

– Et quel rapport avec moi ? » lui ai-je demandé d'une voix mordante de cynisme, car, je dois l'avouer, j'étais un peu blessée.

John m'a expliqué. Il savait que les parents de Queenie habitaient à Vinh Hoa, un village au nord de Saigon sur la route 22 quand on va vers Tay Ninh. Il avait besoin de quelqu'un qui parle français pour leur expliquer la situation (les parents de Queenie parlaient français, elle s'en vantait, c'est pour cela que John le savait). Voyant bien qu'il paniquait, je lui ai promis de l'aider. Il voulait aller directement à Vinh Hoa, où il était certain de trouver Queenie chez ses parents, et il voulait aussi que j'apporte les photos que j'avais prises d'elle pour arriver à identifier la maison de la famille.

« Mais attends, il y a encore des combats sur la route 22, ai-je dit en m'en souvenant soudain.

– Très sporadiques. Ils sont en train de finir de nettoyer. De toute façon, ce n'est qu'à trente bornes, on mettra une heure maximum, a-t-il affirmé, au mépris de toute prudence. La circulation se fait sans problème, j'ai vérifié.

– Je vais essayer de mettre la main sur Truong.

– Ça ne peut pas attendre. J'ai ma moto. Allez, viens, Amory, c'est très important. Tu me dois bien ça. »

Voilà qui m'a hérissée : je lui dois bien ça pour une baise ?

Et puis il s'est penché en avant, il m'a embrassée, et je lui ai pardonné.

« Elle porte mon enfant, je ne peux pas la laisser disparaître comme ça. Je ne la retrouverai pas si je n'y vais pas tout de suite. C'est maintenant ou jamais. »

Il avait sans doute raison, du moins c'est ce que je pensais alors que nous retournions à pied au bureau. Je voulais prendre une précaution, j'ai insisté là-dessus : nous devions coller une pancarte « BAO CHI[1] » en grosses lettres sur sa moto.

« Bien sûr, tout ce que tu veux. On peut scotcher un truc sur les protège-jambes, m'a dit John en désignant un vieux cyclomoteur rouge et blanc crasseux dont la peinture s'écaillait.

– C'est quoi, comme moto ?

– Pourquoi tu veux savoir ?

– Parce que j'aime savoir ce genre de choses.

1. « Bao Chi » signifie « journaliste » ou « presse » en vietnamien.

– C'est une Honda Super Cub.

– "On rencontre les gens les plus sympas en Honda."

– Ha, ha ! »

Je suis entrée au bureau chercher ce dont j'avais besoin, et j'ai aussi mis mon appareil dans mon sac (un Paxette 35 mm, un petit compact assez costaud). J'ai scotché un bout de carton avec l'inscription *BAO* écrite au marqueur noir sur un protège-jambe et un deuxième avec *CHI* sur l'autre. John a démarré au kick, et je suis montée derrière lui. Il y avait une poignée en aluminium entre les deux sièges, mais je me sentais plus en sécurité en passant les bras autour de lui.

« Ça ne te dérange pas ? lui ai-je demandé.

– Non, non. »

Et nous voilà partis, moi collée à sa chemise moite de sueur, une chemise en coton de mauvaise qualité avec un motif de clippers rouges toutes voiles dehors. J'ai fermé les yeux un instant, retrouvant des sensations d'adolescente. Quelle étrange journée ! Mes émotions étaient passées de douceur et mièvrerie à cynisme et froideur, et mon sens adulte des responsabilités paraissait avoir été débranché. Qu'est-ce que je foutais sur cette moto avec Oberkamp à rouler vers la route 22 ? Comme si j'étais prise d'hallucinations.

John semblait savoir où nous allions. Il avait un plan de la ville plié dans une poche, qu'il consultait de temps à autre après s'être garé sur le bas-côté quelques secondes, le temps de se repérer. Nous avons emprunté des rues secondaires pour éviter les embouteillages autour de l'aéroport de Tan Son Nhut, et nous avons fini par arriver sur la route 22 à environ quatre ou cinq kilomètres au nord des limites de la ville. J'ai été ravie de constater que la route était très fréquentée ; des véhicules civils et militaires roulaient dans les deux sens. Cette deux-voies au tarmac criblé de nids-de-poule et aux bas-côtés larges et poussiéreux traversait un paysage broussailleux où émergeait parfois un bosquet de cocotiers. La journée était chaude et brumeuse. J'ai regretté de ne pas avoir emporté de chapeau.

Une demi-heure plus tard, toutefois, nous étions le seul véhicule encore en mouvement sur la route. J'ai donné une petite tape dans le dos de John, qui s'est arrêté.

« Qu'est-ce qui se passe ? »

J'ai désigné du doigt un point vers la droite à environ trois kilomètres : un Dakota modifié, connu sous le nom de « Spooky », faisait un vol circulaire serré. Puis il y eut un bruit de tronçonneuse quand sa mitrailleuse Gatling ouvrit le feu par la porte grande ouverte.

« Il y a un souci, ai-je affirmé. Où sont passées toutes les voitures ? Sur quoi tire le Spooky ?

— Ils font du nettoyage. J'ai vérifié avec le CIB[1], je t'ai dit. Nous, on va vers l'ouest, et les problèmes, c'est au nord. »

Alors, comme pour étayer ses affirmations rassurantes, deux voitures sont arrivées sur la route en sens inverse.

« Tu vois ? On n'est plus qu'à une quinzaine de minutes du village, je pense.

— OK, allons-y. »

Après environ deux kilomètres, la végétation s'est raréfiée, et, sur notre gauche, j'ai vu apparaître la plate étendue d'un lac à moitié asséché, soit par écoulement soit par évaporation sous l'effet de la chaleur. Garés sur la rive la plus proche de nous, trois transports de troupes de l'armée américaine dont les équipages étaient assis à l'ombre de leurs hauts véhicules. Soulagée de les voir, j'ai demandé à John de s'arrêter pour que je puisse prendre quelques photos, et je leur ai fait un signe de la main quand nous avons redémarré. L'un des soldats s'est levé d'un bond et nous a crié quelque chose en faisant un X avec ses bras plusieurs fois, mais nous l'avons rapidement perdu de vue en raison d'un virage. J'ai tapé John dans le dos et, de nouveau, il a arrêté la Super Cub.

« Ces GIs nous disaient de ne pas aller plus loin, ai-je affirmé.

— Mais on est presque arrivés, putain ! » a-t-il protesté en tendant le bras.

1. Central Information Bureau.

Plus loin au bord de la route, je voyais une hutte en bois au toit de palmes, avec des étals branlants installés devant, sur le bas-côté, pour commercer avec les véhicules de passage, sauf qu'il n'y avait aucun produit en présentation.

Je suis descendue de la moto pour m'aventurer jusqu'au milieu de la route et scruter le bitume luisant dans une direction puis dans l'autre. Plus aucun véhicule, nous nous retrouvions seuls. Au loin, le Spooky virait pour refaire un vol circulaire, en quête d'autres cibles. Je me suis protégé les yeux de la main et j'ai tendu l'oreille, tout en sentant la sueur dégouliner le long de ma colonne vertébrale.

« Allez, Amory ! » m'a crié John.

Juste à cet instant, j'ai vu quelque chose bouger dans la hutte.

Les premières balles ont frappé le sol à environ trois mètres devant moi et j'ai senti des éclats de macadam me cingler les avant-bras. Quand je me suis retournée pour prendre la fuite, j'ai entendu plusieurs AK-47 pétarader, et j'ai senti une douleur cuisante dans le muscle de mon mollet droit. Nous avons couru nous tapir dans les broussailles. La Super Cub était couchée sur le flanc de manière incongrue. Une balle a ricoché sur sa fourche avant, et de hauts nuages de poussière explosaient tout autour.

J'ai regardé ma jambe droite : mon chino était déchiré au niveau du mollet, et du sang coulait. J'ai roulé la jambe de mon pantalon, et j'ai vu une plaie nette de sept centimètres. Je ne ressentais aucune douleur.

John a ôté sa chemise pour en déchirer une des manches (avec une facilité impressionnante) et l'attacher serré autour de ma plaie. Les tireurs embusqués dans la hutte arrosaient maintenant les broussailles au hasard. Nous étions en sécurité pour l'instant si nous gardions la tête baissée. Et puis j'ai entendu le rugissement des moteurs des APC près du lac, qui arrivaient sur la route à pleine vitesse. Les tirs ont cessé et, en levant la tête, j'ai vu trois personnes sortir en courant de la hutte et s'éparpiller dans la maigre végétation juste avant que le toit en palmes explose en mille morceaux quand la mitrailleuse calibre 50 du véhicule de tête a arrosé le bâtiment. Un élément interne de la structure a dû être endommagé, parce que toute la cabane s'est effondrée dans un grand craquement et un genre de soupir, faisant rouler un épais nuage de poussière à travers la route. Nous sommes sortis de notre cachette, les mains en l'air à tout hasard, alors que l'APC de tête s'arrêtait net.

APC près du lac asséché. Route 22, Saigon, 1968.

Assis dans la tourelle derrière la mitrailleuse, son commandant s'est mis à nous insulter vertement.

Voilà, j'avais ma petite blessure de guerre – qui commençait d'ailleurs à me lancer. Maintenant que nous étions en sécurité, John a remis sa chemise à une manche, a redressé la Super Cub et a déclaré qu'il avait l'intention de poursuivre jusqu'à Vinh Hoa.

« Non mais t'es complètement malade ou quoi ? » ai-je crié.

Il m'a étreinte et a posé un rapide baiser sur mes lèvres pour faire taire mes protestations.

« Je serai de retour ce soir. Je passerai chez toi. J'amènerai Queenie.

– Non, John, n'y va pas ! » ai-je insisté avec colère en lui attrapant le bras.

Mais quand je l'ai lâché, j'ai vu le regard qu'il avait. Fou, inaccessible.

« Je vous le déconseille, monsieur, a dit sèchement le lieutenant qui commandait l'escadron de blindés.

– Je suis journaliste, a rétorqué John. Je n'aurai pas de problème, ne vous inquiétez pas.

– Ah OK, un de ces gros tarés de journalistes ! Ben alors vous êtes en sécurité, allez-y donc ! »

Ses hommes ont éclaté de rire.

John a enfourché sa moto, l'a démarrée, m'a souri en levant les pouces et s'est éloigné sur la route avec un dernier signe de la main avant de devenir un simple point dans l'effet mirage de la chaleur étouffante.

Je l'ai attendu ce soir-là, mais il n'est pas venu. Le lendemain, il était porté disparu. Selon des villageois de Vinh Hoa, il avait été fait prisonnier par une patrouille vietcong qui battait en retraite, sûrement ceux qui nous avaient tiré dessus depuis la hutte au bord de la route. Je n'étais pas trop inquiète : les journalistes étaient souvent capturés, mais généralement bien traités et relâchés au bout de quelques jours, le raisonnement étant qu'ils parleraient ainsi en termes positifs de leurs ravisseurs et que cela ferait de la bonne propagande.

Une semaine est passée sans qu'il y ait aucun signe de John Oberkamp ni de sa Honda Super Cub.

Deux semaines plus tard, j'ai reçu une lettre de sa mère, Mrs Grace Oberkamp, de Sydney. John lui avait écrit pour lui annoncer l'arrivée d'un petit-enfant et, pour une raison qui m'échappe, il lui avait donné mon adresse. Cela m'a semblé une précaution étrange, comme s'il avait eu une prémonition. De mon côté, je souffrais d'une angoisse rétrospective en me souvenant de ce moment où nous nous étions retrouvés seuls sur la route 22 juste avant le début de la fusillade. Si ces Vietcongs avaient été meilleurs tireurs, j'aurais pu être fauchée sur place, je m'en rendais compte maintenant. Annie et Blythe auraient été orphelines. J'en étais malade, réellement secouée. Ces pensées et ces images m'ont hantée dans les jours qui ont suivi la disparition de John. Je fermais les yeux, et je me voyais m'écrouler, je sentais les balles me toucher.

LIVRE SEPTIÈME (1966-1968)

Mrs Oberkamp m'écrivait que, dans sa lettre, John s'était inquiété de ce qui adviendrait de ses possessions et lui avait demandé de me contacter si quoi que ce soit lui arrivait. Aurais-je la gentillesse de rassembler ses affaires et de les lui envoyer par la poste ? Elle me serait éternellement reconnaissante et me rembourserait tous les frais encourus.

Sur ces entrefaites est arrivé le premier exemplaire de mon livre, *Vietnam, mon amour* (Frankel & Silverman, 1968). Le titre n'avait rien d'original, mais il convenait parfaitement à mon livre de photographies prises à l'écart des combats. En outre, sa parution a provoqué un certain émoi parmi les correspondants sur place. Bon nombre des photographes présents au Vietnam préparaient des livres, je le savais car nous en discutions souvent, mais j'étais l'une des premières à être publiée, après Jerry Strickland d'UPI et Yolande Joubert de *Paris Match*. Même Renata Alabama m'a regardée avec un respect nouveau et m'a demandé si je pourrais la recommander chez Frankel & Silverman. J'aurais dû savourer cette reconnaissance (et cette jalousie évidente), mais j'étais soudain consciente que l'*amour** qu'il avait pu y avoir entre le Vietnam et moi diminuait à vue d'œil.

Je continuais à me souvenir (et, pis encore, à rêver) de ce moment où je m'étais trouvée seule au milieu de la route 22 au sud de Vinh Hoa, dans un silence inquiétant, excepté le ronronnement distant du Spooky en vol circulaire. Cette scène tournait en boucle dans ma tête, comme un film inachevé. J'avais ma plaie par balle de sept centimètres, à présent recouverte d'une jolie croûte, et j'avais mon beau livre tout neuf avec ses photos sur papier glacé. J'avais conscience de ma chance, de la bonne fortune qui m'avait amenée jusqu'ici. Mais je savais que je voulais rentrer à la maison. En Écosse. À Barrandale.

Il me restait cependant une dernière tâche à accomplir, un dernier hommage à John Oberkamp. J'ai réussi à me faire embarquer sur un Hercules de la Royal Australian Air Force

453

qui faisait le court trajet de Saigon à Nui Dat, où j'ai montré la lettre de Mrs Oberkamp au responsable des relations presse de la base.

« Ah ouais, Oberkamp. Des nouvelles ?

– Non, aucune. »

Il m'a conduite jusqu'à la guitoune en sacs de sable de John au bout de la base, près de la piste principale, et m'a fait entrer. Il a dit qu'il reviendrait me récupérer dans une demi-heure. À l'intérieur, un châlit métallique avec un matelas Dunlopillo, des bouteilles de rhum et de bourbon à moitié vides, environ mille cigarettes, un ventilateur électrique et un sac de jute rempli de linge sale. Sous le lit, une boîte en carton qui contenait une dizaine de livres de poche, deux appareils photo et le chapeau de brousse qui était la signature de John, avec son slogan cryptique : BORN TO BE BORN, peint sur le devant au vernis à ongles rose corail. Accroché au mur au-dessus du lit, j'ai repéré avec fierté l'un de mes T-shirts « Jamais trop jeune pour… ». Et c'était tout. John voyageait léger. C'était là peu d'affaires pour un homme qui était au Vietnam depuis 1965. J'ai vidé les vêtements sales sur le lit et rempli le sac en toile avec les livres, les appareils et toutes les autres affaires personnelles que j'ai pu trouver (deux briquets Zippo, un cendrier de l'hôtel Hilton de Tokyo, quelques rouleaux de pellicule vierge). J'ai gardé le chapeau de brousse, que j'ai mis sur ma tête en rangeant mes cheveux à l'intérieur.

Sans attendre l'officier de relations presse, je suis partie à pied vers la tour de contrôle et les bâtiments administratifs, le sac en toile de John sur l'épaule. En ce milieu d'après-midi, le soleil brûlait dans le ciel laiteux tel un disque flou et cuivré. Je sentais venir la pluie.

Au son du barattage métallique de rotors d'hélicoptères, je me suis arrêtée de marcher pour voir deux Huey de la RAAF descendre au-dessus de la clôture du périmètre pour se poser près d'une ambulance qui attendait là, avec des infirmiers debout près d'un brancard auquel était accrochée une perfusion destinée à la victime qu'on rapatriait. Je me suis approchée.

Les Huey se sont posés, les rotors ont été coupés, et l'équipage a commencé à débarquer d'un air las. Au pas de course, les infirmiers ont ramené deux sacs mortuaires à l'ambulance, puis ont fait un deuxième aller et retour avec le brancard pour récupérer un soldat inconscient dont les deux jambes étaient bandées de la cheville à la cuisse. Une jeep s'est arrêtée près du véhicule, et un officier supérieur en est sorti. Il a parlé aux infirmiers, qui embarquaient précautionneusement leur triste chargement d'humanité souffrante dans l'ambulance. Je l'ai vu toucher l'épaule du blessé.

À présent, j'étais tout près des soldats qui avaient débarqué. Assis par terre ou debout, tous fumaient. Et j'ai reconnu cet air harassé, hagard, crasseux qui tombe sur les soldats après des heures de combats, de tirs essuyés. Je l'avais déjà vu, notamment à Wesel en 1945, or une fois qu'on l'a vu, on ne l'oublie plus jamais. Ils portaient des treillis humides, incrustés de boue, au sergé kaki bruni par la saleté et la sueur. Ils étaient équipés de tout un assortiment d'armes, des fusils de précision FN, des M-16, j'ai même vu un homme avec un AK-47, ce qui m'a suffi pour comprendre qu'ils n'appartenaient pas à l'armée régulière australienne. C'étaient des SAS. John m'avait dit que certaines unités étaient parfois stationnées à Nui Dat. Je me suis rapprochée tout doucement. Des mécaniciens inspectaient les Huey, un camion ravitailleur était venu refaire le plein, donc il y avait pas mal d'activité pour les distraire. J'ai vu des camions de deux tonnes arriver pour récupérer l'unité.

Je me suis demandé si je pourrais voler une photo, et puis je me suis ravisée. Mieux valait demander l'autorisation. Je me dirigeais vers un officier quand j'ai entendu les voix des hommes qui parlaient entre eux. Ils n'étaient pas australiens, ils étaient britanniques. J'ai entendu des accents de Londres, du nord-est de l'Angleterre et du sud de l'Écosse. Je me suis accroupie en faisant semblant de tripoter les lanières de mon havresac. Tous arboraient l'écusson jaune et beige des SAS australiens, et un ou deux portaient même le béret caramel du régiment. Quand ils se sont tournés vers les camions dans lesquels ils allaient embarquer, j'ai vu sur leurs épaules des insignes « Australia ». Ces hommes qui à l'évidence étaient tout sauf australiens se donnaient beaucoup de mal pour paraître australiens.

L'officier supérieur qui était arrivé dans la jeep, en tenue de combat vert olive bien repassée, s'est approché, et les hommes se sont levés et mis au garde-à-vous tandis qu'il s'adressait à eux. Je me suis doucement reculée. Qu'est-ce qui se passait, là ? Les deux-tonnes se sont arrêtés, les soldats ont reçu l'ordre de rompre les rangs et ils sont montés à bord. Quand l'officier supérieur a regagné sa jeep, il est passé tout près de moi.

« Salut, Frank. Le monde est petit, pas vrai ? »

Frank Dunn s'est figé, puis tourné vers moi. J'entendais presque cliqueter tous les rouages de son cerveau stupéfait. Il a réussi à afficher un petit sourire.

« Amory ! Ça alors ! »

Il est venu m'embrasser sur la joue, je dois lui reconnaître ça.

« Je peux savoir ce que tu fabriques ici ? m'a-t-il demandé en faisant un pas en arrière pour me regarder de la tête aux pieds. Joli, le couvre-chef ! »

D'un coup, j'ai regretté d'avoir mis le chapeau de brousse de John.

« Je suis venue chercher les affaires d'un collègue porté disparu, ai-je expliqué en lui montrant le sac de jute. Et à propos, depuis quand tu t'es engagé dans l'armée australienne ? ai-je lancé après une pause.

– Je ne suis plus dans l'armée, a-t-il répondu sèchement. Je suis à la retraite. »

Je l'ai regardé de plus près. Il ne portait pas de galons, ni de nom au-dessus de sa poche de poitrine. Il était habillé en soldat, mais cela s'arrêtait là. Et pourtant tous les hommes s'étaient mis au garde-à-vous à son approche.

« Sacrée retraite ! ai-je commenté. Pourquoi tous ces soldats britanniques se font-ils passer pour des Australiens ?

– Ils ont été détachés à l'armée australienne... en tant qu'observateurs.

– Oh, ça va, Frank. Ça fait plus d'un an que je suis là. J'avais un mari soldat. Je ne suis pas idiote. Ces hommes arrivent tout droit du feu. »

Frank Dunn a passé son bras sous le mien et m'a entraînée vers sa jeep.

« Amory, ce que je vais te dire, je ne le répéterai pas. Que ce soit bien clair : tu es venue à Nui Dat, tu as récupéré les affaires de ton ami et tu es rentrée à Saigon. Tu n'as pas vu ces hommes. Tu ne m'as pas vu, moi. Et tu ne m'as certainement pas parlé. Compris ?

– Compris.

– Je vais te déposer au CIB.

– Merci. »

Malgré des adieux très chaleureux (Frank m'a demandé des nouvelles des filles, de ma vie au Vietnam, puis m'a embrassée sur les deux joues), je savais que j'avais commis une erreur. J'aurais mieux fait de me taire.

Assise à mon bureau dans les locaux de SPS, j'essayais de rédiger une lettre de démission à Lane Burrell. Voir les dérisoires possessions de John m'avait déprimée : toute une jeune existence résumée à du linge sale, des livres de poche gondolés par l'humidité et deux appareils photo. Cela n'avait pas été une vie pour John, et ce n'était pas une vie pour moi. Il était temps que j'y mette un terme élégant.

Renata a frappé sur l'encadrement de la porte, l'air un peu inquiet.

« Tu ferais mieux de descendre, Amory. »

Je l'ai suivie jusqu'à l'accueil pour y trouver un sergent-chef américain avec un brassard de la police militaire escorté par deux élégants policiers militaires de l'ARVN.

« Amory Clay ?

– Oui. De quoi s'agit-il ? »

Il consulta la feuille de papier qu'il tenait à la main.

457

« Votre visa a été annulé. Votre présence sur le territoire est illégale. Vous êtes en état d'arrestation. »

J'écris ces lignes assise sur ma valise, quelque part dans l'aéroport de Tan Son Nhut. La cahute où je me trouve a un sol de terre battue et zéro meuble. La porte est verrouillée, et un policier militaire de l'ARVN monte la garde dehors. Je suis en train d'être expulsée et je sais parfaitement pourquoi. C'est à cause de ce que j'ai vu avant-hier à Nui Dat. Sans l'avoir cherché, je détiens maintenant un secret que personne ne veut que je détienne, d'où cette précipitation indécente pour me chasser du pays.

Le sergent-chef qui m'a arrêtée m'en a dit le strict minimum quand il m'a permis de repasser chez moi pour faire mes bagages. Il suivait les ordres, venus de tout en haut. Je me sens effrayée et heureuse. Heureuse de partir, car j'en avais l'intention de toute façon, mais effrayée par cet étalage de puissance absolue. Mon visa était encore valable six mois, je l'avais fait renouveler à mon retour de Hong Kong. Mon accréditation était en règle. Or, on m'oblige à quitter le pays en hâte comme si j'avais la peste. Sur ordre de qui ? De Frank ? J'en doute. Non, Frank a dû raconter à quelqu'un de haut placé notre rencontre à Nui Dat, puis cette information a dû remonter la voie hiérarchique jusqu'à ce qu'une décision soit prise. Foutez-la dehors. J'attends un charter de la Pan Am à destination de Hong Kong, où je dois rester en transit jusqu'à ce qu'on me mette sur un vol BOAC pour Londres. Les billets d'avion ne sont pas à ma charge.

DERNIÈRES PENSÉES
EN QUITTANT LE VIETNAM

John Oberkamp avait plus de cicatrices sur le corps que Sholto. Peut-être est-ce là ce qui m'a attirée vers lui, le fait qu'il me rappelle un peu Sholto. Pas physiquement, mais dans sa vivacité, sa

458

curiosité. Cette façon souple et déliée de se déplacer. Toujours aucune nouvelle. Pas de signalement de sa capture[1].

Truong est arrivé juste au moment où je quittais mon appartement sous escorte de la police militaire. Il a bêtement essayé de m'attraper par le bras pour me faire monter dans sa Renault. « Non, Truong, non ! ai-je crié. Je vais bien. Ne t'inquiète pas. Je rentre au pays. » Il s'est mis à sangloter en se cachant le visage derrière les mains.

Le sergent-chef qui m'a expulsée s'appelle Sam M. Goodforth. Costaud, sinistre, rougeaud comme s'il venait de sortir d'un bain brûlant, il avait les cheveux coupés en brosse, presque à ras. Je me souviens de son nom parce qu'il était imprimé sur un rectangle en plastique épinglé au-dessus de sa poche de poitrine gauche. Goodforth. *Go forth.* Va de l'avant.

Une fois John Oberkamp reparti sur sa moto en direction de Vinh Hoa, l'un des soldats des APC avait remplacé le bandage improvisé de John par un vrai pansement. « Vous devriez faire désinfecter ça correctement, m'a-t-il conseillé. J'ai entendu dire que les Viets mettent des cochonneries sur leurs balles. » Le lieutenant a réquisitionné un hélicoptère d'évacuation sanitaire pour moi (c'était une faveur) et ce fut là mon dernier vol en Huey au Vietnam. L'hélicoptère m'a ramenée à l'hôpital de la base à Saigon. On m'avait désignée comme une « victime (civile) légèrement blessée ». C'est ce que j'ai l'impression d'être, maintenant que je suis sur le départ. Une victime (civile) légèrement blessée.

Assise là sans confort, inquiète, un peu triste, un peu en colère à cause de cette expulsion sommaire, je me demande si j'ai bien fait de m'embarquer dans cette aventure au Vietnam, de quitter ma maison

---

1. John Oberkamp n'a jamais été revu après sa capture par le Vietcong à Vinh Hoa. Aucune trace de son corps n'a été retrouvée. Son sort reste l'un des nombreux mystères de la guerre du Vietnam.

et ma famille, de me lancer dans une mission mal ficelée pour me prouver quelque chose à moi-même, pour découvrir quelque chose sur moi-même. Qu'ai-je appris que je ne savais déjà ? En réalité, beaucoup plus que je ne croyais. Et j'ai pris quelques bonnes photos, et j'en ai fait un livre. Et j'ai gagné de l'argent. Et j'ai rencontré et aimé un autre homme… Je ne crois pas que je puisse me reprocher d'avoir voulu faire ce que j'ai fait, et je ne crois pas qu'Annie et Blythe me le reprochent non plus. C'est ma vie, après tout, et j'ai le droit de la vivre pleinement. Ah oui, vous vous dites ça tout le temps, vous aussi ?

J'entends des voix de l'autre côté de la porte. Des voix américaines. Est-ce l'heure du départ ? Vais-je enfin rentrer à la maison ?

*

* *

Ainsi s'achève mon carnet de notes du Vietnam, mais pas complètement mon aventure vietnamienne, qui s'est poursuivie quelques milliers de kilomètres plus loin. J'ai atterri à Heathrow en provenance de Hong Kong au petit matin. Quand j'ai traversé le tarmac en direction de l'aérogare, deux agents de police m'ont interceptée pour m'entraîner vers une voiture banalisée garée à proximité. Je leur ai rappelé que j'avais une valise à bord. Ils m'ont répondu qu'on me l'apporterait.

J'ai ainsi traversé Londres à l'aube, les rues encore presque désertes, jusqu'à un immeuble d'habitation dans le quartier de St John's Wood, au nord de Regent's Park, qui disposait de son propre parking souterrain. On m'a emmenée dans un appartement meublé au quatrième étage où m'a accueillie une jeune femme bien charpentée au visage pincé, qui portait un tailleur couleur puce et des chaussures confortables. Elle m'a fait entrer dans un salon avec des fauteuils et des canapés tendus de marron et une fausse cheminée, puis m'a proposé une tasse de thé et des biscuits. Si je souhaitais aller aux toilettes, je devais sonner, m'a-t-elle précisé en pointant du doigt un bouton électrique près de la porte. Et elle est sortie en m'enfermant à l'intérieur.

J'ai bu mon thé, j'ai mangé mes biscuits. Une heure après mon arrivée, on m'a apporté ma valise. J'ai encore attendu. Au déjeuner, on m'a servi des sandwiches au jambon et un verre de jus d'orange. J'ai dormi sur le sofa la majeure partie de l'après-midi. J'ai mis un point d'honneur à ne pas demander à ma geôlière ce qui se passait. Pour dîner, sandwiches tomate-fromage et verre de jus d'orange. Je me suis rallongée sur le canapé, et j'ai dormi pendant quelques heures d'un sommeil agité.

Tard le soir, j'ai été réveillée par Tailleur-Puce et conduite le long d'un couloir jusqu'à une autre pièce, où se trouvaient une table de salle à manger et six chaises. Nouvelle tasse de thé. Au bout de dix minutes, j'ai entendu des voix à la porte d'entrée de l'appartement et, quelques instants plus tard, deux jeunes trentenaires en costume sont entrés et se sont présentés tout en s'asseyant en face de moi : Mr Brown et Mr Green. L'un était brun et athlétique (Mr Green), l'autre gras et flasque avec des cheveux blonds clairsemés (Mr Brown). Tous deux avaient nul doute été scolarisés dans d'onéreuses écoles privées puis de prestigieuses universités. Ils avaient un accent élégant de la classe moyenne. Ils auraient pu présenter le journal sur la BBC.

Mr BROWN : *Lady Farr, vous travaillez comme photographe sous le nom d'Amory Clay.*
MOI : *En effet.*
Mr GREEN : *Nous ne vous retiendrons plus très longtemps. Toutes nos excuses pour cette attente.*
MOI : *Je voudrais vraiment rentrer chez moi. Pourriez-vous me dire pourquoi j'ai été retenue, déjà ? Je n'ai pas conscience d'avoir fait quoi que ce soit de mal.*
Mr BROWN : *Nous avons dû vous retenir en raison de ce que vous avez cru voir sur [consulte son calepin] la base aérienne de Nui Dat, au Vietnam.*

461

MOI : *Je m'en souviens à peine.*
Mr GREEN : *Dans votre intérêt, nous allons partir du principe que vous ne vous souviendrez de rien du tout.*
MOI : *Mais bien sûr. Je vous le promets.*
Mr GREEN : *De rien du tout. Jamais. Dans votre intérêt.*
MOI : *Je répète : je vous le promets.*
Mr BROWN : *Parce que si vous en dites ne serait-ce qu'un mot à quiconque...*
MOI : *Je vous le promets. Pas un mot.*
Mr BROWN : *Parfait.*

Et ils m'ont tous les deux fait un petit sourire crispé et nous nous sommes levés. Brown m'a demandé si j'avais de l'argent sur moi, et j'ai répondu que j'avais seulement des dollars américains. Il m'a donné un billet de dix livres, pour lequel j'ai dû signer un reçu, et Tailleur-Puce m'a raccompagnée jusqu'à la porte, où m'attendait ma valise.

J'ai pris l'ascenseur toute seule, et je suis sortie alors que les premières lueurs de l'aube coloraient St John's Wood. J'ai hélé un taxi en maraude et je lui ai demandé de me conduire dans un café ouvert la nuit. Il m'a déposée à la gare routière de Victoria où, sous des néons criards, j'ai savouré avec bonheur un petit-déjeuner bien gras arrosé de moult tasses de thé fort.

Mais je me sentais de plus en plus troublée, assise là dans la cafétéria illuminée, en repensant à ce qui venait de m'arriver au cours des dernières quarante-huit heures, et je savais que j'avais déjà éprouvé cette sensation auparavant, mais sans me rappeler quand. Ce sentiment d'impuissance apeurée, de forces extérieures qui régissent soudain le parcours de vie qu'on s'est choisi, de ne plus trouver sa place dans ce qu'on pensait être la société normale. Et puis là, je me suis rappelé : mon procès pour « obscénité » à cause de mes photographies berlinoises, des dizaines d'années plus tôt, quand j'avais plaidé coupable au tribunal de Bow Street alors que je me savais innocente, quand j'avais appris que mes photographies allaient être détruites, quand j'avais été admonestée et humiliée par le juge.

Se heurter au pouvoir implacable de l'État est une expérience profondément déstabilisante. Au cours d'une vie ordinaire, cela arrive très rarement, parfois jamais, parfois une ou deux fois seulement. Mais votre individualité, votre personnalité semblent soudain ne plus avoir aucune valeur. On ne compte plus, et c'est ça qui fait peur, au fond, c'est ça qui tord les tripes.

Alors que le monde s'éveillait, j'ai téléphoné chez Blythe à Notting Hill, sans succès. J'ai donc appelé la résidence universitaire d'Annie à Sussex University.

« Maman ! Je n'y crois pas ! Tu es revenue ! C'est génial ! Pourquoi tu ne nous as pas prévenues ?

– Oui, c'est formidable et très soudain, mais je suis là pour de bon, ma chérie. Les voyages, c'est fini. »

Nous avons un peu discuté, et je lui ai dit que je n'avais pas réussi à joindre Blythe. Annie m'a dit de réessayer, puisqu'elle n'avait pas déménagé. J'avais furieusement envie de prendre dans mes bras quelqu'un que j'aimais. J'ai rappelé, toujours sans succès, donc j'ai hélé un autre taxi pour me faire conduire à Ladbroke Grove, jusqu'à un bâtiment de quatre étages au stuc craquelé devant lequel s'alignaient douze poubelles débordant d'ordures. J'ai sonné chez Blythe, et au bout d'un long moment un Américain chevelu et endormi est venu m'ouvrir. « Blythe est-elle là ? Je suis sa mère. – Désolé, Blythe est partie depuis des semaines. Partie pour de longues vacances. » C'était la goutte d'eau, et je me suis mise à pleurer.

LIVRE HUITIÈME

1968-1977

1

Chambre 42, San Carlos Motel

Je fus accueillie à la réception par un jeune homme maussade avec la raie au milieu et un problème d'acné, qui mâchait du chewing-gum. Il me donna la chambre 42, un bungalow sur le parking à l'arrière du motel. Je m'en fichais bien. Le soleil du désert californien martelait quand je garai ma Dodge Coronet 1965 bleu canard aussi près de ma porte que possible. Je traînai ma valise à l'intérieur, allumai l'air conditionné et défis mes bagages. J'avais un lit immense, une machine à glaçons et une salle de bains propre carrelée de blanc avec une protection en polyéthylène sur les toilettes. J'espérais ne pas avoir à rester trop longtemps.

*
* *

JOURNAL DE BARRANDALE, 1977

L'un des plaisirs de la vie les moins coûteux et dont presque tout le monde peut jouir, avec un peu de chance, est de se réveiller dans son lit bien chaud et de se rendre compte qu'on n'est pas obligé d'en sortir, qu'on a le droit de se retourner et de se rendormir. Les trois premiers matins que j'ai passés au cottage à mon retour à

Barrandale, je suis restée au lit jusqu'à bien après 11 heures. J'avais besoin de ce calme, de ce luxe quotidien et banal qu'est le sommeil.

J'ai ouvert portes et fenêtres pour aérer la maison, j'ai fait des provisions de nourriture et de boissons, j'ai récupéré Flam chez le fermier qui s'en était occupé. La joie évidente de mon chien quand il m'a revue a été un autre grand moment d'émotion. Il n'arrêtait pas d'aboyer, de sauter partout, de me lécher le visage. Il lui a fallu des heures pour se calmer.

J'ai promptement recollé les morceaux de mon ancienne vie à Barrandale. Je faisais de longues promenades sur l'île, je rendais visite à mes amis pour leur annoncer mon retour et, tout ce temps-là, je me réhabituais à cette vie que j'avais laissée en suspens pendant mon séjour au Vietnam, sauf que, bien sûr, ce qui s'était passé au Vietnam et mon retour précipité ne cessaient de s'imposer à mon esprit.

Même aujourd'hui, alors que tant de temps s'est écoulé, je me demande encore si j'ai été autorisée à quitter le Vietnam uniquement parce que je portais un titre, parce que j'étais la veuve de Sholto, lord Farr. Dieu bénisse le système de classes britannique ! Que se serait-il passé si j'avais été Amory Clay tout court ? Je suis de plus en plus convaincue que, sans le « lady Farr », j'aurais mystérieusement disparu lors de l'une de mes sorties et qu'on m'aurait un jour retrouvée morte dans les vestiges d'une fusillade avec le Vietcong. Encore une photographe imprudente qui finit mal alors qu'elle chassait le scoop. Cela aurait été très facile à organiser. Mon titre, plus le fait que Frank Dunn me connaissait et avait servi avec Sholto pendant la guerre, ont été décisifs. Ma longue attente dans l'appartement de St John's Wood correspondait au temps passé à évaluer le risque que je représentais, maintenant que je connaissais le secret. Une réunion avait dû être organisée. Lady Farr ? La veuve de lord Farr, Military Cross, Distinguished Service Order ? On ne peut pas y toucher, si ? Veuve de soldat. Faites-lui promettre de garder le silence, voyez si on peut s'assurer qu'elle ne l'ouvrira pas. Mr Green et Mr Brown avaient dû faire leur rapport : elle n'est pas stupide, elle sait très bien ce qui est en jeu. On peut la laisser partir.

*
*　*

Dans la semaine qui suivit mon retour, le bureau de Joe Dunraven me réexpédia mon courrier. J'avais tout fait suivre chez lui pour qu'il puisse honorer les factures, entretenir la maison, etc. Une fois par mois, il m'avait envoyé les lettres personnelles aux bureaux de Sentinel à Saigon. Le paquet qui venait d'arriver ne contenait que le courrier des quelques dernières semaines et n'avait aucun intérêt, à l'exception d'une enveloppe postée à Los Angeles. À l'intérieur, un bout de carton.

> Maman chérie,
> Je voulais juste que tu saches que je vais bien et que je suis heureuse et que je vis maintenant en Amérique. Je ne rentrerai pas à la maison. Je suis très heureuse et je vais très bien, alors s'il te plaît ne te fais pas de souci pour moi.
> Je t'aime fort,
> Blythe

Sous sa signature, elle avait dessiné un petit symbole : une croix chrétienne surmontée d'un œil stylisé.

Je téléphonai à Annie.

« Je ne sais pas trop si c'est un genre de blague, mais j'ai reçu une carte très bizarre de Blythe.

— Moi aussi, dit Annie d'un ton inquiet. Une lettre.

— Postée d'Amérique ?

— Oui.

— Je ne savais pas qu'elle était là-bas.

— Moi non plus… La lettre est toute mignonne et adorable et elle n'arrête pas de dire que tout va bien et qu'elle est heureuse.

469

Mais elle dit qu'elle ne reviendra jamais. Jamais, répéta-t-elle, la gorge serrée. Ça ne lui ressemble pas. On a l'impression qu'elle écrit sous la dictée.

– Est-ce qu'il y a un symbole bizarre, dessus ?

– Un genre de croix avec un œil, si je ne m'abuse.

– C'est bien son écriture ?

– Oui, oui, mais le ton sonne faux. »

Soudain mal à l'aise, j'avais un mauvais pressentiment. Je racontai à Annie que j'avais fait un saut à son appartement de Notting Hill pour apprendre qu'elle était en « vacances ». Peut-être quelqu'un là-bas saurait-il quelque chose. J'avais parlé à un Américain qui occupait les lieux.

« J'irai faire un tour ce week-end, me dit-elle.

– Non, ne t'embête pas. Je vais y aller moi-même. »

Mon trajet jusqu'à la chambre 42 du San Carlos Motel n'avait pas été de tout repos, me disais-je en déballant ma valise. Cela faisait déjà deux semaines que j'étais en Californie, et j'avais parfois perdu espoir. Mais maintenant, *a priori*, je n'étais plus qu'à quelques kilomètres de Blythe. Nous serions réunies dans peu de temps.

J'étais allée à Londres moins de vingt-quatre heures après ma conversation avec Annie et je m'étais rendue directement chez Blythe à Notting Hill. J'avais revu l'homme qui m'avait ouvert la porte après ma nuit passée à St John's Wood. Il était affable et franc, pas américain mais canadien, m'informa-t-il poliment. Il s'appelait Ted Lundegaard.

« Quelque chose qui ne va pas ? me demanda-t-il. Blythe a des ennuis ?

– C'est juste qu'on ne sait pas où elle est, improvisai-je. Elle a besoin de médicaments, elle est sous traitement, elle n'a pas emporté assez de réserves, alors je m'inquiète.

– Aïe, mince alors. Je vois ce que vous voulez dire. Ça pourrait mal tourner. »

Il m'apprit que Blythe était partie aux États-Unis avec son petit ami Jeff, un Américain.

« Son petit ami ?

– Ils jouaient dans un groupe ensemble, Platinum Scrap.

– Vous connaissez le nom de famille de Jeff ?

– Bellamont. Jeff Bellamont. Ils devaient monter un duo, genre "Blythe et Bellamont", vous voyez. Jeff a dit qu'ils avaient un engagement dans un club de Los Angeles.

– Vous connaissez le nom du club ?

– Désolé, j'ai oublié. Je sais qu'il me l'a dit, mais… Attendez une seconde. »

Je le suivis du salon (deux canapés défoncés et d'énormes enceintes) jusqu'à une grande chambre avec une fenêtre en saillie donnant à l'avant de la maison sur un petit jardin public mal entretenu de l'autre côté de la rue. « La chambre de Blythe, m'informa Ted, enfin, de Blythe et de Jeff. » Dans son genre, c'était aussi déprimant que la guitoune de John Oberkamp à la base aérienne de Nui Dat. Il y avait un matelas deux places à même le sol, avec des draps sales et une couverture, un globe en papier poussiéreux qui pendait du plafond, une coiffeuse avec miroir et une dizaine de cartons qui tenaient lieu de placard pour les vêtements et les chaussures. Pas de tapis. De chaque côté du matelas, des cendriers pleins de vieux mégots. L'air était imprégné d'une odeur de poussière, de renfermé et de tabac, avec une pointe de déodorant bon marché. Que savons-nous de la vie privée de nos enfants ? me demandai-je. Réponse : rien.

Ted inspectait un pêle-mêle en liège accroché près de la coiffeuse. Il en retira une carte qu'il me passa.

« Regardez, on a de la chance ! »

La carte indiquait : DOWNSTAIRS AT PAUL'S sous un logo représentant deux guitares en croix, et donnait une adresse sur Fountain Avenue, dans West Hollywood.

J'achetai donc un billet d'avion BOAC pour Los Angeles et je partis le lendemain, bénissant les dieux d'être en fonds grâce à l'aubaine du prix Matthew B. Brady. Le vol me laissa beaucoup de temps pour réfléchir, et je me posai beaucoup de questions sur Blythe et sur ma réaction. Étais-je a) stupide, b) en train de faire ce qu'il fallait ou c) en train de prendre le risque de m'aliéner ma fille encore plus en la traquant ainsi sous l'effet de la panique ?

Tout le contenu de ses lettres était destiné à rassurer (je vais très bien, Maman, tout va bien), mais je ne pouvais me défaire de l'affreux pressentiment que tout n'allait pas bien du tout, et je préférais m'attirer sa rancœur et ses critiques plutôt que de rester à Barrandale en m'inquiétant constamment à son sujet et en culpabilisant de ne rien faire. Mais la culpabilité, c'était bien là le problème. Je me sentais coupable d'être partie, de l'avoir abandonnée, et c'est ma culpabilité croissante qui me poussait à faire ce voyage, si pénible et vain puisse-t-il s'avérer.

Je n'avais pas encore résolu mes dilemmes quand j'arrivai à Los Angeles, où je trouvai un hôtel très confortable, le Heyworth Travel Inn, sur Santa Monica Boulevard, à trois pâtés de maisons du Downstairs at Paul's.

Et là se termina ma piste, dans un petit club de jazz-folk avec une scène minuscule et environ quarante places assises. Oui, me confirma le gérant, Blythe et Bellamont avaient joué deux soirs au Downstairs, et ils étaient vraiment bons. Il vérifia la date : cela remontait à sept semaines. Sept semaines ! pensai-je. J'étais où, il y a sept semaines ? Sauf erreur, au beau milieu de l'offensive du Mini-Têt, réfugiée dans une maison bombardée avec Mary Poundstone. Je sentis cette culpabilité irrationnelle, imbécile, m'envahir à nouveau. Je me disais que si j'avais été à la maison, Blythe ne serait jamais partie en vadrouille comme ça sans rien dire de ses projets à personne avant d'envoyer des cartes postales étrangement anodines à sa mère et à sa sœur.

Et je me rappelai soudain que j'avais raté l'anniversaire des jumelles. Leurs vingt et un ans. Je leur avais envoyé à chacune une carte et un chèque. Ça ne pouvait quand même pas avoir... J'arrêtai de me flageller. Un chèque. Je leur avais envoyé cent livres à chacune pour leur vingt et unième anniversaire. Un geste symbolique, comparé au legs de la succession Farr qui leur revenait à leur majorité : mille livres. Une fortune pour quelqu'un comme Blythe, vu la vie qu'elle menait. Et une fortune, je m'en rendais soudain compte, pour Jeff Bellamont également, cela ne faisait aucun doute. Cette rentrée d'argent avait dû servir de catalyseur pour le voyage en Amérique. J'étais certaine que cela expliquait tout.

Je rentrai au Heyworth et me demandai quoi faire ensuite. J'avais besoin d'aide, c'était évident. J'avais fait le maximum par moi-même. Je faillis appeler Cleveland Finzi, mon peu preux chevalier, mais je ne pus me résoudre à décrocher le téléphone. Ce n'était ni l'endroit ni le moment d'alourdir encore ma dette envers Cleve. Qui d'autre connaissais-je à Los Angeles ? Et là, illumination subite : mon « associé » Moss Fallmaster.

Quand je lui téléphonai, il se dit ravi de m'entendre, et encore plus ravi d'apprendre que j'étais en ville. Il m'invita à son « usine » de San Ysidro Drive, dans les canyons au-dessus de Beverly Hills. Je m'y rendis avec ma Coronet bleu canard, à la fois curieuse et pleine d'espoir.

Moll Fallmaster était un géant, sans doute l'homme le plus grand que j'aie jamais rencontré – il devait bien faire deux mètres, à vue de nez. En mon honneur, il portait un T-shirt « Jamais trop jeune pour… ». Il arborait une barbe pointue de sorcier attachée au bout par un bijou en agate et de longs cheveux noués en catogan. Il était d'une excentricité et d'une volubilité charmantes, et le seul détail qui détonnait avec son image soigneusement étudiée était une paire de lunettes à grosse monture noire qui aurait mieux convenu à un avocat ou à un fonctionnaire.

Sa maison dans le canyon jouissait d'une magnifique vue dégagée sur toute l'étendue de la ville et de sa plaine côtière. À travers le brouillard de sel et de smog, je voyais les contours flous des rectangles de hauts bâtiments distants de plusieurs kilomètres dans le centre-ville. Partout (dans les couloirs, dans l'entrée, contre les murs) s'empilaient de vieux cartons sur lesquels on avait écrit en grosses lettres Grateful Dead, Symbole Paix, Marijuana, Mickey Nu, À bas la bombe, Che Guevara, etc.

« Aha, des T-shirts », remarquai-je.

Il désigna du doigt un carton « Jamais trop jeune pour... » en s'inclinant d'un air désolé.

« Ce n'est pas notre plus gros succès, mais ça fait des ventes régulières. D'ailleurs, je crois que je vous dois de l'argent. »

Il passa dans son bureau et en ressortit avec une liasse de billets pour me payer plusieurs centaines de dollars en échange d'un reçu.

« Espérons que cette conférence de paix à Paris va traîner en longueur. Une guerre qui n'en finit pas, c'est bon pour le business... Non, je plaisante », ajouta-t-il avec un sourire en coin.

Il m'escorta sur la terrasse et me servit un verre de vin rouge. Je lui expliquai la raison de ma présence à Los Angeles.

« Mon Dieu ! Une maman anglaise suit la piste de sa fille fugueuse jusqu'en Californie. J'achète les droits d'adaptation au cinéma tout de suite. »

Il inclina son long buste pour me resservir du vin. J'allumai une cigarette.

« Vous savez, Amory – je peux vous appeler Amory ? –, à votre place, je rentrerais chez moi. Elle reviendra à la seconde où sa petite aventure commencera à l'ennuyer. Elle a quel âge ?

– Vingt et un ans.

– Elle va se retrouver à court d'argent.

– Elle a pas mal d'argent, c'est bien ça le problème. »

Je lui expliquai l'héritage de Sholto, puis lui racontai l'étrange carte postale que j'avais reçue et la lettre à Annie, ces messages trop insistants.

« Vous savez, je ne vois pas trop pourquoi cela vous paraît inquiétant... Si elle vous dit qu'elle est heureuse...

– Ce n'est pas Blythe. Je la connais trop bien. Il lui est arrivé quelque chose.

– Vous savez quoi ? Je pense que vous avez besoin d'un détective privé. Je connais l'homme qu'il vous faut. »

*

* *

JOURNAL DE BARRANDALE, 1977

Ce matin, en marchant sur le gravier pour aller jusqu'à la voiture, je suis tombée. Il n'y avait pas de verglas. Je n'ai pas trébuché, je ne me suis pas pris les pieds, je ne me suis pas cogné un orteil. Ma jambe gauche a juste cédé, et je me suis étalée de tout mon long. Je suis restée assise par terre un moment, le temps de compter jusqu'à cent. Et puis je me suis relevée. Tout semblait en ordre, mais je n'ignorais pas ce qui se passait, le neurologue m'avait prévenue. J'ai vérifié si je pouvais serrer la main gauche, puis la main droite sur la poignée de la portière : pas de problème. Cela dit, j'avais la gorge sèche, j'avais peur, comme si quelque chose d'autre prenait le contrôle de mon corps. Cette soudaine impotence, cette perte de contrôle moteur est le signe indéniable que la maladie gagne du terrain. Calme-toi, ma fille, calme-toi. Ça va et ça vient, ça suit son rythme. Ça évolue peut-être très lentement, ne panique pas. À chaque jour suffit sa peine, etc. C'est toi qui décideras, au bout du compte, ne l'oublie pas.

*

* *

Cole Hardaway, de Hardaway Legal Solutions Inc., était le détective privé que Moss Fallmaster m'avait recommandé. Il avait un bureau au-dessus d'une onglerie à Santa Monica. De sa fenêtre, on voyait l'océan se refléter sur les vitres du bâtiment d'en face. Peu avenant de prime abord, il ne correspondait pas du tout à ce que j'avais espéré, à ce que j'attendais d'un détective privé. Il portait un pantalon gris perle et une chemise à carreaux

475

vert tilleul. La quarantaine, les cheveux bruns, il présentait une apparence saine et sage que venait un peu saper sa coiffure : une frange à la Beatles lui descendait au ras des sourcils. Cela le rajeunissait sans doute, mais les quadragénaires qui se coiffent délibérément les cheveux vers l'avant comme un enfant me paraissent toujours un peu suspects. Bref, je m'efforçai de ne pas en tenir compte pendant notre conversation et, lentement mais sûrement, je me fis une impression plus favorable de Cole Hardaway. Il avait une voix de basse profonde et rassurante, et il parlait de façon très mesurée, se laissait le temps de la réflexion, accordait visiblement toute son attention à chaque question qu'on pouvait lui poser.

« J'étais en Angleterre pendant la guerre », m'apprit-il.

En tant que soldat du génie, il avait pris part à la construction de plusieurs ponts flottants sur le Rhin en 1945. Je lui racontai que j'avais moi-même franchi le Rhin en 1945.

« Ce serait quand même drôle si j'avais traversé le Rhin sur un des ponts que vous avez aidé à construire, non ? »

Simple remarque dite en passant, mais Mr Hardaway y réfléchit en silence pendant un long moment, hochant la tête, évaluant les probabilités.

« Ce serait assurément une coïncidence remarquable », finit-il par dire.

J'en convins, et nous discutâmes ensuite de la marche à suivre pour retrouver Blythe.

Je lui fournis toutes les informations en ma possession, plus la photo relativement récente de Blythe que j'avais sur moi. Il m'informa qu'il prenait cent dollars la journée, plus les frais, et me conseilla de retourner à mon hôtel. « Reposez-vous quelques jours, me dit-il, faites un peu de tourisme. » Il m'appellerait dès qu'il aurait du solide.

En quittant son bureau, je remarquai sur le mur près de la porte une photographie d'un jeune soldat en treillis assis sur un tas de sacs de sable, qui souriait à la caméra. Il était de toute évidence au Vietnam. La photo aurait pu être tirée de mon propre livre, *Vietnam, mon amour*.

« Je reviens tout juste du Vietnam, moi aussi, lui annonçai-je avant de lui raconter un peu mon histoire.

– C'est mon fils Leo, dit-il sans émotion. Il a été tué dans un accident de la route à Da Nang l'année dernière. »

Je pardonnai à Cole Hardaway sa frange ridicule.

Je passai le temps avec ce que Los Angeles peut proposer en guise d'attractions touristiques : je fis la visite des studios Universal, je pris des photos de Sunset Boulevard, je vis deux films (*2001 : L'Odyssée de l'espace* et *Le Renard*), je lus des livres au bord de la petite piscine de l'hôtel. J'étais en train d'organiser une excursion à Anaheim pour découvrir Disneyland quand Cole Hardaway m'appela, trois jours après notre rendez-vous. Il avait retrouvé Blythe et je lui devais quatre cent vingt-cinq dollars. Il me proposait de venir le voir, car la situation était un peu compliquée.

Je retournai à son bureau de Santa Monica. Il m'offrit un verre, je demandai un whisky, mais il n'avait que du bourbon.

« Voulez-vous que nous allions dans un bar ? proposa-t-il. Ou ça vous dérangerait, peut-être ? »

Pas du tout, excellente idée, j'aimais les bars. Alors il m'emmena dans un bar non loin de là où il avait visiblement ses habitudes. Une serveuse en minijupe argentée et haut noir moulant à dos nu vint prendre notre commande dans un des box arrondis à banquette en similicuir rouge où nous nous étions installés.

« Voilà pour toi, Cole ! dit-elle avec un large sourire en nous apportant nos boissons. Ça fait plaisir de te revoir.

– Je peux vous appeler Cole ? demandai-je.

– Bien sûr, madame Farr. »

Il m'expliqua que le facteur déterminant pour retrouver Blythe avait été son petit ami Jeff Bellamont, qui, sans s'en rendre compte, avait obligeamment laissé une piste assez facile à suivre depuis le Downstairs at Paul's : loyer impayé dans un appartement, location de voiture, nuit dans un motel, bagarre, contravention à Fresno, tout cela jusqu'à un autre hôtel, à Bishop dans le comté d'Inyo, à plus de trois cents kilomètres de Los Angeles, où Cole s'était rendu en voiture. Il avait obtenu une photographie de Bellamont, une photo d'identité judiciaire récente, qu'il me remit. Il s'avérait que Bellamont avait un casier chargé en crimes et délits et avait même fait de la prison à Folsom pour vol. En posant des questions judicieuses à Bishop, qui n'est pas une grande ville, il avait réussi à obtenir une identification certaine et une localisation probable.

« Je suis presque sûr de savoir où il est, m'expliqua Cole. Et s'il y est, alors votre fille y est aussi, très certainement. C'est juste que…, commença-t-il avant de marquer une de ses pauses de cogitation. C'est juste que la situation est assez bizarre. Pas dangereuse, non, mais préparez-vous à quelque chose de pas normal. »

*

* *

JOURNAL DE BARRANDALE, 1977

Hugo m'a appelée pour m'inviter à voir l'avancée des travaux dans sa nouvelle maison, alors j'ai fait le tour du promontoire à pied et je suis arrivée alors qu'il était en pleine discussion avec les entrepreneurs. Le toit est complètement terminé. Ça va être une grande maison. « Une fois qu'ils auront installé portes et fenêtres, ils pourront continuer les travaux à l'intérieur tout l'hiver », m'a-t-il expliqué. Il espère pouvoir emménager au printemps prochain.

« Et comme ça, on sera voisins, a-t-il ajouté.

– Ce sera formidable.

– Tu pourras passer boire un verre quand tu veux.

– Et vice versa. »

Nous sommes descendus jusqu'à la côte rocheuse que surplombe la maison. Pas de baie. La baie, elle est à moi.

« Tu sais que je recherche une relation de voisinage particulièrement proche, m'a-t-il dit en me prenant la main, ce qu'il fait constamment, ces temps-ci, sans que je l'en empêche.

– Hugo, je ne pense pas que…

– Ne pense pas. Il n'y a pas besoin de penser. Rien ne sera compliqué.

– Mais tout est compliqué à notre âge, tu t'en rends bien compte, non ?

– Ce que je veux dire, c'est que…, commença-t-il avant de soupirer. Nous ne sommes plus jeunes, c'est vrai, mais nous ne sommes pas croulants. Un système comme ça, deux maisons pas très éloignées, ça peut marcher, Amory. On peut veiller l'un sur l'autre. »

Cette idée était plutôt agréable, je l'avoue, donc je me suis détendue.

« Oui, c'est vrai, il y a des avantages, ai-je répondu.

– Et on peut apprendre à mieux se connaître. »

Je me suis demandé quand je devrais lui parler de mon problème, et même si je devais lui en parler.

« Une chose à la fois, monsieur Torrance. On peut y aller ? Je meurs de froid. »

Quelques listes que j'ai faites :

Liste des livres publiés par Jean-Baptiste Charbonneau :

Morceaux bruts
Feu d'artifice
Le Trac
Cacapipitalisme
Avis de passage

Le Trapéziste
Absence de marquage
Chemin sans issue

Liste des treize types de photographies (plus quelques réflexions sur le sujet) :

Aide-mémoire
Reportage
Œuvre d'art
Topographie
Érotisme / Pornographie
Publicité
Image abstraite
Littérature
Texte
Autobiographie
Composition
Illustration fonctionnelle
Instantané

Essayez pour voir : toutes les photographies entrent dans l'une de ces catégories, ou une combinaison de plusieurs. Je crois en fait qu'il en existe une quatorzième, aussi unique à la photographie que l'instantané, système de figement de l'instant qui en est le trait définitoire, à savoir le « loupé ». Cela se produit quand on commet une erreur : on surexpose, on surimpressionne, on tremble, on bouge, le cadrage est mauvais (on appelle ça un « décadré »). Ma photographie la plus célèbre, « La confrontation », est un loupé, un décadré. J'imagine qu'une erreur peut aussi fonctionner de manière positive dans d'autres arts, le marteau et le burin du sculpteur dérapent, le mauvais tube de peinture est sélectionné, le compositeur change de clé sans s'en rendre compte, et cela peut améliorer l'ensemble de façon aléatoire. Mais il n'y a que dans la photographie que nos erreurs peuvent si facilement devenir de véritables vertus, encore et encore et encore.

Liste de mes livres :

Absences (1943)
Vietnam, mon amour (1968)

En projet :

Vu du dessus (photos prises de très haut)
Dormeurs (photos de gens qui dorment ou se reposent)
Lumière statique (le projet ultime : la lumière figée)
Décadrés (une sélection volontaire de loupés)

Et en guise d'apogée :

La Chute horizontale : photographies d'Amory Clay

Liste de mes amants :

Lockwood Mower
Cleveland Finzi
Jean-Baptiste Charbonneau
Sholto Farr
John Oberkamp
Hugo Torrance ?

2

Willow Ranch

Bishop se trouvait à quatre cents kilomètres au nord de Los
Angeles en direction de la Vallée de la Mort. Il me fallut cinq
heures et demie en tout, pauses comprises. Je pris la Garden Park
Freeway vers Pasadena, puis l'autoroute 395 jusqu'à Bishop. Le
parcours me fit longer l'immense étendue de la base aérienne
d'Edwards (je vis des B-52 s'élever lentement dans les airs,
en mission d'entraînement pour le Vietnam, sans nul doute),
puis le site d'essais d'armement de China Lake. J'entrais dans
le désert : la terre était aride sous l'effet de l'ombre pluviomé-
trique de la Sierra Nevada, dont je voyais la longue masse den-
telée aux sommets blancs de neige et de glace en roulant toujours
plus vers le nord dans la vallée de l'Owens. De part et d'autre
de l'autoroute s'étendait le chaparral composé d'armoises, de
sarrasin sauvage, de fétuques et de créosotiers, et de beaucoup,
beaucoup de sable.

Lors d'un arrêt sur une aire de pique-nique pour me dégourdir
les jambes, je pus contempler cette immense étendue desséchée
qui cuisait dans l'étouffante chaleur estivale. À cette distance du
smog de Los Angeles, le ciel était d'un bleu cristallin, immaculé,
et les rares nuages immobiles suspendus là ressemblaient à des
dessins d'enfant tant ils étaient blancs, tout gonflés tout propres,
promettant l'absence totale d'humidité. Je me sentis très seule,

tout d'un coup, et anormalement nerveuse. Cole Hardaway avait répété avec insistance que je pouvais l'appeler n'importe quand si j'avais besoin d'une aide quelconque, mais je m'étais blindée dans une sorte de colère froide : quelque chose était arrivé à ma fille qui l'avait transformée, elle avait besoin de moi et j'allais la retrouver par mes propres moyens. Je supposais que ces lettres robotiques et anodines étaient un appel à l'aide caché. Je n'arrivais tout simplement pas à croire que Blythe ait pu fuguer et nous abandonner si facilement, nous, la petite famille de trois femmes si unie. Elle avait dû être subornée, persuadée, retournée d'une certaine manière. Je devais la trouver, lui parler, comprendre ce qui s'était passé, et essayer de la convaincre de rentrer à la maison si c'était là ce qu'elle voulait vraiment.

Le San Carlos Motel, Glenbrook, Californie, 1968.

J'entrai dans Bishop, puis en repartis en sens inverse pour découvrir sur la route le San Carlos Motel, commodément sis à quelques kilomètres de là dans la petite ville de Glenbrook, montant vaillamment la garde sur les « limites de la ville » alors que les banlieues de Bishop grignotaient du terrain sans pitié.

Une fois dans ma chambre, après avoir déballé mes affaires au son du vrombissement de l'air conditionné, je posai ma carte sur mon lit et organisai l'étape suivante.

Cole Hardaway m'avait raconté tout ce qu'il avait découvert sur Jeff Bellamont et Blythe. Ils avaient voyagé de Los Angeles à Bishop et passé une nuit sur place, puis s'étaient rendus dans un petit village du nom de Line Lake, où ils avaient acheté quelques provisions à la supérette, passé un coup de fil et demandé le chemin d'un complexe touristique abandonné, Willow Ranch, avant de repartir en voiture. Il supposait que là s'était achevé leur périple, car il n'y avait qu'une route qui y menait. Cole n'était pas allé à Willow Ranch lui-même, mais c'était là que menait la piste. Pour lui, ils s'y trouvaient sûrement encore.

Le problème, m'avait-il expliqué, c'est que Willow Ranch n'était plus abandonné. Selon les locaux qu'il avait interrogés, une sorte de communauté hippie squattait les bâtiments existants depuis environ deux ans dans un isolement volontaire. « Ils font pousser leurs légumes, ils tressent des paniers et ils fument de l'herbe, vous voyez le genre », m'avait dit Cole d'un ton factuel de sa voix de basse profonde. Pour autant que les gens le sachent, une quarantaine de personnes vivaient à Willow Ranch, mais la population fluctuait, des individus arrivaient et repartaient tout le temps. L'endroit était le fief pacifique d'un charismatique vétéran du Vietnam nommé Tayborn Gaines. Selon la rumeur, il avait servi trois ans au Vietnam, puis rejoint le mouvement pacifiste juste après sa démobilisation. Les discours qu'il avait prononcés lors de rassemblements et de manifestations lui avaient taillé une petite réputation, car c'était un tribun convaincant. Mais maintenant qu'il était installé avec sa communauté à Willow Ranch, Tay Gaines avait disparu des écrans radar médiatiques et ne quittait que rarement les lieux. Beaucoup de fugueurs, et surtout de fugueuses, se retrouvaient là, d'après Cole, et Blythe Farr en faisait sans doute partie, sous-entendait-il.

Cole m'avait envoyé d'autres mises en garde discrètes, même si j'avais déjà reçu le message cinq sur cinq. Les habitants de Willow

Ranch restaient entre eux et n'aimaient pas les visiteurs. Ils vendaient leurs produits maraîchers et se portaient volontaires pour des projets communautaires à Bishop et à Line Lake, donc les locaux semblaient les accepter et respecter leur besoin d'isolement.

« Faites attention, madame Farr, m'avait prévenue Cole. Là-bas, vous serez au beau milieu de nulle part, très loin de tout et en pleine chaleur. Le shérif local est à des kilomètres, à Bishop. J'ai parlé aux flics. Aucun d'entre eux n'est jamais allé à Willow Ranch. Ils m'ont dit qu'il n'y avait jamais eu de souci, mais il est clair que cet endroit et ce qui s'y passe au juste, c'est un peu un mystère. »

Ces paroles en tête, j'avais plus ou moins échafaudé un plan, qui, je l'espérais, me permettrait d'entrer dans les lieux. Avant de quitter Los Angeles, je m'étais fait imprimer des cartes de visite : « Amory Clay. Photographe. *Global-Photo-Watch.* » Je partais du principe que la plupart des gens sont flattés lorsque des photographes professionnels proposent de leur tirer le portrait, contre rétribution, qui plus est – peut-être même des ermites comme Tayborn Gaines.

Le lendemain, je chargeai du film dans mes deux appareils, remplis d'eau glacée un bidon de quatre litres, achetai un sandwich jambon-coleslaw dans une cafétéria et parcourus en voiture les quelques kilomètres qui me séparaient de Line Lake.

Le lac lui-même se réduisait aujourd'hui à quelques petites mares saumâtres. Comme presque partout dans la vallée, les entrées d'eau avaient été détournées pour alimenter l'aqueduc de Los Angeles et il ne restait plus qu'un lac alcalin asséché, tout craquelé sous le soleil impitoyable, comme une poterie en train de cuire dans un four. Le hameau devait sa survie aux randonneurs de passage et à de petites exploitations minières individuelles qui perduraient dans les arroyos profonds et encaissés sur les contreforts de la Sierra Nevada, car les mineurs avaient besoin de nourriture, de carburant et d'un endroit où venir boire. Line Lake s'enorgueillissait d'un bar, d'une station-service et d'un bazar qui s'alignaient le long de l'unique rue bordée de baraques en brique, bois et plâtre. C'était la version xxᵉ siècle du trou perdu dans le Far West.

Je me garai à la station-service, je fis faire le plein de la Dodge par le pompiste, et je lui demandai le chemin de Willow Ranch.

« Évitez Willow Ranch, m'dame, me répondit le pompiste, un homme au visage émacié et très bronzé qui aurait aussi bien pu avoir trente ans que soixante. Il n'y a rien que des cinglés hippies fumeurs d'herbe, là-bas.

– Je suis photographe, dis-je en lui tendant ma carte comme preuve de mon passage.

– Ah, alors ça devrait aller. »

Ça marchait toujours.

Le chemin de terre qui partait de Line Lake s'étirait au milieu d'une large vallée asséchée où la chaleur semblait encore plus intense. Je repérai un panneau cassé indiquant « Willow Ranc » et poursuivis mon chemin jusqu'à être bloquée par un tronc de pin en travers de la route, à côté duquel se trouvait un Combi Volkswagen sans roues. À l'ombre d'un auvent de toile cirée fixé au flanc du véhicule, un étal de fortune proposait à la vente des produits bio, pots de miel, courges, épis de maïs, avocats longs et fins, et un assortiment de paniers en osier de toutes tailles. Un jeune homme torse nu sortit du combi, les mains dans les poches, clignant des yeux, le regard flou, comme s'il venait de se réveiller ou d'absorber massivement des substances illicites.

« Hé là, il n'y a rien pour vous sur cette route, m'dame. Euh… Genre c'est une propriété privée, voyez ?

– J'ai rendez-vous avec Tayborn Gaines. Je suis photographe, annonçai-je en lui montrant l'un de mes appareils.

– Ah, OK, d'accord. »

Il déplaça le tronc d'arbre, et je poursuivis en direction de Willow Ranch pour m'arrêter à peine cent mètres plus loin devant un portail rudimentaire. Sur une arche branlante faite de rondins et de planches s'étalait un message écrit à la peinture noire, sous l'œil stylisé maintenant familier :

IL N'EST PIRE AVEUGLE QUE CELUI QUI NE VEUT PAS VOIR

Je franchis l'arche avec une appréhension croissante. Après quelques virages sur le chemin de terre, Willow Ranch se révéla à moi. Je m'arrêtai pour prendre une photographie vite fait.

Willow Ranch, comté d'Inyo, Californie, 1968.

Le ranch-hôtel abandonné était beaucoup plus grand que je ne m'y étais attendue, curieux assortiment de bâtiments en bois délabrés, certains sans toit, éparpillés sur un site d'un ou deux hectares avec, au centre, un « saloon » façon western sur trois niveaux et un corral envahi par des buissons de mesquite. Garés un peu partout à l'ombre de chênes nains ou de peupliers rabougris, un assortiment de véhicules, des voitures et des camionnettes décolorées par le soleil et un antique bus de ramassage scolaire. Il devait y avoir une source, car je repérai une pompe alimentée par un générateur près d'un puits, d'où partaient des tuyaux noirs qui sinuaient vers les bâtiments les moins mal entretenus et de petits carrés de légumes plantés entre eux. Ici et là apparaissaient d'autres signes d'occupation plus ou moins permanente : un dépotoir, du linge étendu sur des fils et des

487

graffitis. Beaucoup de graffitis. Je ralentis pour pouvoir déchiffrer les slogans. Entre des symboles de paix et des fleurs, des messages soigneusement tracés au pochoir :

PERVERS, PYROMANES, SADIQUES, ASSASSINS : ENGAGEZ-VOUS
AUJOURD'HUI DANS L'ARME DE VOTRE CHOIX !

LES FILLES DISENT OUI AUX MECS QUI DISENT NON

GUERRE DE RICHES

LA GUERRE EST MAUVAISE POUR LA SANTÉ DES ENFANTS

FAITES L'ART, PAS LA GUERRE

LA GUERRE EST UN BON PLACEMENT : INVESTISSEZ VOTRE FILS

GIVE PEACE A CHANCE

De jeunes hommes et femmes me regardaient d'un œil vaguement intrigué depuis des portes, des auvents en toile et des perrons alors que j'avançais en cahotant sur le chemin de terre. Je me garai à l'ombre du saloon et descendis de voiture. Être une femme d'une soixantaine d'années aux cheveux gris présente parfois des avantages : on ne constitue pas une menace évidente. Néanmoins, j'avais les mains qui tremblaient et la gorge serrée. J'adressai un petit sourire à deux types qui s'avançaient vers moi. Ils souriaient eux aussi. Les autochtones se montraient amicaux.

« Bonjour, j'ai rendez-vous avec un certain Tayborn Gaines, dis-je d'une voix aussi calme que possible.

– Tay, il y a une vieille dame qui veut te voir ! » cria l'un d'eux en ricanant.

Il s'était tourné vers un bungalow violet et blanc, devant lequel était garée une ancienne jeep de l'armée. Au-dessus de la porte, d'autres graffitis : l'œil stylisé, et le message :

CLARTÉ DE VISION = PENSÉE = OBJECTIF

Au bout d'une minute, un grand et bel homme athlétique d'une trentaine d'années émergea du bungalow, torse nu, simplement vêtu d'un jean raccourci en short, les épaules drapées d'une serviette rouge. Ses cheveux, qui lui tombaient jusqu'aux épaules, étaient humides, comme s'il sortait de la douche. Il portait des lunettes de soleil et arborait une moustache tombante à la mexicaine.

« Bonjour, m'dame, je suis Tay Gaines. Qu'est-ce que je peux faire pour vous ? me demanda-t-il d'un ton direct et amical en dépliant la serviette pour s'essuyer les cheveux.

– Attendez que je retrouve ma carte », lui répondis-je.

J'avais posé mon sac d'équipement par terre et, en fouillant à l'intérieur, je pris discrètement une photo rapide que j'espérai avoir cadrée. Une preuve qui pourrait s'avérer utile. Je me relevai et lui tendis ma carte.

« Global-Photo-Watch. Je ne comprends pas.

– Nous avons rendez-vous, non ? »

Je ne sais pas trop à quoi je m'étais attendue, sans doute un paumé de bas étage, mais Tayborn Gaines était un bel homme bien bâti, visiblement fier de son corps mince et musclé. Je le soupçonnai d'être gravement narcissique.

« Non, je n'ai pas souvenir d'un quelconque "rendez-vous", répondit-il poliment en regardant la petite foule qui s'était rapprochée. Vous devez faire erreur.

– Mon rédacteur en chef m'a dit de venir. Il m'a dit que tout était réglé.

– Je suis désolé, m'dame, mais je n'ai eu aucun contact avec… Global-Photo-Watch, a-t-il terminé en consultant ma carte avec un sourire. Cela fait bien longtemps que je ne parle plus à la presse. »

Il tendit sa serviette à une fille café-au-lait avec une énorme tignasse afro qui venait de sortir du bungalow, curieuse de voir ce qui se passait. Il posa les poings sur ses hanches et me dévisagea en penchant la tête de côté.

« Il y a eu un quiproquo, j'imagine, reprit-il.

489

– On prépare un papier sur les communautés alternatives en Californie. Vous savez, l'Institut Esalen, The Hog Farm, Drop City, The White Lodge Commune à Marin County... Je ne suis que photographe, ajoutai-je avec un sourire penaud. Je vais où on me dit d'aller. On m'a assuré que tout était arrangé. »

Gaines m'adressa lui aussi un sourire désolé et consulta de nouveau ma carte.

« Ah, j'oubliais, il y a un dédommagement de deux cents dollars prévu », ajoutai-je en lui tendant une enveloppe renfermant cette somme en billets.

C'était un vieux truc : l'appât du gain convertit souvent les gens qui se méfient des appareils. Gaines attrapa l'enveloppe et en sortit les billets de vingt dollars pour les examiner d'un air visiblement plus intéressé. J'en profitai pour me tourner et regarder autour de moi. Une dizaine de curieux s'étaient rassemblés, tous jeunes, mal fagotés, crasseux. Aucun signe de Blythe ni de personne qui ressemble à Jeff Bellamont.

« J'ai bien peur que ce ne soit pas commode, aujourd'hui, me dit Gaines avec un large sourire qui dénuda des dents gâtées, quelques trous et une incisive noire – le bel homme au corps sain révélait ainsi le jeune mal nourri. Où êtes-vous descendue ? Dans les environs ?

– Au San Carlos Motel, à Glenbrook. »

J'aurais préféré ne pas le lui avouer, mais je n'avais pas le choix.

« Bon, alors, si ça vous va, je vous demanderai de retourner à votre motel, et on vous appellera quand on sera prêts.

– Oui, bien sûr. Je suis désolée de tout cet imbroglio, mais, comme je vous l'ai dit, je suis juste photographe.

– Oui, oui, je sais comment ça marche. Les exécutants obéissent aux ordres. Ah, au fait, vous pourriez me donner le nom de votre rédacteur en chef ? Comprenez-moi, je me dois d'être un peu méfiant.

– Mr Cleveland Finzi.

– Bon, je vais aller parler à mes amis, voir si c'est quelque chose qu'on est prêts à envisager. Je vous promets de vous rappeler dans les vingt-quatre heures. »

Je remontai dans ma voiture et quittai Willow Ranch, les mains moites sur le volant. Tendue à l'extrême, j'avais néanmoins l'impression confuse que, si étrange puisse être cette communauté, elle ne semblait pas dangereuse. Je songeai soudain que peut-être Blythe était en sécurité et qu'elle allait bien, comme elle me l'avait dit.

Tayborn Gaines. Willow Ranch, Line Lake, Californie, 1968.

Un jour s'écoula, puis deux. Je passai beaucoup de temps dans ma chambre à attendre et espérer que Gaines téléphone, n'osant pas sortir de peur de rater son appel. J'allai me promener le matin du troisième jour, un mercredi, et, à mon retour, le réceptionniste m'apprit qu'un Mr Gaines avait téléphoné et qu'il suggérait que j'aille le voir à 16 heures ce jour-là.

Je préparai une autre enveloppe de deux cents dollars, au cas où une nouvelle motivation financière serait opportune, mais je retournai à Willow Ranch sans grand espoir. Peut-être Bellamont et Blythe étaient-ils partis ailleurs et Gaines utilisait-il ma présence pour se faire plus de pub. En tout cas, pas de tronc d'arbre en travers de la route, personne dans le combi, pas de légumes exposés au soleil sur l'étal. Je roulai prudemment sous l'arche « IL N'Y A PAS DE PIRE AVEUGLE… » et me garai de nouveau devant le saloon, où m'attendait un jeune homme à rouflaquettes qui m'amena au bungalow violet.

Il me laissa seule dans ce qui servait de salon. Les murs jadis blancs étaient maintenant jaunis et tavelés comme du vieux parchemin, avec ce luisant graisseux d'usage qu'on retrouve sur les billets de banque souvent manipulés. Quatre matelas défoncés et tachés s'alignaient contre le mur, et le tapis vert émeraude élimé produisait des petits bruits de succion quand je bougeais d'un pied sur l'autre par nervosité. Ici aussi commençait à flotter l'odeur typique du manque d'entretien : humidité, fumée, transpiration. Cela me rappela la chambre de Blythe à Notting Hill.

Gaines ouvrit la porte et entra. Il portait une vieille veste de combat vert olive sur un T-shirt gris et un jean délavé. Sur la poche gauche était écrit US ARMY, mais sur la droite, où aurait dû se trouver son nom, GAINES, il y avait un bout de tissu plus clair, comme si le rectangle avait été arraché. Quand il me serra la main, je remarquai l'insigne sur son épaule : un carré rouge brodé contenant un cercle bleu dans lequel s'incurvaient les lettres AA.

« La 82ᵉ aéroportée, relevai-je. All American.

– Oui, m'dame. 3ᵉ brigade.

– J'étais avec les gars sur le terrain il y a encore quelques semaines. C'est pour ça que je le sais.

– Je n'ai rien contre cette division, dit-il posément. C'est juste qu'ils ne devraient pas être engagés dans cette guerre pourrie.

– J'avais cru comprendre.

– Je déteste la guerre. C'est un jeu auquel j'ai décidé de ne plus jouer. Alors je me suis installé à Willow Ranch. Et tous les gens qui sont sur la même longueur d'onde et qui cherchent la clarté sont les bienvenus.

– Vous me laisseriez prendre quelques photos ?

– Non, désolé. On a soumis la question au vote et vous avez perdu.

– Ah bon.

– Mais avant que vous repartiez, je voudrais vous présenter quelqu'un, dit-il avant de se tourner pour crier : Chérie, tu es là ? »

Après une courte attente, Blythe entra dans la pièce.

J'ai senti la nausée monter. Très amaigrie, Blythe avait les cheveux plus longs que jamais (une masse terne qui lui descendait presque jusqu'à la taille), les yeux fatigués et quelques boutons roses à la commissure des lèvres. Elle portait un long T-shirt blanc orné du chiffre 3 qui tombait juste au-dessus des genoux. Elle avait les pieds nus. Des pieds d'une saleté répugnante.

« Je vous présente ma femme. Mrs Tayborn Gaines.

– Bonjour, Maman, dit Blythe d'une voix calme. Qu'est-ce que tu fiches là ?

– Bonjour, ma chérie. Tu vas bien ?

– Mieux que jamais, je te l'ai dit.

– Vous voyez, "lady" Farr, votre fille est l'heureuse épouse d'un honnête citoyen américain, nous interrompit Gaines d'un ton sévère, sans plus aucune trace de sa courtoise bonhomie. Je n'aime pas le subterfuge que vous avez utilisé, votre duplicité. Vous êtes libre de voir Blythe quand vous le voulez. Si tant est qu'elle ait envie de vous voir. »

Mon cerveau bouillonnait, il y régnait une constante effervescence, comme si mon sang s'était transformé en soda. J'eus conscience d'être totalement démunie.

« Vous me prenez pour un idiot, lady Farr ? enchaîna Gaines d'un ton presque plaintif. Vous me croyez bête au point de ne pas pouvoir passer un coup de fil à *Global-Photo-Watch* pour leur demander s'ils ont une photographe anglaise en reportage en Californie ?

– Rentre avec moi, ma chérie, dis-je à Blythe d'une voix douce en ignorant Gaines. Tout ira bien. Tu nous manques. Annie te fait plein de bisous. On veut que tu reviennes à la maison.

– Maman, je suis heureuse ici. Je suis heureuse avec Tay. Je l'aime, il m'aime », me répondit-elle avec un petit rire monocorde.

Je songeai soudain qu'elle avait peut-être été droguée. Gaines lui passa un bras autour des épaules.

« Lady Farr-Clay, vous avez fait ce que nos amis mexicains appellent un *cálculo equivocado*, un vrai *mal paso*. Vous avez cru que quelque chose n'allait pas, mais vous voyez bien que ce n'est pas le cas. Nous formons une communauté soudée. Nous vivons le plus possible en autarcie. Nous ne voulons rien avoir à faire avec le vaste monde, dit-il avec un geste du bras si ample et large qu'il semblait embrasser toute la Californie, tous les États-Unis. Ceci est notre monde à nous. Willow Ranch. Blythe le cherchait, et elle l'a trouvé. »

Blythe écarta les bras et je m'approchai pour l'étreindre. Elle sentait la sueur et la crasse, et son corps entre mes bras me parut malingre, tout en os et en muscles fondus. J'eus la présence d'esprit de lui glisser dans la main le petit bout de papier plié de multiples fois qui indiquait le nom et l'adresse de mon motel et mon numéro de chambre. Gaines ne le remarqua pas, et Blythe ne réagit pas en refermant les doigts dessus. Je ressentis un petit frisson de complicité. Tout n'était pas perdu. Je me reculai.

« Je peux revenir vous voir ? demandai-je sans arriver à maîtriser le tremblement de ma voix.

– Bien sûr, répondit Gaines. Vous êtes plus que bienvenue. »

Je tournai les talons et quittai la pièce.

3

Mrs Tayborn Gaines

Je me sentais glacée plutôt que contrariée ; amorphe plutôt que paniquée ou furieuse, comme si je n'avais pas encore digéré les implications complexes de ce que j'avais vu – ou comme si je m'y refusais. De retour au San Carlos, j'appelai Cole Hardaway pour lui raconter que j'avais retrouvé Blythe, mais que je ne voyais pas comment je pouvais l'arracher à Willow Ranch et à sa nouvelle vie.

« Elle a épousé un certain Tayborn Gaines, expliquai-je. Enfin, c'est ce qu'ils disent.

– Je peux vérifier ça en une heure ou deux.

– Ce serait bien de savoir si c'est vrai, oui, approuvai-je, en me sentant un peu nauséeuse, avant de penser soudain à autre chose : Gaines m'a dit qu'il était dans la 82e division aéroportée, 3e brigade, mais je ne suis pas sûre de le croire.

– Je peux vérifier ça aussi.

– Merci, Cole. Est-ce qu'il y a un moyen quelconque d'impliquer la police ?

– Il nous faudrait une raison.

– Et si je leur dis que je pense qu'elle est retenue là-bas contre son gré ?

– J'ai peur que ça ne passe pas. Surtout si elle est vraiment mariée à ce type.

– Tout ça me paraît fumeux. Le ranch, la communauté, ça sent le toc.

– Personne ne s'est plaint de quoi que ce soit, c'est ça notre problème. Tous ceux qui sont là-bas y sont de leur plein gré, il faut croire.

– Alors, qu'est-ce qu'on peut faire ? demandai-je d'un ton plus geignard que je ne l'aurais voulu.

– Je peux venir demain, parler au shérif de Bishop, tâter le terrain. Aucune trace de Bellamont ?

– Non, je ne l'ai pas vu. Je pense qu'il a dû partir. »

J'avais bien étudié sa photo d'identité judiciaire et, si je l'avais vu, j'aurais certainement reconnu son beau visage fripé et boudeur, ses longs cheveux blonds et sa moustache blonde à la général Custer.

« Eh bien, ça pourrait s'avérer utile et nous servir de prétexte, dit Cole comme s'il réfléchissait à haute voix. On pourrait demander à la police de localiser Bellamont, dire qu'il a volé l'argent de votre fille ou quelque chose comme ça. On se voit demain, madame Farr. Ne vous inquiétez pas, ne tentez rien toute seule, on va trouver une solution. »

Je raccrochai et fermai les yeux en essayant de ne pas repenser à Blythe dans son T-shirt n° 3 dégoûtant ni à ses pieds crasseux. Qu'était-il arrivé à ma petite Blythe ? Qu'est-ce qui l'avait entraînée dans cette voie ? Je commençai à me faire des reproches. Pourquoi étais-je partie au Vietnam ? Pourquoi n'avais-je pensé qu'à moi ? Arrête ! Réfléchis un peu. Tes enfants sont des femmes libres, elles peuvent décider de devenir qui elles veulent et tu ne peux pas les en empêcher. Et Blythe avait vingt et un ans. Ce qui n'était pas rassurant.

Ce soir-là, j'allai dîner dans un petit restaurant de Bishop, où je commandai une assiette de spaghettis boulettes dont je ne mangeai que la moitié. Je n'avais pas faim. J'achetai une bouteille d'un demi-litre de whiskey irlandais dans une boutique de spiritueux et la rapportai à ma chambre d'hôtel. Je regardai la télévision sans la regarder, zappant d'une chaîne à l'autre dès qu'il y avait de la publicité et sirotant mon whiskey dans un verre à dents. Il n'y avait rien que je puisse faire, en réalité, sinon attendre que Cole Hardaway me rappelle.

J'allai me coucher, un peu saoule, un peu chancelante, mais j'avais recherché cet état de semi-conscience, et je ne pouvais guère me le reprocher après ce que j'avais vécu aujourd'hui, raisonnai-je. Une fois allongée, je vis la chambre tanguer et tourner, j'écoutai le ronronnement de l'air conditionné et je pensai à la nature troublante et étrange de la vie, à sa complexité quand elle vous réservait des « coups tordus », comme disaient les GIs au Vietnam. Il me semblait parfois que ma vie n'avait été faite que de coups tordus et de mauvaises surprises. Aucune fille ne s'attend à ce que son père essaie de la tuer en précipitant la voiture familiale dans un putain de lac. Aucune jeune photographe ne s'attend à être poursuivie pour obscénité, ni battue à mort par des fascistes à la con... Je poursuivis ainsi mes grossières vitupérations d'ivrogne outré qui s'apitoie sur son sort, pestant futilement contre toutes ces injustices, toutes ces erreurs que j'avais commises et toutes celles qu'on m'avait imposées...

Je finis par sombrer dans un sommeil profond et sans rêves grâce à mon overdose de whiskey, mais je me réveillai d'un coup, parfaitement alerte, en entendant le bruit de la poignée de porte qui tournait. Heureusement, je l'avais verrouillée et j'avais mis la chaîne de sécurité. Quand je me levai, en pyjama, je ressentis un début de mal à la tête. J'allai à la fenêtre tirer un peu les rideaux et je scrutai le parking à l'arrière du motel. Quelques lampes à arc jetaient ici et là une lumière blanche et froide sur les rangées de voitures. En plissant les yeux, je crus voir une silhouette filer entre les ombres profondes. Je mis mes chaussures et ma robe de chambre en coton, déverrouillai la porte et sortis dans la nuit chaude et sèche. J'avançai vers l'endroit où j'avais vu la silhouette, mes yeux s'accoutumant peu à peu à la pénombre.

« Blythe ? » lançai-je.

C'était peut-être idiot, mais j'espérais qu'elle était venue à moi, qu'elle avait échappé à l'emprise de Tayborn Gaines. Je traînai encore une minute sur le parking en appelant Blythe à mi-voix : les lieux étaient déserts, hormis le troupeau métallique de voitures endormies. Je repartis en direction de ma chambre. Je restais convaincue que quelqu'un avait essayé d'ouvrir la porte, mais c'était sans doute un client du motel un peu éméché qui rentrait tard et s'était trompé de chambre.

Soudain épuisée, je remontai l'allée jusqu'à ma chambre, poussai la porte et entrai. Il faisait complètement noir. En tendant le bras vers l'interrupteur, je devinai qu'il y avait quelqu'un d'autre dans la pièce. J'entendais respirer.

J'allumai la lumière.

Blythe était assise au bout du lit.

« Bonsoir, Maman. Je me suis dit qu'il fallait qu'on ait une petite conversation. »

Elle portait une veste en jean sur un jean noir et des tennis aux pieds. Elle avait attaché ses cheveux en un chignon lâche dont s'échappaient quelques mèches sur ses tempes.

Je l'embrassai et m'assis sur une chaise en face d'elle, les mains tremblantes, la respiration atrocement courte.

« Tu n'aurais pas une cigarette, par hasard ? me demanda-t-elle.

– Si, bien sûr. »

Bien contente de cette diversion, j'allai chercher mon paquet et pris tout mon temps pour fouiller dans mon sac, trouver mon briquet, me dire de me calmer, et lui offrir une cigarette. Elle l'alluma et se rassit. J'en fis autant.

« Tayborn préfère que je ne fume pas.

– Ah, eh bien, il ne va pas trop m'aimer, rétorquai-je en me levant pour aller chercher ma bouteille de whiskey. Et sur la boisson, il dit quoi ? demandai-je en me servant un verre.

– Il boit à l'occasion. Mais seulement de la bière.

– Dieu merci ! À ce propos, il pratique une religion ?

– À sa manière à lui. Il croit en Jésus, mais pas vraiment en Dieu.

– Bon, pourquoi pas ? dis-je avant de la regarder et de sentir les larmes me monter aux yeux. Tu ne te drogues pas, au moins ? demandai-je avec douceur.

– Quoi ? Bien sûr que non.

– Tu es sûre ? Tu n'as pas l'air très bien, ma chérie. Tu as l'air différente.

– C'est parce que je suis différente. J'ai changé.

– Tu n'es pas vraiment mariée, si ?

– Si. Je l'aime, Maman. C'est un homme fort, fascinant, formidable. Attends de le connaître un peu mieux. Il était soldat, comme Papa. »

Je me rappelai soudain quelque chose que disait mon père : « Nous voyons tous le monde différemment, nous en avons chacun une vision personnelle. » En observant ma fille, j'eus un drôle de pincement au cœur à l'idée qu'elle n'avait jamais connu Beverley Clay, son grand-père. J'avais le sentiment qu'ils se seraient entendus à merveille.

Je commençai à comprendre ce qui s'était passé, du moins en partie, quand elle me parla avec une passion étrangement contrôlée de l'expérience de Tayborn dans l'armée, des choses horribles qu'il avait vues, faites et vécues au Vietnam ; tout cela l'avait transformé à jamais, lui avait fait voir clairement le monde et ses rouages, détester la guerre et les forces qui menaient cette guerre, les hommes politiques, les industriels, les généraux. Je pensai à mon père et à Sholto, et j'eus envie de lui dire non, ma chérie, ton Tayborn Gaines n'a rien à voir avec ces hommes. Mais je commençais à me sentir un peu nauséeuse, alors je me forçai à rester tranquillement assise et à faire semblant d'écouter Blythe, qui parlait maintenant des ambitions qu'avait Tayborn de construire une nouvelle vie, un nouvel environnement protégé où les gens pourraient « voir clairement », et c'est pour cela qu'il s'était installé à Willow Ranch, pour créer cette communauté.

« Mais comment as-tu échoué là, toi, ma chérie ? Je croyais que tu voulais devenir chanteuse, écrire des chansons, jouer ta musique.

LES VIES MULTIPLES D'AMORY CLAY

Qu'est devenu ton petit ami, Jeff Bellamont ? Vous habitiez ensemble à Londres, enfin ! Où est-il passé ?

– Jeff était un ami de Tayborn. Je dis bien "était". On est venus ensemble à Willow Ranch et, au bout d'une semaine à peu près, Jeff est juste parti. Il a disparu. Il ne m'a même pas laissé un mot. Il a pris la voiture, tout l'argent que j'avais dans mon sac et il s'est envolé.

– Et hop, Tayborn se pointe.

– Il m'a sauvée, Maman.

– Oh, j'en suis bien sûre.

– Pas de cynisme.

– Désolée, m'excusai-je en tirant sur ma cigarette. Mais enfin, pourquoi donc avais-tu besoin de l'épouser ?

– Tayborn croit au mariage en tant qu'institution. »

Me sentant soudain faible, je me versai les quelques gouttes de whiskey qui restaient dans la bouteille.

« Vous êtes mariés depuis combien de temps ?

– Cinq semaines à peu près.

– Où est-il ? Il sait que tu es là ? Que tu es venue me voir ?

– Bien sûr. C'est lui qui m'a amenée. Il est garé devant, à la réception.

– Rentre à la maison, Blythe. Reviens avec moi.

– Non, Maman. Willow Ranch, c'est chez moi. Tayborn est mon mari. Je n'ai jamais été aussi heureuse. »

Pendant la suite de la conversation, je me gardai bien de réitérer ma demande ; j'avais fait ma supplique et elle avait été rejetée. Je raccompagnai Blythe à la réception, un bras autour de ses frêles épaules. De l'autre côté de la rue, je voyais la jeep de Gaines garée dans l'ombre de l'enseigne du motel. J'embrassai ma fille, et elle me promit d'écrire, de me donner des nouvelles, puis me rassura encore sur son bonheur et sa paix absolus, sérieusement, Maman, vraiment, vraiment.

Je lui lâchai la main et la regardai traverser le bitume baigné d'ombres et de clarté lunaire pour rejoindre son jeune mari. Elle ne regarda pas en arrière, mais elle me fit un petit signe de la main.

Impassible, Cole Hardaway était assis en face de moi dans l'un des box incurvés en similicuir rouge du bar voisin de son bureau. Nous buvions tous deux ce qu'il appelait des « highballs », mais que je connaissais sous le nom de scotch-soda. J'avais une pulsion presque irrésistible de tendre le bras pour lui balayer sa frange ridicule du front, mais cela n'était sans doute qu'un symptôme de mes propres frustrations. J'en étais venue à apprécier Cole Hardaway.

« Vous en êtes sûr ? dis-je sans cacher ma déception, car cela avait constitué mon tout dernier espoir. Un mariage en règle ?

– J'en ai bien peur, oui. Ils ont été unis par l'officier d'état civil du comté d'Inyo il y a environ un mois et demi. »

Je me sentis envahie par le vide, sensation réflexe qui se calma quand je sirotai mon cocktail. Pourquoi Blythe se comportait-elle de façon si stupide ? Pourquoi Tayborn Gaines, parmi tous les autres hommes ? Mais je pensais connaître la réponse à cette question. Et puis je me rappelai qu'à son âge je m'étais glissée dans le lit de mon oncle homosexuel pour lui demander de me faire l'amour. Nous ne sommes pas des êtres logiques, surtout quand il s'agit d'affaires de cœur.

« En revanche, Tayborn Gaines n'a jamais servi dans l'armée américaine, m'annonça Cole, toujours imperturbable. Il n'a pas de dossier militaire. Et certainement pas dans la 82ᵉ aéroportée. »

Enfin une lueur d'espoir. J'avais maintenant un pied dans la porte, une cinquième colonne pour déstabiliser cette union. Comme je l'avais soupçonné, Gaines n'était donc pas soldat. Quelles élucubrations guerrières était-il allé inventer pour Blythe ?

De retour dans ma chambre au Heyworth Travel Inn, la climatisation à fond, je pris tout mon temps pour rédiger ma lettre.

Blythe ma chérie,
C'était à la fois formidable et, je ne te le cache pas, un peu dérangeant de te voir dans ta nouvelle vie. Crois-moi, je comprends mieux que personne ton envie d'être heureuse et je comprends

que tu es convaincue d'avoir trouvé ce bonheur avec Tayborn. Je t'aime, et je ne souhaite que ton bonheur, c'est aussi simple que cela. Mais je regrette aussi que tu aies tout fait dans la précipitation. Il faut du temps pour arriver à vraiment connaître quelqu'un, et je me demande ce que tu sais réellement de cet homme que tu aimes si fort.

Si je te pose la question, c'est que j'ai découvert qu'une de ses affirmations n'est pas vraie. Tayborn Gaines n'a jamais été soldat. Il n'a jamais appartenu à la 82e aéroportée. Il n'a jamais servi au Vietnam. Maintenant, je te le demande : si un homme peut mentir de façon si convaincante à propos d'une expérience qu'il dit être d'une importance cruciale dans sa vie, alors qu'est-ce que cela implique pour...

Je m'interrompis. Encore cette nausée. J'avais conscience de perdre mon temps, et cette certitude absolue me donnait envie de vomir. Je me levai pour faire le tour de la pièce en respirant profondément. Et puis je me rassis à la table. C'était la vie de Blythe, et elle avait le droit absolu de la vivre comme elle l'entendait. Je déchirai lentement ma lettre sur les mensonges de Tayborn Gaines. Alors que je rassemblais les morceaux en un petit tas bien propre, je me rendis compte que j'étais en train de pleurer toutes les larmes de mon corps. Je savais que j'avais fini par perdre ma fille.

CODA À BARRANDALE

1978

Ma mère est morte en 1969, Greville en 1972. La famille Clay rétrécit.

Est-il vrai que la vie n'est qu'une longue préparation à la mort, la seule chose dont nous pouvons tous être certains, nous les milliards d'humains ? Les morts que l'on a vues, dont on entend parler, celles de nos proches, celles que l'on peut causer ou provoquer, même par inadvertance (je pense à mon chien, Flim) vous préparent l'air de rien, mais de façon exponentielle, à votre propre décès. Je repense à toutes les morts dans ma vie, celles qui m'ont ravagée, celles d'inconnus auxquelles j'ai assisté, et je comprends comment elles m'ont orientée vers cette position, cette conviction intellectuelle que j'ai aujourd'hui. On ne s'en rend pas compte quand on est jeune, mais en vieillissant cette accumulation régulière de savoir vous apprend des choses et s'applique avec une pertinence impitoyable à votre propre cas.

Mais alors je m'interroge, je retourne cette idée dans l'autre sens. Toutes ces morts dont on est témoin ou partie prenante enrichissent-elles la vie que l'on mène ? Notre histoire personnelle de la mort nous apprend ce qui est important, ce qui fait que la vie vaut vraiment la peine d'être vécue, en tant qu'être vivant et sensible. C'est une leçon capitale, parce que, dès lors qu'on sait ça, on sait aussi le contraire, on sait quand la vie ne vaut plus la peine d'être vécue, et alors on peut mourir, heureux.

*
* *

J'ai retrouvé Blythe dans un café à Westchester, sur West 82nd Street, qui part de Sepulveda Boulevard, près de l'aéroport international de Los Angeles. J'allais prendre mon avion donc l'endroit s'imposait, même si je voyais bien que le quartier était délabré et misérable. Notre commande mettait du temps à arriver, alors Blythe a quitté notre box pour aller parler à la serveuse. Elle avait presque perdu toute trace d'accent anglais, on aurait dit une Américaine. Elle portait une chemise à rayures blanches et noires sur un jean, elle avait les cheveux coupés court (mais n'importe comment, il y avait une longue mèche dans le cou) et elle n'était pas maquillée. Elle est revenue à notre table et s'est assise en réussissant à afficher un sourire sincère, du moins à mes yeux.

« Il y a un souci en cuisine. Ils en ont encore pour deux minutes.

– Ce n'est pas grave, ma chérie. L'essentiel, c'est que je t'aie revue avant de partir. »

J'ai tendu le bras pour lui prendre la main et la serrer dans la mienne, et puis je l'ai lâchée et j'ai poursuivi en un large geste du bras qui embrassait la rue derrière la vitrine.

« Alors, c'est ici que tu travailles ?

– Juste au coin, là. Il faut aller vers les nécessiteux. Ce n'est pas eux qui vont venir à toi.

– Bien sûr, c'est logique.

– Ça ne paie pas de mine. Il y a juste une pièce avec une machine à café, et quelques petits bureaux.

– Eh bien, au moins, je connais un peu le quartier, comme ça. »

C'était le troisième séjour en huit ans que je faisais aux États-Unis pour voir Blythe depuis qu'elle avait traversé la route devant le San Carlos Motel pour aller rejoindre son mari, Tayborn Gaines, qui l'attendait patiemment dans sa jeep.

Sans doute avais-je trouvé un réconfort secret dans le fait que le mariage n'avait même pas duré un an. Quelques mois après mon départ, la police avait procédé à une descente à Willow Ranch, où ils avaient trouvé des quantités non négligeables de LSD et de marijuana. Gaines avait été poursuivi en justice, mais acquitté faute de preuves solides. Blythe et lui s'étaient installés à Los Angeles et, quelques semaines plus tard, il était parti. Je ne sais pas ce qui s'est passé (je tiens toutes ces informations d'Annie, qui était en contact plus étroit avec Blythe que moi), mais je soupçonne que l'héritage Farr avait fini par s'épuiser. Il était temps pour Tayborn de passer à autre chose.

Curieusement, Blythe a gardé le nom de Tayborn. Elle s'appelle Blythe Gaines, et non Farr. Je crois comprendre. Ce nom est tout ce qui lui reste de la vie de rêve qu'elle avait cru obtenir avant de la perdre de façon si soudaine et douloureuse. Ou bien, maintenant que j'y pense, peut-être cela lui sert-il de cruel aide-mémoire : ne te laisse plus jamais avoir, ma fille. Quoi qu'il en soit, elle était restée à Los Angeles et avait repris la carrière musicale qu'elle avait abandonnée. Elle écrivait des chansons, elle jouait avec des groupes dans la région de Los Angeles et au-delà.

Lors de ma première visite, elle vivait dans une maison délabrée de Coldwater Canyon Drive avec une demi-douzaine d'autres jeunes, hommes et femmes, tous musiciens, je crois. Elle s'était teint les cheveux en auburn et se coiffait avec la raie au milieu, ce qui ne lui allait pas. Elle fumait autant que moi. Durant les quelques jours que j'ai passés avec elle, nous avons dû consommer une douzaine de paquets de « clopes », comme elle disait. Le fait marquant de ce voyage est qu'elle m'a demandé si cela me dérangerait qu'elle m'appelle « Amory » plutôt que « Maman ». J'ai dit que ça me convenait très bien.

Elle allait mieux, elle ressemblait plus à la Blythe que je connaissais qu'à celle de la période Willow Ranch, mais elle était plus distante, plus froide avec moi, d'où mon changement de nom, j'imagine, destiné à me traiter volontairement en égale plutôt qu'en mère. Je savais pourquoi : elle éprouvait encore une honte résiduelle concernant toute la période Tayborn Gaines, la honte de s'être fait duper dans les grandes largeurs. J'ai essayé d'aborder le sujet dans l'espoir de crever l'abcès. Je lui ai dit qu'elle devait tout oublier de cet épisode sans culpabiliser. Elle était encore très jeune. J'ai entrepris de dresser la liste de toutes les erreurs que j'avais commises à son âge, mais elle m'a interrompue sèchement en me disant qu'elle ne voulait plus jamais en parler. Alors, j'ai laissé tomber. Les gens sont opaques, même les plus proches. Que savons-nous de la vie intérieure de nos enfants ? Seulement ce qu'ils choisissent de nous en révéler.

Blythe est venue en Angleterre deux ans plus tard pour participer à une émission télévisée musicale. Elle était l'une des trois choristes du groupe Franklin Canyon Park, qui faisait partie de la mouvance soft-rock californienne du début des années 70 et a aligné quelques tubes en Europe. Je me revois, devant ma télé, déborder d'une fierté absurde quand j'ai aperçu deux ou trois fois Blythe à l'arrière-plan entre deux panoramiques sur les leaders du groupe.

Elle est venue passer quelques jours à Barrandale, récupérer ses affaires, vider sa chambre, supprimer presque toute trace de Blythe Farr du 6, Druim Rigg Road. Là encore, je comprenais de quoi il retournait, mais tout s'est bien passé entre nous le temps de son séjour. Au cours de nos longues promenades, elle s'est beaucoup attachée à Flam le chien et s'est même ouverte un peu plus à moi, me parlant d'un homme qu'elle avait rencontré dans un studio d'enregistrement (Gaines n'avait plus jamais donné signe de vie, comme s'il avait disparu de la surface de la Terre), un ingénieur du son prénommé Griffin. « Ne t'inquiète pas, Amory, je ne vais pas l'épouser. Le mariage, c'est fini pour moi. »

Elle n'a jamais vraiment connu le succès avec sa musique. Annie m'a raconté qu'une des chansons qu'elle avait co-écrite pour

Franklin Canyon Park avait atteint la 36ᵉ place dans les charts du magazine *Billboard*, mais que ça avait été son maximum. Sa vie avec Griffin l'ingénieur du son a également pris fin lorsque le problème de drogue du jeune homme est devenu trop dur à supporter, m'a informée Annie.

Lors de mon deuxième séjour aux États-Unis, j'ai découvert que Blythe travaillait comme bénévole au centre médical Long Beach Memorial. Elle vivait seule dans un petit appartement à Anaheim, mais elle semblait plus satisfaite de son sort. Elle jouait dans des bars le week-end, elle chantait des chansons de sa composition et des standards du rock pour gagner un peu sa vie. Heureusement, elle avait une rente, modeste mais régulière, grâce aux chansons écrites pour Franklin Canyon Park (groupe depuis longtemps défunt, aujourd'hui), mais elle a été très heureuse d'accepter l'argent que je lui ai proposé. « C'est un prêt, Amory. Je te rembourserai. » Je crois qu'Annie lui a aussi envoyé des sous, et je me suis arrangée avec Moss Fallmaster pour qu'il verse sur son compte en banque tous les revenus des ventes déclinantes des T-shirts « Jamais trop jeune pour… ». Une fois de plus, elle a insisté pour que ces virements occasionnels soient considérés comme des prêts, qu'elle me rembourserait en intégralité un jour. Elle semblait pas mal s'en sortir : une vie simple mais bien remplie. Elle avait repris un peu de poids. Elle fréquentait un nouveau compagnon, selon Annie, mais Blythe ne m'en a rien dit.

Je sais au fond de moi-même qu'elle ne reviendra jamais en Angleterre. Elle a trouvé un nouveau travail, toujours à Los Angeles, auprès d'anciennes détenues du Californian Institute of Women suivies par un centre de désintoxication du nom de Clean 'n' Sober dans le quartier de Westchester. En toute honnêteté, je crois que nous ne retrouverons jamais cette relation spontanée et libre que nous avions jadis. Annie, qui l'a plus vue que moi, pense que Blythe finira par comprendre, qu'elle verra la réalité de la situation, qu'il faut juste « lui laisser le temps ». Problème : c'est précisément de temps que je manque.

Notre café a fini par arriver, et nous avons discuté de tout et de rien. Elle m'a parlé de son travail avec les droguées et les alcooliques, des problèmes terribles rencontrés par les pauvres et les miséreux de Los Angeles. Je lui ai donné des nouvelles d'Annie, qui enseigne au Conservatoire du management et du développement international, une université privée près de Bruxelles, qui a un petit ami (que je n'ai pas encore rencontré), un collègue suédois prénommé Nils. Blythe ne m'a pas posé de question sur moi, ni sur Dido, ni sur la famille, sauf pour me demander une photo de Flam quand j'aurais l'occasion. J'y ai vu un bon signe. Je me suis raccrochée à cela.

Le café était fort, il avait dû mijoter sur un brûleur pendant des heures, et je me suis dit que j'allais y ajouter du sucre. J'ai essayé d'attraper le sucrier, sauf que ma main a refusé de serrer et il est tombé sur la table en formica. Je l'ai redressé avec mon autre main, mais Blythe a bien remarqué mon expression.

« Finalement, je ne vais pas en prendre, ai-je dit d'un ton résigné. Il faut que je contrôle mon bec sucré.

– Tu vas bien, Amory ? Quelque chose ne va pas ?

– Ah, je lâche tout maintenant, c'est l'âge », ai-je répondu avec un grand sourire.

Elle m'a lancé un regard inquisiteur, perçant.

« Tu me le dirais s'il y avait un problème, hein ? Je ne te le pardonnerais pas, si tu me cachais quoi que ce soit.

– Bien sûr, ma chérie. Mais il n'y a aucun problème. Je suis juste contente de passer un peu de temps avec toi. »

Au bout d'un moment, j'ai dit qu'il fallait que j'aille prendre mon avion, et elle est sortie avec moi pour me raccompagner à ma voiture.

« C'était super de te voir, m'a-t-elle dit. J'ai vraiment aimé notre dîner l'autre soir. Je suis désolée d'avoir été si débordée, on n'a pas fait assez de choses ensemble. C'est comme si tu avais accompli tout ce voyage pour venir prendre une tasse de café avec moi.

– Oh, il fallait que je vienne en Californie de toute façon, ai-je menti. J'ai un genre de partenaire en affaires, ici. Mon T-shirt se vend encore, aussi étonnant que cela puisse paraître. »

Ce dernier point était vrai : j'étais passée voir Moss Fallmaster, qui m'avait annoncé qu'il me devait presque quatre cents dollars. Je lui avais demandé de les virer sur le compte de Blythe.

« Ça me fait toujours un bon prétexte pour venir te voir, ma chérie, lui ai-je dit. Tu nous manques, Blythe, mais on comprend. »

À ces mots, elle a froncé les sourcils très fort. Je soupçonne que c'était pour refouler ses larmes.

« J'ai l'impression de faire quelque chose de bien, m'a-t-elle répondu. Ça m'aide, d'aider les gens. »

Nous avons marché jusqu'à ma Chevrolet Caprice beige. Un jeune homme rondouillard à moustache tombante, qui portait un short baggy vert, un T-shirt Mothers of Invention et une casquette de base-ball sale était debout là, à fumer, comme s'il attendait notre arrivée.

« C'est à vous, c'te caisse ? m'a-t-il demandé d'un ton agressif.

– Oui, enfin, c'est une voiture de location.

– Vous occupez ma place, ma p'tite dame.

– C'est un emplacement à parcmètre. On ne peut pas réserver un emplacement à parcmètre.

– Je me gare toujours là, ma p'tite dame, a-t-il dit en braquant sur moi ses petits yeux porcins. Cette place, elle est réservée pour mézigue.

– Tout va bien, monsieur, est intervenue Blythe très poliment, voyant bien que j'étais sur le point d'exploser. Elle s'en va, justement.

– Je vous présente mes plus plates excuses », ai-je dit du ton le plus sarcastique possible.

Il s'est éloigné en marmottant, et Blythe l'a suivi du regard, les poings sur les hanches.

« Obèse, odieux, sale, cinglé », a-t-elle lâché.

J'ai éclaté de rire. La vague de soulagement qui m'a submergée était si puissante que j'en ai eu un frisson. Je l'ai embrassée, et elle m'a fait un mini-câlin, juste une pression de ses mains sur mes épaules. Je savais que tout irait bien.

Je me sens encore responsable d'elle, aussi illogique que cela puisse paraître. Je ne cesse de me demander ce qui se serait passé si je n'avais pas abandonné les filles pour aller au Vietnam. Les choses auraient-elles été différentes ? Cela n'avait pas paru affecter Annie… mais qui sait ? Les solutions à deux balles, insatisfaisantes et pourries, que nous fournit la vie sont parfois les meilleures. Annie avec son petit ami suédois à Bruxelles, Blythe qui aide les junkies à Los Angeles. Peu m'importe ce que mes filles font de leur existence, je n'ai aucun plan de carrière pour elles, je veux juste qu'elles soient le plus heureuses possible malgré les exigences soudaines et cruelles de la vie, quel que soit le chemin qu'elles ont choisi de suivre. Les désirs du cœur sont aussi tordus qu'un tire-bouchon, disait le poète : ne pas naître est le meilleur destin pour l'homme, car c'est la seule manière d'éviter toutes les complications de la vie.

Je pense à la naissance parce que je suis en train d'organiser ma mort, je me dois de le préciser.

La semaine dernière, j'ai appelé Annie à Bruxelles pour discuter un peu et elle m'a dit : « Maman, tu as bu ? » J'ai répondu non, pas plus que de coutume, juste deux verres de vin. « En tout cas, tu as la voix pâteuse, a-t-elle commenté. Prends soin de toi. » Cela m'a fait un choc, parce que je n'avais pas idée que j'articulais mal, même si je savais parfaitement ce que cela impliquait : paralysie bulbaire progressive. Le sale petit démon au couteau qui rôde en moi venait de porter un nouveau coup. Alors j'ai décidé que le moment était venu. Mon soixante-dixième anniversaire approche, et soixante-dix années, ça me paraît suffire.

Voilà ce que je voulais vérifier dans la bible que j'ai empruntée à l'Auld Kirk. J'ai retrouvé la citation assez vite. Psaumes, 90.10 :

« Le temps de nos années est de soixante-dix ans, de quatre-vingts pour les plus vigoureux. Et leur plus grande part n'est que peine et malheur, car bien vite elles passent et nous nous envolons ! »

Je sais ce qui ne va pas, chez moi, et je sais ce que je vais devenir : un cerveau pensant, actif, vivant dans un corps mort et incontrôlable où plus rien d'autre ne fonctionnera. Non merci. Le temps de mes années s'arrêtera à soixante-dix, j'en ai décidé ainsi. Je vais le faire passer vite et je m'envolerai toute seule.

Tout ici est en ordre. Je suis assise dans mon salon, aujourd'hui 6 mars 1978, en attendant minuit. Le feu est chargé à bloc en briquettes de tourbe et je suis parfaitement installée. Sur la table près de mon fauteuil, une bouteille pleine de whisky pur malt Glen Fleshan, un verre et un pot à confiture contenant les « bonbons » bénis de Jock Edie, des benzodiazépines, en l'occurrence du Librium. Il m'a recommandé de les prendre avec de l'alcool, qui en accélère l'effet, entraînant un coma puis la mort. Il a ajouté d'un ton rassurant que c'est une sensation sereine, qu'on n'a conscience de rien. Flam est couché près du feu et il me regarde intensément. Je crois qu'il sait que quelque chose d'anormal se trame. Il perçoit mes pensées troublées et cela le dérange. Après tout, nous sommes tous deux des animaux, donc il n'est pas surprenant qu'il flaire un souci. Il me connaît très bien.

Sur la table basse devant moi se trouvent mon testament, une lettre pour Annie et Blythe, et un carton renfermant l'histoire de ma vie, auquel j'ajouterai le « Journal de Barrandale » avant de m'envoler. J'ai accroché à la porte une enveloppe sur laquelle j'ai écrit : « Pour Hugo. À lire avant d'entrer ! » Je lui ai demandé de passer demain, officiellement pour m'emmener à Oban lui trouver une batterie de cuisine destinée à sa nouvelle maison. Dans l'enveloppe, une lettre explique ce que j'ai fait… ce que je m'apprête à faire. Je ne veux traumatiser personne, ce qui explique pourquoi je suis assise dans un fauteuil. Je pense que j'aurai l'air de m'être endormie, quand il ouvrira la porte d'entrée et arrivera dans le salon après avoir traversé le vestibule. Il aura été prévenu.

Je n'aime pas les mots « suicide », « mort assistée », « euthanasie » ni aucun des synonymes existants. Je préfère l'expression « de ma propre main ». Je m'ôterai la vie de ma propre main à un moment choisi par moi, et non par ma maladie. « De ma propre main » me parle d'autonomie, de libre arbitre.

Je me sens très calme. Je crois vraiment que cette possibilité devrait être offerte à toute personne qui le souhaite. En fait, je me passionne pour ce sujet, maintenant que je suis sur le point de le mettre en pratique : un tel acte devrait être autorisé pour toute personne qui le réclame au motif des libertés civiques, des droits de l'homme, de la dignité humaine. On va chez le médecin, on explique sa situation, on signe toutes sortes de papiers officiels pour témoigner de sa détermination, de sa lucidité, de sa parfaite compréhension des conséquences, etc. On fait même contresigner par un témoin, si nécessaire. Et puis on reçoit son flacon de pilules, ou, encore mieux, une seule pilule, on rentre chez soi, on met ses affaires en ordre, on fait les adieux requis, si on en a envie, et on quitte sa vie avec bonheur. Fin de l'histoire. Je ne vais pas donner la pilule fatale à qui que ce soit d'autre. Si j'achète un couteau de cuisine, personne ne me demande si je compte poignarder quelqu'un avec. L'acte d'achat entraîne simultanément la responsabilité d'utiliser ce couteau selon sa finalité initiale, et il en irait de même avec ma pilule théorique. Nos vies sont remplies d'armes potentiellement mortelles, après tout. Une pilule qui met fin sans douleur à la vie en est une autre. Quand on nous traite comme des êtres responsables, nous avons tendance à agir de façon responsable.

Un auteur français dont Charbonneau m'a dit le nom mais dont je n'arrive pas à me souvenir a défini la vie comme une « chute horizontale ». C'est une jolie métaphore. Je veux juste mettre un terme à ma chute horizontale maintenant, avant que la sinistre prison de ma maladie ne se referme sur moi. Quoi de plus raisonnable ?

Le nom de Charbonneau qui me vient à l'esprit me rappelle de doux souvenirs, de lui et de toutes les personnes que j'ai aimées pendant ma chute horizontale. Mes soixante-dix années ont été riches et intensément tristes, fascinantes, grotesques, absurdes, parfois terrifiantes, difficiles, douloureuses et heureuses. Compliquées, en d'autres termes.

Il est minuit. Je prends ma première pilule et je la fais descendre avec une gorgée de Glen Fleshan. J'ai décidé de continuer à écrire dans mon journal jusqu'à mon dernier instant de conscience. Flam me regarde, sa queue bat le tapis. Je l'ai sorti tout à l'heure, donc il n'aura qu'à attendre l'arrivée d'Hugo demain matin. J'ai laissé à Hugo la consigne de récupérer Flam ; il pourra aller le promener, après, quand il sera arrivé. Et il va faire très beau demain, pour un mois de mars à Barrandale, des conditions idéales pour une longue promenade. On annonce un ciel dégagé, un temps ensoleillé revigorant. Je n'aurais jamais dû écouter la météo. Je prends une deuxième pilule.

J'embrasse le salon du regard pour la dernière fois.

Dans un compotier sur la table devant moi, quatre oranges et une banane. Et je pense, sans y penser, ah, pour le petit-déjeuner demain. La banane commence à joliment se taveler. Je pourrais la couper dans mon porridge. Je pourrais me faire une orange pressée et un bol de porridge avec des morceaux de banane, et après j'irais en promenade avec Flam jusqu'à la baie, jusqu'au promontoire. J'appellerais Hugo, je l'inviterais à déjeuner. Une bouteille de vin… Sauf qu'il n'y aura pas de demain, je m'en rends compte.

Je prends une autre pilule, une autre gorgée de whisky. Jock Edie m'a assuré que je ne sentirais rien, que je sombrerais doucement dans un sommeil dont je ne me réveillerais pas.

Mais c'est agaçant, je n'arrête pas de penser à mon orange pressée et à la journée qui s'annonce. Le soleil sur les vaguelettes dans la baie, ce beau temps frais qui, ici sur la côte ouest, est l'expérience la plus vivifiante qu'on puisse vivre, les joues anesthésiées, l'haleine qui s'envole en buée, la lumière et l'ombre découpées comme au rasoir, la netteté absolue. Je pourrais prendre quelques nouvelles photos de lumière près des flaques dans les rochers…

Flam se lève, comme s'il avait perçu cette nouvelle orientation de mes pensées. Il s'ébroue, se lèche les babines, vient poser son museau sur mon genou et me regarder dans les yeux. Non, je ne vais pas te grattouiller les oreilles, mon vieux chien, va te recoucher. J'attrape une autre pilule…

Mais je la remets dans le flacon et je referme le bouchon en serrant fort. Suis-je en train de commettre une nouvelle erreur, ma dernière erreur ? Ne suis-je pas en train de précipiter les choses ? Si je peux encore prévoir mon petit-déjeuner et me réjouir à l'avance des plaisirs simples que va me réserver le lendemain, n'est-ce pas un signe ? Ne serait-il pas plus sage de vivre cette journée à venir, de la savourer comme si cela devait être la dernière, de reculer un temps mon rendez-vous avec mes pilules et mon whisky jusqu'à ce qu'arrive le moment où je n'aurai plus la force de faire face, où toute anticipation aura disparu ? J'ai l'outil, donc je peux me décider à mon gré – Jock Edie m'a certifié que les pilules se conserveront pendant des années. Je repousse le flacon de médicaments et je me sers un grand Glen Fleshan.

Je pense. Fort. Je me concentre. Ma vie a été compliquée, certes, très compliquée, et elle me semble entrer aujourd'hui dans un nouveau royaume de complexité. Mais, d'un autre côté, c'est le cas pour tout le monde, on a tous une vie compliquée, non ? Toute vie d'une durée raisonnable comporte son lot de complications aussi embrouillées que celles qui ont jalonné la mienne. Je prends une orange et je la contemple. Quel fruit remarquable ! Je gratte le zeste du bout de l'ongle. Comme la peau, c'est doux, poreux. Qu'est-ce qui m'attend ? Une belle et fraîche journée, un chien, une promenade, une plage de sable blanc, l'océan balayé par le vent, un appareil photo, un œil concentré sur l'instant, un esprit plein de curiosité et d'idées. Je soupèse l'orange dans ma main, je hume son astringence citronnée. La beauté singulière de cette orange… L'ici et le maintenant. *Carpe diem*, Amory.

Oui, ma vie a été très compliquée, mais je m'en rends compte, ce sont ces complications qui m'ont stimulée, qui m'ont fait me sentir en vie. Je crois que je vais laisser ma chute horizontale se poursuivre encore un petit peu, que je vais continuer à chuter horizontalement jusqu'à ce que je décide de m'arrêter.

À présent que j'ai pris ma décision, je sais que je ne vais pas dormir. Je regarde mon verre de whisky à la lueur du feu de tourbe, les petites flammes qui dansent et ondulent à travers le liquide ambré. Oui, je vais aller faire un tour à la plage avec Flam, là tout de suite, au beau milieu de cette nuit sans lune, et je vais écouter les vagues, marcher sur le sable, scruter l'océan ténébreux, tous mes sens amoindris sauf l'ouïe. Je vais me promener sur ma plage, où les lumières jaunes de ma maison brûleront derrière moi dans l'obscurité marine bleu-noir qui m'enveloppera, et contempler cet avenir incertain que je viens juste de m'octroyer. Moi, Amory Clay, espèce de grand singe sur une petite planète tournant autour d'une étoile insignifiante dans un système solaire qui appartient à un univers à l'expansion inimaginable, je vais me tenir debout là, en toute humilité, et m'apaiser grâce à l'appel au silence réconfortant, éternel, immuable de l'océan : *chut... chut... chut...*

AMORY CLAY

Photographe

Née le 7 mars 1908

Décédée le 23 juin 1983
(de sa propre main)

Remerciements

Hannelore Hahn, Annemarie Schwarzenbach, Margaret Michaelis, Lee Miller, Gerda Taro, Trude Fleischmann, Gloria Emerson, Steffi Brandt, Martha Gellhorn, Constanze Auger, M.F.K. Fisher, Nina Leen, Gerti Deutsch, Lily Perette, Harriet Cohen, Greta Kolliner, Louise Dahl-Wolfe, Renata Alabama, Marianne Breslauer, Lisette Model, Edith Tudor-Hart, Françoise Demulder, Dora Kallmuss, Catherine Leroy, Edith Glogau, Dickey Chapelle, Margaret Bourke-White, Mary Poundstone, Diane Arbus, Rebecca West, Kate Webb, Inge Bing, et tant d'autres.

Visions fugitives
nouvelles, 2000
et « Points », n° P856

Nat Tate : un artiste américain (1928-1960)
in Visions fugitives, 2000
et « Points », n° P1046

À livre ouvert
roman, 2002
et « Points », n° P1152
Grand Prix littéraire des lectrices de « Elle » 2003
prix Jean-Monnet 2003

La Femme sur la plage avec un chien
nouvelles, 2005
et « Points », n° P1456

La Vie aux aguets
roman, 2007
et « Points », n° P1862

L'amour fait mal
florilège de nouvelles, 2008
Points Signatures, n° 1927

Bambou
Chroniques d'un amateur impénitent
2009

Orages ordinaires
roman, 2010
et « Points », n° P2602

L'Attente de l'aube
roman, 2012
« Points », n° P3030
et Point Deux

Solo
Une nouvelle aventure de James Bond
roman, 2014
et « Points », n° P4055

RÉALISATION : NORD COMPO À VILLENEUVE-D'ASCQ
IMPRESSION : NORMANDIE ROTO IMPRESSION S.A.S. À LONRAI
DÉPÔT LÉGAL : OCTOBRE 2015. N° 124427 (1503966)
Imprimé en France